(社) 한국어문회 주관 / 공인급수

'섞음漢字'를 이용한 특수 암기법!

이 한권의 책으로 합격이 충만!!

배정漢字를 끝냈어도 암기가 제대로 되는것은 아닙니다.
다시 섞인 상태에서 가끔 읽어보고 모르는 글자만 쏙쏙 뽑아서 훈음표 번호를 대조하여
외워 버리니 재미가 절로나고 완벽하게 암기가 됨으로써 문제도 매우 잘 풀립니다.

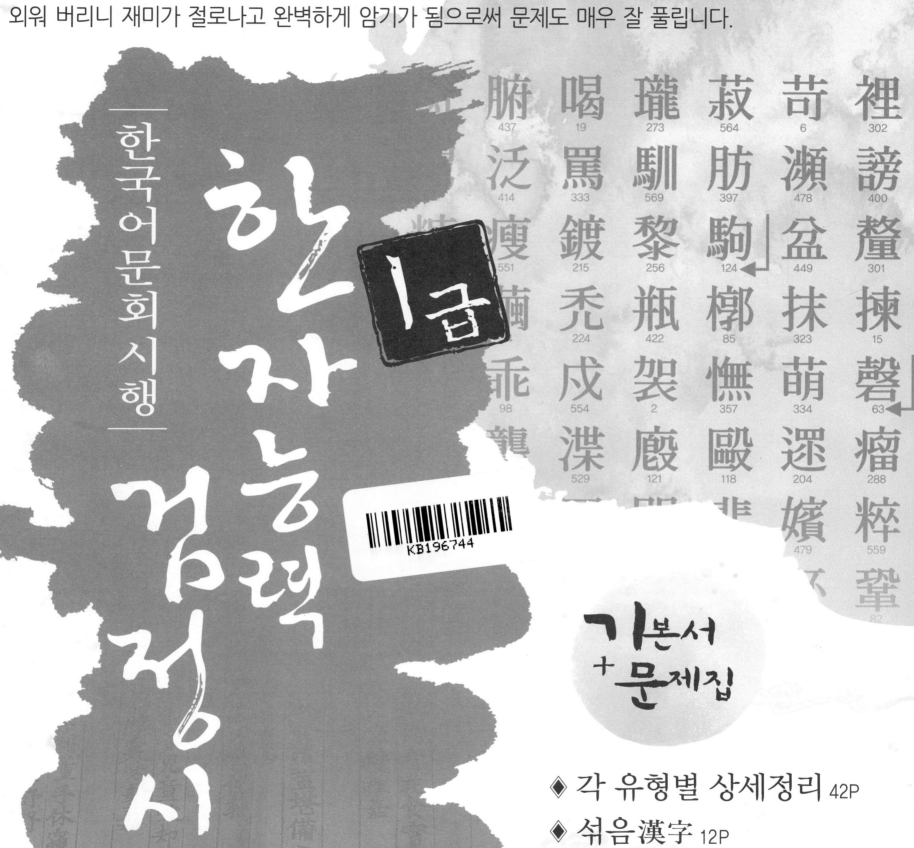

한국어문회 시행

한자능력검정시험 1급

기본서 + 문제집

◆ 각 유형별 상세정리 42P
◆ 섞음漢字 12P
◆ 쓰기 문제집 14P
◆ 예상 문제집 13회
◆ 최근 기출 문제집 10회

'섞음漢字' 특허 : 제10-0636034호

能率 능률원

머리말

우리나라 말(한국어) 어휘의 70% 정도가 한자어로 구성되어 있는 현실에서 한글전용만으로는 상호간의 의사소통이 모호할 뿐만 아니라 학생들의 학습능력을 감소시킴으로써 국민의 국어능력을 전면적으로 저하시키는 결과가 과거 30여 년간의 한글 전용 교육에서 명백히 드러났음을 우리는 보아왔습니다.

이는 우리 선조들이 약 2000년 전에 중국의 한자와 대륙문화를 받아들이고 중국 사람들과 많이 교통하면서 한자로 이루어진 어휘를 많이 빌려쓰게 되었으며, 그후 계속해서 오늘날에 이르기까지 계속 한자어를 사용해 오던 것을 갑자기 이런 큰 틀을 뒤엎고 한글 전용만을 주장한다면 우리말을 이해하고 표현하는데 큰 어려움이 따르기 때문입니다.

우리는 이제 한글과 한자를 혼용함으로써 우리말 어휘력 향상에 공헌하고 한국어를 제대로 이해해야 할 것입니다.

다행히도 1990년대에 들어서 한국어문회 산하인 한국한자능력검정회에서 각 급수별 자격시험을 실시하여 수험생들에게 국어의 이해력과 어휘력 향상을 크게 높여 오고 있는 것은 매우 고무적이고 다행스런 일이라 하겠습니다.

때에 맞춰 한자학습에 대한 이런 관심이 사회 각계에서 반영되고 있는데 한자능력에 따라 인사, 승진 등 인사고과의 혜택과 대학수시모집 및 특기자 전형에서 그 실례를 찾을 수 있습니다.

이에 따라 본 학습서가 전국한자능력시험을 준비하는 학생들에게 훌륭한 길잡이가 되어 최선의 학습방법으로 합격의 기쁨을 누리기 바랍니다.

차례

(사) 한국어문회 한자능력검정시험 출제기준

◆급수별 합격기준

구 분	1급	2급	3급	3급Ⅱ	4급	4급Ⅱ	5급	6급	6급Ⅱ	7급	8급
출제문항수	200	150	150	150	100	100	100	90	80	70	50
합격문항수	160	105	105	105	70	70	70	63	56	49	35
시 험 시 간	90	60	60	60	50	50	50	50	50	50	50

◆급수별 출제유형

구 분	1급	2급	3급	3급Ⅱ	4급	4급Ⅱ	5급	6급	6급Ⅱ	7급	8급
읽기배정한자	3500	2350	1817	1500	1000	750	500	300	300	150	50
쓰기배정한자	2005	1817	1000	750	500	400	300	150	50	0	0
독 음	50	45	45	45	30	35	35	33	32	32	25
훈 음	32	27	27	27	22	22	23	23	30	30	25
장 단 음	10	5	5	5	5	0	0	0	0	0	0
반 의 어	10	10	10	10	3	3	4	4	3	3	0
완 성 형	15	10	10	10	5	5	5	4	3	3	0
부 수	10	5	5	5	3	3	0	0	0	0	0
동 의 어	10	5	5	5	3	3	3	2	0	0	0
동 음 이 의 어	10	5	5	5	3	3	3	2	0	0	0
뜻 풀 이	10	5	5	5	3	3	3	2	2	2	0
약 자	3	3	3	3	3	3	3	0	0	0	0
한 자 쓰 기	40	30	30	30	20	20	20	20	10	0	0

◆대학 수시모집 및 특별전형에 반영

※본회는 한국어문회임

대 학	학 과
경북대학교	특기자특별전형(한자/한문 분야)
경상대학교	특기자특별전형 – 본회 2급 이상
경성대학교	외국어 우수자 선발(한문학과) – 본회 3급 이상
공주대학교	특기자특별전형(한자/한문 분야) – 본회 3급 이상
계명대학교	대학독자적 기준에 의한 특별전형(학교장 또는 교사 추천자) – 한문교육
국민대학교	특기자특별전형(중어중문학과) – 본회 1급 이상
단국대학교	특기자특별전형(한문 분야)
동아대학교	특기자특별전형(국어/한문 분야) – 본회 3급 이상
동의대학교	특기자특별전형(어학 특기자) – 본회 1급 이상
대구대학교	특기자특별전형(한자우수자) – 본회 3급 이상
명지대학교	특기자특별전형(어학분야) – 본회 2급 이상
부산외국어대학교	대학독자적 기준에 의한 특별전형(외국어능력우수자) – 본회 3급 이상
성균관대학교	특기자전형 : 인문과학계열(유학동양학부) – 본회 2급 이상
아주대학교	특기자특별전형(문학 및 한문 분야)
영남대학교	특기자특별전형(어학) – 본회 2급 이상
원광대학교	특기자특별전형(한문 분야)
중앙대학교	특기자특별전형(국제화특기분야) – 본회 2급 이상
충남대학교	특기자특별전형(문학·어학분야) – 본회 3급 이상

◆기업체 입사·승진·인사고과 반영

※본회는 한국어문회임

구 분	내 용	비 고
육 군	부사관 5급 이상/위관장교 4급 이상/영관장교 3급 이상(본회)	인사고과
조 선 일 보	기자채용시 3급 이상 우대(본회)	입 사
삼 성 그 룹 외	중요기업체들 입사시 한문 비중있게 출제 3급 이상 가산점(본회) 삼성의 경우 1급=20점, 2급=15점, 3급=10점 가산(본회)	입 사

漢字의 構成原理

● 한자는 어떻게 만들어졌을까?

六書 (육서) 漢字가 만들어지는 6가지 原理 : (1)象形(상형) (2)指事(지사) (3)會意(회의) (4)形聲(형성) (5)轉注(전주) (6)假借(가차)

1 象形文字

물체의 모양을 본떠 만들어진 그림같은 문자로써 기초부수의 대부분의 글자가 이에 속한다.

[보기] 川 · 日 · 月 · 人 · 耳 · 女 · 馬 · 鳥 · 牛 · 目…

(날일) 해의 모양을 보고 '날일'이라고 하였음.
(나무목) 나무의 모양을 본떠 '나무목'이라고 하였음.
(메산) 산의 모양을 본떠 '메산'이라고 하였음.
(내천) 냇물이 흘러가는 것을 보고 '내천'이라고 하였음.

2 指事文字

지사란 상형으로 나타낼수 없는 문자를 점(·)이나 선(-) 또는 부호를 써서 만든 文字이다.

[보기] 一 · 二 · 三 · 上 · 下 · 中 · 十 · 寸 · 母 · 未…

3 會意文字

두개 이상의 글자가 뜻으로 결합하여 새로운 글자를 만드는데 이를 '회의문자'라고 하며 '林'字처럼 같은 글자가 합하는 경우와 '明'字처럼 다른글자끼리 합한것도 있다.

[보기] 男 · 好 · 明 · 林 · 絲 · 品 · 炎 · 休 · 囚 · 信…

木+木 = 林(수풀림), 火+火 = 炎(불꽃염), 日+月 = 明(밝을명), 女+子 = 好(좋을호)

4 形聲文字

뜻(訓)을 나타내는 부분과 음(音)을 나타내는 부분이 결합되어 만들어짐. 이때 音이 정확하게 이음(移音)되는것과 비슷한 성조[聲調]로 전음(轉音)되는 것들이 있다.

※ 육서(六書)中에서 형성문자에 속한 글자가 가장 많음.

[보기1] 問 · 聞 · 簡 · 盛 · 城 · 味 · 基 · 群 · 校…

土+成 = 城(성), 口+未 = 味(미), 言+己 = 記(기), 君+羊 = 群(군)

[보기2] 비슷한 聲調(비슷한 목소리의 가락) : **江 · 河 · 松 · 結 · 終…**

氵+工 = 江(강), 氵+可= 河(하), 木+公 = 松(송), 糸+冬 = 終(종)

5 轉注文字

글자 본래의 의미가 확대되어 전혀 다른 음(音)과 뜻(訓)을 나타내는 글자를 '전주문자'라고 함.

[보기]

更 다시 **갱** / 고칠 **경**

度 법도 **도** / 헤아릴 **탁**

說 말씀 **설** / 기쁠 **열** / 달랠 **세**

洞 골 **동** / 꿰뚫을 **통**

樂 풍류 **악** / 즐길 **락** / 좋아할 **요**

6 假借文字

漢字는 뜻글자이므로 소리글자인 한글과는 달리 여러나라들의 글자를 漢字로 표현할수가 없다. 따라서 이러한 불편한점을 해결하기 위해 원래의 뜻과 상관없이 音만을 빌려쓰는데 이러한 문자를 '가차문자'라고 한다.

[보기1] (外來語를 표기할때) : **美國 · 伊太利 · 佛蘭西 · 巴利 · 亞細亞…**

[보기2] (일반적으로 유사한 音을 빌려쓸때) : **弗**(아니불) → 달러($)를 표기할때
燕(제비연) → 잔치연(宴)으로,
女(계집녀) → 汝(너여)로 빌려쓰는 경우

漢字語(單語)의 짜임

漢字語(단어)를 뜻풀이(해석)하는데 쉽게 하기 위해서 漢字語의 짜임에 대해서 알아둘 필요가 있다.

漢字語(단어)의 짜임은 보통 두 글자로 구성되지만 세 자, 네 자로 되어있는 것도 많다. 이렇게 세 글자, 네 글자로 구성된 漢字語는 원래 두 글자로 구성된 漢字語에 또 다른 漢字語를 합하거나 확장시킨 것들이다.

원래 두 글자로 이루어진 漢字語는 처음부터 차례대로 풀이하는 것과 뒤에 글자를 먼저 풀고 앞글자를 나중에 푸는 경우가 있는데 이런 것들은 형식상 일정한 문법상의 용어(用語)를 갖추고 있다.

♣ 차례대로 푸는 경우

[보기] ① 鳥飛(새가 날다) ② 花開(꽃이 피다) ——— 주·술관계[주어+서술어(술어)]
① 寢室(잠자는 방) ② 招待(초청하여 대접함) — 수식관계(앞 글자가 뒷글자를 꾸밈)
① 得失(얻음과 잃음) ② 手足(손과 발) ———— 대립관계(서로 반대되는 글자로 짜여짐)
① 家屋(사람이 사는 집) ② 年歲(나이) ————— 유사관계(서로 비슷한 글자로 짜여짐)

♣ 뒷글자를 먼저 푸는 경우

[보기] ① 讀書(책을 읽음) ② 納稅(세금을 냄) ——— 술·목관계[서술어+목적어(명사)]
① 入學(학교에 들어감) ② 有別(분별이 있음) —— 술·보관계[서술어+보어(명사)]

※ 위의 용어(用語)에 대한 설명
ㄱ. 주어(主語) : 문장의 주체가 되는 말
ㄴ. 서술어(술어) : 주어의 행동이나 상황을 설명하는 말로써 동사, 형용사에 해당하는 말
ㄷ. 목적어(目的語) : ~을(를) 어떠하다에서 ~을(를)에 속한 말
ㄹ. 보어(輔語) : 서술어 뒤에 와서 서술어의 구실을 도와주는 말.(~에, ~에게, ~이, ~으로 등에 해당하는 말)
ㅁ. 관형어(수식어) : 뒷글자를 수식(꾸밈)하는 앞글자-주로 체언(명사)를 수식함
ㅂ. 부사어(수식어) : 뒷글자를 수식(꾸밈)하는 앞글자-주로 용언(서술어)를 수식함
ㅅ. 대립관계 : 서로 반대 또는 상대되는 字끼리 결합된 말(반의결합어)
ㅇ. 유사관계 : 서로 같거나 비슷한 字끼리 결합된 말(유의결합어)

※위와 같은 漢字語의 짜임들이 서로 이동하고 합해지면서 문장이 형성된다.
(이런 경우 문장전체를 풀어가는 순서는 문장의 형식에 의해 되는데 문장의 형식에 대해서는 여기서는 생략함.)

[보기] ① 無 子息 上 八字 ② 刻 舟 求 劍 ③ 人 無 遠 慮 必 有 近 憂
술 보 술 보 / 술 보 술 목 / 주 술 관 보 부 술 관 보

※다음 漢字語를 순서에 따라 말이 되도록 뜻을 말하시오.

① 勸農(2 1) ② 勉學(2 1) ③ 祝辭(1 2) ④ 豫測(1 2) ⑤ 登山(2 1) ⑥ 天上(1 2) ⑦ 易老(2 1) ⑧ 離陸(1 2) ⑨ 約昏(2 1) ⑩ 晝夜(1 2)

⑪ 堅固(1 2) ⑫ 正正堂堂(1 2 3 4) ⑬ 明明白白(1 2 3 4) ⑭ 苦樂(1 2) ⑮ 歌曲(1 2) ⑯ 父母(1 2)

한자능력검정 시험안내

한자능력시험(http://www.hanja.re.kr) (※ 네이버에 한글로 "한국어문회" 쓰고 클릭) 〉 기출문제 출력가능

▶ **주　　관** : (사)한국어문회(☎ 02-6003-1400), (☎ 1566-1400)

▶ **시험일시** : 연 4회
- 교육급수 : 2, 4, 8, 11월 오전 11시
- 공인급수 : 2, 4, 8, 11월 오후 3시

※ 공인급수, 교육급수 분리시행

공인급수는 특급·특급Ⅱ·1급·2급·3급·3급Ⅱ이며, 교육급수는 4급·4급Ⅱ·5급·6급·6급Ⅱ·7급·8급입니다.

▶ **접수방법**

1. 방문접수
   - 접수급수 : 특급 ~ 8급
   - 접 수 처 : 각 시·도 지정 접수처 ※ (02)6003-1400, 1566-1400, 또는 인터넷(네이버에 "한국어문회" 치고 들어가서 다시 "한자검정" 클릭
   - 접수방법 : 먼저 스스로에게 맞는 급수를 정한 후, 반명함판사진(3×4㎝) 3매, 급수증 수령주조, 주민등록번호, 한자이름을 메모해서 해당접수처로 가서 급수에 해당하는 응시료를 현금으로 납부한 후 원서를 작성하여 접수처에 제출하면 됩니다.
2. 인터넷접수
   - 접수급수 : 특급 ~ 8급
   - 접 수 처 : www.hangum.re.kr
   - 접수방법 : 인터넷 접수처 게시
3. 우편접수
   - 접수급수 : 특급, 특급Ⅱ
   - 접 수 처 : 한국한자능력검정회(서울특별시 서초구 서초1동 1627－1 교대벤처타워 401호)
   - 접수방법 : 해당 회차 인터넷 또는 청구접수기간내 발송한 우편물에 한하여 접수가능(접수마감일 소인 유효)

▶ **검 정 료**

급수/검정료	특 급	특급Ⅱ	1 급	2급~3급Ⅱ	4 급	4급Ⅱ	5 급	6 급	6급Ⅱ	7 급	7급Ⅱ	8 급
	40,000	40,000	40,000	20,000	15,000							

※ 인터넷으로 접수하실 경우 위 검정료에 접수수수료가 추가됩니다.

▶ **접수시 준비물**

반명함판사진 3매 / 응시료(현금) / 이름(한글·한자) / 주민등록번호 / 급수증 수령주소

▶ **응시자격** :

- 제한없음, 능력에 맞게 급수를 선택하여 응시하면 됩니다.
- 1급은 서울, 부산, 대구, 광주, 대전, 전주, 청주, 제주에서만 실시하고, 특급과 특급Ⅱ는 서울에서만 실시합니다.

▶ **합격자발표** : 인터넷접수 사이트(www.hangum.re.kr) 및 ARS(060-800-1100), 1566-1400

1級 配定漢字 (3,500字)

※ 3級(1,817字), 2級(538字), 1級(1,145字)로 분류하였습니다.

3級 1,817字

** 별표가 2개 있는 글자는 3급Ⅱ, * 별표가 1개 있는 글자는 3급 글자입니다.

	家	집 가	갓머리[宀]부/총10획
	歌	노래 가	하품흠[欠]부/총14획
	價	값 가	사람인변[亻(人)]부/총15획
	加	더할 가	힘력[力]부/총5획
	可	옳을 가:	입구[口]부/총5획
	假	거짓 가:	사람인변[亻(人)]부/총11획
	街	거리 가(:)	다닐행[行]부/총12획
	暇	틈/겨를 가:	날일[日]부/총13획
**	佳	아름다울 가:	사람인변[亻(人)]부/총8획
**	架	시렁 가:	나무목[木]부/총9획
	各	각각 각	입구[口]부/총6획
	角	뿔 각	뿔각[角]부/총7획
	刻	새길 각	선칼도방[刂(刀)]부/총8획
	覺	깨달을 각	볼견[見]부/총20획
**	脚	다리 각	육달월[月(肉)]부/총11획
**	閣	집 각	문문[門]부/총14획
*	却	물리칠 각	병부절[卩]부/총7획
	間	사이 간(:)	문문[門]부/총12획
	干	방패 간	방패간[干]부/총3획
	看	볼 간	눈목[目]부/총9획
	簡	대쪽/간략할 간(:)	대죽머리[(竹)]부/총18획
**	刊	새길 간	선칼도방[刂(刀)]부/총5획
**	幹	줄기 간	방패간[干]부/총13획
**	懇	간절할 간:	마음심[心]부/총17획
**	肝	간 간(:)	육달월[月(肉)]부/총7획
*	姦	간음할 간	계집녀[女]부/총9획
*	渴	목마를 갈	삼수변[氵(水)]부/총12획
	感	느낄 감:	마음심[心]부/총13획
	減	덜 감:	삼수변[氵(水)]부/총12획
	監	볼 감	그릇명[皿]부/총14획
	敢	감히/구태여 감(:)	등글월문방[攵(攴)]부/총12획
	甘	달 감	달감[甘]부/총5획
**	鑑	거울 감	쇠금[金]부/총22획
	甲	갑옷/첫째천간 갑	밭전[田]부/총5획
	江	강 강	삼수변[氵(水)]부/총6획
	强	강할 강(:)	활궁[弓]부/총12획
	康	편안할 강	집엄[广]부/총11획
	講	욀 강:	말씀언[言]부/총17획
	降	내릴 강/항복할 항	좌부변[阝(阜)]부/총9획
**	剛	굳셀 강	선칼도방[刂(刀)]부/총10획
**	綱	벼리 강	실사[糸]부/총14획
**	鋼	강철 강	쇠금[金]부/총16획
	開	열 개	문문[門]부/총12획
	改	고칠 개(:)	등글월문방[攵(攴)]부/총7획
	個	낱 개(:)	사람인변[亻(人)]부/총10획
**	介	낄 개:	사람인[人]부/총4획
**	概	대개 개:	나무목[木]부/총15획
*	慨	슬퍼할 개:	심방변[忄(心)]부/총14획
*	皆	다(總) 개	흰백[白]부/총9획
**	蓋	덮을 개(:)	초두[艹(艸)]부/총13획
	客	손 객	갓머리[宀]부/총9획
	車	수레 거·차	수레차[車]부/총7획
	去	갈 거:	마늘모[厶]부/총5획
	擧	들 거:	손수[手]부/총17획
	居	살 거	주검시[尸]부/총8획
	巨	클 거:	장인공[工]부/총5획
	拒	막을 거:	재방변[扌(手)]부/총8획
	據	근거 거:	재방변[扌(手)]부/총16획
**	距	상거할 거:	발족[足]부/총12획
	件	물건 건	사람인변[亻(人)]부/총6획
	健	굳셀 건:	사람인변[亻(人)]부/총11획
	建	세울 건:	밑받침변[廴]부/총9획
**	乾	하늘/마를 건	새을[乙]부/총11획
	傑	뛰어날 걸	사람인변[亻(人)]부/총12획
*	乞	빌 걸	새을[乙]부/총3획
	檢	검사할 검:	나무목[木]부/총17획
	儉	검소할 검:	사람인변[亻(人)]부/총15획
**	劍	칼 검:	선칼도방[刂(刀)]부/총15획
	格	격식 격	나무목[木]부/총10획
	擊	칠 격	손수[手]부/총17획
	激	격할 격	삼수변[氵(水)]부/총16획
**	隔	사이뜰 격	좌부변[阝(阜)]부/총13획
	見	볼 견:/뵈올 현:	볼견[見]부/총7획
	堅	굳을 견	흙토[土]부/총11획
	犬	개 견	개견[犬]부/총4획
*	牽	이끌/끌 견	소우[牛]부/총11획
*	絹	비단 견	실사[糸]부/총13획
*	肩	어깨 견	육달월[月(肉)]부/총8획
*	遣	보낼 견:	책받침[辶(辵)]부/총14획
	決	결단할 결	삼수변[氵(水)]부/총7획
	結	맺을 결	실사[糸]부/총12획
	潔	깨끗할 결	삼수변[氵(水)]부/총15획
	缺	이지러질 결	장군부[缶]부/총10획
**	訣	이별할 결	말씀언[言]부/총11획
**	兼	겸할 겸	여덟팔[八]부/총10획
**	謙	겸손할 겸	말씀언[言]부/총17획
	京	서울 경	돼지해머리[亠]부/총8획
	敬	공경할 경:	등글월문방[攵(攴)]부/총12획
	景	볕 경(:)	날일[日]부/총12획
	競	다툴 경	설립[立]부/총20획
	輕	가벼울 경	수레거[車]부/총14획
	境	지경 경	흙토[土]부/총14획
	慶	경사 경	마음심[心]부/총15획
	經	지날/글 경	실사[糸]부/총13획
	警	깨우칠 경:	말씀언[言]부/총19획
	傾	기울 경:	사람인변[亻(人)]부/총13획
	更	고칠 경/다시 갱:	가로왈[曰]부/총7획
	鏡	거울 경:	쇠금[金]부/총19획
	驚	놀랄 경	말마[馬]부/총22획
**	耕	밭갈 경	쟁기뢰[耒]부/총10획
**	頃	이랑/잠깐 경	머리혈[頁]부/총11획
*	卿	벼슬 경	병부절[卩]부/총12획
*	庚	별(星)/일곱째천간 경	집엄[广]부/총8획
**	徑	지름길/길 경	두인변[彳]부/총10획
**	硬	굳을 경	돌석[石]부/총12획
*	竟	마침내 경:	설립[立]부/총11획
	界	지경 계:	밭전[田]부/총9획
	計	셀 계:	말씀언[言]부/총9획
	係	맬 계:	사람인변[亻(人)]부/총9획
	季	계절 계:	아들자[子]부/총8획
	戒	경계할 계	창과[戈]부/총7획
	系	이어맬/이을 계:	실사[糸]부/총7획
	繼	이을 계:	실사[糸]부/총20획
	階	섬돌 계	좌부변[阝(阜)]부/총12획
	鷄	닭 계:	새조[鳥]부/총21획
**	啓	열 계:	입구[口]부/총11획
**	契	맺을 계:	큰대[大]부/총9획
**	械	기계 계:	나무목[木]부/총11획
**	溪	시내 계	삼수변[氵(水)]부/총13획
**	桂	계수나무 계:	나무목[木]부/총10획
*	癸	북방/열째천간 계:	필발머리[癶]부/총9획
*	繫	맬 계:	실사[糸]부/총19획
	古	옛 고:	입구[口]부/총5획
	苦	쓸(味覺) 고	초두[艹(艸)]부/총8획
	高	높을 고	높을고[高]부/총10획
	告	고할 고:	입구[口]부/총7획
	考	생각할 고(:)	늙을로[耂(老)]부/총6획
	固	굳을 고(:)	큰입구[囗]부/총8획

3급 배정한자

故	연고 고(:)	등글월문방[攵(攴)]부/총9획
孤	외로울 고	아들자[子]부/총8획
庫	곳집 고	집엄[广]부/총10획
** 姑	시어미 고	계집녀[女]부/총8획
** 稿	원고/볏짚 고	벼화[禾]부/총15획
** 鼓	북 고	북고[鼓]부/총13획
* 枯	마를 고	나무목[木]부/총9획
* 顧	돌아볼 고	머리혈[頁]부/총21획
曲	굽을 곡	가로왈[曰]부/총6획
穀	곡식 곡	벼화[禾]부/총15획
** 哭	울 곡	입구[口]부/총10획
** 谷	골 곡	골곡[谷]부/총7획
困	곤할 곤:	큰입구[囗]부/총7획
* 坤	따 곤	흙토[土]부/총8획
骨	뼈 골	뼈골[骨]부/총10획
工	장인 공	장인공[工]부/총3획
空	빌 공	구멍혈[穴]부/총8획
公	공평할 공	여덟팔[八]부/총4획
共	한가지 공:	여덟팔[八]부/총6획
功	공(勳) 공	힘력[力]부/총5획
孔	구멍 공:	아들자[子]부/총4획
攻	칠 공:	등글월문방[攵(攴)]부/총7획
** 供	이바지할 공:	사람인변[亻(人)]부/총8획
** 恐	두려울 공(:)	마음심[心]부/총10획
** 恭	공손할 공	마음심[㣺(心)]부/총10획
** 貢	바칠 공:	조개패[貝]부/총10획
果	실과 과:	나무목[木]부/총8획
科	과목 과	벼화[禾]부/총9획
課	공부할/과정 과:	말씀언[言]부/총15획
過	지날 과:	책받침[辶(辵)]부/총13획
** 寡	적을 과:	갓머리[宀]부/총14획
** 誇	자랑할 과:	말씀언[言]부/총13획
* 郭	둘레/외성 곽	우부방[阝(邑)]부/총11획
觀	볼 관	볼견[見]부/총24획
關	관계할 관	문문[門]부/총19획
官	벼슬 관	갓머리[宀]부/총8획
管	대롱/주관할 관	대죽머리[⺮(竹)]부/총14획
** 冠	갓 관	민갓머리[冖]부/총9획
** 寬	너그러울 관	갓머리[宀]부/총14획
** 慣	익숙할 관	심방변[忄(心)]부/총14획
** 貫	꿸 관(:)	조개패[貝]부/총11획
** 館	집 관	밥식[食]부/총17획
光	빛 광	어진사람인[儿]부/총6획
廣	넓을 광:	집엄[广]부/총15획
鑛	쇳돌 광:	쇠금[金]부/총23획
** 狂	미칠 광	개사슴록변[犭(犬)]부/총7획
* 掛	걸 괘	재방변[扌(手)]부/총11획
** 壞	무너질 괴:	흙토[土]부/총19획
** 怪	괴이할 괴(:)	심방변[忄(心)]부/총8획
* 塊	흙덩이 괴	흙토[土]부/총13획
* 愧	부끄러울 괴:	심방변[忄(心)]부/총13획
敎	가르칠 교:	등글월문방[攵(攴)]부/총11획
校	학교 교:	나무목[木]부/총10획
交	사귈 교	돼지머리해[亠]부/총6획
橋	다리 교	나무목[木]부/총16획
** 巧	공교할 교	장인공[工]부/총5획
** 較	견줄/비교할 교	수레거[車]부/총13획
* 矯	바로잡을 교:	화살시[矢]부/총17획
* 郊	들(野) 교	우부방[阝(邑)]부/총9획
九	아홉 구	새을[乙]부/총2획
口	입 구(:)	입구[口]부/총3획
區	구분할/지경 구	상자방[匚]부/총11획
球	공 구	임금왕[王(玉)]부/총11획
具	갖출 구(:)	여덟팔[八]부/총8획
救	구원할 구:	등글월문방[攵(攴)]부/총11획
舊	예 구:	절구구[臼]부/총17획
句	글귀 구	입구[口]부/총5획
求	구할 구	물수변형[氺(水)]부/총7획
究	연구할 구	구멍혈[穴]부/총7획
構	얽을 구	나무목[木]부/총14획
** 久	오랠 구:	삐침별[丿]부/총3획
** 拘	잡을 구	재방변[扌(手)]부/총8획
** 丘	언덕 구	한일[一]부/총5획
* 俱	함께 구	사람인변[亻(人)]부/총10획
* 懼	두려워할 구	심방변[忄(心)]부/총21획
* 狗	개 구	개사슴록변[犭(犬)]부/총8획
* 苟	진실로/구차할 구	초두[艹(艸)]부/총8획
* 驅	몰 구	말마[馬]부/총21획
* 龜	거북 귀(구)/터질 균	거북귀[龜]부/총16획
國	나라국	큰입구[囗]부/총11획
局	판 국	주검시[尸]부/총7획
** 菊	국화 국	초두[艹(艸)]부/총11획
軍	군사 군	수레거[車]부/총9획
郡	고을 군:	우부방[阝(邑)]부/총10획
君	임금 군	입구[口]부/총7획
群	무리 군	양양[羊]부/총13획
屈	굽힐 굴	주검시[尸]부/총8획
宮	집 궁	갓머리[宀]부/총10획
窮	다할/궁할 궁	구멍혈[穴]부/총15획
** 弓	활 궁	활궁[弓]부/총3획
權	권세 권	나무목[木]부/총21획
券	문서 권:	칼도[刀]부/총8획
勸	권할 권:	힘력[力]부/총19획
卷	책 권(:)	병부절[㔾(卩)]부/총8획
** 拳	주먹 권:	손수[手]부/총10획
* 厥	그(其) 궐	굴바위엄[厂]부/총12획
* 軌	바퀴자국 궤:	수레거[車]부/총9획
貴	귀할 귀:	조개패[貝]부/총12획
歸	돌아갈 귀:	그칠지[止]부/총18획
** 鬼	귀신 귀:	귀신귀[鬼]부/총10획
規	법 규	볼견[見]부/총11획
* 叫	부르짖을 규	입구[口]부/총5획
* 糾	얽힐 규	실사[糸]부/총8획
均	고를 균	흙토[土]부/총7획
** 菌	버섯 균	초두[艹(艸)]부/총11획
極	다할/극진할 극	나무목[木]부/총12획
劇	심할 극	선칼도방[刂(刀)]부/총15획
** 克	이길 극	어진사람인[儿]부/총7획
根	뿌리 근	나무목[木]부/총10획
近	가까울 근:	책받침[辶(辵)]부/총8획
勤	부지런할 근(:)	힘력[力]부/총13획
筋	힘줄 근	대죽머리[⺮(竹)]부/총12획
* 僅	겨우 근	사람인변[亻(人)]부/총13획
* 斤	근/날 근	날근[斤]부/총4획
* 謹	삼갈 근:	말씀언[言]부/총18획
金	쇠 금/성 김	쇠금[金]부/총8획
今	이제 금	사람인[人]부/총4획
禁	금할 금:	보일시[示]부/총13획
** 琴	거문고 금	구슬옥변[王(玉)]부/총12획
** 禽	새 금	짐승발자국유[禸]부/총13획
** 錦	비단 금:	쇠금[金]부/총16획
急	급할 급	마음심[心]부/총9획
級	등급 급	실사[糸]부/총10획
給	줄 급	실사[糸]부/총12획
** 及	미칠 급	또우[又]부/총4획
* 肯	즐길 긍:	육달월[月(肉)]부/총8획
旗	기 기	모방[方]부/총14획
氣	기운 기	기운기[气]부/총10획
記	기록할 기	말씀언[言]부/총10획
基	터 기	흙토[土]부/총11획
己	몸/여섯째천간 기	몸기[己]부/총3획
技	재주 기	재방변[扌(手)]부/총7획
期	기약할 기	달월[月]부/총12획
汽	물끓는김 기	삼수변[氵(水)]부/총7획
器	그릇 기	입구[口]부/총16획
起	일어날 기	달릴주[走]부/총10획
奇	기특할 기	큰대[大]부/총8획
寄	부칠 기	갓머리[宀]부/총11획
機	틀 기	나무목[木]부/총16획
紀	벼리 기	실사[糸]부/총9획

3급 배정한자

**	企	꾀할 기	사람인[人]부/총6획
**	其	그 기	여덟팔[八]부/총8획
**	畿	경기(京畿) 기	밭전[田]부/총15획
**	祈	빌 기	보일시[示]부/총9획
*	幾	몇 기	작을요[幺]부/총12획
*	忌	꺼릴 기	마음심[心]부/총7획
*	旣	이미 기	이미기몸[旡(无)]부/총11획
*	棄	버릴 기	나무목[木]부/총12획
*	欺	속일 기	아픔흠방[欠]부/총12획
*	豈	어찌 기	콩두[豆]부/총10획
*	飢	주릴(饑) 기	밥식[食]부/총11획
**	騎	말탈 기	말마[馬]부/총18획
**	緊	긴할(急) 긴	실사[糸]부/총14획
	吉	길할 길	입구[口]부/총6획
*	那	어찌 나:	우부방[阝(邑)]부/총7획
**	諾	허락할 낙	말씀언[言]부/총15획
	暖	따뜻할 난:	날일[日]부/총13획
	難	어려울 난(:)	새추[隹]부/총19획
	南	남녘 남	열십[十]부/총9획
	男	사내 남	밭전[田]부/총7획
	納	들일 납	실사[糸]부/총10획
**	娘	계집 낭	계집녀[女]부/총10획
	內	안 내:	들입[入]부/총4획
**	耐	견딜 내:	말이을이[而]부/총9획
*	乃	이에 내:	삐침변[丿]부/총2획
*	奈	어찌 내	큰대[大]부/총8획
	女	계집 녀(여)	계집녀[女]부/총3획
	年	해 년(연)	방패간[干]부/총6획
	念	생각할 념(염):	마음심[心]부/총8획
**	寧	편안 녕(영)	갓머리[宀]부/총14획
	努	힘쓸 노	힘력[力]부/총7획
	怒	성낼 노:	마음심[心]부/총9획
**	奴	종 노	계집녀[女]부/총5획
	農	농사 농	별진[辰]부/총13획
**	腦	골/뇌수 뇌	육달월[月(肉)]부/총13획
*	惱	번뇌할 뇌	심방변[忄(心)]부/총12획
	能	능할 능	육달월[月(肉)]부/총10획
**	泥	진흙 니	삼수변[氵(水)]부/총8획
	多	많을 다	저녁석[夕]부/총6획
**	茶	차 다/차	초두[艹(艸)]부/총9획
	短	짧을 단(:)	화살시[矢]부/총12획
	團	둥글 단	큰입구몸[口]부/총14획
	壇	단 단	흙토[土]부/총16획
	單	홑 단	입구[口]부/총12획
	斷	끊을 단:	날근[斤]부/총18획
	檀	박달나무 단	나무목[木]부/총17획
	端	끝 단	설립[立]부/총14획
	段	층계 단	갖은등글월문[殳]부/총9획
**	丹	붉을 단	점주[丶]부/총4획
**	但	다만 단:	사람인변[亻(人)]부/총7획
**	旦	아침 단	날일[日]부/총5획
	達	통달할 달	책받침[辶(辵)]부/총13획
	談	말씀 담	말씀언[言]부/총15획
	擔	멜 담	재방변[扌(手)]부/총16획
**	淡	맑을 담	삼수변[氵(水)]부/총11획
	答	대답할 답	대죽머리[(竹)]부/총12획
*	畓	논 답	밭전[田]부/총9획
**	踏	밟을 답	발족[足]부/총15획
	堂	집 당	흙토[土]부/총11획
	當	마땅할 당	밭전[田]부/총13획
	黨	무리 당	검을흑[黑]부/총20획
**	唐	당나라/당황할 당(:)	입구[口]부/총10획
**	糖	엿 당	쌀미[米]부/총16획
	大	큰 대	큰대[大]부/총3획
	代	대신할 대:	사람인변[亻(人)]부/총5획
	對	대할 대:	마디촌[寸]부/총14획
	待	기다릴 대:	두인변[彳]부/총9획
	帶	띠 대(:)	수건건[巾]부/총11획
	隊	무리(떼) 대	좌부변[阝(阜)]부/총12획
**	臺	대 대	이를지[至]부/총14획
**	貸	빌릴/뀔 대:	조개패[貝]부/총12획
	德	큰 덕	두인변[彳]부/총15획
	道	길 도:	책받침[辶(辵)]부/총13획
	圖	그림 도	큰입구몸[口]부/총14획
	度	법도 도:/헤아릴 탁	집엄[广]부/총9획
	到	이를 도:	선칼도방[刂(刀)]부/총8획
	島	섬 도	뫼산[山]부/총10획
	都	도읍 도	우부방[阝(邑)]부/총12획
	導	인도할 도:	마디촌[寸]부/총16획
	徒	무리 도	두인변[彳]부/총10획
	盜	도둑 도(:)	그릇명[皿]부/총12획
	逃	도망할 도	책받침[辶(辵)]부/총10획
**	刀	칼 도	칼도[刀]부/총2획
**	途	길(行中) 도:	책받침[辶(辵)]부/총11획
**	陶	질그릇 도	좌부변[阝(阜)]부/총11획
**	倒	넘어질 도	사람인변[亻(人)]부/총10획
*	塗	칠할 도:	흙토[土]부/총13획
*	挑	돋울 도:	재방변[扌(手)]부/총9획
**	桃	복숭아 도	나무목[木]부/총10획
**	渡	건널 도	삼수변[氵(水)]부/총12획
*	稻	벼 도	벼화[禾]부/총15획
*	跳	뛸 도	발족[足]부/총13획
	讀	읽을 독	말씀언[言]부/총22획
	獨	홀로 독	개사슴록변[犭(犬)]부/총16획
	毒	독 독	말무[毋]부/총9획
	督	감독할 독	눈목[目]부/총13획
*	篤	도타울 독	대죽머리[(竹)]부/총16획
*	敦	도타울 돈	등글월문[攵(攴)]부/총12획
*	豚	돼지 돈	돼지시[豕]부/총11획
**	突	갑자기/부딪칠 돌	구멍혈[穴]부/총9획
	東	동녘 동	나무목[木]부/총8획
	冬	겨울 동	이수변[冫]부/총5획
	動	움직일 동:	힘력[力]부/총11획
	同	한가지 동	입구[口]부/총6획
	洞	골 동/밝을 통:	삼수변[氵(水)]부/총9획
	童	아이 동(:)	설립[立]부/총12획
	銅	구리 동	쇠금[金]부/총14획
**	凍	얼 동:	이수변[冫]부/총10획
	頭	머리 두	머리혈[頁]부/총16획
	斗	말 두	말두[斗]부/총4획
	豆	콩 두	콩두[豆]부/총7획
*	屯	진칠 둔	싹날철[屮]부/총4획
*	鈍	둔할 둔:	쇠금[金]부/총12획
	得	얻을 득	두인변[彳]부/총11획
	登	오를 등	필발머리[癶]부/총12획
	等	무리 등:	대죽머리[竹]부/총12획
	燈	등 등	불화[火]부/총16획
*	騰	오를 등	말마[馬]부/총20획
	羅	벌일 라(나)	그물망[罒(网)]부/총19획
	樂	즐길 락(낙)/노래 악	나무목[木]부/총15획
	落	떨어질 락(낙)	초두[艹(艸)]부/총12획
**	絡	이을/얽을 락(낙)	실사[糸]부/총12획
	亂	어지러울 란(난):	새을방[乚(乙)]부/총13획
	卵	알 란(난):	병부절[卩]부/총7획
**	欄	난간 란(난)	나무목[木]부/총21획
**	蘭	난초 란(난)	초두[艹(艸)]부/총20획
	覽	볼 람(남)	볼견[見]부/총21획
*	濫	넘칠 람(남):	삼수변[氵(水)]부/총17획
	朗	밝을 랑(낭):	달월[月]부/총10획
**	廊	사랑채/행랑 랑(낭)	집엄[广]부/총12획
**	浪	물결 랑(낭)(:)	삼수변[氵(水)]부/총10획
**	郞	사내 랑(낭)	우부방[阝(邑)]부/총11획
	來	올 래(내)(:)	사람인[人]부/총8획
	冷	찰 랭(냉):	이수변[冫]부/총7획
	略	간략할/약할 략	밭전[田]부/총11획
*	掠	노략질할 략(약)	재방변[扌(手)]부/총11획
	良	어질 량(양)	그칠간[艮]부/총7획
	量	헤아릴 량(양)	마을리[里]부/총12획
	兩	두 량(양):	들입[入]부/총8획
	糧	양식 량(양)	쌀미[米]부/총18획

3급 배정한자

표시	한자	훈·음	부수/획수
**	涼	서늘할 량(양)	이수변[冫]부/총10획
**	梁	들보/돌다리 량(양)	나무목[木]부/총11획
*	諒	살펴알/믿을 량(양)	말씀언[言]부/총15획
	旅	나그네 려(여)	모방[方]부/총10획
	麗	고울 려(여)	사슴록[鹿]부/총19획
	慮	생각할 려(여):	마음심[心]부/총15획
**	勵	힘쓸 려(여):	힘력[力]부/총16획
	力	힘 력(역)	힘력[力]부/총2획
	歷	지낼 력(역)	그칠지[止]부/총16획
**	曆	책력 력(역)	날일[日]부/총16획
	練	익힐 련(연):	실사[糸]부/총15획
	連	이을 련(연)	책받침[辶(辵)]부/총11획
**	戀	그리워할 련(연):	마음심[心]부/총23획
**	聯	연이을 련(연)	귀이[耳]부/총17획
**	鍊	쇠불릴/단련할 련(연):	쇠금[金]부/총17획
*	憐	불쌍히 여길 련(연)	심방변[忄(心)]부/총15획
**	蓮	연꽃 련(연)	초두[艹(艸)]부/총14획
	列	벌일 렬(열)	선칼도방[刂(刀)]부/총6획
	烈	매울 렬(열)	연화발[灬(火)]부/총10획
*	劣	못할 렬(열)	힘력[力]부/총6획
**	裂	찢어질 렬(열)	옷의[衣]부/총12획
*	廉	청렴할 렴(염)	집엄[广]부/총13획
*	獵	사냥 렵(엽)	개사슴록변[犭(犬)]부/총18획
	令	하여금 령(영(:))	사람인[人]부/총5획
	領	거느릴 령(영)	머리혈[頁]부/총14획
**	嶺	고개 령(영)	뫼산[山]부/총17획
**	靈	신령 령(영)	비우[雨]부/총24획
*	零	떨어질/영(數字) 령(영)	비우[雨]부/총13획
	例	법식 례(예):	사람인변[亻(人)]부/총8획
	禮	예도 례(예):	보일시[示]부/총18획
*	隷	종 례(예):	미칠이[隶]부/총16획
	老	늙을 로(노):	늙을로[老]부/총6획
	路	길 로(노):	발족[足]부/총13획
	勞	일할 로(노)	힘력[力]부/총12획
**	爐	화로 로(노)	불화[火]부/총20획
**	露	이슬 로(노):	비우[雨]부/총20획
	綠	푸를 록(녹)	실사[糸]부/총14획
	錄	기록할 록(녹)	쇠금[金]부/총16획
**	祿	녹 록(녹)	보일시[示]부/총13획
*	鹿	사슴 록(녹)	사슴록[鹿]부/총11획
	論	논할 론(논)	말씀언[言]부/총15획
**	弄	희롱할 롱(농):	받들공[廾]부/총7획
**	賴	의뢰할 뢰(뇌):	조개패[貝]부/총16획
**	雷	우레 뢰(뇌)	비우[雨]부/총13획
	料	헤아릴 료(요)(:)	말두[斗]부/총10획
*	了	마칠 료(요):	갈고리궐[亅]부/총2획
*	僚	동료 료(요)	사람인변[亻(人)]부/총14획
	龍	용 룡(용)	용룡[龍]부/총16획
**	樓	다락 루(누)	나무목[木]부/총15획
*	屢	여러 루(누):	주검시[尸]부/총14획
*	淚	눈물 루(누):	삼수변[氵(水)]부/총11획
**	漏	샐 루(누):	삼수변[氵(水)]부/총14획
**	累	여러/자주 루(누):	실사[糸]부/총11획
	流	흐를 류(유)	삼수변[氵(水)]부/총10획
	類	무리 류(유)(:)	머리혈[頁]부/총19획
	留	머무를 류(유)	밭전[田]부/총10획
	柳	버들 류(유)(:)	나무목[木]부/총9획
	六	여섯 륙(육)	여덟팔[八]부/총4획
	陸	뭍 륙(육)	좌부변[阝(阜)]부/총11획
	輪	바퀴 륜(윤)	수레거[車]부/총15획
**	倫	인륜 륜(윤)	사람인변[亻(人)]부/총10획
	律	법칙 률(율)	두인변[彳]부/총9획
**	栗	밤 률(율)	나무목[木]부/총10획
**	率	비율 률(율)/거느릴 솔	검을현[玄]부/총11획
**	隆	높을 륭(융)	좌부변[阝(阜)]부/총12획
**	陵	언덕릉(능)	좌부변[阝(阜)]부/총11획
	里	마을 리(이):	마을리[里]부/총7획
	利	이할 리(이):	선칼도방[刂(刀)]부/총7획
	李	오얏/성 리(이)	나무목[木]부/총7획
	理	다스릴 리(이):	구슬옥변[王(玉)]부/총11획
	離	떠날 리(이):	새추[隹]부/총19획
**	吏	벼슬아치/관리 리(이):	입구[口]부/총6획
**	履	밟을 리(이):	주검시[尸]부/총15획
**	裏	속 리(이):	옷의[衣]부/총13획
*	梨	배 리(이)	나무목[木]부/총11획
*	隣	이웃 린(인)	좌부변[阝(阜)]부/총15획
	林	수풀 림(임)	나무목[木]부/총8획
**	臨	임할 림(임)	신하신[臣]부/총17획
	立	설 립(입)	설립[立]부/총5획
	馬	말 마:	말부[馬]부/총10획
**	磨	갈 마	돌석[石]부/총16획
**	麻	삼 마(:)	삼마[麻]부/총11획
**	幕	장막 막	수건건[巾]부/총13획
**	漠	넓을 막	삼수변[氵(水)]부/총13획
**	莫	없을 막	초두[艹(艸)]부/총10획
	萬	일만 만:	초두[艹(艸)]부/총12획
	滿	찰 만(:)	삼수변[氵(水)]부/총14획
*	慢	거만할 만:	심방변[忄(心)]부/총14획
**	晚	늦을 만:	날일[日]부/총11획
*	漫	흩어질 만:	삼수변[氵(水)]부/총14획
	末	끝 말	나무목[木]부/총5획
	亡	망할 망	돼지머리해[亠]부/총3획
	望	바랄 망:	달월[月]부/총11획
**	妄	망령될 망:	계집녀[女]부/총6획
*	忘	잊을 망	마음심[心]부/총7획
*	忙	바쁠 망	심방변[忄(心)]부/총6획
*	罔	없을 망	그물망[网]부/총8획
*	茫	아득할 망	초두[艹(艸)]부/총9획
	每	매양 매(:)	말무[毋]부/총7획
	買	살 매:	조개패[貝]부/총12획
	賣	팔 매(:)	조개패[貝]부/총15획
	妹	손아래누이 매	계집녀[女]부/총8획
**	梅	매화 매	나무목[木]부/총11획
*	埋	묻을 매	흙토[土]부/총10획
**	媒	중매 매	계집녀[女]부/총12획
	脈	줄기 맥	육달월[月(肉)]부/총10획
**	麥	보리 맥	보리맥[麥]부/총11획
**	孟	맏 맹(:)	아들자[子]부/총8획
**	猛	사나울 맹:	개사슴록변[犭(犬)]부/총11획
**	盲	소경/눈멀 맹	눈목[目]부/총8획
**	盟	맹세 맹	그릇명[皿]부/총13획
	面	낯 면:	낯면[面]부/총9획
	勉	힘쓸 면:	힘력[力]부/총9획
**	眠	잘 면	눈목[目]부/총10획
**	綿	솜 면	실사[糸]부/총14획
**	免	면할 면:	어진사람인[儿]부/총7획
**	滅	꺼질/멸할 멸	삼수변[氵(水)]부/총13획
	名	이름 명	입구[口]부/총6획
	命	목숨 명:	입구[口]부/총8획
	明	밝을 명	날일[日]부/총8획
	鳴	울 명	새조[鳥]부/총14획
**	銘	새길 명	쇠금[金]부/총14획
*	冥	어두울 명	민갓머리[冖]부/총10획
	母	어미 모:	말무[毋]부/총5획
	毛	털 모	털모[毛]부/총4획
	模	본뜰 모	나무목[木]부/총14획
**	慕	그리워할 모	밑마음심[㣺(心)]부/총14획
**	謀	꾀 모	말씀언[言]부/총17획
**	貌	모양 모	갖은돼지시변[豸]부/총14획
*	侮	업신여길 모(:)	사람인변[亻(人)]부/총9획
*	冒	무릅쓸 모	멀경[冂]부/총9획
*	募	모을/뽑을 모	힘력[力]부/총12획
*	暮	저물 모:	날일[日]부/총14획
*	某	아무 모:	나무목[木]부/총9획
	木	나무 목	나무목[木]부/총4획
	目	눈 목	눈목[目]부/총5획
	牧	칠 목	소우[牜(牛)]부/총8획
**	睦	화목할 목	눈목[目]부/총13획
**	沒	빠질 몰	삼수변[氵(水)]부/총7획
**	夢	꿈 몽	저녁석[夕]부/총13획

3급 배정한자

	한자	훈음	부수/획수
**	蒙	어두울 몽	초두[艹(艸)]부/총13획
	墓	무덤 묘:	흙토[土]부/총13획
	妙	묘할 묘:	계집녀[女]부/총7획
*	卯	토끼 묘:	병부절[卩]부/총5획
*	廟	사당 묘:	집엄[广]부/총15획
*	苗	모 묘:	초두[艹(艸)]부/총8획
	無	없을 무	연화발[灬(火)]부/총12획
	務	힘쓸 무:	힘력[力]부/총11획
	武	호반 무:	그칠지[止]부/총8획
	舞	춤출 무:	어겨질천[舛]부/총14획
**	茂	무성할 무:	초두[艹(艸)]부/총8획
**	貿	무역할 무:	조개패[貝]부/총12획
*	戊	다섯째천간 무:	창과[戈]부/총5획
*	霧	안개 무:	비우[雨]부/총19획
**	默	잠잠할 묵	검을흑[黑]부/총16획
**	墨	먹 묵	흙토[土]부/총15획
	門	문 문	문문[門]부/총8획
	問	물을 문:	입구[口]부/총11획
	文	글월 문	글월문[文]부/총4획
	聞	들을 문(:)	귀이[耳]부/총14획
**	紋	무늬 문	실사[糸]부/총10획
	物	물건 물	소우[牛]부/총8획
**	勿	말(禁) 물	쌀포[勹]부/총4획
	米	쌀 미	쌀미[米]부/총6획
	美	아름다울 미(:)	양양[羊]부/총9획
	味	맛 미:	입구[口]부/총8획
	未	아닐 미/여덟째지지 미(:)	나무목[木]부/총5획
**	微	작을 미	두인변[彳]부/총13획
**	尾	꼬리 미:	주검시[尸]부/총7획
*	眉	눈썹 미	눈목[目]부/총9획
*	迷	미혹할 미(:)	책받침[辶(辵)]부/총10획
	民	백성 민	성씨씨[氏]부/총5획
*	憫	민망할 민	심방변[忄(心)]부/총15획
*	敏	민첩할 민	등글월문[攵(攴)]부/총11획
	密	빽빽할/숨길 밀	갓머리[宀]부/총11획
*	蜜	꿀 밀	벌레충[虫]부/총14획
	朴	순박할/성 박	나무목[木]부/총6획
	博	넓을 박	열십[十]부/총12획
	拍	칠 박	재방변[扌(手)]부/총8획
**	薄	엷을 박	초두[艹(艸)]부/총16획
**	迫	핍박할 박	책받침[辶(辵)]부/총9획
*	泊	머무를/배댈 박	삼수변[氵(水)]부/총8획
	半	반 반	열십[十]부/총5획
	反	돌이킬 반	또우[又]부/총4획
	班	나눌 반	구슬옥변(王(玉)]부/총10획
**	般	가지/일반 반	배주[舟]부/총10획
**	飯	밥 반:	밥식[食]부/총13획
*	伴	짝 반	사람인변[亻(人)]부/총7획
*	叛	배반할 반:	또우[又]부/총9획
**	盤	소반 반	그릇명[皿]부/총15획
*	返	돌이킬 반:	책받침[辶(辵)]부/총8획
	發	필 발	필발머리[癶]부/총12획
	髮	터럭 발	터럭발[髟]부/총15획
**	拔	뽑을 발	재방변[扌(手)]부/총8획
	方	모 방	모방[方]부/총4획
	放	놓을 방(:)	등글월문[攵(攴)]부/총8획
	房	방 방	지게호[戶]부/총8획
	訪	찾을 방:	말씀언[言]부/총11획
	防	막을 방	좌부변[阝(阜)]부/총7획
	妨	방해할 방	계집녀[女]부/총7획
*	倣	본뜰 방	사람인변[亻(人)]부/총10획
*	傍	곁 방:	사람인변[亻(人)]부/총12획
**	芳	꽃다울 방	초두[艹(艸)]부/총7획
*	邦	나라 방	우부방[阝(邑)]부/총7획
	倍	곱 배(:)	사람인변[亻(人)]부/총10획
	拜	절 배:	손수[手]부/총9획
	背	등 배:	육달월[月(肉)]부/총9획
	配	나눌/짝 배:	닭유[酉]부/총10획
**	培	북돋울 배:	흙토[土]부/총11획
**	排	밀칠 배	재방변[扌(手)]부/총11획
**	輩	무리 배:	수레거[車]부/총15획
*	杯	잔 배	나무목[木]부/총8획
	白	흰 백	흰백[白]부/총5획
	百	일백 백	흰백[白]부/총6획
**	伯	맏 백	사람인변[亻(人)]부/총7획
	番	차례 번	밭전[田]부/총12획
**	繁	번성할 번	실사[糸]부/총17획
*	煩	번거로울 번	불화[火]부/총13획
*	飜	번역할 번	날비[飛]부/총21획
	伐	칠 벌	사람인변[亻(人)]부/총6획
	罰	벌할 벌	그물망[罒(网)]부/총14획
	範	법 범:	대죽머리[(竹)]부/총15획
	犯	범할 범:	개사슴록변[犭(犬)]부/총5획
**	凡	무릇 범(:)	책상궤[几]부/총3획
	法	법 법	삼수변[氵(水)]부/총8획
	壁	벽 벽	흙토[土]부/총16획
**	碧	푸를 벽	돌석[石]부/총14획
	變	변할 변:	말씀언[言]부/총23획
	邊	가 변	책받침[辶(辵)]부/총19획
	辯	말씀 변:	매울신[辛]부/총21획
*	辨	분별할 변:	매울신[辛]부/총16획
	別	다를/나눌 별	선칼도방[刂(刀)]부/총7획
	病	병 병:	병들녁[疒]부/총10획
	兵	병사 병	여덟팔[八]부/총7획
**	丙	남녘/셋째천간 병:	한일[一]부/총5획
*	屛	병풍 병(:)	주검시[尸]부/총11획
*	竝	나란히 병:	설립[立]부/총10획
	保	지킬 보(:)	사람인변[亻(人)]부/총9획
	報	갚을/알릴 보(:)	흙토[土]부/총12획
	寶	보배 보:	갓머리[宀]부/총20획
	步	걸음 보:	그칠지[止]부/총7획
	普	넓을 보:	날일[日]부/총12획
**	補	기울보:	옷의변[衤(衣)]부/총12획
**	譜	족보 보:	말씀언[言]부/총19획
	服	옷 복	달월[月]부/총8획
	福	복 복	보일시[示]부/총14획
	復	회복할 복/다시 부:	두인변[彳]부/총12획
	伏	엎드릴 복	사람인변[亻(人)]부/총6획
	複	겹칠 복	옷의변[衤(衣)]부/총14획
**	腹	배 복	육달월[月(肉)]부/총13획
*	卜	점 복	점복[卜]부/총2획
**	覆	다시 복/덮을 부	덮을아[襾]부/총18
	本	근본 본	나무목[木]부/총5획
	奉	받들 봉:	큰대[大]부/총8획
**	封	봉할 봉	마디촌[寸]부/총9획
**	峯	봉우리 봉	뫼산[山]부/총10획
**	逢	만날 봉	책받침[辶(辵)]부/총11획
*	蜂	벌 봉	벌레충[虫]부/총13획
**	鳳	봉새 봉:	새조[鳥]부/총14획
	父	아비 부	아비부[父]부/총4획
	夫	지아비/사내 부	큰대[大]부/총4획
	部	떼/거느릴 부	우부방[阝(邑)]부/총11획
	副	버금 부:	선칼도방[刂(刀)]부/총11획
	婦	며느리/아내 부	계집녀[女]부/총11획
	富	부자 부:	갓머리[宀]부/총12획
	府	마을(官廳) 부(:)	집엄[广]부/총8획
	否	아닐 부:	입구[口]부/총7획
	負	질(荷) 부:	조개패[貝]부/총9획
**	付	부칠 부:	사람인변[亻(人)]부/총5획
**	扶	도울 부	재방변[扌(手)]부/총7획
**	浮	뜰 부	삼수변[氵(水)]부/총10획
**	符	부호 부(:)	대죽[(竹)]부/총11획
**	簿	문서 부:	대죽[(竹)]부/총19획
**	附	붙을 부(:)	좌부변[阝(阜)]부/총8획
**	腐	썩을 부:	고기육[肉]부/총14획
**	賦	부세 부	조개패[貝]부/총15획
*	赴	다다를/갈 부:	달릴주[走]부/총9획
	北	북녘 북/달아날 배	비수비[匕]부/총5획
	分	나눌 분(:)	칼도[刀]부/총4획
	憤	분할 분:	심방변[忄(心)]부/총15획

3급 배정한자

	한자	훈음	부수/획수
**	紛	어지러울 분(:)	실사[糸]부/총10획
**	奔	달릴 분	큰대[大]부/총8획
**	奮	떨칠 분:	큰대[大]부/총16획
	粉	가루 분	쌀미[米]부/총10획
*	墳	무덤 분	흙토[土]부/총15획
	不	아닐 불(부)	한일[一]부/총4획
	佛	부처 불	사람인변[亻(人)]부/총7획
**	拂	떨칠 불	재방변[扌(手)]부/총8획
*	崩	무너질 붕	뫼산[山]부/총11획
*	朋	벗 붕	달월[月]부/총8획
	比	견줄 비:	견줄비[比]부/총4획
	費	쓸 비:	조개패[貝]부/총12획
	鼻	코 비:	코비[鼻]부/총14획
	備	갖출 비:	사람인변[亻(人)]부/총12획
	悲	슬플 비:	마음심[心]부/총12획
	非	아닐 비(:)	아닐비[非]부/총8획
	飛	날 비	날비[飛]부/총9획
	批	비평할 비:	재방변[扌(手)]부/총7획
	碑	비석 비	돌석[石]부/총13획
	祕	숨길 비:	보일시[示]부/총10획
**	卑	낮을 비:	열십[十]부/총8획
**	妃	왕비 비	계집녀[女]부/총6획
**	婢	계집종 비:	계집녀[女]부/총11획
**	肥	살찔 비:	육달월[月(肉)]부/총8획
	貧	가난할 빈	조개패[貝]부/총11획
*	賓	손 빈	조개패[貝]부/총14획
*	頻	자주 빈	머리혈[頁]부/총16획
	氷	얼음 빙	물수[水]부/총5획
*	聘	부를 빙	귀이[耳]부/총13획
	四	넉 사:	큰입구몸[口]부/총5획
	事	일 사:	갈고리궐[亅]부/총8획
	使	하여금/부릴 사:	사람인변[亻(人)]부/총8획
	死	죽을 사:	죽을사변[歹]부/총6획
	社	모일 사	보일시[示]부/총8획
	仕	섬길 사(:)	사람인변[亻(人)]부/총5획
	史	사기(史記) 사:	입구[口]부/총5획
	士	선비 사:	선비사[士]부/총3획
	寫	베낄 사	갓머리[宀]부/총15획
	思	생각할 사(:)	마음심[心]부/총9획
	査	조사할 사	나무목[木]부/총9획
	寺	절 사	마디촌[寸]부/총6획
	師	스승 사	수건건[巾]부/총10획
	舍	집 사	혀설[舌]부/총8획
	謝	사례할 사:	말씀언[言]부/총17획
	射	쏠 사(:)	마디촌[寸]부/총10획
	私	사사(私事) 사	벼화[禾]부/총7획
	絲	실 사	실사[糸]부/총12획
	辭	말씀 사	매울신[辛]부/총19획
**	司	맡을 사	입구[口]부/총5획
**	沙	모래 사	삼수변[氵(水)]부/총7획
**	祀	제사 사	보일시[示]부/총8획
**	詞	말/글 사	말씀언[言]부/총12획
**	邪	간사할 사	우부방[阝(邑)]부/총7획
*	似	닮을 사:	사람인변[亻(人)]부/총7획
*	巳	뱀/여섯째지지 사:	몸기[己]부/총3획
*	捨	버릴 사:	재방변[扌(手)]부/총11획
**	斜	비낄 사	말두[斗]부/총11획
**	斯	이 사	도끼근[斤]부/총12획
**	蛇	긴뱀 사	벌레충[虫]부/총11획
*	詐	속일 사	말씀언[言]부/총12획
*	賜	줄 사:	조개패[貝]부/총15획
*	削	깎을 삭	선칼도방[刂(刀)]부/총9획
*	朔	초하루 삭	달월[月]부/총10획
	山	메 산	뫼산[山]부/총3획
	算	셀 산:	대죽[(竹)]부/총14획
	産	낳을 산:	날생[生]부/총11획
	散	흩어질 산:	등글월문[攵(攴)]부/총12획
	殺	죽일 살/감할 쇄:	갖은등글월문[殳]부/총11획
	三	석 삼	한일[一]부/총3획
**	森	수풀 삼	나무목[木]부/총12획
	上	윗 상:	한일[一]부/총3획
	商	장사 상	입구[口]부/총11획
	相	서로 상	눈목[目]부/총9획
	賞	상줄 상	조개패[貝]부/총15획
	常	떳떳할/항상 상	수건건[巾]부/총11획
	床	상 상(牀)	집엄[广]부/총7획
	想	생각할 상:	마음심[心]부/총13획
	狀	형상 상/문서 장:	개견[犬]부/총8획
	傷	다칠 상	사람인변[亻(人)]부/총13획
	象	코끼리 상	돼지시[豕]부/총12획
*	像	모양 상	사람인변[亻(人)]부/총14획
**	喪	잃을 상(:)	입구[口]부/총12획
**	尙	오히려 상(:)	작을소[小]부/총8획
**	裳	치마 상	옷의[衣]부/총14획
**	詳	자세할 상	말씀언[言]부/총13획
**	霜	서리 상	비우[雨]부/총17획
**	償	갚을 상	사람인변[亻(人)]부/총17획
*	嘗	맛볼 상	입구[口]부/총14획
**	桑	뽕나무 상	나무목[木]부/총10획
*	祥	상서 상	보일시[示]부/총11획
	色	빛 색	빛색[色]부/총6획
**	索	찾을 색	실사[糸]부/총10획
**	塞	막힐 색/변방 새	흙토[土]부/총13획
	生	날/살 생	날생[生]부/총5획
	西	서녘 서	덮을아[襾]부/총6획
	書	글 서	가로왈[曰]부/총10획
	序	차례 서:	집엄[广]부/총7획
**	徐	천천할 서(:)	두인변[彳]부/총10획
**	恕	용서할 서:	마음심[心]부/총10획
**	緖	실마리 서:	실사[糸]부/총15획
**	署	마을(官廳) 서:	그물망[罒(网)]부/총14획
*	庶	여러 서:	집엄[广]부/총11획
*	敍	펼 서:	칠복[攴]부/총11획
*	暑	더울 서:	날일[日]부/총13획
*	誓	맹세할 서:	말씀언[言]부/총14획
*	逝	갈 서:	책받침[辶(辵)]부/총11획
	夕	저녁 석	저녁석[夕]부/총3획
	席	자리 석	수건건[巾]부/총10획
	石	돌 석	돌석[石]부/총5획
**	惜	아낄 석	심방변[忄(心)]부/총11획
**	釋	풀 석	나눌변[釆]부/총20획
*	昔	예 석	날일[日]부/총8획
*	析	쪼갤 석	나무목[木]부/총8획
	先	먼저 선	어진사람인[儿]부/총6획
	線	줄 선	실사[糸]부/총15획
	仙	신선 선	사람인변[亻(人)]부/총5획
	善	착할 선:	입구[口]부/총12획
	船	배 선	배선[舟]부/총11획
	選	가릴 선:	책받침[辶(辵)]부/총16획
	鮮	고울 선	고기어[魚]부/총17획
	宣	베풀 선	갓머리[宀]부/총9획
**	旋	돌(廻) 선	모방[方]부/총11획
**	禪	선 선	보일시[示]부/총17획
	雪	눈 설	비우[雨]부/총11획
	說	말씀 설/달랠 세	말씀언[言]부/총14획
	設	베풀 설	말씀언[言]부/총11획
	舌	혀 설	혀설[舌]부/총6획
*	攝	다스릴/잡을 섭	재방변[扌(手)]부/총21획
*	涉	건널 섭	삼수변[氵(水)]부/총10획
	姓	성 성:	계집녀[女]부/총8획
	成	이룰 성	창과[戈]부/총7획
	省	살필 성/덜 생	눈목[目]부/총9획
	性	성품 성:	심방변[忄(心)]부/총8획
	城	재 성	흙토[土]부/총10획
	星	별 성	날일[日]부/총9획
	盛	성할 성:	그릇명[皿]부/총12획
	聖	성인 성:	귀이[耳]부/총13획
	聲	소리 성	귀이[耳]부/총17획
	誠	정성 성	말씀언[言]부/총14획
	世	인간 세:	한일[一]부/총5획

3급 배정한자

歲	해 세:	그칠지[止]부/총13획
洗	씻을 세:	삼수변[氵(水)]부/총9획
勢	형세 세:	힘력[力]부/총13획
稅	세금 세:	벼화[禾]부/총12획
細	가늘 세:	실사[糸]부/총11획
小	작을 소:	작을소[小]부/총3획
少	적을 소:	작을소[小]부/총4획
所	바/곳 소:	집호[戶]부/총8획
消	사라질 소	삼수변[氵(水)]부/총10획
掃	쓸 소(:)	재방변[扌(手)]부/총11획
笑	웃을 소:	대죽머리[⺮(竹)]부/총10획
素	본디/흴 소:	실사[糸]부/총10획
** 疏	소통할 소	발소[⺪]부/총12획
** 蘇	되살아날 소	초두[艹(艸)]부/총19획
** 訴	호소할 소	말씀언[言]부/총12획
* 召	부를 소	입구[口]부/총5획
* 昭	밝을 소	날일[日]부/총9획
** 燒	사를 소(:)	불화[火]부/총16획
* 蔬	나물 소	초두[艹(艸)]부/총15획
* 騷	떠들 소	말마[馬]부/총20획
速	빠를 속	책받침[辶(辵)]부/총11획
束	묶을 속	나무목[木]부/총7획
俗	풍속 속	사람인변[亻(人)]부/총9획
續	이을 속	실사[糸]부/총21획
屬	붙일 속	주검시[尸]부/총21획
* 粟	조 속	쌀미[米]부/총12획
孫	손자 손:	아들자[子]부/총10획
損	덜 손:	재방변[扌(手)]부/총13획
送	보낼 송:	책받침[辶(辵)]부/총10획
松	소나무 송	나무목[木]부/총8획
頌	기릴/칭송할 송:	머리혈[頁]부/총13획
** 訟	송사할 송:	말씀언[言]부/총11획
* 誦	욀 송:	말씀언[言]부/총14획
** 刷	인쇄할 쇄:	선칼도방[刂(刀)]부/총8획
** 鎖	쇠사슬 쇄:	쇠금[金]부/총18획
** 衰	쇠할 쇠	옷의[衣]부/총10획
水	물 수	물수[水]부/총4획
手	손 수(:)	손수[手]부/총4획
數	셈 수:	등글월문[攵(攴)]부/총15획
樹	나무 수	나무목[木]부/총16획
首	머리 수	머리수[首]부/총9획
修	닦을 수	사람인변[亻(人)]부/총10획
受	받을 수(:)	또우[又]부/총8획
守	지킬 수	갓머리[宀]부/총6획
授	줄 수	재방변[扌(手)]부/총11획
收	거둘 수	등글월문[攵(攴)]부/총6획
秀	빼어날 수	벼화[禾]부/총7획
** 壽	목숨 수	선비사[士]부/총14획
** 帥	장수 수	수건건[巾]부/총9획
** 愁	근심 수	마음심[心]부/총13획
** 殊	다를 수	죽을사변[歹]부/총10획
** 獸	짐승 수	개견[犬]부/총19획
** 輸	보낼 수	수레거[車]부/총16획
** 隨	따를 수	좌부변[阝(阜)]부/총16획
** 需	쓰일(쓸) 수	비우[雨]부/총14획
* 囚	가둘 수	큰입구몸[口]부/총5획
** 垂	드리울 수	흙토[土]부/총8획
* 搜	찾을 수	재방변[扌(手)]부/총13획
* 睡	졸음 수	눈목[目]부/총13획
* 誰	누구 수	말씀언[言]부/총15획
* 遂	드디어/이룰 수	책받침[辶(辵)]부/총13획
* 雖	비록 수	새추[隹]부/총17획
* 須	모름지기 수	머리혈[頁]부/총12획
宿	잘 숙	갓머리[宀]부/총11획
叔	아재비 숙	또우[又]부/총8획
肅	엄숙할 숙	붓률[聿]부/총13획
** 淑	맑을 숙	삼수변[氵(水)]부/총11획
** 熟	익을 숙	연화발[灬(火)]부/총15획
* 孰	누구 숙	아들자[子]부/총11획
順	순할/차례 순:	머리혈[頁]부/총12획
純	순수할 순	실사[糸]부/총10획
** 巡	돌/순행할 순	개미허리[巛(川)]부/총7획
** 旬	열흘 순	날일[日]부/총6획
** 瞬	눈깜짝일 순	눈목[目]부/총17획
* 循	돌 순	두인변[彳]부/총12획
* 殉	따라죽을 순	죽을사변[歹]부/총10획
* 脣	입술 순	육달월[月(肉)]부/총11획
術	재주 술	다닐행[行]부/총11획
** 述	펼 술	책받침[辶(辵)]부/총9획
* 戌	개/열한번째지지 술	창과[戈]부/총6획
崇	높을 숭	뫼산[山]부/총11획
習	익힐 습	깃우[羽]부/총11획
** 拾	주울습/열 십	재방변[扌(手)]부/총9획
** 襲	엄습할 습	옷의[衣]부/총22획
** 濕	젖을 습	삼수변[氵(水)]부/총17획
勝	이길 승	힘력[力]부/총12획
承	이을 승	손수[手]부/총8획
** 乘	탈 승	삐침변[丿]부/총10획
** 僧	중 승	사람인변[亻(人)]부/총14획
** 昇	오를 승	날일[日]부/총8획
市	저자 시:	수건건[巾]부/총5획
時	때 시	날일[日]부/총10획
始	비로소 시:	계집녀[女]부/총8획
示	보일 시:	보일시[示]부/총5획
施	베풀 시:	모방[方]부/총9획
是	옳을/이 시:	날일[日]부/총9획
視	볼 시:	볼견[見]부/총12획
試	시험할 시(:)	말씀언[言]부/총13획
詩	시 시	말씀언[言]부/총13획
** 侍	모실 시:	사람인변[亻(人)]부/총8획
* 矢	화살 시:	화살시[矢]부/총5획
食	밥/먹을 식	밥식[食]부/총9획
植	심을 식	나무목[木]부/총12획
式	법 식	주살익[ ]부/총6획
識	알 식/표할 지	말씀언[言]부/총19획
息	쉴 식	마음심[心]부/총10획
** 飾	꾸밀 식	밥식[食]부/총14획
信	믿을 신:	사람인변[亻(人)]부/총9획
新	새 신	도끼근[斤]부/총13획
神	귀신 신	보일시[示]부/총10획
身	몸 신	몸신[身]부/총7획
臣	신하 신	신하신[臣]부/총6획
申	납(猿)/아홉째지지 신	밭전[田]부/총5획
** 愼	삼갈 신:	심방변[忄(心)]부/총13획
* 伸	펼 신	사람인변[亻(人)]부/총7획
* 晨	새벽 신	날일[日]부/총11획
* 辛	매울 신	매울신[辛]부/총7획
室	집 실	갓머리[宀]부/총9획
失	잃을 실	큰대[大]부/총5획
實	열매 실	갓머리[宀]부/총14획
心	마음 심	마음심[心]부/총4획
深	깊을 심	삼수변[氵(水)]부/총11획
** 審	살필 심(:)	갓머리[宀]부/총15획
** 甚	심할 심:	달감[甘]부/총9획
* 尋	찾을 심	마디촌[寸]부/총12획
十	열 십	열십[十]부/총2획
** 雙	두/쌍 쌍	새추[隹]부/총18획
氏	성씨 씨	성씨씨[氏]부/총4획
兒	아이 아	어진사람인[儿]부/총8획
** 亞	버금 아(:)	두이[二]부/총8획
** 我	나 아:	창과[戈]부/총7획
** 阿	언덕 아	좌부변[阝(阜)]부/총8획
** 雅	맑을 아	새추[隹]부/총12획
** 牙	어금니 아	어금니아[牙]부/총4획
** 芽	싹 아	초두[艹(艸)]부/총7획
* 餓	주릴 아:	밥식[食]부/총16획
惡	악할 악/미워할 오	마음심[心]부/총12획
* 岳	큰산 악	뫼산[山]부/총8획
安	편안할 안	갓머리[宀]부/총6획
案	책상 안:	나무목[木]부/총10획

3급 배정한자

	眼	눈 안:	눈목[目]부/총11획
**	岸	언덕 안:	뫼산[山]부/총8획
**	顔	낯 안:	머리혈[頁]부/총18획
*	雁	기러기 안:	새추[隹]부/총12획
*	謁	뵐 알	말씀언[言]부/총16획
	暗	어두울 암:	날일[日]부/총13획
**	巖	바위 암(岩)	뫼산[山]부/총23획
	壓	누를 압	흙토[土]부/총17획
*	押	누를 압	재방변[扌(手)]부/총8획
**	仰	우러를 앙:	사람인변[亻(人)]부/총6획
**	央	가운데 앙	큰대[大]부/총5획
*	殃	재앙 앙	죽을사변[歹]부/총9획
	愛	사랑 애:	마음심[心]부/총13획
**	哀	슬플 애	입구[口]부/총9획
*	涯	물가 애	삼수변[氵(水)]부/총11획
	液	진 액	삼수변[氵(水)]부/총11획
	額	이마 액	머리혈[頁]부/총18획
*	厄	액(재앙) 액	굴바위엄[厂]부/총4획
	夜	밤 야	저녁석[夕]부/총8획
	野	들 야	마을리[里]부/총11획
*	也	이끼/어조사 야:	새을방[乚(乙)]부/총3획
*	耶	어조사 야	귀이[耳]부/총9획
	弱	약할 약	활궁[弓]부/총10획
	藥	약 약	초두[艹(艸)]부/총18획
	約	맺을 약	실사[糸]부/총9획
**	若	같을 약/반야 야	초두[艹(艸)]부/총8획
*	躍	뛸 약	발족[足]부/총21획
	洋	큰바다 양	삼수변[氵(水)]부/총9획
	陽	볕 양	좌부변[阝(阜)]부/총12획
	養	기를 양:	밥식[食]부/총15획
	羊	양 양	양양[羊]부/총6획
	樣	모양 양	나무목[木]부/총15획
**	壤	흙덩이 양:	흙토[土]부/총20획
**	揚	날릴 양	재방변[扌(手)]부/총12획
**	讓	사양할 양:	말씀언[言]부/총24획
*	楊	버들 양	나무목[木]부/총13획
	語	말씀 어:	말씀언[言]부/총14획
	漁	고기잡을 어	삼수변[氵(水)]부/총14획
	魚	물고기 어	물고기어[魚]부/총11획
**	御	거느릴 어:	두인변[彳]부/총11획
*	於	어조사 어/탄식할 오	모방[方]부/총8획
	億	억 억	사람인변[亻(人)]부/총15획
**	憶	생각할 억	심방변[忄(心)]부/총16획
**	抑	누를 억	재방변[扌(手)]부/총7획
	言	말씀 언	말씀언[言]부/총7획
*	焉	어찌 언	연화발[灬(火)]부/총11획
	嚴	엄할 엄	입구[口]부/총20획
	業	업 업	나무목[木]부/총13획
	如	같을 여	계집녀[女]부/총6획
	餘	남을 여	밥식[食]부/총16획
	與	줄/더불 여:	절구구[臼]부/총14획
*	予	나 여	갈고리궐[亅]부/총4획
*	余	나 여	사람인[人]부/총7획
*	汝	너 여:	삼수변[氵(水)]부/총6획
*	輿	수레 여:	수레거[車]부/총17획
	逆	거스를 역	책받침[辶(辵)]부/총10획
	域	지경 역	흙토[土]부/총11획
	易	바꿀 역/쉬울 이:	날일[日]부/총8획
**	亦	또 역	돼지머리해[亠]부/총6획
**	役	부릴 역	두인변[彳]부/총7획
**	譯	번역할 역	말씀언[言]부/총20획
**	驛	역 역	말마[馬]부/총23획
**	疫	전염병 역	병들녘[疒]부/총9획
	然	그럴 연	연화발[灬(火)]부/총12획
	演	펼 연:	삼수변[氵(水)]부/총14획
	煙	연기 연	불화[火]부/총13획
	硏	갈 연:	돌석[石]부/총11획
	延	늘일 연	민책받침[廴]부/총7획
	燃	탈 연	불화[火]부/총16획
	緣	인연 연	실사[糸]부/총15획
	鉛	납 연	쇠금[金]부/총13획
**	宴	잔치 연:	갓머리[宀]부/총10획
**	沿	물따라갈/따를 연(:)	삼수변[氵(水)]부/총8획
**	軟	연할 연:	수레거[車]부/총11획
**	燕	제비 연	연화발[灬(火)]부/총16획
	熱	더울 열	연화발[灬(火)]부/총15획
**	悅	기쁠 열	심방변[忄(心)]부/총10획
*	閱	볼 열	문문[門]부/총15획
**	染	물들 염:	나무목[木]부/총9획
**	炎	불꽃 염	불화[火]부/총8획
**	鹽	소금 염	소금밭로[鹵]부/총24획
	葉	잎 엽	초두[艹(艸)]부/총12획
	永	길 영:	물수[水]부/총5획
	英	꽃부리 영	초두[艹(艸)]부/총8획
	榮	영화로울 영	나무목[木]부/총14획
	映	비칠 영:	날일[日]부/총9획
	營	경영할 영	불화[火]부/총17획
	迎	맞을 영	책받침[辶(辵)]부/총8획
**	影	그림자 영:	터럭삼[彡]부/총15획
*	泳	헤엄칠 영:	삼수변[氵(水)]부/총8획
*	詠	읊을 영:	말씀언[言]부/총12획
	藝	재주 예:	초두[艹(艸)]부/총18획
	豫	미리 예:	돼지시[豕]부/총16획
**	譽	기릴/명예 예:	말씀언[言]부/총21획
*	銳	날카로울 예:	쇠금[金]부/총15획
	五	다섯 오:	두이[二]부/총4획
	午	낮/일곱번째지지 오:	열십[十]부/총4획
	誤	그르칠 오:	말씀언[言]부/총14획
**	悟	깨달을 오:	심방변[忄(心)]부/총10획
**	烏	까마귀 오	연화발[灬(火)]부/총10획
*	傲	거만할 오:	사람인변[亻(人)]부/총13획
*	吾	나 오	입구[口]부/총7획
*	嗚	슬플 오	입구[口]부/총13획
*	娛	즐길 오:	계집녀[女]부/총10획
*	汚	더러울 오:	삼수변[氵(水)]부/총6획
	屋	집 옥	주검시[尸]부/총9획
	玉	구슬 옥	구슬옥[玉]부/총5획
**	獄	옥(囚舍) 옥	개견[犬]부/총14획
	溫	따뜻할 온	삼수변[氵(水)]부/총13획
*	擁	낄 옹:	재방변[扌(手)]부/총16획
*	翁	늙은이 옹	깃우[羽]부/총10획
**	瓦	기와 와:	기와와[瓦]부/총5획
*	臥	누울 와:	신하신[臣]부/총8획
	完	완전할 완	갓머리[宀]부/총7획
**	緩	느릴 완:	실사[糸]부/총15획
*	曰	가로 왈	가로왈[曰]부/총4획
	王	임금 왕	구슬옥[玉]부/총4획
	往	갈 왕:	두인변[彳]부/총8획
	外	바깥 외	저녁석[夕]부/총5획
*	畏	두려워할 외:	밭전[田]부/총9획
	曜	빛날 요:	날일[日]부/총18획
	要	요긴할 요:	덮을아[襾]부/총9획
	謠	노래 요	말씀언[言]부/총17획
*	搖	흔들 요	재방변[扌(手)]부/총13획
*	腰	허리 요	육달월[月(肉)]부/총13획
*	遙	멀 요	책받침[辶(辵)]부/총14획
	浴	목욕할 욕	삼수변[氵(水)]부/총10획
**	慾	욕심 욕	마음심[心]부/총15획
**	欲	하고자할 욕	하품흠[欠]부/총11획
**	辱	욕될 욕	별진[辰]부/총10획
	勇	날랠 용:	힘력[力]부/총9획
	用	쓸 용::	쓸용[用]부/총5획
	容	얼굴 용	갓머리[宀]부/총10획
*	庸	떳떳할 용	집엄[广]부/총11획
	右	오른쪽 우:	입구[口]부/총5획
	友	벗 우:	또우[又]부/총4획
	牛	소 우	소우[牛]부/총4획
	雨	비 우:	비우[雨]부/총8획
	優	넉넉할 우	사람인변[亻(人)]부/총17획
	遇	만날 우:	책받침[辶(辵)]부/총13획

3급 배정한자

한자	훈음	부수/획수
郵	우편 우:	우부방[阝(邑)]부/총11획
**偶	짝 우:	사람인변[亻(人)]부/총11획
**宇	집 우:	갓머리[宀]부/총6획
**愚	어리석을 우	마음심[心]부/총13획
**憂	근심 우	마음심[心]부/총15획
*于	어조사 우	두이[二]부/총3획
*又	또 우:	또우[又]부/총2획
*尤	더욱 우	절름발이왕[尢]부/총4획
**羽	깃 우:	깃우[羽]부/총6획
運	옮길 운:	책받침[辶(辵)]부/총13획
雲	구름 운	비우[雨]부/총12획
**韻	운 운:	소리음[音]부/총19획
*云	이를 운	두이[二]부/총4획
雄	수컷 웅	새추[隹]부/총12획
園	동산 원	큰입구몸[口]부/총13획
遠	멀 원:	책받침[辶(辵)]부/총14획
元	으뜸 원	어진사람인[儿]부/총4획
原	근원/언덕 원	굴바위엄[厂]부/총10획
院	집 원	좌부변[阝(阜)]부/총10획
願	원할 원:	머리혈[頁]부/총19획
員	인원 원	입구[口]부/총10획
圓	둥글 원	큰입구몸[口]부/총13획
怨	원망할 원(:)	마음심[心]부/총9획
援	도울 원:	재방변[扌(手)]부/총12획
源	근원 원	삼수변[氵(水)]부/총13획
月	달 월	달월[月]부/총4획
**越	넘을 월	달릴주[走]부/총12획
位	자리 위	사람인변[亻(人)]부/총7획
偉	클 위	사람인변[亻(人)]부/총11획
爲	할/될 위	손톱조[爪]부/총12획
衛	지킬 위	다닐행[行]부/총15획
危	위태할 위	마디절[㔾(卩)]부/총6획
圍	에워쌀 위	큰입구몸[口]부/총12획
委	맡길 위	계집녀[女]부/총8획
威	위엄 위	계집녀[女]부/총9획
慰	위로할 위	마음심[心]부/총15획
**謂	이를 위	말씀언[言]부/총16획
**僞	거짓 위	사람인변[亻(人)]부/총14획
*緯	씨 위	실사[糸]부/총15획
**胃	밥통 위	육달월[月(肉)]부/총9획
*違	어긋날 위	책받침[辶(辵)]부/총13획
有	있을 유:	달월[月]부/총6획
油	기름 유	삼수변[氵(水)]부/총8획
由	말미암을 유	밭전[田]부/총5획
乳	젖 유	새을방[乚(乙)]부/총8획
儒	선비 유	사람인변[亻(人)]부/총16획
遊	놀 유	책받침[辶(辵)]부/총13획
遺	남길 유	책받침[辶(辵)]부/총16획
**幼	어릴 유	작을요[幺]부/총5획
**幽	그윽할 유	작을요[幺]부/총9획
**悠	멀 유	마음심[心]부/총11획
**柔	부드러울 유	나무목[木]부/총9획
**猶	오히려 유	개사슴록변[犭(犬)]부/총12획
**維	벼리유	실사[糸]부/총14획
**裕	넉넉할 유:	옷의[衣]부/총12획
**誘	꾈 유	말씀언[言]부/총14획
*唯	오직 유	입구[口]부/총11획
*惟	생각할 유	심방변[忄(心)]부/총11획
*愈	나을 유	마음심[心]부/총13획
*酉	닭 유	닭유[酉]부/총7획
育	기를 육	육달월[月(肉)]부/총8획
肉	고기/살육	고기육[肉]부/총6획
**潤	불을 윤:	삼수변[氵(水)]부/총15획
*閏	윤달 윤:	문문[門]부/총12획
銀	은 은	쇠금[金]부/총14획
恩	은혜 은	마음심[心]부/총10획
隱	숨을 은	좌부변[阝(阜)]부/총17획
**乙	새/둘째천간 을	새을[乙]부/총1획
音	소리 음	소리음[音]부/총9획
飮	마실 음(:)	밥식[食]부/총13획
陰	그늘 음	좌부변[阝(阜)]부/총11획
*吟	읊을 음	입구[口]부/총7획
**淫	음란할 음	삼수변[氵(水)]부/총11획
邑	고을 읍	고을읍[邑]부/총7획
*泣	울 읍	삼수변[氵(水)]부/총8획
應	응할 응:	마음심[心]부/총17획
*凝	엉길 응:	이수변[冫]부/총16획
意	뜻 의	마음심[心]부/총13획
衣	옷 의	옷의[衣]부/총6획
醫	의원 의	닭유[酉]부/총18획
義	옳을 의:	양양[羊]부/총13획
議	의논할 의(:)	말씀언[言]부/총20획
依	의지할 의	사람인변[亻(人)]부/총8획
儀	거동 의	사람인변[亻(人)]부/총15획
疑	의심할 의	발소[疋]부/총14획
*宜	마땅 의	갓머리[宀]부/총8획
*矣	어조사 의	화살시[矢]부/총7획
二	두 이:	두이[二]부/총2획
以	써 이:	사람인[人]부/총5획
耳	귀 이:	귀이[耳]부/총6획
移	옮길 이	벼화[禾]부/총11획
異	다를 이:	밭전[田]부/총11획
**已	이미 이:	몸기[己]부/총3획
*夷	오랑캐 이	큰대[大]부/총6획
*而	말이을 이	말이을이[而]부/총6획
益	더할 익	그릇명[皿]부/총10획
**翼	날개 익	깃우[羽]부/총17획
人	사람 인	사람인[人]부/총2획
因	인할 인	큰입구몸[口]부/총6획
印	도장 인	병부절[卩]부/총6획
引	끌 인	활궁[弓]부/총4획
認	알(知) 인	말씀언[言]부/총14획
仁	어질 인	사람인변[亻(人)]부/총4획
**忍	참을 인	마음심[心]부/총7획
*姻	혼인 인	계집녀[女]부/총9획
*寅	범/셋째지지 인	갓머리[宀]부/총11획
一	한 일	한일[一]부/총1획
日	날 일	날일[日]부/총4획
**逸	편안할 일	책받침[辶(辵)]부/총12획
任	맡길 임(:)	사람인변[亻(人)]부/총6획
**壬	북방/아홉번째천간 임	선비사[士]부/총4획
**賃	품삯 임:	조개패[貝]부/총13획
入	들 입	들입[入]부/총2획
子	아들/첫째지지 자	아들자[子]부/총3획
字	글자 자	아들자[子]부/총6획
自	스스로 자	스스로자[自]부/총6획
者	놈 자	늙을로[耂(老)]부/총9획
姿	모양 자:	계집녀[女]부/총9획
資	재물 자	조개패[貝]부/총13획
姉	손윗누이 자	계집녀[女]부/총8획
**慈	사랑 자	마음심[心]부/총13획
**刺	찌를 자/찌를 척	선칼도방[刂(刀)]부/총8획
*恣	마음대로/방자할 자:	마음심[心]부/총10획
*玆	이 자	검을현[玄]부/총10획
**紫	자줏빛 자	실사[糸]부/총11획
作	지을 작	사람인변[亻(人)]부/총7획
昨	어제 작	날일[日]부/총9획
*爵	벼슬 작	손톱조[爪]부/총18획
*酌	술부을/잔질할 작	닭유[酉]부/총10획
殘	남을 잔	죽을사변[歹]부/총12획
**暫	잠깐 잠:	날일[日]부/총15획
**潛	잠길 잠	삼수변[氵(水)]부/총15획
雜	섞일 잡	새추[隹]부/총18획
長	길/어른 장(:)	길장[長]부/총8획
場	마당 장	흙토[土]부/총12획
章	글 장	설립[立]부/총11획
將	장수 장(:)	마디촌[寸]부/총11획
障	막을 장	좌부변[阝(阜)]부/총14획
壯	장할 장:	선비사[士]부/총7획
帳	장막 장:	수건건[巾]부/총11획

3급 배정한자

張 베풀 장 활궁[弓]부/총11획
腸 창자 장 육달월[月(肉)]부/총13획
裝 꾸밀 장 옷의[衣]부/총13획
奬 장려할 장(:) 큰대[大]부/총14획
**丈 어른 장 한일[一]부/총3획
**掌 손바닥 장: 손수[手]부/총12획
**粧 단장할 장 쌀미[米]부/총12획
**臟 오장 장: 육달월[月(肉)]부/총21획
**莊 씩씩할 장 초두[++(艸)]부/총10획
**葬 장사지낼 장: 초두[++(艸)]부/총12획
**藏 감출 장: 초두[++(艸)]부/총17획
*墻 담 장 흙토[土]부/총16획
在 있을 재: 흙토[土]부/총6획
才 재주 재 재방변[扌(手)]부/총3획
再 두 재: 멀경[冂]부/총6획
材 재목 재 나무목[木]부/총7획
災 재앙 재 불화[火]부/총7획
財 재물 재 조개패[貝]부/총10획
**栽 심을 재: 나무목[木]부/총10획
**裁 옷마를 재 옷의[衣]부/총12획
**載 실을 재: 수레거[車]부/총13획
*哉 어조사 재 입구[口]부/총9획
*宰 재상 재: 갓머리[宀]부/총10획
爭 다툴 쟁 손톱조[爪]부/총8획
貯 쌓을 저: 조개패[貝]부/총12획
低 낮을 저: 사람인변[亻(人)]부/총7획
底 밑 저: 집엄[广]부/총8획
**抵 막을 저: 재방변[扌(手)]부/총8획
**著 나타날 저: 초두[++(艸)]부/총12획
的 과녁 적 흰백[白]부/총8획
赤 붉을 적 붉을적[赤]부/총7획
敵 대적할 적 등글월문[攵(攴)]부/총15획
積 쌓을 적 벼화[禾]부/총16획
籍 문서 적 대죽[竹]부/총20획
績 길쌈 적 실사[糸]부/총17획

賊 도둑 적 조개패[貝]부/총13획
適 맞을 적 책받침[辶(辵)]부/총15획
**寂 고요할 적 갓머리[宀]부/총11획
**摘 딸(手收) 적 재방변[扌(手)]부/총14획
**笛 피리 적 대죽[竹]부/총11획
**跡 발자취 적 발족[足]부/총13획
**蹟 자취 적 발족[足]부/총18획
*滴 물방울 적 삼수변[氵(水)]부/총14획
全 온전 전 들입[入]부/총6획
前 앞 전 선칼도방[刂(刀)]부/총9획
電 번개 전: 비우[雨]부/총13획
戰 싸울 전: 창과[戈]부/총16획
傳 전할 전 사람인변[亻(人)]부/총13획
典 법 전 여덟팔[八]부/총8획
展 펼 전: 주검시[尸]부/총10획
田 밭 전 밭전[田]부/총5획
專 오로지 전 마디촌[寸]부/총11획
轉 구를 전: 수레거[車]부/총18획
錢 돈 전: 쇠금[金]부/총16획
**殿 전각(큰집) 전: 갖은등글월문[殳]부/총13획
切 끊을 절/온통 체 칼도[刀]부/총4획
節 마디 절 대죽[竹]부/총15획
絶 끊을 절 실사[糸]부/총12획
折 꺾을 절 재방변[扌(手)]부/총7획
*竊 훔칠 절 구멍혈[穴]부/총22획
店 가게 점: 집엄[广]부/총8획
占 점령할:/점칠 점 점복[卜]부/총5획
點 점 점(:) 검을흑[黑]부/총17획
**漸 점점 점: 삼수변[氵(水)]부/총14획
接 이을 접 재방변[扌(手)]부/총11획
*蝶 나비 접 벌레충[虫]부/총15획
正 바를 정(:) 그칠지[止]부/총5획
定 정할 정: 갓머리[宀]부/총8획
庭 뜰 정 집엄[广]부/총10획
停 머무를 정 사람인변[亻(人)]부/총11획

情 뜻 정 심방변[忄(心)]부/총11획
政 정사 정 등글월문[攵(攴)]부/총9획
程 한도/길 정 벼화[禾]부/총12획
精 정할(깨끗할) 정 쌀미[米]부/총14획
丁 고무래/네째천간 정 한일[一]부/총2획
整 가지런할 정: 등글월문[攵(攴)]부/총16획
靜 고요할 정 푸를청[靑]부/총16획
**井 우물 정 두이[二]부/총4획
**亭 정자 정 돼지해밑[亠]부/총9획
**廷 조정 정 민책받침[廴]부/총7획
**征 칠 정 두인변[彳]부/총8획
**淨 깨끗할 정 삼수변[氵(水)]부/총11획
**貞 곧을 정 조개패[貝]부/총9획
**頂 정수리 정 머리혈[頁]부/총11획
*訂 바로잡을 정 말씀언[言]부/총9획
弟 아우 제: 활궁[弓]부/총7획
第 차례 제: 대죽[竹]부/총11획
題 제목 제 머리혈[頁]부/총18획
制 절제할 제: 선칼도방[刂(刀)]부/총8획
提 끌 제 재방변[扌(手)]부/총12획
濟 건널 제: 삼수변[氵(水)]부/총17획
祭 제사 제: 보일시[示]부/총11획
製 지을 제:: 옷의[衣]부/총14획
除 덜 제 좌부변[阝(阜)]부/총10획
際 즈음(때)/가 제: 좌부변[阝(阜)]부/총14획
帝 임금 제: 수건건[巾]부/총9획
**諸 모두 제 말씀언[言]부/총16획
**齊 가지런할 제 가지런할제[齊]부/총14획
*堤 둑 제 흙토[土]부/총12획
祖 할아비 조 보일시[示]부/총10획
朝 아침 조 달월[月]부/총12획
操 잡을 조: 재방변[扌(手)]부/총16획
調 고를 조 말씀언[言]부/총15획
助 도울 조: 힘력[力]부/총7획
早 이를 조: 날일[日]부/총6획

造 지을 조: 책받침[辶(辵)]부/총11획
鳥 새 조 새조[鳥]부/총11획
條 가지 조 나무목[木]부/총11획
潮 조수(밀물과 썰물) 조 삼수변[氵(水)]부/총15획
組 짤 조 실사[糸]부/총11획
**兆 억조 조 어진사람인[儿]부/총6획
**照 비칠 조 연화발[灬(火)]부/총13획
*弔 조상할 조: 활궁[弓]부/총4획
*燥 마를 조 불화[火]부/총17획
**租 조세 조 벼화[禾]부/총10획
足 발 족 발족[足]부/총7획
族 겨레 족 모방[方]부/총11획
尊 높을 존 마디촌[寸]부/총12획
存 있을 존 아들자[子]부/총6획
卒 마칠 졸 열십[十]부/총8획
*拙 졸할 졸 재방변[扌(手)]부/총8획
種 씨 종(:) 벼화[禾]부/총14획
終 마칠 종 실사[糸]부/총11획
宗 마루 종 갓머리[宀]부/총8획
從 좇을 종(:) 두인변[彳]부/총11획
鍾 쇠북 종 쇠금[金]부/총17획
**縱 세로 종 실사[糸]부/총17획
左 왼 좌:: 장인공[工]부/총5획
座 자리 좌: 집엄[广]부/총10획
**坐 앉을 좌: 흙토[土]부/총7획
*佐 도울 좌: 사람인변[亻(人)]부/총7획
罪 허물 죄: 그물망[罒(网)]부/총13획
主 임금/주인 주 불똥주[丶]부/총5획
住 살 주: 사람인변[亻(人)]부/총7획
晝 낮 주 날일[日]부/총11획
注 부을 주: 삼수변[氵(水)]부/총8획
州 고을 주 개미허리[巛]부/총6획
週 주일 주 책받침[辶(辵)]부/총12획
走 달릴 주 달릴주[走]부/총7획
周 두루 주 입구[口]부/총8획

3급 배정한자

한자	훈음	부수/획수
朱	붉을 주	나무목[木]부/총6획
酒	술 주(:)	닭유[酉]부/총10획
*宙	집 주:	갓머리[宀]부/총8획
*柱	기둥 주	나무목[木]부/총9획
*洲	물가 주	삼수변[氵(水)]부/총9획
*奏	아뢸 주(:)	큰대[大]부/총9획
*株	그루 주	나무목[木]부/총10획
*珠	구슬 주	임금왕[王]부/총10획
*舟	배 주	배주[舟]부/총6획
*鑄	쇠불릴 주	쇠금[金]부/총22획
竹	대 죽	대죽[竹]부/총6획
準	준할 준:	삼수변[氵(水)]부/총13획
*俊	준걸 준:	사람인변[亻(人)]부/총9획
*遵	좇을 준:	책받침[辶(辵)]부/총16획
中	가운데 중	뚫을곤[丨]부/총4획
重	무거울 중:	마을리[里]부/총9획
衆	무리 중:	피혈[血]부/총12획
*仲	버금 중(:)	사람인변[亻(人)]부/총6획
*卽	곧 즉	병부절[卩]부/총9획
增	더할 증	흙토[土]부/총15획
證	증거 증	말씀언[言]부/총19획
*憎	미울 증	심방변[忄(心)]부/총15획
*曾	일찍 증	날일[日]부/총12획
*症	증세 증(:)	병들녁[疒]부/총10획
*蒸	찔 증	초두[艹(艸)]부/총13획
*贈	줄 증	조개패[貝]부/총19획
地	따 지	흙토[土]부/총6획
紙	종이 지	실사[糸]부/총10획
止	그칠 지	그칠지[止]부/총4획
知	알 지	화살시[矢]부/총8획
志	뜻 지	마음심[心]부/총7획
指	가리킬 지	재방변[扌(手)]부/총9획
支	지탱할 지	지탱할지[支]부/총4획
至	이를 지	이를지[至]부/총6획
持	가질 지	재방변[扌(手)]부/총9획
智	지혜/슬기 지	날일[日]부/총12획
誌	기록할 지	말씀언[言]부/총14획
*之	갈 지	삐침별[丿]부/총4획
*池	못 지	삼수변[氵(水)]부/총6획
*只	다만 지	입구[口]부/총5획
*枝	가지 지	나무목[木]부/총8획
*遲	더딜/늦을 지	책받침[辶(辵)]부/총16획
直	곧을 직	눈목[目]부/총8획
職	직분 직	귀이[耳]부/총18획
織	짤 직	실사[糸]부/총18획
眞	참 진	눈목[目]부/총10획
進	나아갈 진:	책받침[辶(辵)]부/총12획
珍	보배 진	임금왕[王(玉)]부/총9획
盡	다할 진:	그릇명[皿]부/총14획
陣	진칠 진	좌부변[阝(阜)]부/총10획
*振	떨칠 진:	재방변[扌(手)]부/총10획
*辰	별 진/때 신	별진[辰]부/총7획
*鎭	진압할 진(:)	쇠금[金]부/총18획
*陳	베풀/묵을 진	좌부변[阝(阜)]부/총11획
*震	우레 진:	비우[雨]부/총15획
質	바탕 질	조개패[貝]부/총15획
*疾	병 질	병들녁[疒]부/총10획
*秩	차례 질	벼화[禾]부/총10획
*姪	조카 질	계집녀[女]부/총9획
集	모일 집	새추[隹]부/총12획
*執	잡을 집	흙토[土]부/총11획
*徵	부를 징	두인변[彳]부/총15획
*懲	징계할 징	마음심[心]부/총19획
次	버금 차	하품흠[欠]부/총6획
差	다를 차	장인공[工]부/총10획
*此	이 차	그칠지[止]부/총6획
*且	또 차:	한일[一]부/총5획
*借	빌/빌릴 차:	사람인변[亻(人)]부/총10획
着	붙을 착	눈목[目]부/총12획
*捉	잡을 착	재방변[扌(手)]부/총10획
*錯	어긋날 착	쇠금[金]부/총16획
讚	기릴 찬:	말씀언[言]부/총26획
*贊	도울 찬:	조개패[貝]부/총19획
察	살필 찰	갓머리[宀]부/총14획
參	참여할 참/석 삼	마을모[厶]부/총11획
*慘	참혹할 참	심방변[忄(心)]부/총14획
*慙	부끄러울 참	마음심[心]부/총15획
窓	창 창	구멍혈[穴]부/총11획
唱	부를 창:	입구[口]부/총11획
創	비롯할 창:	선칼도방[刂(刀)]부/총12획
*倉	곳집 창:	사람인[人]부/총10획
*昌	창성할 창(:)	날일[日]부/총8획
*蒼	푸를 창	초두[艹(艸)]부/총13획
*暢	화창할 창:	날일[日]부/총14획
採	캘 채:	재방변[扌(手)]부/총11획
*彩	채색 채:	터럭삼[彡]부/총11획
*菜	나물 채	초두[艹(艸)]부/총11획
*債	빚 채:	사람인변[亻(人)]부/총13획
責	꾸짖을 책	조개패[貝]부/총11획
冊	책 책	멀경[冂]부/총5획
*策	꾀 책	대죽[竹]부/총12획
處	곳 처:	범호밑[虍]부/총11획
*妻	아내 처	계집녀[女]부/총8획
*尺	자 척	주검시[尸]부/총4획
*戚	친척 척	창과[戈]부/총11획
*拓	넓힐척/박을 탁	재방변[扌(手)]부/총8획
*斥	물리칠 척	도끼근[斤]부/총5획
千	일천 천	열십[十]부/총3획
天	하늘 천	큰대[大]부/총4획
川	내 천	개미허리[巛]부/총3획
泉	샘 천	물수[水]부/총9획
*淺	얕을 천:	삼수변[氵(水)]부/총11획
*賤	천할 천:	조개패[貝]부/총15획
*踐	밟을 천:	발족[(足)]부/총15획
*薦	천거할 천:	초두[艹(艸)]부/총16획
*遷	옮길 천:	책받침[辶(辵)]부/총15획
鐵	쇠 철	쇠금[金]부/총21획
*哲	밝을 철	입구[口]부/총10획
*徹	통할 철	두인변[彳]부/총15획
*尖	뾰족할 첨	작을소[小]부/총6획
*添	더할 첨	삼수변[氵(水)]부/총11획
*妾	첩 첩	계집녀[女]부/총8획
靑	푸를 청	푸를청[靑]부/총8획
淸	맑을 청	삼수변[氵(水)]부/총11획
請	청할 청	말씀언[言]부/총15획
聽	들을 청	귀이[耳]부/총22획
廳	관청 청	집엄[广]부/총25획
*晴	갤 청	날일[日]부/총12획
體	몸 체	뼈골[骨]부/총23획
*替	바꿀 체	날일[日]부/총12획
*滯	막힐 체	삼수변[氵(水)]부/총13획
*逮	잡을 체	책받침[辶(辵)]부/총12획
*遞	갈릴 체	책받침[辶(辵)]부/총14획
草	풀 초	초두[艹(艸)]부/총9획
初	처음 초	칼도[刀]부/총7획
招	부를 초	재방변[扌(手)]부/총8획
*礎	주춧돌 초	돌석[石]부/총18획
*肖	닮을 초	육달월[月(肉)]부/총7획
*超	뛰어넘을 초	달릴주[走]부/총12획
*抄	뽑을 초	재방변[扌(手)]부/총7획
*秒	분초 초	벼화[禾]부/총9획
*促	재촉할 촉	사람인변[亻(人)]부/총9획
*觸	닿을 촉	뿔각[角]부/총20획
*燭	촛불 촉	불화[火]부/총17획
寸	마디 촌:	마디촌[寸]부/총3획
村	마을 촌:	나무목[木]부/총7획
總	다(皆) 총:	실사[糸]부/총17획
銃	총 총	쇠금[金]부/총14획
*聰	귀밝을 총	귀이[耳]부/총17획
最	가장 최:	가로왈[曰]부/총12획

3급 배정한자

**催	재촉할 최:	사람인변[亻(人)]부/총13획
秋	가을 추:	벼화[禾]부/총9획
推	밀 추	재방변[扌(手)]부/총11획
**追	쫓을/따를 추	책받침[辶(辵)]부/총10획
*抽	뽑을 추	재방변[扌(手)]부/총8획
*醜	추할 추	닭유[酉]부/총17획
祝	빌 축	보일시[示]부/총10획
築	쌓을 축	대죽[竹]부/총16획
蓄	모을 축	초두[艹(艸)]부/총13획
縮	줄일 축	실사[糸]부/총17획
*丑	소/두번째지지 축	한일[一]부/총4획
**畜	짐승 축	밭전[田]부/총10획
*逐	쫓을 축	책받침[辶(辵)]부/총11획
春	봄 춘	날일[日]부/총9획
出	날 출	입벌릴감[凵]부/총5획
充	채울 충	어진사람인[儿]부/총6획
忠	충성 충	마음심[心]부/총8획
蟲	벌레 충	벌레충[虫]부/총18획
**衝	찌를 충	다닐행[行]부/총15획
取	가질 취:	또우[又]부/총8획
就	나아갈 취:	절름발이왕[尤]부/총12획
趣	뜻 취:	달릴주[走]부/총15획
**吹	불 취:	입구[口]부/총7획
**醉	취할 취:	닭유[酉]부/총15획
*臭	냄새 취:	스스로자[自]부/총10획
測	헤아릴 측	삼수변[氵(水)]부/총12획
**側	곁 측	사람인변[亻(人)]부/총11획
層	층 층	주검시[尸]부/총15획
致	이를 치:	이를지[至]부/총10획
治	다스릴 치	삼수변[氵(水)]부/총8획
置	둘 치:	그물망[罒(网)]부/총13획
齒	이 치	이치[齒]부/총15획
**値	값 치	사람인변[亻(人)]부/총10획
**恥	부끄러울 치	마음심[心]부/총10획
**稚	어릴 치	벼화[禾]부/총13획
則	법칙 칙/ 곧 즉	선칼도방[刂(刀)]부/총9획

親	친할/어버이 친	볼견[見]부/총16획
七	일곱 칠	한일[一]부/총2획
**漆	옻 칠	삼수변[氵(水)]부/총14획
侵	침노할 침	사람인변[亻(人)]부/총9획
寢	잠잘 침:	갓머리[宀]부/총14획
針	바늘 침(:)	쇠금[金]부/총10획
**沈	잠길 침/성 심:	삼수변[氵(水)]부/총7획
*枕	베개 침:	나무목[木]부/총8획
**浸	잠길 침:	삼수변[氵(水)]부/총10획
稱	일컬을 칭	벼화[禾]부/총14획
快	쾌할 쾌	심방변[忄(心)]부/총7획
他	다를 타	사람인변[亻(人)]부/총5획
打	칠 타:	재방변[扌(手)]부/총5획
*墮	떨어질 타:	흙토[土]부/총15획
*妥	온당할 타:	계집녀[女]부/총7획
卓	높을 탁	열십[十]부/총8획
*托	맡길 탁	재방변[扌(手)]부/총6획
*濁	흐릴 탁	삼수변[氵(水)]부/총15획
*濯	씻을 탁	삼수변[氵(水)]부/총17획
炭	숯 탄:	불화[火]부/총9획
彈	탄알 탄:	활궁[弓]부/총15획
歎	탄식할 탄:	하품흠방[欠]부/총15획
*誕	낳을/거짓 탄:	말씀언[言]부/총14획
脫	벗을 탈	육달월[月(肉)]부/총11획
**奪	빼앗을 탈	큰대[大]부/총14획
探	찾을 탐	재방변[扌(手)]부/총11획
*貪	탐낼 탐	조개패[貝]부/총11획
**塔	탑 탑	흙토[土]부/총12획
**湯	끓을 탕:	삼수변[氵(水)]부/총12획
太	클 태	큰대[大]부/총4획
態	모습 태:	마음심[心]부/총14획
**殆	거의 태	죽을사변[歹]부/총9획
**泰	클 태	물수변형[氺(水)]부/총10획
*怠	게으를 태	마음심[心]부/총9획
宅	집 택/집 댁	갓머리[宀]부/총6획
擇	가릴 택	재방변[扌(手)]부/총16획

**澤	못 택	삼수변[氵(水)]부/총16획
土	흙 토	흙토[土]부/총3획
討	칠 토(:)	말씀언[言]부/총10획
**兎	토끼 토	어진사람인[儿]부/총8획
**吐	토할 토(:)	입구[口]부/총6획
通	통할 통	책받침[辶(辵)]부/총11획
統	거느릴/합칠 통:	실사[糸]부/총12획
痛	아플 통:	병들녁[疒]부/총12획
退	물러날 퇴:	책받침[辶(辵)]부/총10획
投	던질 투	재방변[扌(手)]부/총7획
鬪	싸움 투	싸움투[鬥]부/총20획
**透	사무칠 투	책받침[辶(辵)]부/총11획
特	특별할 특	소우[牛]부/총10획
波	물결 파	삼수변[氵(水)]부/총8획
破	깨뜨릴 파:	돌석[石]부/총10획
派	갈래 파	삼수변[氵(水)]부/총9획
*把	잡을 파:	재방변[扌(手)]부/총7획
*播	뿌릴 파(:)	재방변[扌(手)]부/총15획
*罷	마칠 파:	그물망[罒(网)]부/총15획
*頗	자못 파	머리혈[頁]부/총14획
板	널 판	나무목[木]부/총8획
判	판단할 판	선칼도방[刂(刀)]부/총7획
**版	판목 판	조각편[片]부/총8획
*販	팔 판	조개패[貝]부/총11획
八	여덟 팔	여덟팔[八]부/총2획
敗	패할 패:	등글월문[攵(攴)]부/총11획
*貝	조개 패:	조개패[貝]부/총7획
便	편할 편/똥오줌 변	사람인변[亻(人)]부/총9획
篇	책 편	대죽[竹]부/총15획
**片	조각 편(:)	조각편[片]부/총4획
**偏	치우칠 편	사람인변[亻(人)]부/총11획
**編	엮을 편	실사[糸]부/총15획
*遍	두루 편	책받침[辶(辵)]부/총13획
平	평평할 평	방패간[干]부/총5획
評	평할 평:	말씀언[言]부/총12획
閉	닫을 폐:	문문[門]부/총11획

,**弊	폐단/해질 폐:	받쳐들공[廾]부/총15획
**肺	허파 폐:	육달월[月(肉)]부/총9획
*幣	화폐 폐:	수건건[巾]부/총15획
**廢	폐할/버릴 폐:	집엄[广]부/총15획
*蔽	덮을 폐:	초두[艹(艸)]부/총15획
包	쌀 포(:)	쌀포[勹]부/총5획
布	베/펼 포(:), 보시 보:	수건건[巾]부/총5획
砲	대포 포:	돌석[石]부/총10획
胞	세포포(:)	육달월[月(肉)]부/총9획
**浦	개(水邊) 포	삼수변[氵(水)]부/총10획
*抱	안을 포:	재방변[扌(:手)]부/총8획
**捕	잡을 포:	재방변[扌(手)]부/총10획
*飽	배부를 포:	밥식[食]부/총14획
暴	사나울 폭/모질 포:	날일[日]부/총15획
爆	불터질 폭	불화[火]부/총19획
*幅	폭 폭	수건건[巾]부/총12획
表	겉 표	옷의[衣]부/총8획
票	표 표	보일시[示]부/총11획
標	표할 표	나무목[木]부/총15획
*漂	떠다닐 표	삼수변[氵(水)]부/총14획
品	물건 품:	입구[口]부/총9획
風	바람 풍	바람풍[風]부/총9획
豊	풍년 풍	콩두[豆]부/총13획
**楓	단풍 풍	나무목[木]부/총13획
疲	피곤할 피	병들녁[疒]부/총10획
避	피할 피:	책받침[辶(辵)]부/총17획
**彼	저 피:	두인변[彳]부/총8획
**皮	가죽 피	가죽피[皮]부/총5획
**被	입을 피:	옷의[衤(衣)]부/총10획
必	반드시 필	마음심[心]부/총5획
筆	붓 필	대죽[竹]부/총12획
**畢	마칠 필	밭전[田]부/총11획
*匹	짝 필	상자방[匚]부/총4획
下	아래 하:	한일[一]부/총3획
夏	여름 하:	뒤져올치[夊]부/총10획
河	물 하	삼수변[氵(水)]부/총8획

3급 배정한자

표시	한자	훈음	부수/획수
**	何	어찌 하	사람인변[亻(人)]부/총7획
**	賀	하례할 하:	조개패[貝]부/총12획
**	荷	멜 하(:)	초두[艹(艸)]부/총9획
	學	배울 학	아들자[子]부/총16획
**	鶴	학(두루미) 학	새조[鳥]부/총21획
	韓	한국/나라 한	가죽위[韋]부/총17획
	漢	한수/한나라 한	삼수변[氵(水)]부/총14획
	寒	찰 한	갓머리[宀]부/총12획
	限	한할(한정할) 한	좌부변[阝(阜)]부/총9획
	恨	한(怨) 한:	심방변[忄(心)]부/총9획
	閑	한가할 한:	문문[門]부/총12획
*	旱	가물 한:	날일[日]부/총7획
**	汗	땀 한(:)	삼수변[氵(水)]부/총6획
**	割	벨 할	선칼도방[刂(刀)]부/총12획
**	含	머금을 함	입구[口]부/총7획
**	陷	빠질 함:	좌부변[阝(阜)]부/총11획
*	咸	다 함	입구[口]부/총9획
	合	합할 합	입구[口]부/총6획
	港	항구 항:	삼수변[氵(水)]부/총12획
	航	배 항:	배주[舟]부/총10획
	抗	겨룰 항:	재방변[扌(手)]부/총7획
**	恒	항상 항	심방변[忄(心)]부/총9획
**	項	항목 항:	머리혈[頁]부/총12획
*	巷	거리 항:	몸기[己]부/총9획
	海	바다 해:	삼수변[氵(水)]부/총10획
	害	해할 해:	갓머리[宀]부/총10획
	解	풀 해:	뿔각[角]부/총13획
*	亥	돼지/열두번째지지 해	돼지해밑[亠]부/총6획
*	奚	어찌 해	큰대[大]부/총10획
*	該	갖출/마땅 해	말씀언[言]부/총13획
	核	씨 핵	나무목[木]부/총10획
	幸	다행 행	방패간[干]부/총8획
	行	다닐 행(:)/항렬 항	다닐행[行]부/총6획
	向	향할 향:	입구[口]부/총6획
	鄕	시골 향	우부방[阝(邑)]부/총13획
	香	향기 향	향기향[香]부/총9획
**	響	울릴 향:	소리음[音]부/총22획
*	享	누릴 향:	돼지해밑[亠]부/총8획
	許	허락할 허	말씀언[言]부/총11획
	虛	빌 허	범호밑[虍]부/총12획
	憲	법 헌:	마음심[心]부/총16획
**	獻	드릴 헌:	개견[犬]부/총20획
*	軒	집 헌	수레거[車]부/총10획
	驗	시험할 험:	말마[馬]부/총23획
	險	험할 험:	좌부변[阝(阜)]부/총16획
	革	가죽 혁	가죽혁[革]부/총9획
	現	나타날 현:	임금왕[王(玉)]부/총11획
	賢	어질현:	조개패[貝]부/총15획
	顯	나타날 현:	머리혈[頁]부/총23획
**	懸	달(繫) 현:	마음심[心]부/총20획
**	玄	검을 현	검을현[玄]부/총5획
*	絃	줄 현	실사[糸]부/총11획
*	縣	고을 현:	실사[糸]부/총16획
	血	피 혈:	피혈[血]부/총6획
**	穴	굴 혈	구멍혈[穴]부/총5획
*	嫌	싫어할 혐	계집녀[女]부/총13획
	協	화할 협	열십[十]부/총8획
**	脅	위협할 협	육달월[月(肉)]부/총10획
	兄	맏 형	어진사람인[儿]부/총5획
	形	모양 형	터럭삼[彡]부/총7획
	刑	형벌 형	선칼도방[刂(刀)]부/총6획
*	亨	형통할 형	돼지해밑[亠]부/총7획
*	螢	반딧불 형	벌레충[虫]부/총16획
**	衡	저울대 형	다닐행[行]부/총16획
	惠	은혜 혜:	마음심[心]부/총12획
**	慧	슬기로울 혜:	마음심[心]부/총15획
*	兮	어조사 혜	여덟팔[八]부/총4획
	號	이름 호(:)	범호밑[虍]부/총13획
	湖	호수 호	삼수변[氵(水)]부/총12획
	呼	부를 호	입구[口]부/총8획
	好	좋을 호:	계집녀[女]부/총6획
	戶	집 호:	지게호[戶]부/총4획
	護	도울 호:	말씀언[言]부/총20획
**	浩	넓을 호:	삼수변[氵(水)]부/총10획
**	胡	되(狄) 호	육달월[月(肉)]부/총9획
**	虎	범 호(:)	범호밑[虍]부/총8획
**	豪	호걸 호	돼지시[豕]부/총14획
*	乎	어조사 호	삐침별[丿]부/총5획
*	互	서로 호:	두이[二]부/총4획
*	毫	터럭 호	터럭모[毛]부/총11획
	或	혹 혹	창과[戈]부/총8획
**	惑	미혹할 혹	마음심[心]부/총12획
	婚	혼인할 혼	계집녀[女]부/총11획
	混	섞을 혼:	삼수변[氵(水)]부/총11획
**	魂	넋 혼	귀신귀[鬼]부/총14획
*	昏	어두울 혼	날일[日]부/총8획
**	忽	갑자기 홀	마음심[心]부/총8획
	紅	붉을 홍	실사[糸]부/총9획
**	洪	넓을 홍	삼수변[氵(水)]부/총9획
*	弘	클 홍	활궁[弓]부/총5획
*	鴻	기러기 홍	새조[鳥]부/총17획
	火	불 화:	불화[火]부/총4획
	花	꽃 화	초두[艹(艸)]부/총7획
	話	말씀 화	말씀언[言]부/총13획
	和	화할 화	입구[口]부/총8획
	畫	그림 화(:)/그을 획	밭전[田]부/총12획
	化	될 화(:)	비수비[匕]부/총4획
	貨	재물 화:	조개패[貝]부/총11획
	華	빛날 화	초두[艹(艸)]부/총11획
**	禍	재앙 화:	보일시[示]부/총14획
*	禾	벼 화	벼화[禾]부/총5획
	確	굳을 확	돌석[石]부/총15획
*	擴	넓힐 확	재방변[扌(手)]부/총18획
*	穫	거둘 확	벼화[禾]부/총18획
	患	근심 환:	마음심[心]부/총11획
	歡	기쁠 환	하품흠[欠]부/총21획
	環	고리 환(:)	임금왕[王(玉)]부/총17획
**	換	바꿀 환:	재방변[扌(手)]부/총12획
**	還	돌아올 환	책받침[辶(辵)]부/총17획
*	丸	둥글 환	불똥주[丶]부/총3획
	活	살 활	삼수변[氵(水)]부/총9획
	黃	누를 황	누를황[黃]부/총12획
	況	상황 황:	삼수변[氵(水)]부/총8획
**	皇	임금 황	흰백[白]부/총9획
**	荒	거칠 황	초두[艹(艸)]부/총9획
	會	모일 회	날일[日]부/총13획
	回	돌아올 회	에울위[口]부/총6획
	灰	재 회	불화[火]부/총6획
**	悔	뉘우칠 회:	심방변[忄(心)]부/총10획
**	懷	품을 회	심방변[忄(心)]부/총19획
**	劃	그을 획	선칼도방[刂(刀)]부/총14획
**	獲	얻을 획	개사슴록변[犭(犬)]부/총16획
**	橫	가로 횡	나무목[木]부/총16획
	孝	효도 효:	아들자[子]부/총7획
	效	본받을 효:	등글월문[攵(攴)]부/총10획
*	曉	새벽 효:	날일[日]부/총16획
	後	뒤 후:	두인변[彳]부/총9획
	候	기후 후:	사람인변[亻(人)]부/총10획
	厚	두터울 후:	굴바위엄[厂]부/총9획
*	侯	제후 후	사람인변[亻(人)]부/총9획
	訓	가르칠 훈	말씀언[言]부/총10획
*	毁	헐 훼:	갖은등글월문[殳]부/총13획
	揮	휘두를 휘	재방변[扌(手)]부/총12획
*	輝	빛날 휘	수레차[車]부/총15획
	休	쉴 휴	사람인변[亻(人)]부/총6획
*	携	이끌 휴	재방변[扌(手)]부/총13획
	凶	흉할 흉	일벌릴감[凵]부/총4획
**	胸	가슴 흉	육달월[月(肉)]부/총10획
	黑	검을 흑	검을흑[黑]부/총12획
	吸	마실 흡	입구[口]부/총7획
	興	일(盛)/기뻐할 흥	절구구[臼]부/총16획
	希	바랄 희	수건건[巾]부/총7획
	喜	기쁠 희	입구[口]부/총12획
**	稀	드물 희	벼화[禾]부/총12획
**	戲	놀이 희	창과[戈]부/총16획

2級 538字

伽 절 가 - 사람인변[亻(人)]부/총7획
賈 장사 고/성 가 - 조개 패[貝]부/총13획
迦 부처이름 가 - 책받침[辶(辵)]부/총9획
柯 가지 가 - 나무 목[木]부/총9획
軻 수레/사람이름 가 - 수레 거[車]부/총12획
珏 쌍옥 각 - 구슬옥변[王(玉)]부/총9획
艮 괘이름 간 - 괘이름 간[艮]부/총6획
杆 몽둥이 간 - 나무 목[木]부/총7획
葛 칡 갈 - 초두머리[艹(艸)]부/총12획
鞨 오랑캐이름 갈 - 가죽 혁[革]부/총18획
憾 섭섭할 감 - 심방변[忄(心)]부/총16획
邯 조나라서울 한/사람이름 감 - 우부방[阝(邑)]부/총8획
岬 곶 갑 - 메 산[山]부/총8획
鉀 갑옷 갑 - 쇠 금[金]부/총13획
崗 언덕 강 - 메 산[山]부/총11획
岡 산등성이 강 - 메 산[山]부/총8획
姜 성 강 - 계집 녀[女]부/총9획
彊 굳셀 강 - 활 궁[弓]부/총16획
疆 지경 강 - 밭 전[田]부/총19획
价 클 개 - 사람인변[亻(人)]부/총6획
塏 높은 땅 개 - 흙 토[土]부/총13획
坑 구덩이 갱 - 흙 토[土]부/총7획
鍵 열쇠/자물쇠 건 - 쇠 금[金]부/총17획
杰 뛰어날 걸 - 나무 목[木]부/총8획
桀 夏王이름 걸 - 나무 목[木]부/총10획
揭 높이들/걸 게 - 재방변[扌(手)]부/총12획
憩 쉴 게 - 마음 심[心]부/총16획
甄 질그릇 견 - 기와 와[瓦]부/총14획
炅 빛날 경 - 불 화[火]부/총8획
瓊 구슬 경 - 구슬옥변[王(玉)]부/총19획
璟 옥빛 경 - 구슬옥변[王(玉)]부/총16획
儆 경계할 경 - 사람인변[亻(人)]부/총14획
皐 언덕 고 - 흰 백[白]부/총11획
雇 품팔 고 - 새 추[隹]부/총12획

串 땅이름 곶/꿸 관 - 뚫을 곤[丨]부/총7획
戈 창 과 - 창 과[戈]부/총4획
菓 과자/실과 과 - 초두머리[艹(艸)]부/총11획
瓜 외 과 - 외 과[瓜]부/총5획
琯 옥피리 관 - 구슬옥변[王(玉)]부/총12획
款 항목 관 - 하품 흠[欠]부/총12획
傀 허수아비 괴 - 사람인변[亻(人)]부/총12획
槐 회화나무/느티나무 괴 - 나무 목[木]부/총14획
僑 더부살이 교 - 사람인변[亻(人)]부/총14획
絞 목맬 교 - 실 사[糸]부/총12획
膠 아교 교 - 육달월[月(肉)]부/총15획
邱 언덕 구 - 우부방[阝(邑)]부/총8획
玖 옥돌 구 - 구슬옥변[王(玉)]부/총7획
歐 구라파/칠 구 - 하품 흠[欠]부/총15획
鷗 갈매기 구 - 새 조[鳥]부/총22획
購 살 구 - 조개 패[貝]부/총17획
鞠 성(姓)/국문할 국 - 가죽 혁[革]부/총17획
掘 팔 굴 - 재방변[扌(手)]부/총11획
窟 굴 굴 - 굴 혈[穴]부/총13획
圈 우리 권 - 큰입구몸[口]부/총11획
闕 대궐 궐 - 문 문[門]부/총18획
圭 서옥/쌍토 규 - 흙 토[土]부/총6획
揆 헤아릴 규 - 재방변[扌(手)]부/총12획
閨 안방 규 - 문 문[門]부/총14획
奎 별 규 - 큰 대[大]부/총9획
珪 홀 규 - 구슬옥변[王(玉)]부/총10획
槿 무궁화 근 - 나무 목[木]부/총15획
瑾 아름다운 옥 근 - 구슬옥변[王(玉)]부/총15획
兢 떨릴 긍 - 어진사람인발[儿]부/총14획
淇 물이름 기 - 삼수변[氵(水)]부/총11획
棋 바둑 기 - 나무 목[木]부/총12획
琪 아름다운 옥 기 - 구슬옥변[王(玉)]부/총12획
箕 키 기 - 대 죽[竹]부/총14획
騏 준마 기 - 말 마[馬]부/총18획

驥 천리마 기 - 말 마[馬]부/총27획
麒 기린 기 - 사슴 록[鹿]부/총19획
冀 바랄 기 - 여덟 팔[八]부/총16획
琦 옥이름 기 - 구슬옥변[王(玉)]부/총12획
岐 갈림길 기 - 메 산[山]부/총7획
璣 별이름 기 - 구슬옥변[王(玉)]부/총16획
沂 물이름 기 - 삼수변[氵(水)]부/총7획
耆 늙을 기 - 늙을로엄[耂(老)]부/총10획
濃 짙을 농 - 삼수변[氵(水)]부/총16획
尿 오줌 뇨 - 주검 시[尸]부/총7획
尼 여승 니 - 주검 시[尸]부/총5획
溺 빠질 닉 - 삼수변[氵(水)]부/총13획
湍 여울 단 - 삼수변[氵(水)]부/총12획
鍛 쇠불릴 단 - 쇠 금[金]부/총17획
膽 쓸개 담 - 육달월[月(肉)]부/총17획
潭 못 담 - 삼수변[氵(水)]부/총15획
塘 못 당 - 흙 토[土]부/총13획
垈 집터 대 - 흙 토[土]부/총8획
戴 일 대 - 창 과[戈]부/총17획
悳 큰 덕 - 마음 심[心]부/총12획
悼 슬퍼할 도 - 심방변[忄(心)]부/총11획
燾 비칠 도 - 연화발[灬(火)]부/총18획
惇 도타울 돈 - 심방변[忄(心)]부/총11획
燉 불빛 돈 - 불 화[火]부/총16획
頓 조아릴 돈 - 머리 혈[頁]부/총13획
乭 이름 돌 - 새 을[乙]부/총6획
桐 오동나무 동 - 나무 목[木]부/총10획
棟 마룻대 동 - 나무 목[木]부/총12획
董 바를 동 - 초두머리[艹(艸)]부/총12획
杜 막을 두 - 나무 목[木]부/총7획
鄧 나라이름 등 - 우부방[阝(邑)]부/총15획
藤 등나무 등 - 초두머리[艹(艸)]부/총18획
謄 베낄 등 - 말씀 언[言]부/총17획
裸 벗을 라 - 옷 의[衣]부/총13획

洛 물이름 락 - 삼수변[氵(水)]부/총9획
爛 빛날 란 - 불 화[火]부/총21획
藍 쪽 람 - 초두머리[艹(艸)]부/총17획
拉 끌 랍 - 재방변[扌(手)]부/총8획
萊 명아주 래 - 초두머리[艹(艸)]부/총11획
輛 수레 량 - 수레 거[車]부/총15획
亮 밝을 량 - 돼지해머리[亠]부/총9획
樑 들보 량 - 나무 목[木]부/총15획
礪 숫돌 려 - 돌 석[石]부/총20획
呂 성/법칙 려 - 입 구[口]부/총7획
驪 검은말 려 - 말 마[馬]부/총29획
廬 농막집 려 - 엄 호[广]부/총19획
漣 잔물결 련 - 삼수변[氵(水)]부/총14획
煉 달굴 련 - 불 화[火]부/총13획
濂 물이름 렴 - 삼수변[氵(水)]부/총16획
玲 옥소리 령 - 구슬옥변[王(玉)]부/총9획
醴 단술 례 - 닭 유[酉]부/총20획
盧 성 로 - 그릇 명[皿]부/총16획
蘆 갈대 로 - 초두머리[艹(艸)]부/총19획
鷺 백로/해오라기 로 - 새 조[鳥]부/총23획
魯 노나라/노둔할 로 - 물고기 어[魚]부/총15획
籠 대바구니 롱 - 대죽머리[⺮(竹)]부/총22획
遼 멀 료 - 책받침[辶(辵)]부/총16획
療 병고칠 료 - 병질엄[疒]부/총17획
硫 유황 류 - 돌 석[石]부/총12획
劉 죽일/묘금도 류 - 칼도방[刂(刀)]부/총15획
謬 그르칠 류 - 말씀 언[言]부/총18획
崙 산이름 륜 - 메 산[山]부/총11획
楞 네모질 릉 - 나무 목[木]부/총13획
麟 기린 린 - 사슴 록[鹿]부/총23획
摩 문지를 마 - 손 수[手]부/총15획
魔 마귀 마 - 귀신 귀[鬼]부/총21획
痲 저릴 마 - 병질엄[疒]부/총13획
膜 막/꺼풀 막 - 육달월[月(肉)]부/총15획

2급 배정한자

娩	낳을 만	계집 녀[女]부/총10획
蠻	오랑캐 만	벌레 충[虫]부/총25획
灣	물굽이 만	삼수변[氵(水)]부/총25획
靺	말갈 말	가죽 혁[革]부/총14획
網	그물 망	실 사[糸]부/총14획
魅	매혹할 매	귀신 귀[鬼]부/총15획
枚	낱 매	나무 목[木]부/총8획
貊	맥국 맥	갖은돼지시변[豸]부/총13획
覓	찾을 멱	볼 견[見]부/총11획
俛	힘쓸/구부릴 면	사람인변[亻(人)]부/총9획
冕	면류관 면	멀 경[冂]부/총11획
沔	물이름/빠질 면	삼수변[氵(水)]부/총7획
蔑	업신여길 멸	초두머리[艹(艸)]부/총14획
矛	창 모	창 모[矛]부/총5획
茅	띠 모	초두머리[艹(艸)]부/총8획
牟	성/보리 모	소 우[牛]부/총6획
謨	꾀 모	말씀 언[言]부/총18획
帽	모자 모	수건 건[巾]부/총12획
沐	머리감을 목	삼수변[氵(水)]부/총7획
穆	화목할 목	벼 화[禾]부/총16획
昴	별이름 묘	날 일[日]부/총9획
汶	물이름 문	삼수변[氵(水)]부/총7획
紊	문란할/어지러울 문	실 사[糸]부/총10획
彌	미륵/오랠 미	활 궁[弓]부/총17획
玟	아름다운 돌 민	구슬옥변[王(玉)]부/총8획
閔	성(姓) 민	문 문[門]부/총12획
旻	하늘 민	날 일[日]부/총8획
旼	화할 민	날 일[日]부/총8획
珉	옥돌 민	구슬옥변[王(玉)]부/총9획
舶	배 박	배 주[舟]부/총11획
搬	옮길 반	재방변[扌(手)]부/총13획
潘	성(姓) 반	삼수변[氵(水)]부/총15획
磻	반계 반 / 반계 번	돌 석[石]부/총17획
渤	바다이름 발	삼수변[氵(水)]부/총12획
鉢	바리때 발	쇠 금[金]부/총13획
旁	곁 방	모 방[方]부/총10획
紡	길쌈 방	실 사[糸]부/총10획
龐	높은집 방	용 룡[龍]부/총19획
俳	배우 배	사람인변[亻(人)]부/총10획
賠	물어줄 배	조개 패[貝]부/총15획
裵	성(姓) 배	옷 의[衣]부/총14획
柏	측백 백	나무 목[木]부/총10획
筏	뗏목 벌	대죽머리[⺮(竹)]부/총12획
閥	문벌 벌	문 문[門]부/총14획
汎	넓을 범	삼수변[氵(水)]부/총6획
范	성(姓) 범	초두머리[艹(艸)]부/총9획
僻	궁벽할 벽	사람인변[亻(人)]부/총15획
卞	성(姓) 변	점 복[卜]부/총4획
弁	고깔 변	밑스물입발[廾]부/총5획
柄	자루 병	나무 목[木]부/총9획
炳	불꽃 병	불 화[火]부/총9획
昞	밝을 병	날 일[日]부/총9획
昺	밝을 병	날 일[日]부/총9획
倂	아우를 병	사람인변[亻(人)]부/총10획
秉	잡을 병	벼 화[禾]부/총8획
潽	물이름 보	삼수변[氵(水)]부/총15획
甫	클 보	쓸 용[用]부/총7획
輔	도울 보	수레 거[車]부/총14획
馥	향기 복	향기 향[香]부/총18획
俸	녹 봉	사람인변[亻(人)]부/총10획
蓬	쑥 봉	초두머리[艹(艸)]부/총14획
縫	꿰맬 봉	실 사[糸]부/총17획
釜	가마 부	쇠 금[金]부/총10획
阜	언덕 부	언덕 부[阜]부/총8획
傅	스승 부	사람인변[亻(人)]부/총12획
敷	펼 부	등글월 문[文(攵)]부/총15획
膚	살갗 부	육달월[月(肉)]부/총15획
芬	향기 분	초두머리[艹(艸)]부/총7획
弗	아닐/말 불	활 궁[弓]부/총5획
鵬	새 붕	새 조[鳥]부/총19획
丕	클 비	한 일[一]부/총5획
匪	비적 비	상자 방[匚]부/총10획
毖	삼갈 비	견줄 비[比]부/총9획
毘	도울 비	견줄 비[比]부/총9획
彬	빛날 빈	터럭 삼[彡]부/총11획
飼	기를 사	밥 식[食]부/총14획
唆	부추길 사	입 구[口]부/총10획
赦	용서할 사	붉을 적[赤]부/총11획
泗	물이름 사	삼수변[氵(水)]부/총8획
傘	우산 산	사람인변[亻(人)]부/총12획
酸	실 산	닭 유[酉]부/총14획
蔘	삼 삼	초두머리[艹(艸)]부/총14획
揷	꽂을 삽	재방변[扌(手)]부/총12획
庠	학교 상	엄 호[广]부/총9획
箱	상자 상	대죽머리[⺮(竹)]부/총15획
舒	펼 서	혀 설[舌]부/총12획
瑞	상서 서	구슬옥변[王(玉)]부/총13획
奭	클/쌍백 석	큰 대[大]부/총15획
錫	주석 석	쇠 금[金]부/총16획
晳	밝을 석	날 일[日]부/총12획
碩	클 석	돌 석[石]부/총14획
繕	기울 선	실 사[糸]부/총18획
瑄	도리옥 선	구슬옥변[王(玉)]부/총13획
璇	옥 선	구슬옥변[王(玉)]부/총15획
璿	구슬 선	구슬옥변[王(玉)]부/총18획
卨	사람이름 설	점 복[卜]부/총11획
薛	성(姓) 설	초두머리[艹(艸)]부/총16획
陜	땅이름 섬	좌부변[阝(阜)]부/총10획
暹	햇살치밀/나라이름 섬	날 일[日]부/총16획
纖	가늘 섬	실 사[糸]부/총23획
蟾	두꺼비 섬	벌레 충[虫]부/총19획
燮	불꽃 섭	불 화[火]부/총17획
晟	밝을 성	날 일[日]부/총11획
貰	세놓을 세	조개 패[貝]부/총12획
沼	못 소	삼수변[氵(水)]부/총8획
巢	새집 소	개미허리[巛]부/총11획
邵	땅이름/성(姓) 소	우부방[阝(邑)]부/총8획
紹	이을 소	실 사[糸]부/총11획
宋	성(姓) 송	갓머리[宀]부/총7획
洙	물가 수	삼수변[氵(水)]부/총9획
銖	저울눈 수	쇠 금[金]부/총14획
隋	수나라 수	좌부변[阝(阜)]부/총12획
洵	참으로 순	삼수변[氵(水)]부/총9획
淳	순박할 순	삼수변[氵(水)]부/총11획
盾	방패 순	눈 목[目]부/총9획
珣	옥이름 순	구슬옥변[王(玉)]부/총10획
荀	풀이름 순	초두머리[艹(艸)]부/총9획
舜	순임금 순	어그러질 천[舛]부/총12획
瑟	큰거문고 슬	구슬옥변[王(玉)]부/총13획
升	되 승	열 십[十]부/총4획
繩	노끈 승	실 사[糸]부/총19획
屍	주검 시	주검 시[尸]부/총9획
柴	섶 시	나무 목[木]부/총9획
軾	수레가로나무 식	수레 거[車]부/총13획
湜	물맑을 식	삼수변[氵(水)]부/총12획
殖	불릴 식	죽을사변[歹]부/총12획
紳	띠 신	실 사[糸]부/총11획
腎	콩팥 신	육달월[月(肉)]부/총12획
瀋	즙낼/물이름 심	삼수변[氵(水)]부/총18획
握	쥘 악	재방변[扌(手)]부/총12획
閼	막을 알	문 문[門]부/총16획
癌	암 암	병질엄[疒]부/총17획
鴨	오리 압	새 조[鳥]부/총16획
埃	티끌 애	흙 토[土]부/총10획
艾	쑥 애	초두머리[艹(艸)]부/총5획
礙	거리낄 애	돌 석[石]부/총13획

2급 배정한자

倻 가야 **야** 사람인변[亻(人)]部/총11획
惹 이끌 **야** 마음 심[心]部/총12획
孃 아가씨 **양** 계집 녀[女]部/총20획
襄 도울 **양** 옷 의[衣]部/총17획
彦 선비 **언** 터럭 삼[彡]部/총9획
姸 고울 **연** 계집 녀[女]部/총9획
淵 못 **연** 삼수변[氵(水)]部/총11획
衍 넓을 **연** 다닐 행[行]部/총9획
硯 벼루 **연** 돌 석[石]部/총12획
厭 싫어할 **염** 민엄호[厂]部/총14획
閻 마을 **염** 문 문[門]部/총16획
燁 빛날 **엽** 불 화[火]部/총15획
瑩 옥돌 **영**/밝을 **형** 구슬옥변[王(玉)]部/총15획
盈 찰 **영** 그릇 명[皿]部/총9획
暎 비칠 **영** 날 일[日]部/총12획
瑛 옥빛 **영** 구슬옥변[王(玉)]部/총12획
濊 종족이름 **예** 삼수변[氵(水)]部/총16획
芮 성 **예** 초두머리[艹(艸)]部/총7획
睿 슬기 **예** 눈 목[目]部/총14획
預 맡길/미리 **예** 머리 혈[頁]部/총13획
吳 성(姓) **오** 입 구[口]部/총7획
墺 물가 **오** 흙 토[土]部/총16획
梧 오동나무 **오** 나무 목[木]部/총11획
沃 기름질 **옥** 삼수변[氵(水)]部/총7획
鈺 보배 **옥** 쇠 금[金]部/총13획
穩 편안할 **온** 벼 화[禾]部/총19획
甕 독 **옹** 기와 와[瓦]部/총18획
雍 화할 **옹** 새 추[隹]部/총13획
邕 막힐 **옹** 고을 읍[邑]部/총10획
莞 빙그레할 **완**/왕골 **관** 초두머리[艹(艸)]部/총10획
汪 넓을 **왕** 삼수변[氵(水)]部/총7획
旺 왕성할 **왕** 날 일[日]部/총8획
倭 왜나라 **왜** 사람인변[亻(人)]部/총10획
歪 기울 **왜(외)** 그칠 지[止]部/총9획

姚 예쁠 **요** 계집 녀[女]部/총9획
堯 요임금 **요** 흙 토[土]部/총12획
妖 요사할 **요** 계집 녀[女]部/총7획
耀 빛날 **요** 깃 우[羽]部/총20획
傭 품팔 **용** 사람인변[亻(人)]部/총13획
鏞 쇠북 **용** 쇠 금[金]部/총19획
熔 녹을 **용** 불 화[火]部/총14획
溶 녹을 **용** 삼수변[氵(水)]部/총13획
瑢 패옥소리 **용** 구슬옥변[王(玉)]部/총14획
鎔 쇠녹일 **용** 쇠 금[金]部/총18획
禹 성 **우** 짐승발자국유[禸]部/총9획
佑 도울 **우** 사람인변[亻(人)]部/총7획
祐 복 **우** 보일 시[示]部/총10획
郁 성할 **욱** 우부방[阝(邑)]部/총9획
旭 아침해 **욱** 날 일[日]部/총6획
昱 햇빛밝을 **욱** 날 일[日]部/총9획
煜 빛날 **욱** 불 화[火]部/총13획
頊 삼갈 **욱** 머리 혈[頁]部/총13획
芸 향풀 **운** 초두머리[艹(艸)]部/총7획
蔚 고을이름 **울** 초두머리[艹(艸)]部/총14획
鬱 답답할 **울** 활집 창[鬯]部/총29획
熊 곰 **웅** 연화발[灬(火)]部/총14획
袁 성(姓) **원** 옷 의[衣]部/총10획
媛 계집 **원** 계집 녀[女]部/총12획
瑗 구슬 **원** 구슬옥변[王(玉)]部/총13획
苑 나라 동산 **원** 초두머리[艹(艸)]部/총8획
韋 가죽 **위** 가죽 위[韋]部/총9획
渭 물이름 **위** 삼수변[氵(水)]部/총12획
魏 성(姓) **위** 귀신 귀[鬼]部/총18획
尉 벼슬 **위** 마디 촌[寸]部/총11획
兪 대답할/인월도 **유** 들 입[入]部/총9획
楡 느릅나무 **유** 나무 목[木]部/총13획
踰 넘을 **유** 발 족[足]部/총16획
庾 곳집/노적가리 **유** 엄호[广]部/총12획

允 맏 **윤** 어진사람인발[儿]部/총4획
鈗 창 **윤** 쇠 금[金]部/총12획
尹 성(姓) **윤** 주검 시[尸]部/총4획
胤 자손 **윤** 육달월[月(肉)]部/총9획
融 녹을 **융** 벌레 충[虫]部/총16획
殷 은나라 **은** 갖은등글월문[殳]部/총10획
垠 지경 **은** 흙 토[土]部/총9획
誾 향기 **은** 말씀 언[言]部/총15획
鷹 매 **응** 새 조[鳥]部/총24획
伊 저 **이** 사람인변[亻(人)]部/총6획
怡 기쁠 **이** 심방변[忄(心)]部/총8획
珥 귀고리 **이** 구슬옥변[王(玉)]部/총10획
貳 두/갖은두 **이** 조개 패[貝]部/총12획
翊 도울 **익** 깃 우[羽]部/총11획
刃 칼날 **인** 칼 도[刀]部/총3획
壹 한/갖은한 **일** 선비 사[士]部/총12획
佾 줄춤 **일** 사람인변[亻(人)]部/총8획
鎰 무게이름 **일** 쇠 금[金]部/총18획
妊 아이밸 **임** 계집 녀[女]部/총7획
雌 암컷 **자** 새 추[隹]部/총13획
滋 불을 **자** 삼수변[氵(水)]部/총12획
磁 자석 **자** 돌 석[石]部/총14획
諮 물을 **자** 말씀 언[言]部/총16획
蠶 누에 **잠** 벌레 충[虫]部/총24획
蔣 성(姓) **장** 초두머리[艹(艸)]部/총14획
庄 전장 **장** 엄호[广]部/총6획
獐 노루 **장** 개사슴록변[犭(犬)]部/총14획
璋 홀 **장** 구슬옥변[王(玉)]部/총15획
沮 막을 **저** 삼수변[氵(水)]部/총8획
甸 경기 **전** 밭 전[田]部/총7획
汀 물가 **정** 삼수변[氵(水)]部/총5획
艇 배 **정** 배 주[舟]部/총13획
鄭 나라 **정** 우부방[阝(邑)]部/총15획
旌 기 **정** 모 방[方]部/총11획

偵 염탐할 **정** 사람인변[亻(人)]部/총11획
楨 광나무 **정** 나무 목[木]部/총13획
禎 상서로울 **정** 보일 시[示]部/총14획
呈 드릴 **정** 입 구[口]部/총7획
晶 맑을 **정** 날 일[日]部/총12획
珽 옥이름 **정** 구슬옥변[王(玉)]部/총11획
鼎 솥 **정** 솥 정[鼎]部/총13획
劑 약제 **제** 칼도방[刂(刀)]部/총16획
彫 새길 **조** 터럭 삼[彡]部/총11획
措 둘 **조** 재방변[扌(手)]部/총11획
趙 나라 **조** 달릴 주[走]部/총14획
釣 낚을/낚시 **조** 쇠 금[金]部/총11획
曺 성(姓) **조** 가로 왈[曰]部/총10획
祚 복 **조** 보일 시[示]部/총10획
琮 옥홀 **종** 구슬옥변[王(玉)]部/총12획
綜 모을 **종** 실 사[糸]部/총14획
駐 머무를 **주** 말 마[馬]部/총15획
疇 이랑 **주** 밭 전[田]部/총19획
埈 높을 **준** 흙 토[土]部/총10획
峻 높을/준엄할 **준** 메 산[山]部/총10획
浚 깊게할 **준** 삼수변[氵(水)]部/총10획
准 비준 **준** 이수변[冫]部/총10획
晙 밝을 **준** 날 일[日]部/총11획
駿 준마 **준** 말 마[馬]部/총17획
濬 깊을 **준** 삼수변[氵(水)]部/총17획
芝 지초 **지** 초두머리[艹(艸)]部/총7획
址 터 **지** 흙 토[土]部/총7획
旨 뜻 **지** 날 일[日]部/총6획
脂 기름 **지** 육달월[月(肉)]部/총10획
稙 올벼 **직** 벼 화[禾]部/총13획
稷 피(穀名) **직** 벼 화[禾]部/총15획
晋 진나라 **진** 날 일[日]部/총10획
診 진찰할 **진** 말씀 언[言]部/총12획
塵 티끌 **진** 흙 토[土]部/총14획

2급 배정한자

津	나루 **진**	삼수변[氵(水)]부/총9획
秦	성(姓) **진**	벼 화[禾]부/총10획
窒	막힐 **질**	굴 혈[穴]부/총11획
輯	모을 **집**	수레 거[車]부/총16획
遮	가릴 **차**	책받침[辶(辵)]부/총15획
餐	밥 **찬**	밥 식[食]부/총16획
鑽	뚫을 **찬**	쇠 금[金]부/총27획
燦	빛날 **찬**	불 화[火]부/총17획
璨	옥빛 **찬**	구슬옥변[王(玉)]부/총17획
瓚	옥잔 **찬**	구슬옥변[王(玉)]부/총23획
刹	절 **찰**	칼도방[刂(刀)]부/총8획
札	편지 **찰**	나무 목[木]부/총5획
斬	벨 **참**	날 근[斤]부/총11획
彰	드러날 **창**	터럭 삼[彡]부/총14획
滄	큰바다 **창**	삼수변[氵(水)]부/총13획
敞	시원할 **창**	등글월 문[文(攵)]부/총12획
昶	해길 **창**	날 일[日]부/총9획
埰	사패지 **채**	흙 토[土]부/총11획
采	풍채 **채**	분별할 변[釆]부/총8획
蔡	성(姓) **채**	초두머리[艹(艸)]부/총14획
悽	슬퍼할 **처**	심방변[忄(心)]부/총11획
隻	외짝 **척**	새 추[隹]부/총10획
陟	오를 **척**	좌부변[阝(阜)]부/총10획
釧	팔찌 **천**	쇠 금[金]부/총11획
喆	밝을/쌍길 **철**	입 구[口]부/총12획
撤	거둘 **철**	재방변[扌(手)]부/총15획
澈	맑을 **철**	삼수변[氵(水)]부/총15획
瞻	볼 **첨**	눈 목[目]부/총18획
諜	염탐할 **첩**	말씀 언[言]부/총16획
締	맺을 **체**	실 사[糸]부/총15획
楚	초나라 **초**	나무 목[木]부/총13획
哨	망볼 **초**	입 구[口]부/총10획
焦	탈 **초**	연화발[灬(火)]부/총12획
蜀	나라이름 **촉**	벌레 충[虫]부/총13획
崔	성(姓)/높을 **최**	메 산[山]부/총11획
趨	달아날 **추**	달릴 주[走]부/총17획
鄒	추나라 **추**	우부방[阝(邑)]부/총13획
楸	가래 **추**	나무 목[木]부/총13획
蹴	찰 **축**	발 족[足]부/총19획
軸	굴대 **축**	수레 거[車]부/총12획
椿	참죽나무 **춘**	나무 목[木]부/총13획
冲	화할 **충**	이수변[冫]부/총6획
衷	속마음 **충**	옷 의[衣]부/총10획
聚	모을 **취**	귀 이[耳]부/총14획
炊	불땔 **취**	불 화[火]부/총8획
峙	언덕 **치**	메 산[山]부/총9획
雉	꿩 **치**	새 추[隹]부/총13획
託	부탁할 **탁**	말씀 언[言]부/총10획
琢	다듬을 **탁**	구슬옥변[王(玉)]부/총12획
灘	여울 **탄**	삼수변[氵(水)]부/총22획
耽	즐길 **탐**	귀 이[耳]부/총10획
兌	바꿀/기쁠 **태**	여덟 팔[八]부/총7획
台	별 **태**	입 구[口]부/총5획
胎	아이밸 **태**	육달월[月(肉)]부/총9획
颱	태풍 **태**	바람 풍[風]부/총14획
坡	언덕 **파**	흙 토[土]부/총8획
阪	언덕 **판**	좌부변[阝(阜)]부/총7획
覇	으뜸 **패**	덮을 아[襾]부/총19획
彭	성(姓) **팽**	터럭 삼[彡]부/총12획
扁	작을 **편**	집 호[戶]부/총9획
坪	들 **평**	흙 토[土]부/총8획
抛	던질 **포**	재방변[扌(手)]부/총8획
葡	포도 **포**	초두머리[艹(艸)]부/총12획
鮑	절인 물고기 **포**	물고기 어[魚]부/총16획
怖	두려워할 **포**	심방변[忄(心)]부/총8획
鋪	펼/가게 **포**	쇠 금[金]부/총15획
杓	북두자루 **표**	나무 목[木]부/총7획
馮	성 **풍**/탈 **빙**	말 마[馬]부/총12획
弼	도울 **필**	활 궁[弓]부/총12획
泌	스며흐를 **필**/분비할 **비**	물 수[水]부/총8획
虐	모질 **학**	범호 엄[虍]부/총9획
翰	편지 **한**	깃 우[羽]부/총16획
艦	큰배 **함**	배 주[舟]부/총20획
陜	땅이름 **합**/좁을 **협**	좌부변[阝(阜)]부/총10획
亢	높을 **항**	돼지해머리[亠]부/총4획
沆	넓을 **항**	삼수변[氵(水)]부/총7획
杏	살구 **행**	나무 목[木]부/총7획
赫	빛날 **혁**	붉을 적[赤]부/총14획
爀	불빛 **혁**	불 화[火]부/총18획
炫	밝을 **현**	불 화[火]부/총9획
鉉	솥귀 **현**	쇠 금[金]부/총13획
峴	고개 **현**	메 산[山]부/총10획
弦	시위 **현**	활 궁[弓]부/총8획
峽	골짜기 **협**	메 산[山]부/총10획
型	모형 **형**	흙 토[土]부/총9획
邢	성 **형**	우부방[阝(邑)]부/총7획
瀅	물맑을 **형**	삼수변[氵(水)]부/총18획
炯	빛날 **형**	불 화[火]부/총9획
馨	꽃다울 **형**	향기 향[香]부/총20획
晧	밝을 **호**	날 일[日]부/총11획
皓	흴 **호**	흰 백[白]부/총12획
扈	따를 **호**	집 호[戶]부/총11획
壕	해자 **호**	흙 토[土]부/총17획
濠	호주 **호**	삼수변[氵(水)]부/총17획
澔	넓을 **호**	삼수변[氵(水)]부/총15획
昊	하늘 **호**	날 일[日]부/총8획
祜	복 **호**	보일 시[示]부/총10획
鎬	호경 **호**	쇠 금[金]부/총18획
酷	심할 **혹**	닭 유[酉]부/총14획
泓	물깊을 **홍**	삼수변[氵(水)]부/총8획
靴	신 **화**	가죽 혁[革]부/총13획
嬅	탐스러울 **화**	계집 녀[女]부/총14획
樺	자작나무/벗나무 **화**	나무 목[木]부/총15획
幻	헛보일 **환**	작을 요[幺]부/총4획
煥	빛날 **환**	불 화[火]부/총13획
桓	굳셀 **환**	나무 목[木]부/총10획
滑	미끄러울 **활**/어지러울 **골**	삼수변[氵(水)]부/총13획
滉	깊을 **황**	삼수변[氵(水)]부/총13획
晃	밝을 **황**	날 일[日]부/총10획
廻	돌 **회**	민책받침[廴]부/총9획
淮	물이름 **회**	삼수변[氵(水)]부/총11획
檜	전나무 **회**	나무 목[木]부/총17획
后	임금/왕후 **후**	입 구[口]부/총6획
喉	목구멍 **후**	입 구[口]부/총12획
勳	공 **훈**	힘 력[力]부/총16획
熏	불길 **훈**	연화발[灬(火)]부/총14획
壎	질나팔 **훈**	흙 토[土]부/총17획
薰	향풀 **훈**	초두머리[艹(艸)]부/총17획
徽	아름다울 **휘**	두인변[彳]부/총17획
烋	아름다울 **휴**	연화발[灬(火)]부/총10획
匈	오랑캐 **흉**	쌀 포[勹]부/총6획
欽	공경할 **흠**	하품 흠[欠]부/총12획
嬉	아름다울 **희**	계집 녀[女]부/총15획
憙	기뻐할 **희**	마음 심[心]부/총16획
熙	빛날 **희**	연화발[灬(火)]부/총16획
噫	한숨쉴 **희**	입 구[口]부/총16획
熹	빛날 **희**	연화발[灬(火)]부/총16획
禧	복 **희**	보일 시[示]부/총17획
姬	계집 **희**	계집 녀[女]부/총9획
羲	복희 **희**	양 양[羊]부/총16획

1級 1,145字

嘉	아름다울	가	- 口
袈	가사(중의 上衣)	가	- 衣
駕	멍에	가	- 馬
呵	꾸짖을	가	- 口
哥	성(姓)	가	- 口
苛	가혹할	가	- 艸
嫁	시집갈	가	- 女
稼	심을	가	- 禾
恪	삼갈	각	- 心
殼	껍질	각	- 殳
奸	간사할	간	- 女
竿	낚싯대	간	- 竹
墾	개간할	간	- 土
艱	어려울	간	- 艮
揀	가릴	간	- 手
諫	간할	간	- 言
澗	산골물	간	- 水
癎	간질	간	- 疒
喝	꾸짖을	갈	- 口
竭	다할	갈	- 立
褐	갈색/굵은베	갈	- 衣
勘	헤아릴	감	- 力
堪	견딜	감	- 土
瞰	굽어볼	감	- 目
柑	귤	감	- 木
疳	감질	감	- 疒
紺	감색/연보라	감	- 糸
匣	갑	갑	- 匚
閘	수문	갑	- 門
慷	슬플	강	- 心
糠	겨	강	- 米
薑	생강	강	- 艸
腔	속빌	강	- 肉
芥	겨자	개	- 艸

箇	낱	개	- 竹
凱	개선할	개	- 儿
愾	성낼	개	- 心
漑	물댈	개	- 水
羹	국	갱	- 羊
倨	거만할	거	- 人
渠	개천	거	- 水
醵	추렴할	거(갹)	- 酉
腱	힘줄	건	- 肉
巾	수건	건	- 巾
虔	공경할	건	- 虍
劫	위협할	겁	- 力
怯	겁낼	겁	- 心
偈	불시(佛詩)	게	- 人
檄	격문	격	- 木
膈	가슴	격	- 肉
覡	박수(男巫)	격	- 見
譴	꾸짖을	견	- 言
鵑	두견새	견	- 鳥
繭	고치	견	- 糸
憬	깨달을/동경할	경	- 心
鯨	고래	경	- 魚
勁	굳셀	경	- 力
莖	줄기	경	- 艸
痙	경련	경	- 疒
脛	정강이	경	- 肉
頸	목	경	- 頁
梗	줄기/막힐	경	- 木
磬	경쇠(옥돌로 만든 악기의 일종)	경	- 石
悸	두근거릴	계	- 心
痼	고질	고	- 疒
辜	허물	고	- 辛
錮	막을	고	- 金
叩	두드릴	고	- 口

呱	울	고	- 口
拷	칠	고	- 手
敲	두드릴	고	- 攴
膏	기름	고	- 肉
袴	바지	고	- 衣
股	넓적다리	고	- 肉
梏	수갑	곡	- 木
鵠	고니/과녁	곡	- 鳥
昆	맏	곤	- 日
棍	몽둥이	곤	- 木
袞	곤룡포	곤	- 衣
汨	골몰할/물이름	골/멱	- 水
拱	팔짱낄	공	- 手
鞏	굳을	공	- 革
顆	낟알	과	- 頁
廓	둘레/클	곽/확	- 广
槨	외관	곽	- 木
藿	콩잎/미역	곽	- 艸
棺	널	관	- 木
顴	광대뼈	관	- 頁
灌	물댈	관	- 水
刮	긁을	괄	- 刀
括	묶을	괄	- 手
胱	오줌통	광	- 肉
匡	바를	광	- 匚
壙	뫼구덩이	광	- 土
曠	빌	광	- 日
卦	점괘	괘	- 卜
罫	줄(線)	괘	- 网
乖	어그러질	괴	- 丿
魁	괴수	괴	- 鬼
拐	후릴(속이다)	괴	- 手
宏	클	굉	- 宀
肱	팔뚝	굉	- 肉

轟	울릴/수레 소리	굉	- 車
咬	물/새소리	교	- 口
狡	교활할	교	- 犬
皎	달밝을	교	- 白
蛟	교룡(蛟龍)	교	- 虫
喬	높을	교	- 口
嬌	아리따울	교	- 女
轎	가마	교	- 車
驕	교만할	교	- 馬
攪	흔들	교	- 手
柩	널	구	- 木
灸	뜸	구	- 火
仇	원수	구	- 人
嘔	게울	구	- 口
嶇	험할	구	- 山
毆	때릴	구	- 殳
謳	노래	구	- 言
軀	몸	구	- 身
廐	마구	구	- 广
枸	구기자	구	- 木
鉤	갈고리	구	- 金
駒	망아지	구	- 馬
垢	때(오물)	구	- 土
寇	도적	구	- 宀
衢	네거리	구	- 行
溝	도랑	구	- 水
矩	법/모날	구	- 矢
臼	절구	구	- 臼
舅	시아비/외삼촌	구	- 臼
鳩	비둘기	구	- 鳥
窘	군색할	군	- 穴
穹	하늘	궁	- 穴
躬	몸	궁	- 身
倦	게으를	권	- 人

1급 배정한자

捲	거둘/말	권	- 手
眷	돌볼	권	- 目
蹶	넘어질/일어설	궐	- 足
几	안석	궤	- 几
机	책상	궤	- 木
潰	무너질	궤	- 水
櫃	궤짝	궤	- 木
詭	속일	궤	- 言
硅	규소	규	- 石
葵	해바라기/ 아욱	규	- 艸
逵	길거리	규	- 辵
窺	엿볼	규	- 穴
橘	귤	귤	- 木
剋	이길	극	- 刀
隙	틈	극	- 阜
戟	창	극	- 戈
棘	가시	극	- 木
覲	뵐	근	- 見
饉	주릴(굶주 리다)	근	- 食
衾	이불	금	- 衣
擒	사로잡을	금	- 手
襟	옷깃	금	- 衣
扱	거둘 꽂을	급 삽	- 手
汲	물길을	급	- 水
亘	뻗칠 베풀	긍 선	- 二
矜	자랑할	긍	- 矛
伎	재간	기	- 人
妓	기생	기	- 女
朞	돌(생후 만1년)	기	- 月
嗜	즐길	기	- 口
崎	험할	기	- 山
畸	뙈기밭/불구	기	- 田
綺	비단	기	- 糸
杞	구기자	기	- 木
譏	비웃을	기	- 言
羈	굴레/나그네	기	- 网
肌	살	기	- 肉
拮	일할	길	- 手
喫	먹을	끽	- 口
儺	푸닥거리	나	- 人
懦	나약할	나	- 心
拏	잡을	나	- 手
拿	잡을	나	- 手
煖	더울	난	- 火
捏	꾸밀	날	- 手
捺	누를	날	- 手
衲	기울	납	- 衣
囊	주머니	낭	- 口
撚	비빌	년	- 手
涅	열반	녈	- 水
弩	쇠뇌(용수철)	노	- 弓
駑	둔한말	노	- 馬
膿	고름	농	- 肉
撓	휠	뇨	- 手
訥	말더듬거릴	눌	- 言
紐	맺을	뉴	- 糸
匿	숨길	닉	- 匸
簞	소쿠리	단	- 竹
緞	비단	단	- 糸
蛋	새알	단	- 虫
撻	때릴	달	- 手
疸	황달	달	- 疒
憺	참담할	담	- 心
澹	맑을	담	- 水
痰	가래	담	- 疒
譚	클/말씀	담	- 言
曇	흐릴	담	- 日
遝	뒤섞일	답	- 辵
螳	버마재비 (사마귀)	당	- 虫
棠	아가위 (산사나무)	당	- 木
撞	칠	당	- 手
袋	자루	대	- 衣
擡	들	대	- 手
堵	담	도	- 土
屠	죽일	도	- 尸
睹	볼	도	- 目
賭	내기	도	- 貝
搗	찧을	도	- 手
鍍	도금할	도	- 金
掉	흔들	도	- 手
淘	쌀일	도	- 水
萄	포도	도	- 艸
滔	물넘칠	도	- 水
蹈	밟을	도	- 足
濤	물결	도	- 水
禱	빌	도	- 示
瀆	도랑/더럽힐	독	- 水
禿	대머리	독	- 禾
沌	엉길	돈	- 水
疼	아플	동	- 疒
胴	큰창자/몸통	동	- 肉
憧	동경할	동	- 心
瞳	눈동자	동	- 目
兜	투구 도솔천	두 도	- 儿
痘	역질	두	- 疒
遁	숨을	둔	- 辵
臀	볼기	둔	- 肉
橙	귤/걸상	등	- 木
懶	게으를	라	- 心
癩	문둥이	라	- 疒
邏	순라(돌다)	라	- 辵
螺	소라	라	- 虫
烙	지질	락	- 火
酪	쇠젖	락	- 酉
駱	낙타	락	- 馬
瀾	물결	란	- 水
鸞	난새(鳥)	란	- 鳥
剌	발랄할 수라	랄 라	- 刀
辣	매울	랄	- 辛
籃	대바구니	람	- 竹
臘	섣달	랍	- 肉
蠟	밀(꿀벌의 분비물)	랍	- 虫
狼	이리	랑	- 犬
倆	재주	량	- 人
粱	기장(穀類)	량	- 米
侶	짝	려	- 人
閭	마을	려	- 門
濾	거를	려	- 水
戾	어그러질	려	- 戶
黎	검을	려	- 黍
瀝	스밀	력	- 水
礫	조약돌	력	- 石
輦	가마	련	- 車
簾	발	렴	- 竹
斂	거둘	렴	- 攴
殮	염할(시체를 거두다)	렴	- 歹
囹	옥(감옥)	령	- 口
鈴	방울	령	- 金
齡	나이	령	- 齒
逞	쾌할	령	- 辵
撈	건질	로	- 手
擄	노략질할	로	- 手
虜	사로잡을	로	- 虍
碌	푸른돌	록	- 石
麓	산기슭	록	- 鹿
壟	밭두둑	롱	- 土

1급 배정한자

瓏	옥소리	롱 - 玉
聾	귀먹을	롱 - 耳
儡	꼭두각시	뢰 - 人
牢	우리(畜舍)	뢰 - 牛
磊	돌무더기	뢰 - 石
賂	뇌물	뢰 - 貝
寮	동관(同官)	료 - 宀
燎	횃불	료 - 火
瞭	밝을	료 - 目
廖	쓸쓸할	료 - 广
聊	에오라지(즐기다)	료 - 耳
壘	보루(土陣)	루 - 土
陋	더러울	루 - 阜
琉	유리	류 - 玉
溜	처마물	류 - 水
瘤	혹	류 - 疒
戮	죽일	륙 - 戈
淪	빠질	륜 - 水
綸	벼리	륜 - 水
慄	떨릴	률 - 心
勒	굴레	륵 - 力
肋	갈빗대	륵 - 肉
凜	찰(冷)	름 - 冫
凌	업신여길	릉 - 冫
菱	마름	릉 - 艸
稜	모날	릉 - 禾
綾	비단	릉 - 糸
俚	속될	리 - 人
釐	다스릴	리 - 里
裡	속	리 - 衣
悧	영리할	리 - 心
痢	이질	리 - 疒
籬	울타리	리 - 竹
罹	걸릴	리 - 网

吝	아낄	린 - 口
燐	도깨비불	린 - 火
鱗	비늘	린 - 魚
躪	짓밟을	린 - 足
淋	임질	림 - 水
笠	삿갓	립 - 竹
粒	낟알	립 - 米
寞	고요할	막 - 宀
卍	만	만 - 十
挽	당길	만 - 手
輓	끌/애도할	만 - 車
彎	굽을	만 - 弓
蔓	덩굴	만 - 艸
饅	만두	만 - 食
鰻	뱀장어	만 - 魚
瞞	속일	만 - 目
抹	지울	말 - 手
沫	물거품	말 - 水
襪	버선	말 - 衣
惘	멍할	망 - 心
芒	까끄라기	망 - 艸
呆	어리석을	매 - 口
寐	잘	매 - 宀
昧	어두울	매 - 日
煤	그을음	매 - 火
邁	갈	매 - 辵
罵	꾸짖을	매 - 网
萌	움(芽)	맹 - 艸
眄	곁눈질할	면 - 目
棉	목화	면 - 木
緬	멀	면 - 糸
麪	국수	면 - 麥
溟	바다	명 - 水
暝	저물	명 - 日

螟	멸구	명 - 虫
酩	술취할	명 - 酉
皿	그릇	명 - 皿
袂	소매	메 - 衣
摸	더듬을	모 - 手
糢	모호할	모 - 米
耗	소모할	모 - 耒
牡	수컷	모 - 牛
歿	죽을	몰 - 歹
渺	아득할/물질펀할	묘 - 水
描	그릴	묘 - 手
猫	고양이	묘 - 犬
杳	아득할	묘 - 木
畝	이랑	묘(무) - 田
巫	무당	무 - 工
誣	속일	무 - 言
憮	어루만질	무 - 心
撫	어루만질	무 - 手
蕪	거칠	무 - 艸
拇	엄지손가락	무 - 手
毋	말(禁)	무 - 毋
蚊	모기	문 - 虫
媚	아첨할/예쁠	미 - 女
薇	장미	미 - 艸
靡	쓰러질	미 - 非
悶	답답할	민 - 心
謐	고요할	밀 - 言
剝	벗길	박 - 刀
搏	두드릴	박 - 手
縛	얽을	박 - 糸
膊	팔뚝	박 - 肉
撲	칠	박 - 手
樸	순박할	박 - 木
珀	호박	박 - 玉

箔	발	박 - 竹
粕	지게미	박 - 米
駁	논박할(따지다)	박 - 馬
拌	버릴	반 - 手
畔	밭두둑	반 - 田
絆	얽어맬	반 - 糸
槃	쟁반	반 - 木
蟠	서릴	반 - 虫
攀	더위잡을(끌어잡다)	반 - 手
礬	백반	반 - 石
斑	아롱질	반 - 文
頒	나눌	반 - 頁
勃	노할	발 - 力
跋	밟을	발 - 足
魃	가물	발 - 鬼
撥	다스릴	발 - 手
潑	물뿌릴	발 - 水
醱	술괼	발 - 酉
坊	동네	방 - 土
彷	헤맬	방 - 彳
昉	밝을	방 - 日
枋	다목(나무를엮어물을막다)	방 - 木
肪	기름	방 - 肉
榜	방붙일	방 - 木
膀	오줌통	방 - 肉
謗	헐뜯을	방 - 言
尨	삽살개	방 - 尤
幇	도울	방 - 巾
陪	모실	배 - 阜
徘	어정거릴	배 - 彳
湃	물결칠	배 - 水
胚	아이밸	배 - 肉
帛	비단	백 - 巾
魄	넋	백 - 鬼

1급 배정한자

蕃	불을	번	- 艸
藩	울타리	번	- 艸
帆	돛	범	- 巾
梵	불경	범	- 木
氾	넘칠	범	- 水
泛	뜰	범	- 水
劈	쪼갤	벽	- 刀
擘	엄지손가락	벽	- 手
璧	구슬	벽	- 玉
癖	버릇	벽	- 疒
闢	열	벽	- 門
瞥	눈깜짝할	별	- 目
鼈	자라	별	- 黽
甁	병	병	- 瓦
餠	떡	병	- 食
堡	작은성	보	- 土
洑	보 / 스며흐를	보 / 복	- 水
菩	보살	보	- 艸
僕	종	복	- 人
匐	길	복	- 勹
輻	바퀴살	복(폭)	- 車
鰒	전복	복	- 魚
捧	받들	봉	- 手
棒	막대	봉	- 木
烽	봉화	봉	- 火
鋒	칼날	봉	- 金
俯	구부릴	부	- 人
咐	분부할/불	부	- 口
腑	육부(체내 각기관)	부	- 肉
駙	부마(임금의 사위)	부	- 馬
賻	부의	부	- 貝
剖	쪼갤	부	- 刀
埠	부두	부	- 土
芙	연꽃	부	- 艸
孵	알깔	부	- 子
斧	도끼	부	- 斤
訃	부고(죽음을 알리다)	부	- 言
吩	분부할	분	- 口
扮	꾸밀	분	- 手
忿	성낼	분	- 心
盆	동이	분	- 皿
雰	눈날릴	분	- 雨
噴	뿜을	분	- 口
焚	불사를	분	- 火
糞	똥	분	- 米
彿	비슷할	불	- 彳
棚	사다리	붕	- 木
硼	붕사(붕산 나트륨)	붕	- 石
繃	묶을	붕	- 糸
憊	고단할	비	- 心
匕	비수(小刀)	비	- 匕
扉	사립문	비	- 戶
緋	비단	비	- 糸
翡	물총새	비	- 羽
蜚	바퀴/날	비	- 虫
誹	헐뜯을	비	- 言
痺	저릴	비	- 疒
裨	도울	비	- 衣
脾	지라(체내의 한 장기)	비	- 肉
妣	죽은어미	비	- 女
庇	덮을	비	- 广
琵	비파	비	- 玉
砒	비상	비	- 石
秕	쭉정이	비	- 禾
沸	끓을 / 용솟음할	비 / 불	- 水
鄙	더러울	비	- 邑
臂	팔	비	- 肉
譬	비유할	비	- 言
嚬	찡그릴	빈	- 口
瀕	물가/가까울	빈	- 水
嬪	궁녀벼슬이름	빈	- 女
濱	물가	빈	- 水
殯	빈소(死體安置所)	빈	- 歹
憑	비길	빙	- 心
些	적을	사	- 二
嗣	이을	사	- 口
祠	사당(神主를 모신 집)	사	- 示
奢	사치할	사	- 大
娑	춤출/사바세상	사	- 女
紗	비단	사	- 糸
瀉	쏟을	사	- 水
麝	사향노루	사	- 鹿
獅	사자	사	- 犬
徙	옮길	사	- 彳
蓑	도롱이(짚, 띠 등으로 만든 雨衣)	사	- 艸
刪	깎을	산	- 刀
珊	산호	산	- 玉
疝	산증(아랫배가 아프고 대변이 막힘)	산	- 疒
撒	뿌릴	살	- 手
煞	죽일	살	- 火
薩	보살	살	- 艸
滲	스밀	삼	- 水
澁	떫을	삽	- 水
觴	잔	상	- 角
孀	홀어미	상	- 女
翔	날	상	- 羽
爽	시원할	상	- 爻
璽	옥새	새	- 玉
嗇	아낄	색	- 口
牲	희생	생	- 牛
甥	생질	생	- 生
壻	사위	서	- 士
胥	서로	서	- 肉
嶼	섬	서	- 山
抒	풀	서	- 手
曙	새벽	서	- 日
薯	감자	서	- 艸
棲	깃들일	서	- 木
犀	무소	서	- 牛
黍	기장	서	- 黍
鼠	쥐	서	- 鼠
潟	개펄	석	- 水
銑	무쇠	선	- 金
羨	부러워할 / 무덤길	선 / 연	- 羊
膳	반찬/선물	선	- 肉
扇	부채	선	- 戶
煽	부채질할	선	- 火
腺	샘	선	- 肉
屑	가루	설	- 尸
泄	샐	설	- 水
渫	파낼	설	- 水
洩	샐 / 퍼질	설 / 예	- 水
殲	다죽일	섬	- 歹
閃	번쩍일	섬	- 門
醒	깰	성	- 酉
塑	흙빚을	소	- 土
宵	밤(夜)	소	- 宀
逍	노닐	소	- 辵
搔	긁을	소	- 手
瘙	피부병	소	- 疒
梳	얼레빗	소	- 木
疎	성길(드물다)	소	- 疋
蕭	쓸쓸할	소	- 艸
簫	퉁소	소	- 竹
遡	거스를	소	- 辵
甦	깨어날	소	- 生

1급 배정한자

贖	속죄할	속	貝
遜	겸손할	손	辵
悚	두려울	송	心
灑	뿌릴	쇄	水
碎	부술	쇄	石
嫂	형수	수	女
瘦	여윌	수	疒
狩	사냥할	수	犬
髓	뼛골	수	骨
戍	수자리	수	戈
蒐	모을	수	艸
穗	이삭	수	禾
竪	세울	수	立
袖	소매	수	衣
粹	순수할	수	米
繡	수놓을	수	糸
羞	부끄러울	수	羊
讐	원수	수	言
酬	갚을	수	酉
菽	콩	숙	艸
塾	글방	숙	土
夙	이를	숙	夕
筍	죽순	순	竹
醇	전국술(純酒)	순	酉
馴	길들일	순	馬
膝	무릎	슬	肉
丞	정승	승	一
匙	숟가락	시	匕
媤	시집	시	女
柿	감	시	木
弑	윗사람죽일	시	弋
猜	시기할	시	犬
諡	시호(稱號)	시	言
豺	승냥이	시	豸

拭	씻을	식	手
熄	불꺼질	식	火
蝕	좀먹을	식	虫
呻	읊조릴	신	口
娠	아이밸	신	女
宸	대궐	신	宀
蜃	큰조개	신	虫
薪	섶	신	艸
燼	불탄끝	신	火
迅	빠를	신	辵
訊	물을	신	言
悉	다	실	心
啞	벙어리	아	口
俄	갑자기	아	人
訝	의심할	아	言
衙	마을(官廳)	아	行
堊	흰흙	악	土
愕	놀랄	악	心
顎	턱	악	頁
按	누를	안	手
晏	늦을	안	日
鞍	안장	안	革
斡	돌	알	斗
軋	삐걱거릴	알	車
庵	암자	암	广
闇	숨을	암	門
昻	높을	앙	日
怏	원망할	앙	心
秧	모	앙	禾
鴦	원앙	앙	鳥
靄	아지랑이	애	雨
崖	언덕	애	山
隘	좁을	애	阜
曖	희미할	애	日

扼	잡을	액	手
腋	겨드랑이	액	肉
縊	목맬	액	糸
櫻	앵두	앵	木
鶯	꾀꼬리	앵	鳥
揶	야유할	야	手
爺	아비	야	父
冶	풀무	야	冫
葯	꽃밥	약	艸
攘	물리칠	양	手
釀	술빚을	양	酉
瘍	헐	양	疒
恙	근심할/병	양	心
癢	가려울	양	疒
圄	옥	어	口
禦	막을	어	示
瘀	어혈질	어	疒
臆	가슴	억	肉
堰	둑	언	土
諺	속담/언문	언	言
掩	가릴	엄	手
奄	문득	엄	大
儼	엄연할	엄	人
繹	풀	역	糸
筵	대자리	연	竹
捐	버릴	연	手
椽	서까래	연	木
鳶	솔개	연	鳥
焰	불꽃	염	火
艶	고울	염	色
嬰	어린아이	영	女
穢	더러울	예	禾
曳	끌	예	日
裔	후손	예	衣

詣	이를	예	言
伍	다섯사람	오	人
寤	잠깰	오	宀
奧	깊을	오	大
懊	한할	오	心
蘊	쌓을	온	艸
壅	막을	옹	土
渦	소용돌이	와	水
蝸	달팽이	와	虫
訛	그릇될	와	言
婉	아름다울/순할	완	女
宛	완연할(기운이 뚜렷함)	완	宀
腕	팔뚝	완	肉
玩	즐길	완	玉
阮	성(姓)	완	阜
頑	완고할	완	頁
枉	굽을	왕	木
矮	난쟁이	왜	矢
巍	높고클	외	山
猥	외람할(더럽거나, 분수에 넘치다)	외	犬
僥	요행	요	人
饒	넉넉할	요	食
凹	오목할	요	凵
夭	일찍죽을	요	大
拗	우길	요	手
窈	고요할	요	穴
擾	시끄러울	요	手
邀	맞을	요	辵
窯	기와가마	요	穴
涌	물솟을	용	水
踊	뛸	용	足
蓉	연꽃	용	艸
茸	풀날/버섯	용/이	艸
聳	솟을	용	耳

한자	뜻	음	부수
迂	에돌(먼길로 돌아서가다)	우	辵
寓	부칠	우	宀
嵎	산굽이	우	山
隅	모퉁이	우	阜
虞	염려할/나라이름	우	虍
耘	김맬	운	耒
隕	떨어질	운	阜
殞	죽을	운	歹
猿	원숭이	원	犬
冤	원통할	원	冖
鴛	원앙	원	鳥
萎	시들	위	艸
喩	깨우칠	유	口
愉	즐거울	유	心
揄	야유할	유	手
癒	병나을	유	疒
諭	타이를	유	言
鍮	놋쇠	유	金
宥	너그러울	유	宀
柚	유자	유	木
游	헤엄칠	유	水
蹂	밟을	유	足
諛	아첨할	유	言
戎	병장기/오랑캐	융	戈
絨	가는베	융	糸
蔭	그늘	음	艸
揖	읍할	읍	手
膺	가슴	응	肉
誼	정(情)	의	言
擬	비길	의	手
椅	의자	의	木
毅	굳셀	의	殳
姨	이모	이	女
痍	상처	이	疒
弛	늦출	이	弓
爾	너	이	爻
餌	미끼	이	食
翌	다음날	익	羽
靭	질길	인	革
咽	목구멍/목멜	인/열	口
蚓	지렁이	인	虫
湮	묻힐	인	水
佚	편안/질탕	일/질	人
溢	넘칠	일	水
剩	남을	잉	刀
孕	아이밸	잉	子
仔	자세할	자	人
瓷	사기그릇	자	瓦
炙	구울	자(적)	火
煮	삶을	자	火
蔗	사탕수수	자	艸
藉	깔/핑계할	자	艸
疵	허물	자	疒
炸	터질	작	火
勺	구기(국자종류)	작	勹
灼	불사를	작	火
芍	함박꽃	작	艸
嚼	씹을	작	口
綽	너그러울	작	糸
雀	참새	작	隹
鵲	까치	작	鳥
棧	사다리	잔	木
盞	잔	잔	皿
簪	비녀	잠	竹
箴	경계	잠	竹
仗	의장(儀)	장	人
杖	지팡이	장	木
匠	장인	장	匚
檣	돛대	장	木
薔	장미	장	艸
漿	즙	장	水
醬	장	장	酉
滓	찌끼	재	水
齋	재계할/집	재	齊
錚	쇳소리	쟁	金
邸	집	저	邑
觝	씨름	저	角
咀	씹을	저	口
狙	원숭이/엿볼	저	犬
詛	저주할	저	言
豬	돼지	저	豕
箸	젓가락	저	竹
躇	머뭇거릴	저	足
嫡	정실(본처)	적	女
謫	귀양갈	적	言
狄	오랑캐	적	犬
迹	자취	적	辵
栓	마개	전	木
銓	사람가릴	전	金
剪	가위	전	刀
煎	달일	전	火
箭	살(矢)	전	竹
塡	메울	전	土
奠	정할/제사	전	大
輾	돌아누울	전	車
廛	가게	전	广
纏	얽을	전	糸
悛	고칠	전	心
澱	앙금	전	水
氈	담(솜털모직)	전	毛
顫	떨	전	頁
癲	미칠	전	疒
顚	엎드러질/이마	전	頁
箋	기록할	전	竹
餞	보낼	전	食
篆	전자(篆字)	전	竹
截	끊을	절	戈
粘	붙을	점	米
霑	젖을	점	雨
町	밭두둑	정	田
酊	술취할	정	酉
釘	못	정	金
穽	함정	정	穴
幀	그림족자	정	巾
碇	닻	정	石
錠	덩이	정	金
挺	빼어날	정	手
睛	눈동자	정	目
靖	편안할	정	青
啼	울	제	口
蹄	굽	제	足
悌	공손할	제	心
梯	사다리	제	木
眺	볼	조	目
凋	시들	조	冫
稠	빽빽할	조	禾
阻	막힐	조	阜
粗	거칠	조	米
嘲	비웃을	조	口
藻	마름(水草)	조	艸
躁	조급할	조	足
繰	고치켤	조	糸
漕	배로실어나를	조	水
曹	무리	조	曰
槽	구유	조	木
遭	만날	조	辵

1급 배정한자

糟	지게미	조	米
棗	대추	조	木
詔	조서(왕의 명령)	조	言
爪	손톱	조	爪
肇	비롯할	조	聿
簇	가는대	족	竹
猝	갑자기	졸	犬
踪	자취	종	足
慫	권할	종	心
腫	종기	종	肉
踵	발꿈치	종	足
挫	꺾을	좌	手
註	글뜻풀	주	言
做	지을	주	人
胄	자손	주	肉
紬	명주	주	糸
呪	빌	주	口
嗾	부추길	주	口
輳	몰려들	주	車
廚	부엌	주	广
誅	벨	주	言
躊	머뭇거릴	주	足
紂	주임금	주	糸
樽	술통	준	木
竣	마칠	준	立
蠢	꾸물거릴	준	虫
櫛	빗	즐	木
汁	즙	즙	水
葺	기울(繕)	즙	艸
咫	여덟치	지	口
枳	탱자	지(기)	木
祉	복	지	示
摯	잡을	지	手
肢	팔다리	지	肉

嗔	성낼	진	口
疹	마마(천연두)	진	疒
叱	꾸짖을	질	口
桎	차꼬(足鎖)	질	木
膣	음도	질	肉
嫉	미워할	질	女
帙	책권차례	질	巾
迭	갈마들(交代)	질	辵
跌	거꾸러질	질	足
斟	짐작할	짐	斗
朕	나	짐	月
什	세간 열사람	집 십	人
澄	맑을	징	水
叉	갈래	차	又
嗟	탄식할	차	口
蹉	미끄러질	차	足
搾	짤	착	手
窄	좁을	착	穴
鑿	뚫을	착	金
撰	지을	찬	手
饌	반찬	찬	食
簒	빼앗을	찬	竹
纂	모을	찬	糸
擦	문지를	찰	手
站	역마을	참	立
塹	구덩이	참	土
僭	주제넘을	참	人
懺	뉘우칠	참	心
讖	예언	참	言
讒	참소할	참	言
倡	광대	창	人
娼	창녀	창	女
猖	미쳐날뛸	창	犬
菖	창포	창	艸

愴	슬플	창	心
槍	창	창	木
瘡	부스럼	창	疒
艙	부두	창	舟
廠	공장	창	广
脹	부을	창	肉
漲	넘칠	창	水
寨	목책 (木柵)	채	宀
柵	울타리	책	木
凄	쓸쓸할	처	冫
脊	등마루	척	肉
瘠	여윌	척	疒
滌	씻을	척	水
擲	던질	척	手
穿	뚫을	천	穴
喘	숨찰	천	口
擅	멋대로할	천	手
闡	밝힐	천	門
凸	볼록할	철	凵
綴	엮을	철	糸
轍	바퀴자국	철	車
僉	다/여러	첨	人
諂	아첨할	첨	言
籤	제비(점대)	첨	竹
帖	문서	첩	巾
貼	붙일	첩	貝
捷	빠를	첩	手
牒	편지	첩	片
疊	거듭	첩	田
涕	눈물	체	水
諦	살필	체	言
貂	담비	초	豸
梢	나무끝	초	木
稍	점점	초	禾

硝	화약	초	石
炒	볶을	초	火
憔	파리할	초	心
樵	나무할	초	木
蕉	파초	초	艸
礁	암초	초	石
醋	초	초	酉
囑	부탁할	촉	口
忖	헤아릴	촌	心
塚	무덤	총	土
叢	모일/떨기	총	又
寵	사랑할	총	宀
撮	모을/ 사진찍을	촬	手
鰍	미꾸라지	추	魚
酋	우두머리	추	酉
槌	칠 방망이	추 퇴	木
鎚	쇠망치	추	金
芻	꼴(가축이 먹는 풀)	추	艸
椎	쇠뭉치/등골	추	木
錐	송곳	추	金
錘	저울추	추	金
樞	지도리(門의 中心)	추	木
墜	떨어질	추	土
黜	내칠	출	黑
悴	파리할	췌	心
萃	모을	췌	艸
膵	췌장(체내의 장기)	췌	肉
贅	혹	췌	貝
娶	장가들	취	女
脆	연할	취	肉
翠	푸를/물총새	취	羽
惻	슬플	측	心
侈	사치할	치	人
嗤	비웃을	치	口

1급 배정한자

한자	훈	음	부수
痔	치질	치	疒
緻	빽빽할	치	糸
癡	어리석을	치	疒
馳	달릴	치	馬
幟	기(旗)	치	巾
熾	성할	치	火
勅	칙서(왕의 명령)	칙	力
砧	다듬잇돌	침	石
鍼	침	침	金
蟄	숨을	칩	虫
秤	저울	칭	禾
陀	비탈질/부처	타	阜
舵	키	타	舟
駝	낙타	타	馬
唾	침	타	口
惰	게으를	타	心
楕	길고둥글	타	木
擢	뽑을	탁	手
鐸	방울	탁	金
呑	삼킬	탄	口
坦	평탄할	탄	土
綻	터질	탄	糸
憚	꺼릴	탄	心
眈	노려볼	탐	目
搭	탈	탑	手
宕	호탕할	탕	宀
蕩	방탕할	탕	艸
汰	일	태	水
苔	이끼	태	艸
笞	볼기칠	태	竹
跆	밟을	태	足
撐	버틸	탱	手
攄	펼	터	手
桶	통	통	木
筒	통	통	竹
慟	서러워할	통	心
腿	넓적다리	퇴	肉
褪	바랠	퇴	衣
堆	쌓을	퇴	土
頹	무너질	퇴	頁
妬	샘낼	투	女
套	씌울	투	大
慝	사특할	특	心
巴	꼬리	파	己
芭	파초	파	艸
爬	긁을	파	爪
琶	비파	파	玉
婆	할미	파	女
跛	절름발이/비스듬히설	파/피	足
辦	힘들일	판	辛
唄	염불소리	패	口
沛	비쏟아질	패	水
佩	찰	패	人
悖	거스를	패	心
牌	패	패	片
稗	피	패	禾
澎	물소리	팽	水
膨	불을	팽	肉
愎	강퍅할(고집센)	퍅	心
騙	속일	편	馬
鞭	채찍	편	革
貶	낮출	폄	貝
萍	부평초	평	艸
陛	대궐섬돌	폐	阜
斃	죽을	폐	攵
泡	거품	포	水
咆	고함지를	포	口
庖	부엌	포	广
疱	물집	포	疒
袍	도포(두루마기)	포	衣
蒲	부들	포	艸
逋	도망갈	포	辵
哺	먹일	포	口
圃	채마밭	포	口
匍	길	포	勹
脯	포(고기를 얇게 썰어서 말림)	포	肉
褒	기릴	포	衣
瀑	폭포/소나기	폭/포	水
曝	쪼일	폭(포)	日
豹	표범	표	豸
剽	겁박할	표	刀
慓	급할	표	心
飄	나부낄	표	風
稟	여쭐	품	禾
諷	풍자할	풍	言
披	헤칠	피	手
疋	필(베나 말(馬)을 세는 단위)	필	疋
乏	모자랄	핍	丿
逼	핍박할	핍	辵
瑕	허물	하	玉
遐	멀	하	辵
蝦	두꺼비/새우	하	虫
霞	노을	하	雨
瘧	학질	학	疒
謔	희롱할	학	言
壑	구렁	학	土
罕	드물	한	网
悍	사나울	한	心
澣	빨래할/열흘	한	水
轄	다스릴	할	車
函	함(상자)	함	凵
涵	젖을	함	水
喊	소리칠	함	口
緘	봉할	함	糸
鹹	짤	함	鹵
銜	재갈(입에 물림)	함	金
檻	난간	함	木
蛤	조개	합	虫
盒	합(둥글 넓적한 작은 그릇)	합	皿
肛	항문	항	肉
缸	항아리	항	缶
懈	게으를	해	心
邂	우연히만날	해	辵
偕	함께	해	人
楷	본보기	해	木
諧	화할	해	言
咳	기침	해	口
骸	뼈	해	骨
駭	놀랄	해	馬
劾	꾸짖을	핵	力
嚮	길잡을	향	口
饗	잔치할	향	食
噓	불	허	口
墟	터	허	土
歇	쉴	헐	欠
眩	어지러울	현	目
衒	자랑할	현	行
絢	무늬	현	糸
俠	의기로울	협	人
挾	낄	협	手
狹	좁을	협	犬
頰	뺨	협	頁
荊	가시	형	艸
彗	살별	혜	ヨ
醯	식혜	혜	酉
琥	호박	호	玉

1급 배정한자

狐	여우	호 - 犬	猾	교활할	활 - 犬	繪	그림	회 - 糸	諱	꺼릴/숨길	휘 - 言
弧	활	호 - 弓	凰	봉황	황 - 几	爻	사귈/가로그을	효 - 爻	恤	불쌍할	휼 - 心
瑚	산호	호 - 玉	徨	헤맬	황 - 彳	哮	성낼	효 - 口	兇	흉악할	흉 - 儿
糊	풀칠할	호 - 米	惶	두려울	황 - 心	酵	삭힐	효 - 酉	洶	용솟음칠	흉 - 水
渾	흐릴	혼 - 水	煌	빛날	황 - 火	嚆	울릴	효 - 口	欣	기쁠	흔 - 欠
惚	황홀할	홀 - 心	遑	급할	황 - 辵	朽	썩을	후 - 木	痕	흔적	흔 - 疒
笏	홀(王命을 적어서 朝服에 끼고 다니는 書牌)	홀 - 竹	恍	황홀할	황 - 心	逅	만날	후 - 辵	欠	하품	흠 - 欠
哄	떠들썩할	홍 - 口	慌	어리둥절할	황 - 心	吼	울부짖을	후 - 口	歆	흠향할(받아들임)	흠 - 欠
虹	무지개	홍 - 虫	恢	넓을	회 - 心	嗅	맡을	후 - 口	洽	흡족할	흡 - 水
訌	어지러울	홍 - 言	晦	그믐	회 - 日	暈	무리	훈 - 日	恰	흡사할	흡 - 心
宦	벼슬	환 - 宀	誨	가르칠	회 - 言	喧	지껄일	훤 - 口	犧	희생	희 - 牛
喚	부를	환 - 口	徊	머뭇거릴	회 - 彳	卉	풀	훼 - 十	詰	꾸짖을	힐 - 言
鰥	홀아비	환 - 魚	蛔	회충	회 - 虫	喙	부리	훼 - 口			
驩	기뻐할	환 - 馬	賄	뇌물/재물	회 - 貝	彙	무리	휘 - 彐			
闊	넓을	활 - 門	膾	회	회 - 肉	麾	기	휘 - 麻			

섞음한자 사용법

섞음漢字를 사용하는 목적은 배정漢字 과정을 끝냈지만, 아직 암기되지 못한 漢字들을 무작위로 섞어서 읽을 수 있게 함으로써 확실하게 머리 속에 암기하기 위한 것이다. 다시 말하자면, 배정漢字 완결판이라고 할 수 있다.

배정漢字는 가, 나, 다 순으로 나열되어 있어서 입담으로 읽기는 쉽지만 그 글자들이 漢字 급수시험이나 다른 책, 신문, 기타 출판물에 실려있을 땐 읽지 못한 경우가 허다하다. 그러나 섞음漢字 과정을 끝내면 그런 일은 없을 것이다.

사 용 법

1. 반드시 24쪽부터의 배정漢字 1,145字 과정을 적당히 써보고 읽을 줄 안 다음 '섞음漢字' 과정을 시작합니다. '섞음漢字' 를 익힐 때는 가로, 세로, 대각선으로 모두 잘 읽을 수 있도록 연습합니다. 섞음漢字 속에서 모르는 글자는 번호를 확인하여 섞음漢字訓音표에서 찾아 암기하도록 합니다. 검사할 때 틀린 글자는 세 번씩 쓰고 암기토록 합니다. 讀音쓰기와 訓·音쓰기를 할 때도 필요하다고 느낄 때는 몇 차례 더 해줌으로써 '완전하다' 하겠습니다. '섞음漢字' 를 가위로 잘라서 섞은 다음 검사하는 방법은 가장 효율적인데, 이때 틀린 두 글자를 모두 확인해서 외우도록 합니다. 예를 들어 빛날 황(煌)字를 급할 황(遑)으로 잘못 읽었을때는 우선 '빛날 황' , '급할 황' 을 한글로 쓰게 한 다음 '섞음漢字 訓·音表' 아니면 '배정漢字' 를 보고 찾아서 2~3회 써보도록 합니다.

2. 33~34쪽 '섞음漢字訓音표' 에 적힌 번호와 35~40쪽 '섞음漢字' 에 적힌 번호는 서로 같으므로 섞음漢字속의 모르는 글자는 섞음漢字훈음표를 보고 찾아 확인할 수 있습니다. 섞음漢字를 ①, ②로 나누어 수록하였습니다.

3. 모든 학생의 경우 예상문제를 풀어가는 도중에도 독음과 훈음문제를 합해서 4문제 이상 틀릴 때는 '섞음漢字' 검사를 해주면 거의 틀리지 않습니다.

1급 '섞음漢字'

訓·音표①

일차적으로 가, 나, 다 順의 '배정漢字' 를 잘 읽을 수 있게 공부한 후 이차적으로 이들 글자들이 모두 섞인 상태에서 잘 읽을 수 있게 되어야 "암기가 제대로 되었다" 라고 할 수 있을것입니다. 다음쪽의 '섞음漢字' 를 읽을때 모르는 글자는 이곳 '훈 · 음표' 번호를 확인하여 외우세요.

嘉 아름다울 가 1	紺 감색/연보라 감 27	鵑 두견새 견 53	袞 곤룡포 곤 79	狡 교활할 교 105	舅 시아비/외삼촌 구 131	擒 사로잡을 금 157	衲 기울(縫) 납 183	擡 들(擧) 대 209	懶 게으를 라 235	斂 거둘 렴 261
袈 가사(중의 上衣)가 2	匣 갑 갑 28	繭 고치 견 54	汨 골몰할 골/물이름 멱 80	皎 달밝을 교 106	鳩 비둘기 구 132	襟 옷깃 금 158	囊 주머니 낭 184	堵 담 도 210	癩 문둥이 라 236	殮 염할(시체를 거두다) 렴 262
駕 멍에 가 3	閘 수문 갑 29	憬 깨달을/동경할 경 55	拱 팔짱낄 공 81	蛟 교룡(蛟龍) 교 107	窘 군색할 군 133	扱 거둘 급/꽂을 삽 159	撚 비빌 년 185	屠 죽일 도 211	邏 순라(돌다) 라 237	囹 옥(獄) 령 263
呵 꾸짖을 가 4	慷 슬플 강 30	鯨 고래 경 56	鞏 굳을 공 82	喬 높을 교 108	穹 하늘 궁 134	汲 물길을 급 160	涅 열반 녈 186	睹 볼 도 212	螺 소라 라 238	鈴 방울 령 264
哥 성(姓) 가 5	糠 겨 강 31	勁 굳셀 경 57	顆 낟알 과 83	嬌 아리따울 교 109	躬 몸 궁 135	亘 뻗칠 긍/베풀 선 161	弩 쇠뇌(용수철類) 노 187	賭 내기 도 213	烙 지질 락 239	齡 나이 령 265
苛 가혹할 가 6	薑 생강 강 32	莖 줄기 경 58	廓 둘레 곽/클 확 84	轎 가마 교 110	倦 게으를 권 136	矜 자랑할 긍 162	駑 둔할말 노 188	搗 찧을 도 214	酪 쇠젖 락 240	逞 쾌할 령 266
嫁 시집갈 가 7	腔 속빌 강 33	痙 경련할 경 59	槨 외관 곽 85	驕 교만할 교 111	捲 거둘/말 권 137	伎 재간 기 163	膿 고름 농 189	鍍 도금할 도 215	駱 낙타 락 241	撈 건질 로 267
稼 심을 가 8	芥 겨자 개 34	脛 정강이 경 60	藿 콩잎/미역 곽 86	攪 흔들 교 112	眷 돌볼 권 138	妓 기생 기 164	撓 휠 뇨 190	掉 흔들 도 216	瀾 물결 란 242	擄 노략질할 로 268
恪 삼갈 각 9	箇 낱 개 35	頸 목 경 61	棺 널 관 87	柩 널 구 113	蹶 넘어질/일어설 궐 139	朞 돌 기 165	訥 말더듬거릴 눌 191	淘 쌀일 도 217	鸞 난새(鳥) 란 243	虜 사로잡을 로 269
殼 껍질 각 10	凱 개선할 개 36	梗 줄기/막힐 경 62	顴 광대뼈 관 88	灸 뜸 구 114	几 안석 궤 140	嗜 즐길 기 166	紐 맺을 뉴 192	萄 포도 도 218	剌 발랄할 랄/수라 라 244	碌 푸른돌 록 270
奸 간사할 간 11	愾 성낼 개 37	磬 경쇠 경 63	灌 물댈 관 89	仇 원수 구 115	机 책상 궤 141	崎 험할 기 167	匿 숨길 닉 193	滔 물넘칠 도 219	辣 매울 랄 245	麓 산기슭 록 271
竿 낚싯대 간 12	漑 물댈 개 38	悸 두근거릴 계 64	刮 긁을 괄 90	嘔 게울 구 116	潰 무너질 궤 142	畸 뙈기밭/불구 기 168	簞 소쿠리 단 194	蹈 밟을 도 220	籃 대바구니 람 246	壟 밭두둑 롱 272
墾 개간할 간 13	羹 국 갱 39	痼 고질 고 65	括 묶을 괄 91	嶇 험할 구 117	櫃 궤짝 궤 143	綺 비단 기 169	緞 비단 단 195	濤 물결 도 221	臘 섣달 랍 247	瓏 옥소리 롱 273
艱 어려울 간 14	倨 거만할 거 40	辜 허물 고 66	胱 오줌통 광 92	毆 때릴 구 118	詭 속일 궤 144	杞 구기자 기 170	蛋 새알 단 196	禱 빌 도 222	蠟 밀(꿀벌의 분비) 랍 248	聾 귀먹을 롱 274
揀 가릴 간 15	渠 개천 거 41	錮 막을 고 67	匡 바를 광 93	謳 노래 구 119	硅 규소 규 145	譏 비웃을 기 171	撻 때릴 달 197	瀆 도랑/더럽힐 독 223	狼 이리 랑 249	儡 꼭두각시 뢰 275
諫 간할 간 16	醵 추렴할 거(갹) 42	叩 두드릴 고 68	壙 뫼구덩이 광 94	軀 몸 구 120	葵 해바라기/아욱 규 146	羈 굴레/나그네 기 172	疸 황달 달 198	禿 대머리 독 224	倆 재주 량 250	牢 우리(畜舍) 뢰 276
澗 산골물 간 17	腱 힘줄 건 43	呱 울 고 69	曠 빌 광 95	廐 마구 구 121	逵 길거리 규 147	肌 살 기 173	憺 참담할 담 199	沌 엉길 돈 225	粱 기장(穀類) 량 251	磊 돌무더기 뢰 277
癎 간질 간 18	巾 수건 건 44	拷 칠 고 70	卦 점괘 괘 96	枸 구기자 구 122	窺 엿볼 규 148	拮 일할 길 174	澹 맑을 담 200	疼 아플 동 226	侶 짝 려 252	賂 뇌물 뢰 278
喝 꾸짖을 갈 19	虔 공경할 건 45	敲 두드릴 고 71	罫 줄(線) 괘 97	鉤 갈고리 구 123	橘 귤 귤 149	喫 먹을 끽 175	痰 가래 담 201	胴 큰창자/몸통 동 227	閭 마을 려 253	寮 동관(同官) 료 279
竭 다할 갈 20	劫 위협할 겁 46	膏 기름 고 72	乖 어그러질 괴 98	駒 망아지 구 124	剋 이길 극 150	儺 푸닥거리 나 176	譚 클/말씀 담 202	憧 동경할 동 228	濾 거를 려 254	燎 횃불 료 280
褐 갈색/굵은 베 갈 21	怯 겁낼 겁 47	袴 바지 고 73	魁 괴수 괴 99	垢 때 구 125	隙 틈 극 151	懦 나약할 나 177	曇 흐릴 담 203	瞳 눈동자 동 229	戾 어그러질 려 255	瞭 밝을 료 281
勘 헤아릴 감 22	偈 불시(佛詩) 게 48	股 넓적다리 고 74	拐 후릴(속이다) 괴 100	寇 도적 구 126	戟 창 극 152	拏 잡을 나 178	遝 뒤섞일 답 204	兜 투구 두/도솔천 도 230	黎 검을 려 256	寥 쓸쓸할 료 282
堪 견딜 감 23	檄 격문 격 49	梏 수갑 곡 75	宏 클 굉 101	衢 네거리 구 127	棘 가시 극 153	拿 잡을 나 179	螳 버마재비(사마귀) 당 205	痘 역질 두 231	瀝 스밀 력 257	聊 애오라지(즐기다) 료 283
瞰 굽어볼 감 24	膈 가슴 격 50	鵠 고니/과녁 곡 76	肱 팔뚝 굉 102	溝 도랑 구 128	覲 뵐 근 154	煖 더울 난 180	棠 아가위(산사나무) 당 206	遁 숨을 둔 232	礫 조약돌 력 258	壘 보루(土陣) 루 284
柑 귤 감 25	覡 박수(男巫) 격 51	昆 맏 곤 77	轟 울릴/수레소리 굉 103	矩 법/모날 구 129	饉 주릴(굶주리다) 근 155	捏 꾸밀 날 181	撞 칠 당 207	臀 볼기 둔 233	輦 가마 련 259	陋 더러울 루 285
疳 감질 감 26	譴 꾸짖을 견 52	棍 몽둥이 곤 78	咬 물/새소리 교 104	臼 절구 구 130	衾 이불 금 156	捺 누를 날 182	垈 집터 대 208	橙 귤/걸상 등 234	簾 발 렴 260	琉 유리 류 286

1급 '섞음漢字'
訓·音표①

일차적으로 가, 나, 다 順의 '배정漢字'를 잘 읽을 수 있게 공부한 후 이차적으로 이들 글자들이 모두 섞인 상태에서 잘 읽을 수 있게 되어야 "암기가 제대로 되었다"라고 할 수 있을것입니다. 다음쪽의 '섞음漢字'를 읽을때 모르는 글자는 이곳 '훈·음표' 번호를 확인하여 외우세요.

悚 두려울 송 547

溜 처마물 류 287	粒 낟알 립 313	溟 바다 명 339	靡 쓰러질 미 365	潑 물뿌릴 발 391	璧 구슬 벽 417	孵 알깔 부 443	庇 덮을 비 469	珊 산호 산 495	銑 무쇠 선 521	灑 뿌릴 쇄 548
瘤 혹 류 288	寞 고요할 막 314	暝 저물 명 340	悶 답답할 민 366	醱 술괼 발 392	癖 버릇 벽 418	斧 도끼 부 444	琵 비파 비 470	疝 산증(아랫배가 아프고 대소변이 막힌 병) 산 496	羨 부러워할 선 무덤길 연 522	碎 부술 쇄 549
戮 죽일 륙 289	卍 만 만 315	螟 멸구 명 341	謐 고요할 밀 367	坊 동네 방 393	闢 열 벽 419	訃 부고(죽음을 알리다) 부 445	砒 비상 비 471	撒 뿌릴 살 497	膳 반찬/선물 선 523	嫂 형수 수 550
淪 빠질 륜 290	挽 당길 만 316	酩 술취할 명 342	剝 벗길 박 368	彷 헤맬 방 394	瞥 눈깜짝할 별 420	吩 분부할 분 446	秕 쭉정이 비 472	煞 죽일 살 498	扇 부채 선 524	瘦 여윌 수 551
綸 벼리 륜 291	輓 끌/애도할 만 317	皿 그릇 명 343	搏 두드릴 박 369	昉 밝을 방 395	鼈 자라 별 421	扮 꾸밀 분 447	沸 끓을 비 용솟음할 불 473	薩 보살 살 499	煽 부채질할 선 525	狩 사냥할 수 552
慄 떨릴 률 292	彎 굽을 만 318	袂 소매 몌 344	縛 얽을 박 370	枋 다목(나무를엮어 물을막다) 방 396	瓶 병 병 422	忿 성낼 분 448	鄙 더러울 비 474	滲 스밀 삼 500	腺 샘 선 526	髓 뼛골 수 553
勒 굴레 륵 293	蔓 덩굴 만 319	摸 더듬을 모 345	膊 팔뚝 박 371	肪 기름 방 397	餠 떡 병 423	盆 동이 분 449	臂 팔 비 475	澁 떫을 삽 501	屑 가루 설 527	戍 수자리(守備) 수 554
肋 갈빗대 륵 294	饅 만두 만 320	糢 모호할 모 346	撲 칠 박 372	榜 방붙일 방 398	堡 작은성 보 424	雰 눈날릴 분 450	譬 비유할 비 476	觴 잔 상 502	泄 샐 설 528	蒐 모을 수 555
凜 찰(冷) 름 295	鰻 뱀장어 만 321	耗 소모할 모 347	樸 순박할 박 373	膀 오줌통 방 399	洑 보 보 스며흐를 복 425	噴 뿜을 분 451	嚬 찡그릴 빈 477	孀 홀어머니 상 503	渫 파낼 설 529	穗 이삭 수 556
凌 업신여길 릉 296	瞞 속일 만 322	牡 수컷 모 348	珀 호박 박 374	謗 헐뜯을 방 400	菩 보살 보 426	焚 불사를 분 452	瀕 물가/가까울 빈 478	翔 날 상 504	洩 샐 설 퍼질 예 530	竪 세울 수 557
菱 마름 릉 297	抹 지울 말 323	歿 죽을 몰 349	箔 발 박 375	尨 삽살개 방 401	僕 종 복 427	糞 똥 분 453	嬪 궁녀벼슬 이름 빈 479	爽 시원할 상 505	殲 다죽일 섬 531	袖 소매 수 558
稜 모날 릉 298	沫 물거품 말 324	渺 아득할/물 질펀할 묘 350	粕 지게미 박 376	幇 도울 방 402	匐 길 복 428	彿 비슷할 불 454	濱 물가 빈 480	璽 옥새 새 506	閃 번쩍일 섬 532	粹 순수할 수 559
綾 비단 릉 299	襪 버선 말 325	描 그릴 묘 351	駁 논박할(따지다) 박 377	陪 모실 배 403	輻 바퀴살 복(폭) 429	棚 사다리 붕 455	殯 빈소(死體安置所) 빈 481	嗇 아낄 색 507	醒 깰 성 533	繡 수놓을 수 560
俚 속될 리 300	惘 멍할 망 326	猫 고양이 묘 352	拌 버릴 반 378	徘 어정거릴 배 404	鰒 전복 복 430	硼 붕사 붕 456	憑 비길 빙 482	牲 희생 생 508	塑 흙빚을 소 534	羞 부끄러울 수 561
釐 다스릴 리 301	芒 까끄라기 망 327	杳 아득할 묘 353	畔 밭두둑 반 379	湃 물결칠 배 405	捧 받들 봉 431	繃 묶을 붕 457	些 적을 사 483	甥 생질 생 509	宵 밤(夜) 소 535	讐 원수 수 562
裡 속 리 302	呆 어리석을 매 328	畝 이랑 묘(무) 354	絆 얽어맬 반 380	胚 아이밸 배 406	棒 막대 봉 432	憊 고단할 비 458	嗣 이을 사 484	壻 사위 서 510	逍 노닐 소 536	酬 갚을 수 563
悧 영리할 리 303	寐 잘 매 329	巫 무당 무 355	槃 쟁반 반 381	帛 비단 백 407	烽 봉화 봉 433	匕 비수 비 459	祠 사당(神主를 모신집) 사 485	胥 서로 서 511	搔 긁을 소 537	菽 콩 숙 564
痢 이질 리 304	昧 어두울 매 330	誣 속일 무 356	蟠 서릴 반 382	魄 넋 백 408	鋒 칼날 봉 434	扉 사립문 비 460	奢 사치할 사 486	嶼 섬 서 512	瘙 피부병 소 538	塾 글방 숙 565
籬 울타리 리 305	煤 그을음 매 331	憮 어루만질 무 357	攀 더위잡을(끌어잡다) 반 383	蕃 불을 번 409	俯 구부릴 부 435	緋 비단 비 461	娑 춤출/사바 세상 사 487	抒 풀 서 513	梳 얼레빗 소 539	夙 이를 숙 566
罹 걸릴 리 306	邁 갈 매 332	撫 어루만질 무 358	礬 백반 반 384	藩 울타리 번 410	咐 분부할/불 부 436	翡 물총새 비 462	紗 비단 사 488	曙 새벽 서 514	疎 성길 소 540	筍 죽순 순 567
吝 아낄 린 307	罵 꾸짖을 매 333	蕪 거칠 무 359	斑 아롱질 반 385	帆 돛 범 411	腑 육부 부 437	蜚 바퀴/날 비 463	瀉 쏟을 사 489	薯 감자 서 515	蕭 쓸쓸할 소 541	醇 전국술(純酒) 순 568
燐 도깨비불 린 308	萌 움 맹 334	拇 엄지손가락 무 360	頒 나눌 반 386	梵 불경 범 412	駙 부마(임금의 사위) 부 438	誹 헐뜯을 비 464	麝 사향노루 사 490	棲 깃들일 서 516	簫 퉁소 소 542	馴 길들일 순 569
鱗 비늘 린 309	眄 곁눈질할 면 335	毋 말(禁) 무 361	勃 노할 발 387	氾 넘칠 범 413	賻 부의 부 439	痺 저릴 비 465	獅 사자 사 491	犀 무소 서 517	遡 거스를 소 543	膝 무릎 슬 570
躪 짓밟을 린 310	棉 목화 면 336	蚊 모기 문 362	跋 밟을 발 388	泛 뜰 범 414	剖 쪼갤 부 440	裨 도울 비 466	徙 옮길 사 492	黍 기장 서 518	甦 깨어날 소 544	丞 정승 승 571
淋 임질 림 311	緬 멀 면 337	媚 아첨할/예쁠 미 363	魃 가물 발 389	劈 쪼갤 벽 415	埠 부두 부 441	脾 지라 비 467	蓑 도롱이(짚, 띠 등으로 만든 雨衣) 사 493	鼠 쥐 서 519	贖 속죄할 속 545	匙 숟가락 시 572
笠 삿갓 립 312	麪 국수 면 338	薇 장미 미 364	撥 다스릴 발 390	擘 엄지손가락 벽 416	芙 연꽃 부 442	妣 죽은어미 비 468	刪 깎을 산 494	潟 개펄 석 520	遜 겸손할 손 546	媤 시집 시 573

1級 '섞음漢字' 1145字 ①

- 처음에는 2~4줄씩 단위로 잘읽을수 있도록 연습하고 점차 양을 늘리면 됩니다. 유형별 문제를 익힐때에도 전체적으로 2회 정도 더 합니다.
- 예상문제를 푸는 동안 독음 · 훈음쓰기를 합해서 2문제 이상 틀리지 않도록 '섞음漢字' 를 익혀 조정합니다.(가위로 잘라서 익히면 더욱 효과적임)
- 시험 3일전쯤 '섞음漢字' 밑에 훈 · 음을 적어 철자법과 유사음 구별(啓 : 열계를 열개로 알고 읽어도 판별이 안됨)이 확실한지 확인하는것도 중요합니다. '섞음漢字' 를 잘읽게 되면 각 유형별에 큰 영향을 미치게 됩니다.

拷 70	濾 254	膳 523	袋 208	猫 352	溝 128	憬 55	穹 134	賭 213	鵲 76	寮 279	橙 234
遡 543	轟 103	蹈 220	掉 216	噴 451	墾 13	搗 214	攪 112	徘 404	狩 552	萄 218	魄 408
斑 385	腑 437	喝 19	瓏 273	菽 564	苛 6	裡 302	逍 536	鵑 53	粱 251	疝 496	卍 315
舅 131	泛 414	罵 333	馴 569	肪 397	瀕 478	謗 400	徙 492	昉 395	菱 297	帛 407	杳 353
糠 31	瘦 551	鍍 215	黎 256	駒 124	盆 449	釐 301	綾 299	躪 310	嗇 507	粒 313	籬 305
稼 8	藺 54	禿 224	瓶 422	椰 85	抹 323	揀 15	勒 293	耗 347	籃 246	鋒 434	酬 563
袴 73	乖 98	戌 554	袈 2	憮 357	萌 334	磬 63	胱 92	塑 534	燎 280	甥 415	庇 469
屑 527	聾 274	渫 529	廏 121	毆 118	遝 204	瘤 288	棠 206	酩 342	灌 89	兜 230	腔 33
匕 459	敲 71	墅 97	閃 532	蜚 463	嬪 479	粹 559	薩 499	壻 510	棉 336	痢 304	轎 110
辜 66	癩 236	焚 452	拐 100	遜 546	胚 406	鞏 82	湃 405	俯 435	臀 233	灸 114	殼 10
寥 282	駱 241	恪 9	雰 450	嘉 1	簫 542	麝 490	梏 75	虜 269	燐 308	鸞 243	囹 263
馨 384	壟 272	誹 464	淋 311	錮 67	儡 275	剖 440	陪 403	礫 258	慓 292	瞑 340	蛟 107
樸 373	孵 443	縛 370	咐 436	濤 221	瞰 24	嶇 117	洩 530	黍 518	堵 210	鳩 132	搔 537
塾 565	遁 232	陋 285	糢 346	撞 207	棍 78	諫 16	殲 531	餠 423	襪 325	髓 553	憊 458
袖 558	俚 300	箔 375	溜 287	倆 250	脛 60	壙 94	脾 467	宵 535	冀 453	倨 40	睹 212
吝 307	癖 418	祠 485	刪 494	慷 30	奸 11	泄 528	妣 468	麓 271	謐 367	蕢 493	氾 413

橙 234	寮 279	鵠 76	賭 213	穹 134	憬 55	溝 128	猫 352	袋 208	膳 523	濾 254	拷 70
魄 408	萄 218	狩 552	徘 404	攪 112	搗 214	墾 13	噴 451	掉 216	蹈 220	轟 103	遡 543
卍 315	疝 496	粱 251	鵲 53	逍 536	裡 302	苛 6	菽 564	瓏 273	喝 19	腑 437	斑 385
杳 353	帛 407	菱 297	昉 395	徙 492	謗 400	瀕 478	肪 397	馴 569	罵 333	泛 414	舅 131
籬 305	粒 313	嗇 507	躪 310	綾 299	釐 301	盆 449	駒 124	黎 256	鍍 215	瘦 551	糠 31
酬 563	鋒 434	籃 246	耗 347	勒 293	揀 15	抹 323	椰 85	瓶 422	禿 224	藺 54	稼 8
庇 469	劈 415	燎 280	塑 534	胱 92	磬 63	萌 334	憮 357	袈 2	戍 554	乖 98	袴 73
腔 33	兜 230	灌 89	酩 342	棠 206	瘤 288	遝 204	毆 118	廏 121	濮 529	聾 274	屑 527
轎 110	痢 304	棉 336	壻 510	薩 499	粹 559	嬪 479	蜚 463	閃 532	罫 97	敲 71	匕 459
殼 10	灸 114	臀 233	俯 435	湃 405	翬 82	胚 406	遜 546	拐 100	焚 452	癩 236	辜 66
圄 263	鸞 243	燐 308	虜 269	梏 75	爵 490	簫 542	嘉 1	雰 450	恪 9	駱 241	寥 282
蛟 107	暝 340	慄 292	礫 258	陪 403	剖 440	傴 275	錮 67	淋 311	誹 464	壟 272	礬 384
搔 537	鳩 132	堵 210	黍 518	洩 530	嶇 117	瞰 24	濤 221	咐 436	縛 370	孵 443	樸 373
憊 458	髓 553	襪 325	餠 423	殲 531	諫 16	棍 78	撞 207	糢 346	陋 285	遁 232	塾 565
睹 212	倨 40	糞 453	宵 535	脾 467	壙 94	脛 60	倆 250	溜 287	箔 375	俚 300	袖 558
汜 413	蓑 493	謐 367	麓 271	妣 468	泄 528	奸 11	慷 30	刪 494	祠 485	癖 418	吝 307

1級 '섞음漢字' 1145字 ①

- 처음에는 2~4줄씩 단위로 잘읽을수 있도록 연습하고 점차 양을 늘리면 됩니다. 유형별 문제를 익힐때에도 전체적으로 2회 정도 더 합니다.
- 예상문제를 푸는 동안 독음·훈음쓰기를 합해서 2문제 이상 틀리지 않도록 '섞음漢字' 를 익혀 조정합니다.(가위로 잘라서 익히면 더욱 효과적임)
- 시험 3일전쯤 '섞음漢字' 밑에 훈·음을 적어 철자법과 유사음 구별(啓 : 열계를 열개로 알고 읽어도 판별이 안됨)이 확실한지 확인하는것도 중요합니다. '섞음漢字' 를 잘읽게 되면 각 유형별에 큰 영향을 미치게 됩니다.

琵 470	壘 284	枋 396	鯨 56	頸 61	媚 363	腺 526	膀 399	扇 524	顆 83	駙 438	菩 426
粕 376	牲 508	羹 39	薯 515	閻 253	翔 504	搏 369	痘 231	戮 289	瀉 489	悶 366	蕭 541
嗣 484	扉 460	鼈 421	紗 488	賂 278	媤 573	灑 548	撫 358	螺 238	瀝 257	牢 276	垢 125
甥 509	彎 318	滲 500	硯 51	沫 324	沸 473	酪 240	窘 133	抒 513	疎 540	堪 23	宏 101
擘 416	淪 290	攄 268	譴 52	顴 88	匣 28	邁 332	撲 372	銑 521	曠 95	磊 277	醒 533
嫂 550	駕 3	聘 439	痼 65	臘 247	闢 419	槃 381	肱 102	嬌 109	繃 457	皎 106	跋 388
潑 391	溉 38	甦 544	畝 354	梳 539	驕 111	獅 491	撒 497	棺 87	邏 237	稜 298	劫 46
撥 390	訃 445	殯 481	孀 503	珀 374	斂 261	絆 380	璧 417	蔓 319	奢 486	撈 267	醵 42
娑 487	括 91	僕 427	誣 356	梗 62	瞭 281	袂 344	罹 306	眄 335	蝗 205	蟠 382	拇 360
閘 29	煽 525	扮 447	砒 471	吩 446	衢 127	枸 122	犀 517	芒 327	瀆 223	勘 22	疼 226
憑 482	醇 568	譬 476	捲 137	狡 105	痺 465	愾 37	緬 337	滔 219	些 483	艱 14	硼 456
禱 222	緋 461	擡 209	膊 371	斧 444	坊 393	逞 266	呆 328	藩 410	嫁 7	膏 72	碎 549
寐 329	蒐 555	淘 217	榜 398	癎 18	紺 27	悧 303	嚬 477	軀 120	臂 475	翡 462	廓 84
靡 365	觴 502	歿 349	匙 572	爽 505	贖 545	彷 394	肋 294	屠 211	倦 136	蕪 359	幇 402
繡 560	烙 239	埠 441	鰒 430	胥 511	摸 345	彿 454	懶 235	刮 90	衰 79	矩 129	呱 69
煞 498	魁 99	簾 260	帆 411	瞥 420	綸 291	捧 431	醱 392	畔 379	蚊 362	皿 343	謳 119

   ◇ 특허 : 제 10-0636034호

菩 426	駙 438	顆 83	扇 524	膀 399	腺 526	媚 363	頸 61	鯨 56	枋 396	壘 284	琵 470
蕭 541	悶 366	瀉 489	戮 289	痘 231	搏 369	翔 504	閭 253	薯 515	羹 39	牲 508	粕 376
垢 125	牢 276	瀝 257	螺 238	撫 358	灑 548	媤 573	賂 278	紗 488	鼈 421	扉 460	嗣 484
宏 101	堪 23	疎 540	抒 513	窘 133	酪 240	沸 473	沫 324	硯 51	滲 500	彎 318	甥 509
醒 533	磊 277	曠 95	銑 521	撲 372	邁 332	匣 28	顴 88	譴 52	擄 268	淪 290	擘 416
跋 388	皎 106	繃 457	嬌 109	肱 102	槃 381	闢 419	臘 247	痼 65	賻 439	駕 3	嫂 550
劫 46	稜 298	邏 237	棺 87	撒 497	獅 491	驕 111	梳 539	畝 354	甦 544	漑 38	潑 391
醵 42	撈 267	奢 486	蔓 319	璧 417	絆 380	斂 261	珀 374	孀 503	殯 481	訃 445	撥 390
拇 360	蟠 382	螳 205	眄 335	罹 306	袂 344	瞭 281	梗 62	誣 356	僕 427	括 91	娑 487
疼 226	勘 22	瀆 223	芒 327	犀 517	枸 122	衢 127	吩 446	砒 471	扮 447	煽 525	閘 29
硼 456	艱 14	些 483	滔 219	緬 337	愾 37	痺 465	狡 105	捲 137	譬 476	醇 568	憑 482
碎 549	膏 72	嫁 7	藩 410	呆 328	逞 266	坊 393	斧 444	膊 371	擡 209	緋 461	禱 222
廓 84	翡 462	臂 475	軀 120	嚬 477	悧 303	紺 27	癎 18	榜 398	淘 217	蒐 555	寐 329
幇 402	蕪 359	倦 136	屠 211	肋 294	彷 394	贖 545	爽 505	匙 572	歿 349	觴 502	靡 365
呱 69	矩 129	衰 79	刮 90	懶 235	彿 454	摸 345	胥 511	鰒 430	埠 441	烙 239	繡 560
謳 119	皿 343	蚊 362	畔 379	醱 392	捧 431	綸 291	瞥 420	帆 411	簾 260	魁 99	煞 498

1級 '섞음漢字' 1145字 ①

- 처음에는 2~4줄씩 단위로 잘읽을수 있도록 연습하고 점차 양을 늘리면 됩니다. 유형별 문제를 익힐때에도 전체적으로 2회 정도 더 합니다.
- 예상문제를 푸는 동안 독음·훈음쓰기를 합해서 2문제 이상 틀리지 않도록 '섞음漢字' 를 익혀 조정합니다.(가위로 잘라서 익히면 더욱 효과적임)
- 시험 3일전쯤 '섞음漢字' 밑에 훈·음을 적어 철자법과 유사음 구별(啓 : 열계를 열개로 알고 읽어도 판별이 안됨)이 확실한지 확인하는것도 중요합니다. '섞음漢字' 를 잘읽게 되면 각 유형별에 큰 영향을 미치게 됩니다.

棚 455	羞 561	勃 387	莖 58	輓 317	寇 126	巫 355	瞞 322	呵 4	憧 228	鼠 519	匡 93
昧 330	檄 49	拌 378	膈 50	溟 339	鄙 474	烽 433	仇 115	腱 43	溢 501	偈 48	侶 252
描 351	魃 389	讎 562	怯 47	喬 108	疳 26	躬 135	頒 386	堡 424	昆 77	藿 86	珊 495
芙 442	竭 20	凌 296	虔 45	沌 225	膝 570	剝 368	豎 557	辣 245	卦 96	裨 466	棲 516
竿 12	汨 80	琉 286	狼 249	輻 429	羨 522	輩 259	麪 338	瀉 520	殮 262	拱 81	褐 21
瞳 229	惘 326	柩 113	梵 412	箇 35	胴 227	巾 44	駁 377	忿 448	牡 348	煤 331	夙 566
蠟 248	螟 341	勁 57	悸 64	鰻 321	毋 361	痙 59	秕 472	曙 514	璽 506	股 74	洑 425
凜 295	瀾 242	薑 32	齡 265	挽 316	嶼 512	哥 5	丞 571	棒 432	柑 25	匐 428	鈴 264
聊 283	悚 547	筍 567	刺 244	蕃 409	咬 104	尨 401	笠 312	渺 350	澗 17	鉤 123	攀 383
凱 36	穗 556	碌 270	戾 255	寞 314	鱗 309	芥 34	饅 320	薇 364	渠 41	瘙 538	濱 480
妓 164	橘 149	曇 203	几 140	蹶 139	衲 183	捏 181	蛋 196	饉 155	畸 168	涅 186	櫃 143
鶩 188	硅 145	嘔 116	伎 163	肌 173	眷 138	拿 179	囊 184	詭 144	捺 182	綺 169	匿 193
緞 195	逵 147	叩 68	棘 153	葵 146	懦 177	痰 201	臼 130	撻 197	羈 172	簞 194	扱 159
膿 189	机 141	拮 174	儺 176	譚 202	譏 171	紐 192	剋 150	嗜 166	襟 158	煖 180	擒 157
憺 190	疸 198	朞 165	撓 190	拏 178	亘 161	澹 200	窺 148	潰 142	隙 151	撚 185	訥 191
汲 160	杞 170	戟 152	覲 154	矜 162	崎 167	弩 187	衾 156	喫 175			

匡 93	鼠 519	憧 228	呵 4	瞞 322	巫 355	寇 126	輓 317	莖 58	勃 387	羞 561	棚 455
侶 252	偈 48	溢 501	腱 43	仇 115	烽 433	鄙 474	溟 339	膈 50	拌 378	檄 49	昧 330
珊 495	藿 86	昆 77	堡 424	頒 386	躬 135	疳 26	喬 108	怯 47	讎 562	魃 389	描 351
棲 516	裨 466	卦 96	辣 245	豎 557	剝 368	膝 570	沌 225	虔 45	凌 296	竭 20	芙 442
褐 21	拱 81	殮 262	瀉 520	麪 338	聾 259	羨 522	輻 429	狼 249	琉 286	汨 80	竿 12
夙 566	煤 331	牡 348	忿 448	駁 377	巾 44	胴 227	箇 35	梵 412	柩 113	惘 326	瞳 229
洑 425	股 74	璽 506	曙 514	秕 472	痙 59	毋 361	鰻 321	悸 64	勁 57	螟 341	蠟 248
鈴 264	匐 428	柑 25	棒 432	丞 571	哥 5	嶼 512	挽 316	齡 265	薑 32	瀾 242	凜 295
攀 383	鉤 123	澗 17	渺 350	笠 312	尨 401	咬 104	蓄 409	刺 244	筍 567	悚 547	聊 283
濱 480	瘙 538	渠 41	薇 364	饅 320	芥 34	鱗 309	寞 314	戾 255	碌 270	穗 556	凱 36
櫃 143	涅 186	畸 168	饉 155	蛋 196	捏 181	衲 183	蹶 139	几 140	曇 203	橘 149	妓 164
匿 193	綺 169	捺 182	詭 144	囊 184	拿 179	眷 138	肌 173	伎 163	嘔 116	硅 145	駑 188
扱 159	簞 194	羈 172	撻 197	臼 130	痰 201	懦 177	葵 146	棘 153	叩 68	逵 147	綴 195
擒 157	煖 180	襟 158	嗜 166	剋 150	紐 192	譏 171	譚 202	儺 176	拮 174	机 141	膿 189
訥 191	撚 185	隙 151	潰 142	窺 148	澹 200	亘 161	拏 178	撓 190	碁 165	疸 198	憺 190
			喫 175	衾 156	弩 187	崎 167	矜 162	覲 154	戟 152	杞 170	汲 160

1급 '섞음漢字'

訓·音표②

일차적으로 가, 나, 다 順의 '배정漢字' 를 잘 읽을 수 있게 공부한 후 이차적으로 이들 글자들이 모두 섞인 상태에서 잘 읽을 수 있게 되어야 "암기가 제대로 되었다" 라고 할 수 있을것입니다. 다음쪽의 '섞음漢字' 를 읽을때 모르는 글자는 이곳 '훈 · 음표' 번호를 확인하여 외우세요.

柿 감 시 574	鞍 안장 안 600	癢 가려울 양 626	蘊 쌓을 온 652	蓉 연꽃 용 678	戎 병장기/오랑캐 융 704	煮 삶을 자 730	邸 집 저 756	癲 미칠 전 782	粗 거칠 조 808	嗾 부추길 주 834
弑 윗사람 죽일 시 575	斡 돌 알 601	圄 옥 어 627	壅 막을 옹 653	茸 풀날 용 버섯 이 679	絨 가는베 융 705	蔗 사탕수수 자 731	觝 씨름 저 757	顚 엎드러질/이마 전 783	嘲 비웃을 조 809	輳 몰려들 주 835
猜 시기할 시 576	軋 삐걱거릴 알 602	禦 막을 어 628	渦 소용돌이 와 654	聳 솟을 용 680	蔭 그늘 음 706	藉 깔/핑계할 자 732	咀 씹을 저 758	箋 기록할 전 784	藻 마름(水草) 조 810	廚 부엌 주 836
諡 시호(稱號) 시 577	庵 암자 암 603	瘀 어혈질 어 629	蝸 달팽이 와 655	迂 에돌(먼길) 우 681	揖 읍할 읍 707	疵 허물 자 733	狙 원숭이/엿볼 저 759	餞 보낼 전 785	躁 조급할 조 811	誅 벨 주 837
豺 승냥이 시 578	闇 숨을 암 604	臆 가슴 억 630	訛 그릇될 와 656	寓 부칠 우 682	膺 가슴 응 708	炸 터질 작 734	詛 저주할 저 760	篆 전자(篆字) 전 786	繰 고치켤 조 812	躊 머뭇거릴 주 838
拭 씻을 식 579	昻 높일 앙 605	堰 둑 언 631	婉 아름다울/순할 완 657	嵎 산굽이 우 683	誼 정 의 709	勺 구기 작 735	豬 돼지 저 761	截 끊을 절 787	漕 배로 실어 나를 조 813	紂 주임금 주 839
熄 불꺼질 식 580	怏 원망할 앙 606	諺 속담/언문 언 632	宛 완연할 완 658	隅 모퉁이 우 684	擬 비길 의 710	灼 불사를 작 736	箸 젓가락 저 762	粘 붙을 점 788	曹 무리 조 814	樽 술통 준 840
蝕 좀먹을 식 581	秧 모 앙 607	掩 가릴 엄 633	腕 팔뚝 완 659	虞 염려할/나라 이름 우 685	椅 의자 의 711	芍 함박꽃 작 737	躇 머뭇거릴 저 763	霑 젖을 점 789	槽 구유 조 815	竣 마칠 준 841
呻 읊조릴 신 582	鴦 원앙 앙 608	奄 문득 엄 634	玩 즐길 완 660	耘 김맬 운 686	毅 굳셀 의 712	嚼 씹을 작 738	嫡 정실(맏아내) 적 764	町 밭두둑 정 790	遭 만날 조 816	蠢 꾸물거릴 준 842
娠 아이밸 신 583	靄 아지랑이 애 609	儼 엄연할 엄 635	阮 성 완 661	隕 떨어질 운 687	姨 이모 이 713	綽 너그러울 작 739	謫 귀양갈 적 765	酊 술취할 정 791	糟 지게미 조 817	櫛 빗 즐 843
宸 대궐 신 584	崖 언덕 애 610	繹 풀 역 636	頑 완고할 완 662	殞 죽을 운 688	痍 상처 이 714	雀 참새 작 740	狄 오랑캐 적 766	釘 못 정 792	棗 대추 조 818	汁 즙 즙 844
蜃 큰조개 신 585	隘 좁을 애 611	筵 대자리 연 637	枉 굽을 왕 663	猿 원숭이 원 689	弛 늦출 이 715	鵲 까치 작 741	迹 자취 적 767	穽 함정 정 793	詔 조서(天子의 命令) 조 819	葺 기울(繕) 즙 845
薪 섶 신 586	曖 희미할 애 612	捐 버릴 연 638	矮 난쟁이 왜 664	寃 원통할 원 690	爾 너 이 716	棧 사다리 잔 742	栓 마개 전 768	幀 그림족자 정 794	爪 손톱 조 820	咫 여덟치 지 846
燼 불탄끝 신 587	扼 잡을 액 613	椽 서까래 연 639	巍 높고 클 외 665	鴛 원앙 원 691	餌 미끼 이 717	盞 잔 잔 743	銓 사람가릴 전 769	碇 닻 정 795	肇 비롯할 조 821	枳 탱자 지(기) 847
迅 빠를 신 588	腋 겨드랑이 액 614	鳶 솔개 연 640	猥 외람할(더럽거나, 분수에 넘치다) 외 666	萎 시들 위 692	翌 다음날 익 718	簪 비녀 잠 744	剪 가위 전 770	錠 덩이 정 796	簇 가는대 족 822	祉 복 지 848
訊 물을 신 589	縊 목맬 액 615	焰 불꽃 염 641	僥 요행 요 667	喩 깨우칠 유 693	靭 질길 인 719	箴 경계(警戒) 잠 745	煎 달일 전 771	挺 빼어날 정 797	猝 갑자기 졸 823	摯 잡을 지 849
悉 다 실 590	櫻 앵두 앵 616	艶 고울 염 642	饒 넉넉할 요 668	愉 즐거울 유 694	咽 목구멍 인 목멜 열 삼킬 연 720	仗 의장(儀仗) 장 746	箭 살(矢) 전 772	睛 눈동자 정 798	踪 자취 종 824	肢 팔다리 지 850
啞 벙어리 아 591	鶯 꾀꼬리 앵 617	嬰 어린아이 영 643	凹 오목할 요 669	揄 야유할 유 695	蚓 지렁이 인 721	杖 지팡이 장 747	塡 메울 전 773	靖 편안할 정 799	慫 권할 종 825	嗔 성낼 진 851
俄 갑자기 아 592	揶 야유할 야 618	穢 더러울 예 644	夭 일찍죽을 요 670	癒 병나을 유 696	湮 묻힐 인 722	匠 장인 장 748	奠 정할/제사 전 774	啼 울 제 800	腫 종기 종 826	疹 마마(좁쌀같은 부스럼) 진 852
訝 의심할 아 593	爺 아비 야 619	曳 끌 예 645	拗 우길 요 671	諭 타이를 유 697	佚 편안 일 질탕 질 723	檣 돛대 장 749	輾 돌아누울 전 775	蹄 굽 제 801	踵 발꿈치 종 827	叱 꾸짖을 질 853
衙 마을 아 594	冶 풀무 야 620	裔 후손 예 646	窈 고요할 요 672	鍮 놋쇠 유 698	溢 넘칠 일 724	薔 장미 장 750	廛 가게 전 776	悌 공손할 제 802	挫 꺾을 좌 828	桎 차꼬(足鎖) 질 854
堊 흰흙 악 595	葯 꽃밥 약 621	詣 이를 예 647	擾 시끄러울 요 673	宥 너그러울 유 699	剩 남을 잉 725	漿 즙 장 751	纏 얽을 전 777	梯 사다리 제 803	註 글뜻풀 주 829	膣 음도 질 855
愕 놀랄 악 596	攘 물리칠 양 622	伍 다섯사람 오 648	邀 맞을 요 674	柚 유자 유 700	孕 아이밸 잉 726	醬 장 장 752	悛 고칠 전 778	眺 볼 조 804	做 지을 주 830	嫉 미워할 질 856
顎 턱 악 597	釀 술빚을 양 623	寤 잠깰 오 649	窯 기와가마 요 675	游 헤엄칠 유 701	仔 자세할 자 727	滓 찌끼 재 753	澱 앙금 전 779	凋 시들 조 805	胄 자손 주 831	帙 책권차례 질 857
按 누를 안 598	瘍 헐 양 624	奧 깊을 오 650	涌 물솟을 용 676	蹂 밟을 유 702	瓷 사기그릇 자 728	齋 재계할/집 재 754	氈 담(솜털모직) 전 780	稠 빽빽할 조 806	紬 명주 주 832	迭 갈마들(交代) 질 858
晏 늦을 안 599	恙 근심할/병 양 625	懊 한할 오 651	踊 뛸 용 677	諛 아첨할 유 703	炙 구울 자(적) 729	錚 쇳소리 쟁 755	顫 떨 전 781	阻 험할 조 807	呪 빌 주 833	跌 거꾸러질 질 859

1급 '섞음漢字'

訓·音표②

일차적으로 가, 나, 다 順의 '배정漢字' 를 잘 읽을 수 있게 공부한 후 이차적으로 이들 글자들이 모두 섞인 상태에서 잘 읽을 수 있게 되어야 "암기가 제대로 되었다" 라고 할 수 있을것입니다. 다음쪽의 '섞음漢字' 를 읽을때 모르는 글자는 이곳 '훈·음표' 번호를 확인하여 외우세요.

斟 짐작할 짐 860	槍 창 창 886	牒 편지 첩 912	錐 송곳 추 938	陀 비탈질/부처 타 964	褪 바랠 퇴 990	陛 대궐섬돌 폐 1016	瑕 허물 하 1042	諧 화할 해 1068	惚 황홀할 홀 1094	爻 사귈/가로 그을 효 1120
朕 나 짐 861	瘡 부스럼 창 887	疊 거듭 첩 913	錘 저울추 추 939	舵 키 타 965	堆 쌓을 퇴 991	斃 죽을 폐 1017	遐 멀 하 1043	咳 기침 해 1069	笏 홀(王命을 적어서 朝服에 끼고 다니는 書板) 홀 1095	哮 성낼 효 1121
什 세간 집/열사람 십 862	艙 부두 창 888	涕 눈물 체 914	樞 지도리(門의 中心) 추 940	駝 낙타 타 966	頹 무너질 퇴 992	泡 거품 포 1018	蝦 두꺼비/새우 하 1044	骸 뼈 해 1070	哄 떠들썩할 홍 1096	酵 삭힐 효 1122
澄 맑을 징 863	廠 공장 창 889	諦 살필 체 915	墜 떨어질 추 941	唾 침 타 967	妬 샘낼 투 993	咆 고함지를 포 1019	霞 노을 하 1045	駭 놀랄 해 1071	虹 무지개 홍 1097	嚆 울릴 효 1123
叉 갈래 차 864	脹 부을 창 890	貂 담비 초 916	黜 내칠 출 942	惰 게으를 타 968	套 씌울 투 994	庖 부엌 포 1020	瘧 학질 학 1046	劾 꾸짖을 핵 1072	訌 어지러울 홍 1098	朽 썩을 후 1124
嗟 탄식할 차 865	漲 넘칠 창 891	梢 나무끝 초 917	悴 파리할 췌 943	楕 길고둥글 타 969	慝 사특할 특 995	疱 물집 포 1021	謔 희롱할 학 1047	嚮 길잡을 향 1073	宦 벼슬 환 1099	逅 만날 후 1125
蹉 미끄러질 차 866	寨 목책(木柵) 채 892	稍 점점 초 918	萃 모을 췌 944	擢 뽑을 탁 970	巴 꼬리 파 996	袍 도포(두루마기) 포 1022	壑 구렁 학 1048	饗 잔치할 향 1074	喚 부를 환 1100	吼 울부짖을 후 1126
搾 짤 착 867	柵 울타리 책 893	硝 화약 초 919	膵 췌장 췌 945	鐸 방울 탁 971	芭 파초 파 997	蒲 부들 포 1023	罕 드물 한 1049	噓 불 허 1075	鰥 홀아비 환 1101	嗅 맡을 후 1127
窄 좁을 착 868	凄 쓸쓸할 처 894	炒 볶을 초 920	贅 혹 췌 946	呑 삼킬 탄 972	爬 긁을 파 998	逋 도망갈 포 1024	悍 사나울 한 1050	墟 터 허 1076	驩 기뻐할 환 1102	暈 무리 훈 1128
鑿 뚫을 착 869	脊 등마루 척 895	憔 파리할 초 921	娶 장가들 취 947	坦 평탄할 탄 973	琶 비파 파 999	哺 먹일 포 1025	澣 빨래할/열흘 한 1051	歇 쉴 헐 1077	闊 넓을 활 1103	喧 지껄일 훤 1129
撰 지을 찬 870	瘠 여윌 척 896	樵 나무할 초 922	脆 연할 취 948	綻 터질 탄 974	婆 할미 파 1000	圃 채마밭 포 1026	轄 다스릴 할 1052	眩 어지러울 현 1078	猾 교활할 활 1104	卉 풀 훼 1130
饌 반찬 찬 871	滌 씻을 척 897	蕉 파초 초 923	翠 푸를/물총새 취 949	憚 꺼릴 탄 975	跛 절음발이 파/비스듬히설 피 1001	匍 길 포 1027	函 함(상자) 함 1053	衒 자랑할 현 1079	凰 봉황 황 1105	喙 부리 훼 1131
簒 빼앗을 찬 872	擲 던질 척 898	礁 암초 초 924	惻 슬플 측 950	眈 노려볼 탐 976	辦 힘들일 판 1002	脯 포(고기를 얇게 썰어서 말림) 포 1028	涵 젖을 함 1054	絢 무늬 현 1080	徨 헤맬 황 1106	彙 무리 휘 1132
纂 모을 찬 873	穿 뚫을 천 899	醋 초 초 925	侈 사치할 치 951	搭 탈 탑 977	唄 염불소리 패 1003	褒 기릴 포 1029	喊 소리칠 함 1055	俠 의기로울 협 1081	惶 두려울 황 1107	麾 기 휘 1133
擦 문지를 찰 874	喘 숨찰 천 900	囑 부탁할 촉 926	嗤 비웃을 치 952	宕 호탕할 탕 978	沛 비쏟아질 패 1004	瀑 폭포 폭/소나기 포 1030	緘 봉할 함 1056	挾 낄 협 1082	煌 빛날 황 1108	諱 꺼릴/숨길 휘 1134
站 역마을 참 875	擅 멋대로할 천 901	忖 헤아릴 촌 927	痔 치질 치 953	蕩 방탕할 탕 979	佩 찰 패 1005	曝 쪼일 폭(포) 1031	鹹 짤 함 1057	狹 좁을 협 1083	遑 급할 황 1109	恤 불쌍할 휼 1135
塹 구덩이 참 876	闡 밝힐 천 902	塚 무덤 총 928	緻 빽빽할 치 954	汰 일 태 980	悖 거스릴 패 1006	豹 표범 표 1032	銜 재갈(입에 묾) 함 1058	頰 뺨 협 1084	恍 황홀할 황 1110	兇 흉악할 흉 1136
僭 주제넘을 참 877	凸 볼록할 철 903	叢 모일/떨기 총 929	癡 어리석을 치 955	苔 이끼 태 981	牌 패 패 1007	剽 겁박할 표 1033	檻 난간 함 1059	荊 가시 형 1085	慌 어리둥절할 황 1111	洶 용솟음칠 흉 1137
懺 뉘우칠 참 878	綴 엮을 철 904	寵 사랑할 총 930	馳 달릴 치 956	笞 볼기칠 태 982	稗 피 패 1008	慓 급할 표 1034	蛤 조개 합 1060	彗 살별 혜 1086	恢 넓을 회 1112	欣 기쁠 흔 1138
讖 예언 참 879	轍 바퀴자국 철 905	撮 모을/사진찍을 촬 931	幟 기(旗) 치 957	跆 밟을 태 983	澎 물소리 팽 1009	飄 나부낄 표 1035	盒 합(둥글넓적한 작은그릇) 합 1061	醯 식혜 혜 1087	晦 그믐 회 1113	痕 흔적 흔 1139
讒 참소할 참 880	僉 다/여러 첨 906	鰍 미꾸라지 추 932	熾 성할 치 958	撑 버틸 탱 984	膨 불을 팽 1010	稟 여쭐 품 1036	肛 항문 항 1062	琥 호박 호 1088	誨 가르칠 회 1114	欠 하품 흠 1140
倡 광대 창 881	諂 아첨할 첨 907	酋 우두머리 추 933	勅 칙서 칙 959	攄 펼 터 985	愎 강퍅할(고집셀) 퍅 1011	諷 풍자할 풍 1037	缸 항아리 항 1063	狐 여우 호 1089	徊 머뭇거릴 회 1115	歆 흠향할(받아들임) 흠 1141
娼 창녀 창 882	籤 제비(점대) 첨 908	槌 칠 추/방망이 퇴 934	砧 다듬잇돌 침 960	桶 통 통 986	騙 속일 편 1012	披 헤칠 피 1038	懈 게으를 해 1064	弧 활 호 1090	蛔 회충 회 1116	洽 흡족할 흡 1142
猖 미쳐날뛸 창 883	帖 문서 첩 909	鎚 쇠망치 추 935	鍼 침 침 961	筒 통 통 987	鞭 채찍 편 1013	疋 필(베를세는 단위) 필 1039	邂 우연히 만날 해 1065	瑚 산호 호 1091	賄 뇌물/재물 회 1117	恰 흡사할 흡 1143
菖 창포 창 884	貼 붙일 첩 910	芻 꼴 추 936	蟄 숨을 칩 962	慟 서러워할 통 988	貶 낮출 폄 1014	乏 모자랄 핍 1040	偕 함께 해 1066	糊 풀칠할 호 1092	膾 회 회 1118	犧 희생 희 1144
愴 슬플 창 885	捷 빠를 첩 911	椎 쇠뭉치/등골 추 937	秤 저울 칭 963	腿 넓적다리 퇴 989	萍 부평초 평 1015	逼 핍박할 핍 1041	楷 본보기 해 1067	渾 흐릴 혼 1093	繪 그림 회 1119	詰 꾸짖을 힐 1145

1級 '섞음漢字' 1145字 ②

- 처음에는 2~4줄씩 단위로 잘읽을수 있도록 연습하고 점차 양을 늘리면 됩니다. 유형별 문제를 익힐때에도 전체적으로 2회 정도 더 합니다.
- 예상문제를 푸는 동안 독음·훈음쓰기를 합해서 2문제 이상 틀리지 않도록 '섞음漢字' 를 익혀 조정합니다.(가위로 잘라서 익히면 더욱 효과적임)
- 시험 3일전쯤 '섞음漢字' 밑에 훈·음을 적어 철자법과 유사음 구별(啓 : 열계를 열개로 알고 읽어도 판별이 안됨)이 확실한지 확인하는것도 중요합니다. '섞음漢字' 를 잘읽게 되면 각 유형별에 큰 영향을 미치게 됩니다.

藉 732	徊 1115	迅 588	臆 630	爪 820	檣 749	洶 1137	拗 671	肛 1062	恙 625	疊 913	夭 670
茸 679	楷 1067	悛 778	蕉 923	劾 1072	喊 1055	錘 939	諷 1037	廚 836	椅 711	啞 591	遑 1109
陀 964	芍 737	櫻 616	戎 704	箋 784	頑 662	軋 602	饒 668	咫 846	豬 761	竣 841	禦 628
杖 747	咀 758	蛤 1060	毅 712	牒 912	衘 1058	葺 845	叱 853	鴛 691	勺 735	渦 654	陛 1016
琥 1088	狐 1089	僉 906	諺 632	兇 1136	忖 927	搾 867	邸 756	喙 1131	蘊 652	纂 873	藻 810
癡 955	拭 579	涌 676	套 994	勅 959	寵 930	躊 838	鵲 741	惶 1107	膣 855	玩 660	穽 793
緻 954	縊 615	鑿 869	爻 1120	箴 745	嚆 1123	阻 807	篆 786	慝 995	櫛 843	誨 1114	稠 806
釘 792	肢 850	眩 1078	匍 1027	跌 859	洽 1142	澣 1051	徨 1106	鳶 640	凰 1105	坦 973	鍼 961
卉 1130	擲 898	祉 848	蕩 979	粗 808	悍 1050	挾 1082	廠 889	硝 919	剽 1033	庵 603	灼 736
披 1038	幀 794	冤 690	剩 725	癲 782	掩 633	豺 578	瑕 1042	崖 610	柿 574	做 830	虞 685
簪 744	爾 716	貂 916	駝 966	朕 861	滌 897	麾 1133	瘀 629	咎 982	諭 697	懈 1064	疋 1039
倡 881	隅 684	狹 1083	鴦 608	枉 663	蒲 1023	踪 824	誼 709	憔 921	隘 611	痍 714	稗 1008
衙 594	餞 785	惰 968	蓉 678	繹 636	槍 886	站 875	跆 983	贅 946	褒 1029	奧 650	僭 877
訊 589	蟄 962	耘 686	圃 1026	鞭 1013	吼 1126	驪 1102	恤 1135	辦 1002	盞 743	囑 926	慌 1111
萃 944	揖 707	嗟 865	諦 915	慓 1034	紂 839	溢 724	悴 943	賄 1117	宸 584	挺 797	衒 1079
蹉 866	腕 659	蔗 731	躇 763	凄 894	漿 751	仗 746	錚 755	唄 1003	牌 1007	晏 599	梯 803

夭 670	疊 913	恙 625	肛 1062	拗 671	洶 1137	檣 749	爪 820	臆 630	迅 588	徊 1115	藉 732
遑 1109	啞 591	椅 711	廚 836	諷 1037	錘 939	喊 1055	劾 1072	蕉 923	悛 778	楷 1067	茸 679
禦 628	竣 841	豬 761	咫 846	饒 668	軋 602	頑 662	箋 784	戎 704	櫻 616	芎 737	陀 964
陛 1016	渦 654	勻 735	駑 691	叱 853	葺 845	銜 1058	牒 912	毅 712	蛤 1060	咀 758	杖 747
藻 810	纂 873	蘊 652	喙 1131	邸 756	搾 867	忖 927	兇 1136	諺 632	僉 906	狐 1089	琥 1088
穽 793	玩 660	膣 855	惶 1107	鵲 741	躊 838	寵 930	勅 959	套 994	涌 676	拭 579	癡 955
稠 806	誨 1114	櫛 843	慝 995	篆 786	阻 807	嚆 1123	箴 745	爻 1120	鑿 869	縊 615	緻 954
鍼 961	坦 973	凰 1105	鳶 640	徨 1106	澣 1051	洽 1142	跌 859	匍 1027	眩 1078	肢 850	釘 792
灼 736	庵 603	剽 1033	硝 919	廠 889	挾 1082	悍 1050	粗 808	蕩 979	祉 848	擲 898	卉 1130
虞 685	做 830	柿 574	崖 610	瑕 1042	豺 578	掩 633	癩 782	剩 725	冤 690	幀 794	披 1038
疋 1039	懈 1064	諭 697	答 982	瘀 629	麾 1133	滌 897	朕 861	駝 966	貂 916	爾 716	簪 744
稗 1008	痍 714	隘 611	憔 921	誼 709	踪 824	蒲 1023	枉 663	鴦 608	狹 1083	隅 684	倡 881
僭 877	奧 650	褒 1029	贅 946	跆 983	站 875	槍 886	繹 636	蓉 678	惰 968	餞 785	衙 594
慌 1111	囑 926	盞 743	辦 1002	恤 1135	驩 1102	吼 1126	鞭 1013	圃 1026	耘 686	蟄 962	訊 589
衒 1079	挺 797	宸 584	賄 1117	悴 943	溢 724	紂 839	慓 1034	諦 915	嗟 865	揖 707	萃 944
梯 803	晏 599	牌 1007	唄 1003	錚 755	仗 746	漿 751	凄 894	躇 763	蔗 731	腕 659	蹉 866

1級 '섞음漢字' 1145字 ②

- 처음에는 2~4줄씩 단위로 잘읽을수 있도록 연습하고 점차 양을 늘리면 됩니다. 유형별 문제를 익힐때에도 전체적으로 2회 정도 더 합니다.
- 예상문제를 푸는 동안 독음·훈음쓰기를 합해서 2문제 이상 틀리지 않도록 '섞음漢字' 를 익혀 조정합니다.(가위로 잘라서 익히면 더욱 효과적임)
- 시험 3일전쯤 '섞음漢字' 밑에 훈·음을 적어 철자법과 유사음 구별(啓 : 열계를 열개로 알고 읽어도 판별이 안됨)이 확실한지 확인하는것도 중요합니다. '섞음漢字' 를 잘읽게 되면 각 유형별에 큰 영향을 미치게 됩니다.

婆 1000	蛔 1116	窈 672	昴 605	觝 757	睛 798	帙 857	荊 1085	幟 957	截 787	椎 937	艷 642
諛 703	邀 674	猾 1104	什 862	柚 700	樞 940	礁 924	棧 742	炸 734	膾 1118	曳 645	炒 920
訌 1098	糊 1092	翠 949	喚 1100	遐 1043	喩 693	芭 997	繰 812	迹 767	狄 766	斡 601	萍 1015
擢 970	訝 593	綻 974	轍 905	詔 819	曹 814	綽 739	燼 587	嗤 952	鎚 935	癢 626	栓 768
疹 852	簒 872	渾 1093	慫 825	翌 718	輳 835	舵 965	雀 740	晦 1113	稟 1036	笏 1095	枳 847
腫 826	頹 992	熄 580	薔 750	闌 902	骸 1070	馳 956	樽 840	苔 981	芻 936	巴 996	瓷 728
弛 715	蚓 721	隕 687	悉 590	肇 821	秧 607	町 790	朽 1124	蹂 702	諧 1068	呪 833	蔭 706
窯 675	詣 647	宦 1099	讒 880	逼 1041	盒 1061	啼 800	蝦 1044	滓 753	咆 1019	簇 822	恍 1110
餌 717	氈 780	呑 972	艙 888	嗔 851	繪 1119	撮 931	擾 673	柵 893	哺 1025	瘡 887	聳 680
噓 1075	僥 667	斃 1017	靄 609	湮 722	霞 1045	筵 637	堰 631	輾 775	腋 614	豹 1032	嘲 809
伍 648	瘧 1046	齋 754	酊 791	塡 773	愕 596	墜 941	殞 688	逋 1024	嗾 834	娠 583	遭 816
喧 1129	偕 1066	乏 1040	冑 831	註 829	喘 900	蝸 655	絢 1080	堆 991	猥 666	嚼 738	黜 942
惚 1094	醯 1087	窄 868	俠 1081	蝕 581	擬 710	桶 986	揄 695	貼 910	踊 677	錠 796	按 598
仔 727	愴 885	澎 1009	廛 776	壑 1048	葯 621	娶 947	琶 999	斟 860	姨 713	寓 682	槽 815
爬 998	猝 823	漕 813	炙 729	轄 1052	嬰 643	唾 967	撰 870	悌 802	塚 928	癒 696	矮 664
俄 592	宛 658	涕 914	憚 975	穿 899	錐 938	醬 752	嫡 764	詛 760	罕 1049	諱 1134	悖 1006

艷 642	椎 937	截 787	幟 957	荊 1085	帙 857	睛 798	觝 757	昻 605	窈 672	蛔 1116	婆 1000
炒 920	曳 645	膾 1118	炸 734	棧 742	礁 924	樞 940	柚 700	什 862	猾 1104	邀 674	諛 703
萍 1015	斡 601	狄 766	迹 767	繰 812	芭 997	喩 693	遐 1043	喚 1100	翠 949	糊 1092	訌 1098
栓 768	癢 626	鎚 935	嗤 952	燼 587	綽 739	曹 814	詔 819	轍 905	綻 974	訝 593	擢 970
枳 847	笏 1095	稟 1036	晦 1113	雀 740	舵 965	輳 835	翌 718	慫 825	渾 1093	簒 872	疹 852
瓷 728	巴 996	芻 936	苔 981	樽 840	馳 956	骸 1070	闡 902	薔 750	熄 580	頹 992	腫 826
蔭 706	呪 833	諧 1068	蹂 702	朽 1124	町 790	秧 607	肇 821	悉 590	隕 687	蚓 721	弛 715
恍 1110	簇 822	咆 1019	滓 753	蝦 1044	啼 800	盒 1061	逼 1041	讒 880	宦 1099	詣 647	窯 675
聳 680	瘡 887	哺 1025	柵 893	擾 673	撮 931	繪 1119	嗔 851	艙 888	呑 972	氈 780	餌 717
嘲 809	豹 1032	腋 614	輾 775	堰 631	筵 637	霞 1045	湮 722	靄 609	斃 1017	僥 667	噓 1075
遭 816	娠 583	嗾 834	逋 1024	殞 688	墜 941	愕 596	塡 773	酊 791	齋 754	瘧 1046	伍 648
黜 942	嚼 738	猥 666	堆 991	絢 1080	蝸 655	喘 900	註 829	冑 831	乏 1040	偕 1066	喧 1129
按 598	錠 796	踊 677	貼 910	揄 695	桶 986	擬 710	蝕 581	俠 1081	窄 868	醯 1087	惚 1094
槽 815	寓 682	姨 713	斟 860	琶 999	娶 947	葯 621	罄 1048	廛 776	澎 1009	愴 885	仔 727
矮 664	癒 696	塚 928	悌 802	撰 870	唾 967	嬰 643	轄 1052	炙 729	漕 813	猝 823	爬 998
悖 1006	諱 1134	罕 1049	詛 760	嫡 764	醬 752	錐 938	穿 899	憚 975	涕 914	宛 658	俄 592

1級 '섞음漢字' 1145字 ②

- 처음에는 2~4줄씩 단위로 잘읽을수 있도록 연습하고 점차 양을 늘리면 됩니다. 유형별 문제를 익힐때에도 전체적으로 2회 정도 더 합니다.
- 예상문제를 푸는 동안 독음 · 훈음쓰기를 합해서 2문제 이상 틀리지 않도록 '섞음漢字' 를 익혀 조정합니다.(가위로 잘라서 익히면 더욱 효과적임)
- 시험 3일전쯤 '섞음漢字' 밑에 훈 · 음을 적어 철자법과 유사음 구별(啓 : 열계를 열개로 알고 읽어도 판별이 안됨)이 확실한지 확인하는것도 중요합니다. '섞음漢字' 를 잘읽게 되면 각 유형별에 큰 영향을 미치게 됩니다.

瘠 896	迭 858	熾 958	匠 748	捷 911	婉 657	菖 884	脹 890	緘 1056	攘 622	巍 665	讖 879
酵 1122	顎 597	疵 733	棗 818	暈 1128	凸 903	犧 1144	靖 799	恢 1112	痔 953	翕 619	瑚 1091
跛 1001	庖 1020	哮 1121	粘 788	摯 849	游 701	頰 1084	眺 804	攄 985	膵 945	欠 1140	煎 771
狙 759	澄 863	踵 827	慟 988	寨 892	醋 925	嫉 856	恰 1143	奩 646	佚 723	懊 651	鑰 698
汰 980	諂 907	樵 922	汁 844	碇 795	弑 575	詰 1145	貶 1014	釀 623	捐 638	膨 1010	袍 1022
曝 1031	脊 895	褪 990	椽 639	謔 1047	糟 817	澱 779	撐 984	靭 719	煌 1108	猿 689	愉 694
猖 883	圃 627	銓 769	娼 882	弧 1090	脯 1028	惻 950	帖 909	訛 656	膺 708	顚 783	嵎 683
剪 770	秤 963	懺 878	籤 908	萎 692	鹹 1057	鰥 1101	邂 1065	逅 1125	饌 871	函 1053	酋 933
痕 1139	筒 987	穢 644	堊 595	曖 612	阮 661	梢 917	冶 620	饗 1074	蜃 585	躁 811	叉 864
蠢 842	咳 1069	誅 837	嗅 1127	歇 1077	檻 1059	涵 1054	欣 1138	謫 765	宕 978	眈 976	騙 1012
瀑 1030	箭 772	歆 1141	宥 699	紬 832	脆 948	彗 1086	楕 969	綴 904	瘍 624	腿 989	闇 604
挫 828	彙 1132	孕 726	煮 730	桎 854	凹 669	叢 929	鶯 617	寤 649	泡 1018	沛 1004	謚 577
稍 918	怏 606	嚮 1073	儼 635	佩 1005	凋 805	絨 705	呻 582	擅 901	壅 653	闊 1103	
塹 876	侈 951	缸 1063	猜 576	愎 1011	駭 1071	飄 1035	焰 641	鐸 971	迂 681	擦 874	
霑 789	箸 762	搭 977	奄 634	咽 720	疱 1021	漲 891	扼 613	鰍 932	哄 1096	墟 1076	
薪 586	妬 993	虹 1097	顫 781	纏 777	奐 774	槌 934	揶 618	蹄 801	砧 960	鞍 600	

讖 879	巍 665	攘 622	緘 1056	脹 890	菖 884	婉 657	捷 911	匠 748	熾 958	迭 858	瘠 896
瑚 1091	翕 619	痔 953	恢 1112	靖 799	犧 1144	凸 903	暈 1128	棗 818	疵 733	顎 597	酵 1122
煎 771	欠 1140	膵 945	攄 985	眺 804	頰 1084	游 701	摯 849	粘 788	哮 1121	庖 1020	跋 1001
鑰 698	懊 651	佚 723	裔 646	恰 1143	嫉 856	醋 925	寨 892	慟 988	踵 827	澄 863	狙 759
袍 1022	膨 1010	捐 638	釀 623	貶 1014	詰 1145	弑 575	碇 795	汁 844	樵 922	諂 907	汰 980
愉 694	猿 689	煌 1108	靭 719	撐 984	灑 779	糟 817	謔 1047	椽 639	褪 990	脊 895	曝 1031
嵎 683	巓 783	膺 708	訛 656	帖 909	惻 950	脯 1028	弧 1090	娼 882	銓 769	圄 627	猖 883
酋 933	函 1053	饌 871	逅 1125	邂 1065	鰥 1101	鹹 1057	萎 692	籤 908	懺 878	秤 963	剪 770
叉 864	躁 811	蜃 585	饗 1074	冶 620	梢 917	阮 661	曖 612	堊 595	穢 644	筒 987	痕 1139
騙 1012	眈 976	宕 978	譎 765	欣 1138	涵 1054	檻 1059	歇 1077	嗅 1127	誅 837	咳 1069	蠢 842
闇 604	腿 989	瘍 624	綴 904	楕 969	彗 1086	脆 948	紬 832	宥 699	歆 1141	箭 772	瀑 1030
謚 577	沛 1004	泡 1018	寤 649	鶯 617	叢 929	凹 669	桎 854	煮 730	孕 726	彙 1132	挫 828
	闊 1103	壅 653	擅 901	呻 582	絨 705	凋 805	佩 1005	儼 635	嚮 1073	快 606	稍 918
	擦 874	迂 681	鐸 971	焰 641	飄 1035	駭 1071	愎 1011	猜 576	缸 1063	侈 951	塹 876
	墟 1076	哄 1096	鰍 932	扼 613	漲 891	疱 1021	咽 720	奄 634	搭 977	箸 762	霑 789
	鞍 600	砧 960	蹄 801	揶 618	槌 934	奠 774	纏 777	顫 781	虹 1097	姤 993	薪 586

반의결합어(反義結合語) – 2級 범위 ※ 2급 범위내에서도 많이 출제됨.

加減 (더할 가, 덜 감)
可否 (옳을 가, 아닐 부)
干戈 (방패 간, 창 과)
干滿 (얼마 간, 가득할 만)
干支 (천간 간, 지지 지)
甘苦 (달 감, 쓸 고)
强弱 (강할 강, 약할 약)
剛柔 (굳셀 강, 부드러울 유)
開閉 (열 개, 닫을 폐)
客主 (손 객, 주인 주)
去來 (갈 거, 올 래)
乾坤 (하늘 건, 따 곤)
乾濕 (마를 건, 젖을 습)
經緯 (날줄 경, 씨줄 위)
慶弔 (경사 경, 조상할 조)
硬軟 (굳을 경, 연할 연)
京鄕 (서울 경, 시골 향)
輕重 (가벼울 경, 무거울 중)
古今 (옛 고, 이제 금)
苦樂 (괴로울 고, 즐거울 락)
姑婦 (시어미 고, 며느리 부)
高低 (높을 고, 낮을 저)
高下 (높을 고, 아래 하)
曲直 (굽을 곡, 곧을 직)
骨肉 (뼈 골, 살 육)
功過 (공 공, 허물 과)
攻防 (칠 공, 막을 방)
公私 (공평할 공, 사사 사)
攻守 (칠 공, 지킬 수)
戈盾 (창 과, 방패 순)
官民 (벼슬 관, 백성 민)
敎學 (가르칠 교, 배울 학)
巧拙 (공교로울 교, 졸할 졸)
君臣 (임군 군, 신하 신)
貴賤 (귀할 귀, 천할 천)
近遠 (가까울 근, 멀 원)
勤怠 (부지런한 근, 게으를 태)
今昔 (이제 금, 옛 석)
禽獸 (날짐승 금, 길짐승 수)
及落 (미칠 급, 떨어질 락)
起結 (일어날 기, 맺을 결)
起伏 (일어날 기, 엎드릴 복)
起寢 (일어날 기, 잠잘 침)
飢飽 (주릴 기, 배부를 포)
吉凶 (길할 길, 흉할 흉)
難易 (어려울 난, 쉬울 이)
男女 (사내 남, 계집 녀)
南北 (남녘 남, 북녘 북)
內外 (안 내, 바깥 외)
奴婢 (사내종 노, 계집종 비)
濃淡 (짙을 농, 맑을 담)
多寡 (많을 다, 적을 과)
多少 (많을 다, 적을 소)
單複 (홑 단, 겹칠 복)
旦夕 (아침 단, 저녁 석)
斷續 (끊을 단, 이을 속)
當落 (마땅할 당, 떨어질 락)
貸借 (빌릴 대, 빌 차)
都農 (도읍 도, 농사 농)
東西 (동녘 동, 서녘 서)
同異 (같을 동, 다를 이)
動靜 (움직일 동, 고요할 정)
鈍敏 (둔할 둔, 민첩할 민)
得失 (얻을 득, 잃을 실)
登落 (오를 등, 떨어질 락)
來往 (올 래, 갈 왕)
冷暖 (찰 랭, 따뜻할 난)
冷熱 (찰 랭, 더울 열)
冷溫 (찰 랭, 따뜻할 온)
靈肉 (신령 령, 몸 육)
老少 (늙을 로, 젊을 소)
老幼 (늙을 로, 어릴 유)
勞使 (일할 로, 부릴 사)
陸海 (뭍 륙, 바다 해)
離合 (떼놓을 리, 합할 합)
利害 (이로울 리, 해로울 해)
晩早 (늦을 만, 이를 조)
賣買 (팔 매, 살 매)
明暗 (밝을 명, 어둘 암)
矛盾 (창 모, 방패 순)
問答 (물을 문, 대답할 답)
文武 (글월 문, 호반 무)
物心 (물건 물, 마음 심)
美醜 (아름다울 미, 추할 추)
班常 (양반 반, 상사람 상)
發着 (떠날 발, 붙을 착)
方圓 (모 방, 둥글 원)
腹背 (배 복, 등 배)
本末 (밑 본, 끝 말)
逢別 (만날 봉, 이별할 별)
夫婦 (남편 부, 아내 부)
夫妻 (남편 부, 아내 처)
浮沈 (뜰 부, 잠길 침)
悲歡 (슬플 비, 기쁠 환)
貧富 (가난 빈, 부자 부)
氷炭 (얼음 빙, 숯 탄)
死生 (죽을 사, 살 생)
邪正 (간사할 사, 바를 정)
師弟 (스승 사, 제자 제)
山川 (메 산, 내 천)
山河 (메 산, 물 하)
山海 (메 산, 바다 해)
賞罰 (상줄 상, 벌할 벌)
生滅 (살 생, 멸할 멸)
生死 (날 생, 죽을 사)
生殺 (살 생, 죽일 살)
善惡 (착할 선, 악할 악)
盛衰 (성할 성, 쇠약할 쇠)
成敗 (이룰 성, 패할 패)
疏密 (성길 소, 빽빽할 밀)
損益 (덜 손, 더할 익)
送受 (보낼 송, 받을 수)
送迎 (보낼 송, 맞이할 영)
收給 (거둘 수, 줄 급)
需給 (쓸 수, 줄 급)
水陸 (물 수, 뭍 륙)
首尾 (머리 수, 꼬리 미)
授受 (줄 수, 받을 수)
手足 (손 수, 발 족)
收支 (거둘 수, 지급할 지)
叔姪 (아재비 숙, 조카 질)
順逆 (순할 순, 거스릴 역)
昇降 (오를 승, 내릴 강)
乘降 (탈 승, 내릴 강)
乘除 (곱할 승, 덜 제)
勝負 (이길 승, 질 부)
勝敗 (이길 승, 패할 패)
始末 (처음 시, 끝 말)

반의결합어(反義結合語)

是非 (옳을 시, 그릇될 비)
始終 (처음 시, 끝 종)
新古 (새 신, 옛 고)
新舊 (새 신, 옛 구)
信疑 (믿을 신, 의심할 의)
伸縮 (펼 신, 줄일 축)
心身 (마음 심, 몸 신)
心體 (마음 심, 몸 체)
深淺 (깊을 심, 얕을 천)
雅俗 (맑을 아, 속될 속)
安危 (편안할 안, 위태할 위)
哀樂 (슬플 애, 즐길 락)
哀歡 (슬플 애, 기쁠 환)
愛惡 (사랑할 애, 미워할 오)
愛憎 (사랑할 애, 미워할 증)
哀喜 (슬플 애, 기쁠 희)
抑揚 (누를 억, 날릴 양)
言行 (말씀 언, 행할 행)
與野 (참여할 여, 민간 야)
逆順 (거스릴 역, 좇을 순)
炎涼 (불꽃 염, 서늘할 량)
榮枯 (영화로울 영, 마를 고)
榮辱 (영화로울 영, 욕될 욕)
豫決 (미리 예, 결단할 결)
銳鈍 (날카로울 예, 둔할 둔)
玉石 (구슬 옥, 돌 석)
溫冷 (따뜻할 온, 찰 랭)
緩急 (느릴 완, 급할 급)
往來 (갈 왕, 올 래)
往復 (갈 왕, 돌아올 복)
優劣 (넉넉할 우, 못할 렬)
遠近 (멀 원, 가까울 근)

恩怨 (은혜 은, 원망할 원)
隱現 (숨을 은, 나타날 현)
隱顯 (숨을 은, 나타날 현)
陰陽 (그늘 음, 볕 양)
異同 (다를 이, 같을 동)
因果 (인할 인, 열매 과)
任免 (맡을 임, 면할 면)
自至 (부터 자, 이를 지)
自他 (스스로 자, 남 타)
雌雄 (암컷 자, 수컷 웅)
昨今 (어제 작, 오늘 금)
姉妹 (손윗누이 자, 손아래 누이 매)
長短 (길 장, 짧을 단)
長幼 (어른 장, 어릴 유)
將卒 (장수 장, 군사 졸)
將兵 (장수 장, 군사 병)
田畓 (밭 전, 논 답)
戰和 (싸울 전, 화할 화)
前後 (앞 전, 뒤 후)
正反 (바를 정, 돌이킬 반)
正誤 (바를 정, 그릇될 오)
淨汚 (깨끗할 정, 더러울 오)
早晩 (이를 조, 늦을 만)
朝夕 (아침 조, 저녁 석)
朝野 (조정 조, 민간 야)
祖孫 (할아버지 조, 손자 손)
存亡 (있을 존, 망할 망)
存滅 (있을 존, 멸할 멸)
存廢 (있을 존, 폐할 폐)
存無 (있을 존, 없을 무)
尊卑 (높을 존, 낮을 비)
縱橫 (세로 종, 가로 횡)

晝夜 (낮 주, 밤 야)
主客 (주인 주, 손님 객)
主從 (주장할 주, 좇을 종)
衆寡 (무리 중, 적을 과)
增減 (더할 증, 덜 감)
遲速 (더딜 지, 빠를 속)
眞假 (참 진, 거짓 가)
眞僞 (참 진, 거짓 위)
進退 (나갈 진, 물러날 퇴)
集配 (모을 집, 나눌 배)
集散 (모을 집, 흩어질 산)
着發 (붙을 착, 떠날 발)
贊反 (도울 찬, 반대할 반)
天壤 (하늘 천, 흙 양)
天地 (하늘 천, 따 지)
添削 (더할 첨, 깎을 삭)
晴雨 (갤 청, 비 우)
清濁 (맑을 청, 흐릴 탁)
初終 (처음 초, 끝 종)
春秋 (봄 춘, 가을 추)
出缺 (나갈 출, 빠질 결)
出納 (날 출, 들일 납)
出沒 (날 출, 빠질 몰)
忠逆 (충성 충, 거스릴 역)
出入 (날 출, 들 입)
取捨 (취할 취, 버릴 사)
親疏 (친할 친, 멀 소)
治亂 (다스릴 치, 어지러울 란)
脫着 (벗을 탈, 붙을 착)
投打 (던질 투, 칠 타)
表裏 (겉 표, 속 리)
豊凶 (풍년 풍, 흉년 흉)

皮骨 (가죽 피, 뼈 골)
彼我 (저 피, 나 아)
彼此 (저 피, 이 차)
夏冬 (여름 하, 겨울 동)
寒暖 (찰 한, 따뜻할 난)
閑忙 (한가할 한, 바쁠 망)
寒暑 (찰 한, 더울 서)
寒熱 (찰 한, 더울 열)
寒溫 (찰 한, 따뜻할 온)
解決 (풀 해, 결단할 결)
向背 (향할 향, 등질 배)
虛實 (빌 허,찰 실)
賢愚 (어질 현, 어리석을 우)
兄弟 (형 형, 아우 제)
好惡 (좋을 호, 나쁠 악)
呼應 (부를 호, 응할 응)
呼吸 (숨내쉴 호, 마실 흡)
禍福 (재앙 화, 복 복)
皇民 (임금 황, 백성 민)
厚薄 (두터울 후, 엷을 박)
訓學 (가르칠 훈, 배울 학)
胸背 (가슴 흉, 등 배)
黑白 (검을 흑, 흰 백)
興亡 (일어날 흥, 망할 망)
喜怒 (기쁠 희, 성낼 노)
喜悲 (기쁠 희, 슬플 비)

반의결합어(反義結合語) – 1級

艱易 (어려울 간, 쉬울 이)
辜功 (허물 고, 공 공)
考妣 (죽은아비 고, 죽은어미 비)
昆弟 (맏 곤, 아우 제)
供需 (이바지할 공, 쓰일 수)
光陰 (빛 광, 그늘 음)
廣狹 (넓을 광, 좁을 협)
舅姑 (시아비 구, 시어미 고)
舅甥 (외삼촌 구, 생질 생)
弓矢 (활 궁, 화살 시)
戟盾 (창 극, 방패 순)
勤惰 (부지런할 근, 게으를 타)
肌骨 (살 기, 뼈 골)
駑驥 (둔한말 노, 천리마 기)
斂散 (거둘 렴, 흩을 산)
露霜 (이슬 로, 서리 상)
輓推 (끌 만, 밀 추)
俛仰 (구부릴 면, 우러를 앙)
巫覡 (무당 무, 박수 격)
煩簡 (번거로울 번, 간략할 간)
俯仰 (구부릴 부, 우러를 앙)
糞尿 (똥 분, 오줌 뇨)
臂脚 (팔 비, 다리 각)
誹譽 (헐뜯을 비, 기릴 예)
飛踊 (날 비, 뛸 용)
匕箸 (비수 비, 젓가락 저)
肥瘠 (살찔 비, 여윌 척)
翡翠 (물총새(수컷) 비, 물총새(암컷) 취)
朔晦 (초하루 삭, 그믐 회)
孀鰥 (홀어미 상, 홀아비 환)
醒醉 (깰 성, 취할 취)
宵晨 (밤 소, 새벽 신)
匙箸 (숟가락 시, 젓가락 저)
寤寐 (잠깰 오, 잘 매)
凹凸 (오목할 요, 볼록할 철)
恩讎 (은혜 은, 원수 수)
炙膾 (구울 자, 회 회)
嫡庶 (정실 적, 여러 서)
絕嗣 (끊을 절, 이을 사)
淨穢 (깨끗할 정, 더러울 예)
淨汚 (깨끗할 정, 더러울 오)
精粗 (정할 정, 거칠 조)
燥濕 (마를 조, 젖을 습)
坐臥 (앉을 좌, 누울 와)
增削 (더할 증, 깎을 삭)
增損 (더할 증, 덜 손)
智愚 (지혜 지, 어리석을 우)
桎梏 (차꼬 질, 수갑 곡)
陟降 (오를 척, 내릴 강)
晴曇 (갤 청, 흐릴 담)
推引 (밀 추, 끌 인)
忠奸 (충성 충, 간사할 간)
娶嫁 (장가들 취, 시집갈 가)
聚散 (모을 취, 흩을 산)
呑吐 (삼길 탄, 토할 토)
廢置 (폐할 폐, 둘 치)
褒貶 (기릴 포, 낮출 폄)
鹹淡 (짤 함, 맑을 담)
噓吸 (불 허, 마실 흡)
弧矢 (활 호, 화살 시)
昏曙 (어두울 혼, 새벽 서)
興敗 (일 흥, 패할 패)

반의어(反義語), 상대어(相對語) – 2級 범위

可決(가결) ↔ 否決(부결)
架空(가공) ↔ 實在(실재)
假名(가명) ↔ 實名(실명)
假想(가상) ↔ 實在(실재)
加熱(가열) ↔ 冷却(냉각)
加入(가입) ↔ 脫退(탈퇴)
却下(각하) ↔ 受理(수리)
簡單(간단) ↔ 複雜(복잡)
幹線(간선) ↔ 支線(지선)
干涉(간섭) ↔ 放任(방임)
干潮(간조) ↔ 滿潮(만조)
簡便(간편) ↔ 複雜(복잡)
減算(감산) ↔ 加算(가산)
減少(감소) ↔ 增加(증가)
感情(감정) ↔ 理性(이성)
減退(감퇴) ↔ 增進(증진)
剛健(강건) ↔ 柔弱(유약)
强硬(강경) ↔ 柔和(유화)
强大(강대) ↔ 弱小(약소)
强勢(강세) ↔ 弱勢(약세)
强點(강점) ↔ 弱點(약점)
開放(개방) ↔ 閉鎖(폐쇄)
個別(개별) ↔ 全體(전체)
概算(개산) ↔ 精算(정산)
開業(개업) ↔ 閉業(폐업)
蓋然(개연) ↔ 必然(필연)
改革(개혁) ↔ 保守(보수)
開會(개회) ↔ 閉會(폐회)
客觀(객관) ↔ 主觀(주관)
客體(객체) ↔ 主體(주체)
巨大(거대) ↔ 微小(미소)
巨富(거부) ↔ 極貧(극빈)
拒否(거부) ↔ 承認(승인)
拒絕(거절) ↔ 承諾(승낙)
建設(건설) ↔ 破壞(파괴)
乾燥(건조) ↔ 濕潤(습윤)
傑作(걸작) ↔ 拙作(졸작)
儉約(검약) ↔ 浪費(낭비)
缺勤(결근) ↔ 出勤(출근)
結論(결론) ↔ 序論(서론)
缺席(결석) ↔ 出席(출석)
結婚(결혼) ↔ 離婚(이혼)
結緣(결연) ↔ 離緣(이연)
輕減(경감) ↔ 加重(가중)
經度(경도) ↔ 緯度(위도)

반의어(反義語), 상대어(相對語) – 2級 범위

輕蔑(경멸) ↔ 尊敬(존경)
經常(경상) ↔ 臨時(임시)
輕率(경솔) ↔ 愼重(신중)
輕視(경시) ↔ 重視(중시)
繼續(계속) ↔ 中斷(중단)
繼承(계승) ↔ 斷絕(단절)
高尙(고상) ↔ 低俗(저속)
高雅(고아) ↔ 卑俗(비속)
高壓(고압) ↔ 低壓(저압)
故意(고의) ↔ 過失(과실)
固定(고정) ↔ 流動(유동)
高調(고조) ↔ 低調(저조)
故鄕(고향) ↔ 他鄕(타향)
困難(곤란) ↔ 容易(용이)
供給(공급) ↔ 需要(수요)
空想(공상) ↔ 現實(현실)
攻勢(공세) ↔ 守勢(수세)
共用(공용) ↔ 專用(전용)
共有(공유) ↔ 專有(전유)
公的(공적) ↔ 私的(사적)
空虛(공허) ↔ 充實(충실)
過去(과거) ↔ 未來(미래)
過激(과격) ↔ 穩健(온건)
官兵(관병) ↔ 私兵(사병)
官尊(관존) ↔ 民卑(민비)
光明(광명) ↔ 暗黑(암흑)
巧妙(교묘) ↔ 拙劣(졸렬)
拘禁(구금) ↔ 釋放(석방)
拘束(구속) ↔ 解放(해방)
拘束(구속) ↔ 放免(방면)
求心(구심) ↔ 遠心(원심)
具體(구체) ↔ 抽象(추상)
舊派(구파) ↔ 新派(신파)
國內(국내) ↔ 國外(국외)

君子(군자) ↔ 小人(소인)
君主(군주) ↔ 臣下(신하)
屈服(굴복) ↔ 抵抗(저항)
屈折(굴절) ↔ 直進(직진)
屈辱(굴욕) ↔ 雪辱(설욕)
卷頭(권두) ↔ 卷末(권말)
權利(권리) ↔ 義務(의무)
均等(균등) ↔ 差等(차등)
僅少(근소) ↔ 過多(과다)
錦衣(금의) ↔ 布衣(포의)
肯定(긍정) ↔ 否定(부정)
急性(급성) ↔ 慢性(만성)
急增(급증) ↔ 急減(급감)
急行(급행) ↔ 緩行(완행)
旣決(기결) ↔ 未決(미결)
起立(기립) ↔ 着席(착석)
奇拔(기발) ↔ 平凡(평범)
寄生(기생) ↔ 共生(공생)
奇數(기수) ↔ 偶數(우수)
飢餓(기아) ↔ 飽食(포식)
記憶(기억) ↔ 忘却(망각)
緊密(긴밀) ↔ 疎遠(소원)
吉兆(길조) ↔ 凶兆(흉조)
樂觀(낙관) ↔ 悲觀(비관)
落第(낙제) ↔ 及第(급제)
樂園(낙원) ↔ 地獄(지옥)
樂天(낙천) ↔ 厭世(염세)
落鄕(낙향) ↔ 出仕(출사)
暖流(난류) ↔ 寒流(한류)
亂世(난세) ↔ 治世(치세)
濫讀(남독) ↔ 精讀(정독)
濫用(남용) ↔ 節約(절약)
朗讀(낭독) ↔ 默讀(묵독)
內容(내용) ↔ 形式(형식)

內憂(내우) ↔ 外患(외환)
來生(내생) ↔ 前生(전생)
內包(내포) ↔ 外延(외연)
冷房(냉방) ↔ 暖房(난방)
老鍊(노련) ↔ 未熟(미숙)
怒色(노색) ↔ 和色(화색)
濃厚(농후) ↔ 稀薄(희박)
能動(능동) ↔ 被動(피동)
多元(다원) ↔ 一元(일원)
單純(단순) ↔ 複雜(복잡)
單式(단식) ↔ 複式(복식)
單一(단일) ↔ 複合(복합)
短縮(단축) ↔ 延長(연장)
短篇(단편) ↔ 長篇(장편)
對話(대화) ↔ 獨白(독백)
都心(도심) ↔ 郊外(교외)
獨創(독창) ↔ 模倣(모방)
動機(동기) ↔ 結果(결과)
冬眠(동면) ↔ 夏眠(하면)
動脈(동맥) ↔ 靜脈(정맥)
動搖(동요) ↔ 安定(안정)
杜絕(두절) ↔ 連絡(연락)
鈍感(둔감) ↔ 敏感(민감)
鈍濁(둔탁) ↔ 銳利(예리)
得勢(득세) ↔ 失勢(실세)
得意(득의) ↔ 失意(실의)
得點(득점) ↔ 失點(실점)
登場(등장) ↔ 退場(퇴장)
漠然(막연) ↔ 確然(확연)
滿潮(만조) ↔ 干潮(간조)
滿開(만개) ↔ 半開(반개)
忘却(망각) ↔ 記憶(기억)
埋沒(매몰) ↔ 發掘(발굴)
滅亡(멸망) ↔ 隆盛(융성)

반의어(反義語), 상대어(相對語)

明朗(명랑) ↔ 憂鬱(우울)
名目(명목) ↔ 實質(실질)
名譽(명예) ↔ 恥辱(치욕)
名篇(명편) ↔ 拙作(졸작)
冒頭(모두) ↔ 末尾(말미)
模倣(모방) ↔ 創造(창조)
母音(모음) ↔ 子音(자음)
無能(무능) ↔ 有能(유능)
無形(무형) ↔ 有形(유형)
文語(문어) ↔ 口語(구어)
文明(문명) ↔ 野蠻(야만)
文化(문화) ↔ 自然(자연)
物質(물질) ↔ 精神(정신)
微官(미관) ↔ 顯官(현관)
未備(미비) ↔ 完備(완비)
微風(미풍) ↔ 强風(강풍)
敏速(민속) ↔ 遲鈍(지둔)
民政(민정) ↔ 軍政(군정)
密集(밀집) ↔ 散在(산재)
密接(밀접) ↔ 疎遠(소원)
反共(반공) ↔ 容共(용공)
反目(반목) ↔ 和睦(화목)
反抗(반항) ↔ 服從(복종)
發達(발달) ↔ 退步(퇴보)
發生(발생) ↔ 消滅(소멸)
發信(발신) ↔ 受信(수신)
放心(방심) ↔ 操心(조심)
背恩(배은) ↔ 報恩(보은)
白髮(백발) ↔ 紅顔(홍안)
繁榮(번영) ↔ 衰退(쇠퇴)
別居(별거) ↔ 同居(동거)
別館(별관) ↔ 本館(본관)
凡人(범인) ↔ 超人(초인)
保守(보수) ↔ 進步(진보)

保守(보수) ↔ 革新(혁신)
普遍(보편) ↔ 特殊(특수)
本業(본업) ↔ 副業(부업)
富貴(부귀) ↔ 貧賤(빈천)
不實(부실) ↔ 充實(충실)
敷衍(부연) ↔ 省略(생략)
富裕(부유) ↔ 貧困(빈곤)
否認(부인) ↔ 是認(시인)
否定(부정) ↔ 肯定(긍정)
分擔(분담) ↔ 全擔(전담)
分離(분리) ↔ 結合(결합)
分析(분석) ↔ 綜合(종합)
紛爭(분쟁) ↔ 和解(화해)
分解(분해) ↔ 合成(합성)
不運(불운) ↔ 幸運(행운)
悲劇(비극) ↔ 喜劇(희극)
秘密(비밀) ↔ 公開(공개)
非番(비번) ↔ 當番(당번)
非凡(비범) ↔ 平凡(평범)
悲哀(비애) ↔ 歡喜(환희)
卑語(비어) ↔ 敬語(경어)
私利(사리) ↔ 公利(공리)
死藏(사장) ↔ 活用(활용)
死後(사후) ↔ 生前(생전)
削減(삭감) ↔ 添加(첨가)
削除(삭제) ↔ 添加(첨가)
散文(산문) ↔ 韻文(운문)
散在(산재) ↔ 密集(밀집)
詳述(상술) ↔ 略述(약술)
上昇(상승) ↔ 下降(하강)
喪失(상실) ↔ 獲得(획득)
生産(생산) ↔ 消費(소비)
生食(생식) ↔ 火食(화식)
生花(생화) ↔ 造花(조화)

先輩(선배) ↔ 後輩(후배)
善意(선의) ↔ 惡意(악의)
先天(선천) ↔ 後天(후천)
成功(성공) ↔ 失敗(실패)
成熟(성숙) ↔ 未熟(미숙)
消極(소극) ↔ 積極(적극)
歲暮(세모) ↔ 年頭(연두)
所得(소득) ↔ 損失(손실)
騷亂(소란) ↔ 靜肅(정숙)
消滅(소멸) ↔ 生成(생성)
疎遠(소원) ↔ 親近(친근)
續行(속행) ↔ 中止(중지)
送信(송신) ↔ 受信(수신)
鎖國(쇄국) ↔ 開國(개국)
受理(수리) ↔ 却下(각하)
守勢(수세) ↔ 攻勢(공세)
收入(수입) ↔ 支出(지출)
淑女(숙녀) ↔ 紳士(신사)
順行(순행) ↔ 逆行(역행)
勝利(승리) ↔ 敗北(패배)
深夜(심야) ↔ 白晝(백주)
惡用(악용) ↔ 善用(선용)
安全(안전) ↔ 危險(위험)
安靜(안정) ↔ 興奮(흥분)
暗示(암시) ↔ 明示(명시)
約婚(약혼) ↔ 破婚(파혼)
養家(양가) ↔ 生家(생가)
愛好(애호) ↔ 嫌惡(혐오)
厄運(액운) ↔ 吉運(길운)
語幹(어간) ↔ 語尾(어미)
嚴格(엄격) ↔ 寬大(관대)
逆境(역경) ↔ 順境(순경)
憐憫(연민) ↔ 憎惡(증오)
連作(연작) ↔ 輪作(윤작)

반의어(反義語), 상대어(相對語)

連勝(연승) ↔ 連敗(연패)
榮轉(영전) ↔ 左遷(좌천)
靈魂(영혼) ↔ 肉體(육체)
優等(우등) ↔ 劣等(열등)
優越(우월) ↔ 劣等(열등)
豫算(예산) ↔ 決算(결산)
豫習(예습) ↔ 復習(복습)
沃土(옥토) ↔ 薄土(박토)
穩健(온건) ↔ 過激(과격)
完納(완납) ↔ 未納(미납)
緩慢(완만) ↔ 急激(급격)
完備(완비) ↔ 未備(미비)
完備(완비) ↔ 不備(불비)
緩和(완화) ↔ 緊縮(긴축)
往復(왕복) ↔ 片道(편도)
外觀(외관) ↔ 內容(내용)
容易(용이) ↔ 難解(난해)
優良(우량) ↔ 劣惡(열악)
優勢(우세) ↔ 劣勢(열세)
偶然(우연) ↔ 必然(필연)
友好(우호) ↔ 敵對(적대)
遠隔(원격) ↔ 近接(근접)
原告(원고) ↔ 被告(피고)
原理(원리) ↔ 應用(응용)
遠洋(원양) ↔ 近海(근해)
原因(원인) ↔ 結果(결과)
原型(원형) ↔ 模型(모형)
危險(위험) ↔ 安全(안전)
留保(유보) ↔ 決定(결정)
類似(유사) ↔ 相異(상이)
遺失(유실) ↔ 拾得(습득)
柔弱(유약) ↔ 剛健(강건)
柔軟(유연) ↔ 硬直(경직)
隆起(융기) ↔ 陷沒(함몰)

融解(융해) ↔ 凝固(응고)
隱蔽(은폐) ↔ 公開(공개)
恩惠(은혜) ↔ 怨恨(원한)
凝固(응고) ↔ 溶解(용해)
陰氣(음기) ↔ 陽氣(양기)
陰地(음지) ↔ 陽地(양지)
義務(의무) ↔ 權利(권리)
依他(의타) ↔ 自立(자립)
異端(이단) ↔ 正統(정통)
異例(이례) ↔ 通例(통례)
理論(이론) ↔ 實際(실제)
裏面(이면) ↔ 表面(표면)
離別(이별) ↔ 相逢(상봉)
異質(이질) ↔ 同質(동질)
理想(이상) ↔ 現實(현실)
異說(이설) ↔ 定說(정설)
異性(이성) ↔ 同性(동성)
異意(이의) ↔ 同意(동의)
引上(인상) ↔ 引下(인하)
引受(인수) ↔ 引繼(인계)
人爲(인위) ↔ 自然(자연)
人造(인조) ↔ 天然(천연)
一般(일반) ↔ 特殊(특수)
任意(임의) ↔ 强制(강제)
入隊(입대) ↔ 除隊(제대)
立體(입체) ↔ 平面(평면)
入港(입항) ↔ 出港(출항)
自動(자동) ↔ 手動(수동)
自動(자동) ↔ 他動(타동)
自立(자립) ↔ 依存(의존)
自立(자립) ↔ 依他(의타)
自律(자율) ↔ 他律(타율)
自意(자의) ↔ 他意(타의)
子正(자정) ↔ 正午(정오)

長點(장점) ↔ 短點(단점)
長篇(장편) ↔ 短篇(단편)
低價(저가) ↔ 高價(고가)
低俗(저속) ↔ 高尙(고상)
貯蓄(저축) ↔ 消費(소비)
敵軍(적군) ↔ 我軍(아군)
敵對(적대) ↔ 友好(우호)
前半(전반) ↔ 後半(후반)
戰爭(전쟁) ↔ 平和(평화)
前進(전진) ↔ 後進(후진)
轉入(전입) ↔ 轉出(전출)
絶對(절대) ↔ 相對(상대)
點燈(점등) ↔ 消燈(소등)
點火(점화) ↔ 消火(소화)
漸進(점진) ↔ 急進(급진)
正當(정당) ↔ 不當(부당)
正常(정상) ↔ 異常(이상)
定說(정설) ↔ 異說(이설)
靜肅(정숙) ↔ 騷亂(소란)
定着(정착) ↔ 漂流(표류)
正午(정오) ↔ 子正(자정)
弔客(조객) ↔ 賀客(하객)
造花(조화) ↔ 生花(생화)
存續(존속) ↔ 廢止(폐지)
主演(주연) ↔ 助演(조연)
重厚(중후) ↔ 輕薄(경박)
重視(중시) ↔ 輕視(경시)
中止(중지) ↔ 續行(속행)
增加(증가) ↔ 減少(감소)
增産(증산) ↔ 減産(감산)
增額(증액) ↔ 減額(감액)
增進(증진) ↔ 減退(감퇴)
直系(직계) ↔ 傍系(방계)
直線(직선) ↔ 曲線(곡선)

반의어(反義語), 상대어(相對語)

- 直接(직접) ↔ 間接(간접)
- 進步(진보) ↔ 退步(퇴보)
- 進化(진화) ↔ 退化(퇴화)
- 眞實(진실) ↔ 虛僞(허위)
- 質問(질문) ↔ 答辯(답변)
- 質疑(질의) ↔ 應答(응답)
- 集中(집중) ↔ 分散(분산)
- 集合(집합) ↔ 解散(해산)
- 差別(차별) ↔ 平等(평등)
- 着陸(착륙) ↔ 離陸(이륙)
- 天然(천연) ↔ 人造(인조)
- 斬新(참신) ↔ 陳腐(진부)
- 創造(창조) ↔ 模倣(모방)
- 處女(처녀) ↔ 總角(총각)
- 淺學(천학) ↔ 碩學(석학)
- 促進(촉진) ↔ 抑制(억제)
- 聰明(총명) ↔ 愚鈍(우둔)
- 最低(최저) ↔ 最高(최고)
- 縮小(축소) ↔ 擴大(확대)
- 就任(취임) ↔ 離任(이임)
- 就任(취임) ↔ 辭任(사임)
- 就職(취직) ↔ 退職(퇴직)
- 就寢(취침) ↔ 起床(기상)
- 沈降(침강) ↔ 隆起(융기)
- 稱讚(칭찬) ↔ 非難(비난)
- 快樂(쾌락) ↔ 苦痛(고통)
- 快勝(쾌승) ↔ 慘敗(참패)
- 快調(쾌조) ↔ 不調(부조)
- 妥當(타당) ↔ 不當(부당)
- 他殺(타살) ↔ 自殺(자살)
- 濁音(탁음) ↔ 淸音(청음)
- 脫黨(탈당) ↔ 入黨(입당)
- 脫色(탈색) ↔ 染色(염색)
- 通說(통설) ↔ 異說(이설)
- 統一(통일) ↔ 分裂(분열)
- 統合(통합) ↔ 分析(분석)
- 退勤(퇴근) ↔ 出勤(출근)
- 退院(퇴원) ↔ 入院(입원)
- 退化(퇴화) ↔ 進化(진화)
- 投手(투수) ↔ 捕手(포수)
- 投降(투항) ↔ 抵抗(저항)
- 敗戰(패전) ↔ 勝戰(승전)
- 偏頗(편파) ↔ 公平(공평)
- 平等(평등) ↔ 差別(차별)
- 平凡(평범) ↔ 非凡(비범)
- 閉幕(폐막) ↔ 開幕(개막)
- 廢止(폐지) ↔ 存續(존속)
- 布衣(포의) ↔ 錦衣(금의)
- 暴騰(폭등) ↔ 暴落(폭락)
- 暴露(폭로) ↔ 隱蔽(은폐)
- 彼岸(피안) ↔ 此岸(차안)
- 豊年(풍년) ↔ 凶年(흉년)
- 豊作(풍작) ↔ 凶作(흉작)
- 豊足(풍족) ↔ 不足(부족)
- 虐待(학대) ↔ 優待(우대)
- 寒冷(한랭) ↔ 溫暖(온난)
- 合理(합리) ↔ 矛盾(모순)
- 合法(합법) ↔ 違法(위법)
- 合成(합성) ↔ 分解(분해)
- 合意(합의) ↔ 決裂(결렬)
- 合體(합체) ↔ 分離(분리)
- 解禁(해금) ↔ 禁止(금지)
- 幸福(행복) ↔ 不幸(불행)
- 向上(향상) ↔ 低下(저하)
- 許可(허가) ↔ 禁止(금지)
- 許多(허다) ↔ 稀貴(희귀)
- 許多(허다) ↔ 稀少(희소)
- 虛勢(허세) ↔ 實勢(실세)
- 現象(현상) ↔ 本質(본질)
- 現職(현직) ↔ 前職(전직)
- 好感(호감) ↔ 反感(반감)
- 好轉(호전) ↔ 逆轉(역전)
- 好材(호재) ↔ 惡材(악재)
- 好評(호평) ↔ 惡評(악평)
- 好況(호황) ↔ 不況(불황)
- 酷評(혹평) ↔ 絶讚(절찬)
- 酷寒(혹한) ↔ 酷暑(혹서)
- 和解(화해) ↔ 決裂(결렬)
- 厚待(후대) ↔ 薄待(박대)
- 擴大(확대) ↔ 縮小(축소)
- 歡喜(환희) ↔ 悲哀(비애)
- 歡待(환대) ↔ 冷待(냉대)
- 歡迎(환영) ↔ 歡送(환송)
- 活用(활용) ↔ 死藏(사장)
- 獲得(획득) ↔ 喪失(상실)
- 橫斷(횡단) ↔ 縱斷(종단)
- 後孫(후손) ↔ 先祖(선조)
- 後裔(후예) ↔ 祖上(조상)
- 吸煙(흡연) ↔ 禁煙(금연)
- 興 奮(흥분) ↔ 鎭 靜(진정)
- 稀 薄(희박) ↔ 濃 厚(농후)
- 稀 少(희소) ↔ 許 多(허다)
- 喜 劇(희극) ↔ 悲 劇(비극)
- 希 望(희망) ↔ 絶 望(절망)
- 加害者(가해자) ↔ 被害者(피해자)
- 感情的(감정적) ↔ 理性的(이성적)
- 開放的(개방적) ↔ 限定的(한정적)
- 開放的(개방적) ↔ 閉鎖的(폐쇄적)
- 巨視的(거시적) ↔ 微視的(미시적)
- 高踏的(고답적) ↔ 世俗的(세속적)
- 公有物(공유물) ↔ 專有物(전유물)
- 具體的(구체적) ↔ 抽象的(추상적)

반의어(反義語), 상대어(相對語)

急進的(급진적) ↔ 漸進的(점진적)
對內的(대내적) ↔ 對外的(대외적)
大丈夫(대장부) ↔ 拙丈夫(졸장부)
同義語(동의어) ↔ 反意語(반의어)
門外漢(문외한) ↔ 專門家(전문가)
部分的(부분적) ↔ 全體的(전체적)

不文律(불문율) ↔ 成文律(성문율)
不法化(불법화) ↔ 合法化(합법화)
相對的(상대적) ↔ 絕對的(절대적)
唯物論(유물론) ↔ 唯心論(유심론)
消極的(소극적) ↔ 積極的(적극적)
實質的(실질적) ↔ 形式的(형식적)

劣等感(열등감) ↔ 優越感(우월감)
債權者(채권자) ↔ 債務者(채무자)
青一點(청일점) ↔ 紅一點(홍일점)
抽象的(추상적) ↔ 具體的(구체적)

반의어(反義語), 상대어(相對語) – 1級

間 歇(간헐) ↔ 持 續(지속)
强 固(강고) ↔ 薄 弱(박약)
强 靭(강인) ↔ 懦 弱(나약)
降 臨(강림) ↔ 昇 天(승천)
儉 素(검소) ↔ 奢 侈(사치)
決 裂(결렬) ↔ 合 意(합의)
謙 遜(겸손) ↔ 倨 慢(거만)
謙 遜(겸손) ↔ 傲 慢(오만)
硬 直(경직) ↔ 柔 軟(유연)
寬 大(관대) ↔ 嚴 格(엄격)
灌 木(관목) ↔ 喬 木(교목)
貫 徹(관철) ↔ 挫 折(좌절)
歸 納(귀납) ↔ 演 繹(연역)
均 霑(균점) ↔ 獨 占(독점)
勤 勉(근면) ↔ 懶 怠(나태)
勤 勉(근면) ↔ 怠 惰(태타)
近 接(근접) ↔ 遠 隔(원격)
肯 定(긍정) ↔ 否 定(부정)
根幹的(근간적) ↔ 末梢的(말초적)
訥 辯(눌변) ↔ 能 辯(능변)
訥 辯(눌변) ↔ 達 辯(달변)
內在律(내재율) ↔ 外在律(외재율)
曇 天(담천) ↔ 晴 天(청천)
唐 慌(당황) ↔ 沈 着(침착)
貸 邊(대변) ↔ 借 邊(차변)
模 型(모형) ↔ 原 型(원형)
彌縫的(미봉적) ↔ 根幹的(근간적)
繁 忙(번망) ↔ 閑 散(한산)

繁 榮(번영) ↔ 衰 退(쇠퇴)
扶 桑(부상) ↔ 咸 池(함지)
分 裂(분열) ↔ 統 一(통일)
卑 怯(비겁) ↔ 勇 敢(용감)
背日性(배일성) ↔ 向日性(향일성)
白眼視(백안시) ↔ 青眼視(청안시)
相 剋(상극) ↔ 相 生(상생)
仙 界(선계) ↔ 紅 塵(홍진)
束 縛(속박) ↔ 自 由(자유)
收 賂(수뢰) ↔ 贈 賄(증회)
收 賂(수뢰) ↔ 贈 賂(증뢰)
守 節(수절) ↔ 毁 節(훼절)
收 縮(수축) ↔ 膨 脹(팽창)
羞 恥(수치) ↔ 榮 光(영광)
瞬 間(순간) ↔ 永 劫(영겁)
順 坦(순탄) ↔ 險 難(험난)
拾 得(습득) ↔ 遺 失(유실)
媤 宅(시댁) ↔ 親 家(친가)
室 女(실녀) ↔ 總 角(총각)
雙 手(쌍수) ↔ 隻 手(척수)
安 定(안정) ↔ 動 搖(동요)
昂 騰(앙등) ↔ 下 落(하락)
抑 制(억제) ↔ 促 進(촉진)
劣 惡(열악) ↔ 優 良(우량)
永 劫(영겁) ↔ 刹 那(찰나)
永 劫(영겁) ↔ 片 刻(편각)
榮 轉(영전) ↔ 左 遷(좌천)
迎 接(영접) ↔ 餞 送(전송)

玉 碎(옥쇄) ↔ 瓦 全(와전)
夭 折(요절) ↔ 長 壽(장수)
溶 解(용해) ↔ 凝 固(응고)
優 待(우대) ↔ 虐 待(학대)
優 越(우월) ↔ 劣 等(열등)
迂 廻(우회) ↔ 捷 徑(첩경)
萎 縮(위축) ↔ 潑 剌(발랄)
離 陸(이륙) ↔ 着 陸(착륙)
賃 貸(임대) ↔ 賃 借(임차)
嚴侍下(엄시하) ↔ 慈侍下(자시하)
嫡 子(적자) ↔ 庶 子(서자)
絕 讚(절찬) ↔ 酷 評(혹평)
精 巧(정교) ↔ 粗 惡(조악)
精 密(정밀) ↔ 粗 雜(조잡)
定 着(정착) ↔ 漂 流(표류)
粗 製(조제) ↔ 精 製(정제)
縱 斷(종단) ↔ 橫 斷(횡단)
憎 惡(증오) ↔ 憐 憫(연민)
推 仰(추앙) ↔ 凌 蔑(능멸)
退 嬰(퇴영) ↔ 進 取(진취)
胎 生(태생) ↔ 卵 生(난생)
限定的(한정적) ↔ 開放的(개방적)
鹹 水(함수) ↔ 淡 水(담수)
解 弛(해이) ↔ 緊 張(긴장)
混 沌(혼돈) ↔ 秩 序(질서)
確 然(확연) ↔ 漠 然(막연)
犧 牲(희생) ↔ 利 己(이기)

유의결합어(類義結合語) - 2級 범위

價値 (값 가, 값 치)
覺悟 (깨달을 각, 깨달을 오)
間隔 (사이 간, 사이뜰 격)
强硬 (강할 강, 굳을 경)
疆境 (지경 강, 지경 경)
疆界 (지경 강, 지경 계)
疆域 (지경 강, 지경 역)
鋼鐵 (강철 강, 쇠 철)
康寧 (편안 강, 편안 녕)
慨歎 (슬퍼할 개, 탄식할 탄)
距離 (상거할 거, 떠날 리)
乾燥 (마를 건, 마를 조)
劍刀 (칼 검, 칼 도)
揭揚 (높이들 게, 날릴 양)
隔離 (사이뜰 격, 떨어질 리)
牽引 (끌 견, 끌 인)
訣別 (이별할 결, 이별할 별)
謙讓 (겸손할 겸, 사양할 양)
傾斜 (기울 경, 비낄 사)
計策 (꾀 계, 꾀 책)
契約 (맺을 계, 맺을 약)
哭泣 (울 곡, 울 읍)
恭敬 (공손할 공, 공경할 경)
供給 (이바지할 공, 줄 급)
恐怖 (두려울 공, 두려울 포)
貢獻 (바칠 공, 바칠 헌)
功勳 (공 공, 공 훈)
誇張 (자랑할 과, 자랑할 장)
慣習 (버릇 관, 버릇 습)
官爵 (벼슬 관, 벼슬 작)
貫通 (꿰뚫을 관, 통할 통)
光彩 (빛 광, 채색 채)
光輝 (빛 광, 빛날 휘)

怪奇 (괴이할 괴, 기이할 기)
交替 (주고받을 교, 바꿀 체)
交換 (주고받을 교, 바꿀 환)
橋脚 (다리 교, 다리 각)
橋梁 (다리 교, 다리 량)
丘陵 (언덕 구, 언덕 릉)
購買 (살 구, 살 매)
拘束 (잡을 구, 묶을 속)
驅逐 (몰 구, 쫓을 축)
郡縣 (고을 군, 고을 현)
窮塞 (다할 궁, 막힐 색)
宮闕 (집 궁, 대궐 궐)
宮殿 (집 궁, 전각 전)
龜鑑 (본보기 귀, 거울삼을 감)
鬼神 (귀신 귀, 귀신 신)
歸還 (돌아갈 귀, 돌아올 환)
龜裂 (터질 균, 찢을 렬(열))
劇甚 (심할 극, 심할 심)
謹愼 (삼가할 근, 삼갈 신)
琴瑟 (거문고 금, 큰거문고 슬)
禽鳥 (새 금, 새 조)
紀綱 (벼리 기, 벼리 강)
機械 (틀 기, 기계 계)
企圖 (꾀할 기, 꾀할 도)
企畵 (꾀할 기, 꾀할 획)
飢餓 (굶주릴 기, 굶주릴 아)
寄贈 (맡길 기, 줄 증)
寄托 (맡길 기, 맡길 탁)
祈願 (빌 기, 바랄 원)
基礎 (터 기, 주춧돌 초)
寄託 (맡길 기, 맡길 탁)
欺誕 (속일 기, 속일 탄)
緊急 (급할 긴, 급할 급)

緊要 (긴할 긴, 요긴할 요)
奴隷 (종 노, 종 례(예))
農耕 (농사 농, 밭갈 경)
濃厚 (짙을 농, 두터울 후)
鍛鍊 (쇠불린 단, 쇠불릴 련)
端緖 (실마리 단, 실마리 서)
但只 (다만 단, 다만 지)
代替 (바꿀 대, 바꿀 체)
徒輩 (무리 도, 무리 배)
跳躍 (뛸 도, 뛸 약)
督促 (재촉할 독, 재촉할 촉)
敦篤 (도타울 돈, 도타울 독)
敦厚 (도타울 돈, 두터울 후)
動搖 (움직일 동, 흔들 요)
謄寫 (베낄 등, 베낄 사)
掠奪 (노략질할 략, 빼앗을 탈)
諒知 (살펴알 량, 알 지)
連繫 (이을 련, 맬 계)
連絡 (이을 련, 이을 락)
戀慕 (그리워할 련, 그리워할 모)
憐憫 (불쌍히여길 련, 민망할 민)
戀愛 (사모할 련, 사랑 애)
蓮荷 (연꽃 련, 연꽃 하)
靈魂 (신령 령, 넋 혼)
祿俸 (녹 록, 녹 봉)
雷震 (우레 뢰, 우레 진)
累積 (포갤 루, 쌓을 적)
流浪 (흐를 류, 물결 랑)
隆盛 (성할 륭, 성할 성)
魔鬼 (마귀 마, 귀신 귀)
末尾 (끝 말, 꼬리 미)
網羅 (그물 망, 그물 라)
埋葬 (묻을 매, 장사지낼 장)

脈絡 (줄기 맥, 이을 락)
盟誓 (맹서할 맹, 맹서할 서)
勉勵 (힘쓸 면, 힘쓸 려)
免許 (허락할 면, 허락할 허)
明哲 (밝을 명, 밝을 철)
侮蔑 (업신여길 모, 업신여길 멸)
模倣 (본뜰 모, 본받을 방)
沒溺 (빠질 몰, 빠질 닉)
沐浴 (머리감을 목, 씻을 욕)
茂盛 (무성할 무, 성할 성)
貿易 (바꿀 무, 바꿀 역)
紊亂 (어지러울 문, 어지러울 란)
微細 (가늘 미, 가늘 세)
迷惑 (미혹할 미, 미혹할 혹)
敏速 (민첩할 민, 빠를 속)
返還 (돌아올 반, 돌아올 환)
叛逆 (배반할 반, 거스릴 역)
放恣 (방자할 방, 방자할 자)
紡績 (길쌈 방, 길쌈 적)
背叛 (등질 배, 배반할 반)
培養 (북돋을 배, 기를 양)
配偶 (짝 배, 짝 우)
配匹 (짝 배, 짝 필)
俳優 (광대 배, 광대 우)
賠償 (물어줄 배, 갚을 상)
排斥 (물리칠 배, 물리칠 척)
煩惱 (번거로울 번, 번뇌할 뇌)
繁盛 (번성할 번, 성할 성)
飜譯 (번역할 번, 번역할 역)
辨別 (분별할 변, 분별할 별)
倂合 (아우를 병, 합할 합)
報償 (갚을 보, 갚을 상)
補助 (도울 보, 도울 조)

유의결합어(類義結合語)

封鎖 (봉할 봉, 봉할 쇄)
賦課 (매길 부, 매길 과)
賦與 (줄 부, 줄 여)
付託 (부탁할 부, 부탁할 탁)
腐敗 (썩을 부, 썩을 패)
負荷 (질 부, 멜 하)
忿怒 (성낼 분, 성낼 노)
紛亂 (어지러울 분, 어지러울 란)
墳墓 (무덤 분, 무덤 묘)
分析 (나눌 분, 쪼갤 석)
分割 (나눌 분, 벨 할)
奔走 (달릴 분, 달릴 주)
崩壞 (무너질 붕, 무너질 괴)
朋友 (벗 붕, 벗 우)
比較 (견줄 비, 비교할 교)
飛騰 (날 비, 날 등)
悲哀 (슬플 비, 슬플 애)
悲慘 (슬플 비, 참혹할 참)
卑賤 (낮을 비, 천할 천)
鼻祖 (시초 비, 시조 조)
賓客 (손님 빈, 손님 객)
頻數 (자주 빈, 자주 삭)
思慕 (생각 사, 그릴 모)
赦免 (용서할 사, 면할 면)
師傅 (스승 사, 스승 부)
辭讓 (사양할 사, 사양할 양)
使役 (부릴 사, 부릴 역)
飼育 (기를 사, 기를 육)
寺刹 (절 사, 절 찰)
削減 (깎을 삭, 덜 감)
散漫 (흩을 산, 흩어질 만)
森林 (수풀 삼, 수풀 림)
祥瑞 (상서로울 상, 상서로울 서)

詳細 (자세할 상, 세밀할 세)
喪失 (잃을 상, 잃을 실)
相互 (서로 상, 서로 호)
逝去 (갈 서, 갈 거)
敍述 (펼 서, 펼 술)
誓約 (맹세할 서, 맺을 약)
船舶 (배 선, 배 박)
釋放 (풀 석, 놓을 방)
選拔 (뽑을 선, 뽑을 발)
旋回 (돌 선, 돌 회)
纖細 (가늘 섬, 가늘 세)
攝取 (잡을 섭, 가질 취)
攝理 (다스릴 섭, 다스릴 리)
洗濯 (씻을 세, 빨 탁)
紹介 (소개할 소, 소개할 개)
訴訟 (호소할 소, 송사할 송)
疏通 (소통할 소, 통할 통)
疏遠 (멀 소, 멀 원)
衰弱 (쇠할 쇠, 약할 약)
衰殘 (쇠할 쇠, 쇠잔할 잔)
收納 (거둘 수, 받을 납)
睡眠 (잠잘 수, 잠잘 면)
壽命 (목숨 수, 목숨 명)
搜查 (찾을 수, 조사할 사)
搜索 (찾을 수, 찾을 색)
輸送 (보낼 수, 보낼 송)
需要 (구할 수, 구할 요)
帥將 (장수 수, 장수 장)
隨從 (따를 수, 따를 종)
收拾 (거둘 수, 주울 습)
收穫 (거둘 수, 거둘 확)
熟練 (익힐 숙, 익힐 련)
宿泊 (잘 숙, 머무를 박)

淳朴 (순박할 순, 순박할 박)
巡回 (돌 순, 돌 회)
崇尙 (높을 숭, 높힐 상)
習慣 (익힐 습, 익힐 관)
濕潤 (젖을 습, 불을 윤)
植栽 (심을 식, 심을 재)
神靈 (귀신 신, 신령 령)
伸張 (펼 신, 벌릴 장)
愼重 (삼가할 신, 무거울 중)
尋訪 (찾을 심, 찾을 방)
審査 (살필 심, 조사할 사)
安寧 (편안할 안, 편안할 녕)
安逸 (편안할 안, 편안할 일)
謁見 (뵐 알, 뵐 현)
仰望 (우러를 앙, 바랄 망)
殃禍 (재앙 앙, 재앙 화)
哀悼 (슬플 애, 슬퍼할 도)
愛戀 (사랑 애, 그리워할 련)
愛惜 (아낄 애, 아낄 석)
厄禍 (재앙 액, 재앙 화)
藥劑 (약 약, 약제 제)
抑壓 (누를 억, 누를 압)
餘裕 (남을 여, 넉넉할 유)
疫病 (전염병 역, 병 병)
疫疾 (전염병 역, 병 질)
硏磨 (갈 연, 갈 마)
燃燒 (탈 연, 탈 소)
軟弱 (연할 연, 약할 약)
閱覽 (볼 열, 볼 람)
英傑 (빼어날 영, 뛰어날 걸)
永久 (길 영, 오랠 구)
榮華 (영화 영, 빛날 화)
銳利 (날카로울 예, 날카로울 리)

譽讚 (기릴 예, 기릴 찬)
娛樂 (즐길 오, 즐길 락)
誤謬 (그릇될 오, 그릇될 류)
傲慢 (업신여길 오, 업신여길 만)
旺盛 (왕성할 왕, 성할 성)
歪曲 (기울 왜, 굽을 곡)
要緊 (요긴할 요, 긴할 긴)
搖動 (흔들 요, 움직일 동)
遙遠 (멀 요, 멀 원)
勇猛 (날랠 용, 사나울 맹)
容貌 (얼굴 용, 얼굴 모)
容恕 (용서할 용, 용서할 서)
憂愁 (근심할 우, 근심할 수)
憂患 (근심 우, 근심 환)
羽翼 (깃 우, 날개 익)
宇宙 (집 우, 집 주)
郵遞 (우편 우, 갈릴 체)
運搬 (옮길 운, 옮길 반)
云謂 (이를 운, 이를 위)
怨望 (원망할 원, 원망할 망)
委託 (맡길 위, 맡길 탁)
委托 (맡길 위, 맡길 탁)
危殆 (위태할 위, 위태로울 태)
悠久 (멀 유, 오랠 구)
柔軟 (부드러울 유, 연할 연)
油脂 (기름 유, 기름 지)
幼稚 (어릴 유, 어릴 치)
遊戲 (놀 유, 놀 희)
潤澤 (기름질 윤, 윤택할 택)
融解 (녹을 융, 풀 해)
隱蔽 (숨을 은, 가릴 폐)
音韻 (소리 음, 운 운)
吟詠 (읊을 음, 읊을 영)

유의결합어(類義結合語)

應答 (응할 응, 대답 답)
宜當 (마땅 의, 마땅할 당)
醫療 (의원 의, 병고칠 료)
依賴 (의지할 의, 의뢰할 뢰)
衣裳 (옷 의, 치마 상)
移搬 (옮길 이, 옮길 반)
忍耐 (참을 인, 견딜 내)
仁慈 (불쌍히여길 인, 사랑 자)
賃貸 (세낼 임, 빌릴 대)
諮問 (물을 자, 물을 문)
慈愛 (사랑 자, 사랑 애)
紫朱 (붉을 자, 붉을 주)
獎勵 (장려할 장, 힘쓸 려)
帳幕 (장막 장, 장막 막)
帳簿 (장부책 장, 문서 부)
丈夫 (어른 장, 사내 부)
將帥 (장수 장, 장수 수)
裝飾 (꾸밀 장, 꾸밀 식)
障礙 (막을 장, 거리낄 애)
災殃 (재앙 재, 재앙 앙)
財貨 (재물 재, 재물 화)
宰相 (재상 재, 재상 상)
災禍 (재앙 재, 재앙 화)
著作 (지을 저, 지을 작)
抵抗 (막을 저, 막을 항)
節槪 (절개 절, 절개 개)
竊盜 (훔칠 절, 훔칠 도)
接觸 (이을 접, 닿을 촉)
淨潔 (깨끗할 정, 깨끗할 결)
征伐 (칠 정, 칠 벌)
靜寂 (고요할 정, 고요할 적)
整齊 (가지런할 정, 가지런할 제)
偵察 (염탐할 정, 살필 찰)

偵探 (염탐할 정, 찾을 탐)
停滯 (머무를 정, 머무를 체)
堤防 (둑 제, 둑 방)
祭祀 (제사 제, 제사 사)
帝侯 (임금 제, 임금 후)
彫刻 (다듬을 조, 새길 각)
租稅 (조세 조, 세금 세)
朝廷 (조정 조, 조정 정)
條項 (조목 조, 조목 항)
尊貴 (높일 존, 귀할 귀)
尊敬 (공경할 존, 공경할 경)
拙劣 (졸할 졸, 못할 렬)
終了 (마칠 종, 마칠료)
綜合 (모을 종, 합할 합)
駐留 (머무를 주, 머무를 류)
周邊 (모퉁이 주, 가 변)
珠玉 (구슬 주, 구슬 옥)
俊秀 (뛰어날 준, 빼어날 수)
俊傑 (뛰어날 준, 뛰어날 걸)
峻嚴 (준엄할 준, 엄할 엄)
峻險 (가파를 준, 험할 험)
增加 (더할 증, 더할 가)
贈與 (줄 증, 줄 여)
贈呈 (줄 증, 드릴 정)
憎惡 (미워할 증, 미워할 오)
指摘 (가리킬 지, 손가락질할 적)
遲滯 (더딜 지, 머무를 체)
智慧 (지혜 지, 슬기로울 혜)
鎭壓 (누를 진, 누를 압)
陳列 (늘어놓을 진, 벌일 렬(열))
窒塞 (막힐 질, 막힐 색)
秩序 (차례 질, 차례 서)
徵收 (거둘 징, 거둘 수)

錯誤 (그릇할 착, 그릇할 오)
燦爛 (빛날 찬, 빛날 란)
贊助 (도울 찬, 도울 조)
慙愧 (부끄러울참, 부끄러울 괴)
慘酷 (참혹할 참, 독할 혹)
倉庫 (곳집 창, 곳집 고)
菜蔬 (나물 채, 나물 소)
策略 (꾀 책, 꾀 략)
尺度 (자 척, 자 도)
淺薄 (얕을 천, 엷을 박)
鐵鋼 (쇠 철, 강철 강)
撤收 (거둘 철, 거둘 수)
添加 (더할 첨, 더할 가)
尖端 (끝 첨, 끝 단)
尖銳 (뾰족할 첨, 날카로울 예)
締結 (맺을 체, 맺을 결)
滯留 (머무를 체, 머무를 류)
逮捕 (잡을 체, 잡을 포)
替換 (바꿀 체, 바꿀 환)
超過 (뛰어넘을 초, 지날 과)
招聘 (부를 초, 부를 빙)
超越 (뛰어넘을 초, 넘을 월)
促迫 (재촉할 촉, 핍박할 박)
聰明 (귀밝을 총, 밝을 명)
催促 (재촉할 최, 재촉할 촉)
墜落 (떨어질 추, 떨어질 락)
追從 (좇을 추, 좇을 종)
祝賀 (빌 축, 하례할 하)
衝擊 (찌를 충, 부딪힐 격)
衝突 (부딪힐 충, 부딪힐 돌)
趣志 (뜻 취, 뜻 지)
側近 (곁 측, 가까울 근)
齒牙 (이 치, 어금니 아)

親戚 (친할 친, 겨레 척)
侵掠 (침노할 침, 노략질할 략)
沈沒 (잠길 침, 잠길 몰)
沈默 (잠길 침, 잠잠할 묵)
沈潛 (잠길 침, 잠길 잠)
寢睡 (잠잘 침, 잠잘 수)
妥當 (온당할 타, 마땅할 당)
墮落 (떨어질 타, 떨어질 락)
琢磨 (갈 탁, 갈 마)
誕生 (낳을 탄, 날 생)
探索 (찾을 탐, 찾을 색)
貪慾 (탐낼 탐, 욕심 욕)
探偵 (찾을 탐, 염탐할 정)
怠慢 (게으를 태, 게으를 만)
土壤 (흙 토, 흙 양)
統率 (거느릴 통, 거느릴 솔)
統合 (합칠 통, 합할 합)
退却 (물러날 퇴, 물리칠 각)
透明 (환할 투, 밝을 명)
透徹 (통할 투, 통할 철)
派遣 (보낼 파, 보낼 견)
破壞 (깨뜨릴 파, 무너질 괴)
把握 (잡을 파, 잡을 악)
販賣 (팔 판, 팔 매)
偏僻 (치우칠 편, 치우칠 벽)
廢棄 (버릴 폐, 버릴 기)
弊害 (폐단 폐, 해할 해)
抛棄 (버릴 포, 버릴 기)
抱擁 (안을 포, 낄 옹)
包圍 (쌀 포, 에워쌀 위)
捕捉 (잡을 포, 잡을 착)
暴虐 (모질 포, 사나울 학)
捕獲 (잡을 포, 얻을 획)

유의결합어(類義結合語)

暴露 (나타낼 폭, 나타낼 로)
表皮 (겉 표, 가죽 피)
皮膚 (가죽피, 살갗 부)
皮革 (가죽 피, 가죽 혁)
畢竟 (마칠 필, 마칠 경)
必須 (반드시 필, 모름지기 수)
陷沒 (빠질 함, 빠질 몰)
艦船 (배 함, 배 선)
合倂 (합할 합, 아우를 병)
抗拒 (막을 항, 막을 거)
恒常 (항상 항, 항상상)
該當 (마땅 해, 마땅 당)

解釋 (풀 해, 풀 석)
虛僞 (헛될 허, 거짓 위)
獻納 (드릴 헌, 바칠 납)
險峻 (험할 험, 가파를 준)
顯著 (나타날 현, 나타날 저)
嫌惡 (싫어할 혐, 미워할 오)
嫌疑 (의심할 혐, 의심할 의)
峽谷 (골짜기 협, 골짜기 곡)
脅迫 (위협할 협, 핍박할 박)
惠澤 (은혜 혜, 은덕 택)
豪傑 (뛰어날 호, 뛰어날 걸)
毫毛 (터럭 호, 터럭 모)

昊天 (하늘 호, 하늘 천)
酷毒 (독할 혹, 독할 독)
魂靈 (넋 혼, 신령 령)
和睦 (화할 화, 화목할 목)
混亂 (섞일 혼, 어지러울 란)
混雜 (섞일 혼, 섞일 잡)
混濁 (섞일 혼, 흐릴 탁)
婚姻 (혼인할 혼, 혼인할 인)
鴻雁 (기러기 홍, 기러기 안)
貨幣 (재물 화, 화폐 폐)
皇帝 (임금 황, 임금 제)
懷抱 (품을 회, 안을 포)

悔恨 (뉘우칠 회, 한한)
獲得 (얻을 획, 얻을 득)
橫暴 (사나울 횡, 모질 포)
毁傷 (헐 훼, 상할 상)
毁損 (헐 훼, 덜 손)
勳功 (공 훈, 공 공)
携帶 (이끌 휴, 띠 대)
稀貴 (드물 희, 귀할 귀)
稀少 (드물 희, 적을 소)
喜悅 (기쁠 희, 기쁠 열)

유의결합어(類義結合語) – 1級

街衢 (거리 가, 네거리 구)
街巷 (거리 가, 거리 항)
呵責 (꾸짖을 가, 꾸짖을 책)
苛虐 (가혹할 가, 모질 학)
苛酷 (가혹할 가, 심할 혹)
恪謹 (삼갈 각, 삼갈 근)
恪愼 (삼갈 각, 삼갈 신)
殼皮 (껍질 각, 가죽 피)
間隙 (사이 간, 틈극)
艱苦 (어려울 간, 쓸 고)
艱難 (어려울 간, 어려울 난)
奸邪 (간사할 간, 간사할 사)
奸慝 (간사할 간, 사특할 특)
揀選 (가릴 간, 가릴 선)
揀擇 (가릴 간, 가릴 택)
懇誠 (간절할 간, 정성 성)
懇切 (간절할 간, 절박할 절)
姦淫 (간음할 간, 음란할 음)

姦淫 (간음할 간, 음란할 음)
竭盡 (다할 갈, 다할 진)
柑橘 (귤 감, 귤 귤)
堪耐 (견딜 감, 견딜 내)
憾怨 (섭섭할 감, 원망할 원)
憾恨 (섭섭할 감, 한 한)
甲殼 (갑옷 갑, 껍질 각)
慷慨 (슬플 강, 슬퍼할 개)
康寧 (편안 강, 편안 녕)
剛堅 (굳셀 강, 굳을 견)
剛勁 (굳셀 강, 굳셀 경)
剛毅 (굳셀 강, 굳셀 의)
疆境 (지경 강, 지경 경)
疆界 (지경 강, 지경 계)
疆域 (지경 강, 지경 역)
腔腸 (속빌 강, 창자 장)
開闢 (열 개, 열 벽)
蓋覆 (덮을 개, 덮을 부/엎어질 복)

改悛 (고칠 개, 고칠 전)
倨慢 (거만할 거, 거만할 만)
倨傲 (거만할 거, 거만할 오)
檢閱 (검사할 검, 볼 열)
檢察 (검사할 검, 살필 찰)
劫迫 (위협할 겁, 핍박할 박)
怯怖 (겁낼 겁, 두려워할 포)
憩息 (쉴 게, 쉴 식)
激烈 (격할 격, 매울 렬)
絹紗 (비단 견, 비단 사)
牽曳 (끌 견, 끌 예)
譴責 (꾸짖을 견, 꾸짖을 책)
結紐 (맺을 결, 맺을 뉴)
結縛 (맺을 결, 얽을 박)
缺乏 (빠질 결, 모자랄 핍)
謙遜 (겸손할 겸, 겸손할 손)
謙讓 (겸손할 겸, 사양할 양)
經營 (지날 경, 경영할 영)

驚愕 (놀랄 경, 놀랄 악)
驚駭 (놀랄 경, 놀랄 해)
更迭 (고칠 경, 갈마들 질)
悸慄 (두근거릴 계, 떨릴 률)
枯渴 (마를 고, 목마를 갈)
顧眄 (돌아볼 고, 곁눈질할 면)
雇傭 (품팔 고, 품팔 용)
膏油 (기름 고, 기름 유)
困乏 (곤할 곤, 모자랄 핍)
棍棒 (몽둥이 곤, 막대 봉)
棍杖 (몽둥이 곤, 지팡이 장)
汨沒 (골몰할 골, 빠질 몰)
恭遜 (공손할 공, 겸손할 손)
鞏固 (굳을 공, 굳을 고)
工匠 (장인 공, 장인 장)
恐惶 (두려울 공, 두려울 황)
過剩 (지날 과, 남을 잉)
誇矜 (자랑할 과, 자랑할 긍)

유의결합어(類義結合語) – 1級

顆粒 (낟알 과, 낟알 립)

灌漑 (물댈 관, 물댈 개)

關鍵 (빗장 관, 자물쇠,열쇠 건)

冠帽 (갓 관, 모자 모)

管掌 (주관할 관, 손바닥 장)

管轄 (주관할 관, 다스릴 할)

貫徹 (꿸 관, 통할 철)

光耀 (빛 광, 빛날 요)

匡矯 (바를 광, 바로잡을 교)

匡正 (바를 광, 바를 정)

廣闊 (넓을 광, 넓을 활)

怪異 (괴이할 괴, 다를 이)

乖戾 (어그러질 괴, 어그러질 려)

乖愎 (어그러질 괴, 강퍅할 퍅)

傀儡 (허수아비 괴, 꼭두각시 뢰)

愧羞 (부끄러울 괴, 부끄러울 수)

愧慙 (부끄러울 괴, 부끄러울 참)

攪亂 (흔들 교, 어지러울 란)

驕慢 (교만할 교, 거만할 만)

驕傲 (교만할 교,거만할 오)

矯正 (바로잡을 교, 바를 정)

狡猾 (교활할 교, 교활할 활)

溝渠 (도랑 구, 개천 거)

溝壑 (도랑 구, 구렁 학)

求乞 (구할 구, 빌 걸)

寇賊 (도적 구, 도둑 적)

仇讎 (원수 구, 원수 수)

苟且 (구차할 구, 구차할 차)

嘔吐 (게울 구, 토할 토)

窘塞 (군색할 군, 막힐 색)

倦怠 (게으를 권, 게으를 태)

蹶起 (일어설 궐, 일어날 기)

潰瘍 (무너질 궤, 헐 양)

潰裂 (무너질 궤, 찢어질 렬)

軌轍 (바퀴자국 궤, 바퀴자국 철)

糾明 (밝힐 규, 밝을 명)

糾彈 (밝힐 규, 탄핵할 탄)

閨房 (안방 규, 방 방)

叫喚 (부르짖을 규, 부를 환)

叫吼 (부르짖을 규, 울부짖을 후)

覲謁 (뵐 근, 뵐 알)

禁錮 (금할 금, 막을 고)

琴瑟 (거문고 금, 큰거문고 슬)

禽鳥 (새 금, 새 조)

急迫 (급할 급, 닥칠 박)

急躁 (급할 급, 조급할 조)

矜恤 (자랑할 긍, 불쌍할 휼)

飢饉 (주릴 기, 주릴 근)

飢餓 (주릴 기, 주릴 아)

祈禱 (빌 기, 빌 도)

伎倆 (재간 기, 재주 량)

耆老 (늙을 기, 늙을 로)

麒麟 (기린 기, 기린 린)

欺瞞 (속일 기, 속일 만)

旗幟 (기 기, 기 치)

忌憚 (꺼릴 기, 꺼릴 탄)

忌諱 (꺼릴 기, 꺼릴 휘)

懦弱 (나약할 나, 약할 약)

年齡 (해 년, 나이 령)

奴僕 (종 노, 종 복)

潭沼 (못 담, 못 소)

潭淵 (못 담, 못 연)

撞突 (칠 당, 부딪힐 돌)

屠戮 (죽일 도, 죽일 륙)

屠殺 (죽일 도, 죽일 살)

賭博 (내기 도, 노름 박)

島嶼 (섬 도, 섬 서)

跳躍 (뛸 도, 뛸 약)

淘汰 (쌀일 도, 일 태)

憧憬 (동경할 동, 동경할 경)

懶惰 (게으를 라, 게으를 타)

懶怠 (게으를 라, 게으를 태)

駱駝 (낙타 락, 낙타 타)

浪漫 (물결 랑, 흩어질 만)

閭閻 (마을 려, 마을 염)

憐憫 (불쌍히여길 련, 민망할 민)

囹圄 (옥 령, 옥 어)

擄掠 (노략질할 로, 노략질할 략)

勞務 (일할 로, 힘쓸 무)

虜獲 (사로잡을 로, 얻을 획)

遼遠 (멀 료, 멀 원)

漏落 (샐 루, 떨어질 락)

漏泄 (샐 루, 샐 설)

漏洩 (샐 루, 샐 설)

輪廻 (바퀴 륜, 돌 회)

隆昌 (높을 륭, 창성할 창)

隆興 (높을 륭, 일 흥)

凌蔑 (업신여길 릉, 업신여길 멸)

吝嗇 (아낄 린, 아낄 색)

磨耗 (갈 마, 소모할 모)

痲痺 (저릴 마, 저릴 비)

摩擦 (문지를 마, 문지를 찰)

蔓延 (덩굴 만, 늘일 연)

煤煙 (그을음 매, 연기 연)

邁進 (갈 매, 나아갈 진)

脈絡 (줄기 맥, 이을 락)

萌芽 (움 맹, 싹 아)

明瞭 (밝을 명, 밝을 료)

冥闇 (어두울 명, 숨을 암)

酩酊 (술취할 명, 술취할 정)

摸擬 (더듬을 모, 헤아릴 의)

蒙昧 (어두울 몽, 어두울 매)

描寫 (그릴 묘, 베낄 사)

美麗 (아름다울 미, 고울 려)

敏捷 (민첩할 민, 빠를 첩)

伴侶 (짝 반, 짝 려)

拔擢 (뽑을 발, 뽑을 탁)

彷彿 (비슷할 방, 비슷할 불)

彷徨 (헤맬 방, 헤맬 황)

幇助 (도울 방, 도울 조)

配偶 (짝 배, 짝 우)

胚胎 (아기밸 배, 아이밸 태)

煩悶 (번거로울 번, 답답할 민)

蕃盛 (불을 번, 성할 성)

蕃殖 (불을 번, 불릴 식)

氾濫 (넘칠 범, 넘칠 람)

倂合 (아우를 병, 합할 합)

報酬 (갚을 보, 갚을 수)

堡壘 (작은성 보, 보루 루)

福祉 (복 복, 복 지)

封緘 (봉할 봉, 봉할 함)

憤慨 (분할 분, 성낼 개)

扮飾 (꾸밀 분, 꾸밀 식)

扮裝 (꾸밀 분, 꾸밀 장)

緋緞 (비단 비, 비단 단)

鄙陋 (더러울 비, 더러울 루)

誹謗 (헐뜯을 비, 헐뜯을 방)

飛翔 (날 비, 날 상)

琵琶 (비파 비, 비파 파)

憑藉 (빙자할 빙, 핑계할 자)

奢侈 (사치할 사, 사치할 치)

邪慝 (간사할 사, 사특할 특)

유의결합어(類義結合語) – 1級

殺戮 (죽일 살, 죽일 륙)
滲透 (스밀 삼, 사무칠 투)
商賈 (장사 상, 장사 고)
爽快 (시원할 상, 쾌할 쾌)
甥姪 (생질 생, 조카 질)
胥吏 (관리 서, 벼슬아치/관리 리)
泄瀉 (샐 설, 쏟을 사)
殲滅 (다죽일 섬, 멸할 멸)
消耗 (사라질 소, 소모할 모)
騷擾 (떠들 소, 시끄러울 요)
召喚 (부를 소, 부를 환)
悚懼 (두려울 송, 두려워할 구)
收斂 (거둘 수, 거둘 렴)
狩獵 (사냥할 수, 사냥 렵)
瘦瘠 (여윌 수, 여윌 척)
羞恥 (부끄러울 수, 부끄러울 치)
純粹 (순수할 순, 순수할 수)
猜忌 (시기할 시, 꺼릴 기)
宸闕 (대궐 신, 대궐 궐)
訊問 (물을 신, 물을 문)
迅速 (빠를 신, 빠를 속)
呻吟 (읊조릴 신, 읊을 음)
阿諂 (아첨할 아, 아첨할 첨)
按撫 (누를 안, 어루만질 무)
按摩 (누를 안, 문지를 마)
斡旋 (돌 알, 돌 선)
曖昧 (희미할 애, 어두울 매)
悅樂 (기쁠 열, 즐길 락)
裔孫 (후손 예, 손자 손)
裔胄 (후손 예, 자손 주)
梧桐 (오동나무 오, 오동나무 동)
汚濁 (더러울 오, 흐릴 탁)
壅塞 (막을 옹, 막힐 색)

訛謬 (그릇될 와, 그르칠 류)
頑固 (완고할 완, 굳을 고)
旺盛 (왕성할 왕, 성할 성)
猥濫 (외람할 외, 넘칠 람)
妖艶 (요사할 요, 고울 염)
羽翼 (깃 우, 날개 익)
迂廻 (에돌 우, 돌 회)
誘拐 (꾈 유, 후릴 괴)
蹂躪 (밟을 유, 짓밟을 린)
融和 (녹을 융, 화할 화)
隱匿 (숨을 은, 숨길 닉)
隱遁 (숨을 은, 숨을 둔)
疑訝 (의심할 의, 의심할 아)
移徙 (옮길 이, 옮길 사)
弛緩 (늦출 이, 느릴 완)
咽喉 (목구멍 인, 목구멍 후)
妊娠 (아이밸 임, 아이밸 신)
剩餘 (남을 잉, 남을 여)
孕胎 (아이밸 잉, 아이밸 태)
諮問 (물을 자, 물을 문)
疵痕 (허물 자, 흔적 흔)
癲狂 (미칠 전, 미칠 광)
顚倒 (엎드러질 전, 넘어질 도)
錢幣 (돈 전, 화폐 폐)
節槪 (절개 절, 절개 개)
霑潤 (젖을 점, 불을 윤)
粘着 (붙을 점, 붙을 착)
店鋪 (가게 점, 가게 포)
靜謐 (고요할 정, 고요할 밀)
整齊 (가지런할 정, 가지런할 제)
彫刻 (새길 조, 새길 각)
眺覽 (볼 조, 볼 람)
眺望 (볼 조, 바랄 망)

嘲弄 (비웃을 조, 희롱할 롱)
稠密 (빽빽할 조, 빽빽할 밀)
糟粕 (지게미 조, 지게미 박)
早速 (이를 조, 빠를 속)
遭遇 (만날 조, 만날 우)
兆朕 (조짐 조, 조짐 짐)
腫瘍 (종기 종, 헐 양)
挫折 (꺾을 좌, 꺾을 절)
躊躇 (머뭇거릴 주, 머뭇거릴 저)
遵守 (좇을 준, 지킬 수)
峻嚴 (준엄할 준, 엄할 엄)
重疊 (거듭 중, 거듭 첩)
證憑 (증거 증, 증거 빙)
嗔怒 (성낼 진, 성낼 노)
進陟 (나아갈 진, 오를 척)
斟酌 (짐작할 짐, 짐작할 작)
什器 (세간 집, 그릇 기)
懲戒 (징계할 징, 경계할 계)
車輛 (수레 차, 수레 량)
纂集 (모을 찬, 모을 집)
纂輯 (모을 찬, 모을 집)
簒奪 (빼앗을 찬, 빼앗을 탈)
慙羞 (부끄러울 참, 부끄러울 수)
懺悔 (뉘우칠 참, 뉘우칠 회)
漲溢 (넘칠 창, 넘칠 일)
策謀 (꾀 책, 꾀 모)
凄凉 (쓸쓸할 처, 서늘할 량)
添加 (더할 첨, 더할 가)
貼附 (붙일 첨, 부칠 부)
醋酸 (초 초, 실 산)
憔悴 (파리할 초, 파리할 췌)
囑託 (부탁할 촉, 부탁할 탁)
寵愛 (사랑할 총, 사랑 애)

贅瘤 (혹 췌, 혹 류)
癡呆 (어리석을 치, 어리석을 매)
緻密 (빽빽할 치, 빽빽할 밀)
卓越 (높을 탁, 넘을 월)
彈劾 (탄핵할 탄, 꾸짖을 핵)
搭乘 (탈 탑, 탈 승)
搭載 (탈 탑, 실을 재)
態樣 (모습 태, 모양 양)
慟哭 (서러워할 통, 울 곡)
妬忌 (샘낼 투, 꺼릴 기)
波濤 (물결 파, 물결 도)
波瀾 (물결 파, 물결 란)
波浪 (물결 파, 물결 랑)
澎湃 (물소리 팽, 물결칠 배)
膨脹 (부을 팽, 부을 창)
貶下 (낮출 폄, 아래 하)
幣帛 (폐백 폐, 비단 백)
包括 (쌀 포, 묶을 괄)
包容 (용납할 포, 받아들일 용)
包含 (쌀 포, 머금을 함)
捕虜 (잡을 포, 사로잡을 로)
疱廚 (부엌 포, 부엌 주)
咆哮 (고함지를 포, 성낼 효)
逼迫 (핍박할 핍, 핍박할 박)
瑕疵 (허물 하, 허물 자)
銜勒 (재갈 함, 굴레 륵)
艦艇 (큰배 함, 배 정)
骸骨 (뼈 해, 뼈 골)
解弛 (풀 해, 늦출 이)
諧謔 (화할 해, 희롱할 학)
嫌忌 (싫어할 혐, 꺼릴 기)
狹隘 (좁을 협, 좁을 애)
狹窄 (좁을 협, 좁을 착)

유의결합어(類義結合語)

荊棘 (가시 형, 가시 극)
琥珀 (호박 호, 호박 박)
混沌 (섞을 혼, 엉길 돈)
魂魄 (넋 혼, 넋 백)
禍災 (재앙 화, 재앙 재)
惶悚 (두려울 황, 두려울 송)
荒廢 (거칠 황, 폐할 폐)
恍惚 (황홀할 황, 황홀할 홀)
繪畫 (그림 회, 그림 화)
休憩 (쉴 휴, 쉴 게)
凶猛 (흉할 흉, 사나울 맹)
欠缺 (모자랄 흠, 빠질 결)
欠乏 (모자랄 흠, 모자랄 핍)
歆饗 (흠향할 흠, 잔치할 향)
犧牲 (희생 희, 희생 생)
詰責 (꾸짖을 힐, 꾸짖을 책)

유의어(類義語), 유사어(類似語)

架空(가공) – 虛構(허구)
可憐(가련) – 惻隱(측은)
家訓(가훈) – 家敎(가교)
各別(각별) – 特別(특별)
覺悟(각오) – 決心(결심)
角逐(각축) – 逐鹿(축록)
艱難(간난) – 苦楚(고초)
看病(간병) – 看護(간호)
干城(간성) – 棟梁(동량)
看做(간주) – 置簿(치부)
間諜(간첩) – 五列(오열)
感染(감염) – 傳染(전염)
改良(개량) – 改善(개선)
倨慢(거만) – 傲慢(오만)
拒否(거부) – 拒絶(거절)
去就(거취) – 進退(진퇴)
乞身(걸신) – 乞骸(걸해)
乞身(걸신) – 請老(청로)
儉約(검약) – 節約(절약)
激勵(격려) – 鼓舞(고무)
決心(결심) – 決意(결의)
缺點(결점) – 短點(단점)
缺乏(결핍) – 不足(부족)
缺陷(결함) – 瑕疵(하자)
境界(경계) – 區劃(구획)
傾國(경국) – 傾城(경성)
傾國(경국) – 國色(국색)
經驗(경험) – 體驗(체험)
溪壑(계학) – 望蜀(망촉)
計劃(계획) – 意圖(의도)
故國(고국) – 祖國(조국)
高名(고명) – 有名(유명)
鼓舞(고무) – 鼓吹(고취)
告白(고백) – 披瀝(피력)
苦心(고심) – 苦衷(고충)
故鄕(고향) – 鄕里(향리)
古稀(고희) – 從心(종심)
古稀(고희) – 稀壽(희수)
骨肉(골육) – 血肉(혈육)
共鳴(공명) – 首肯(수긍)
功績(공적) – 業績(업적)
空前(공전) – 曠前(광전)
貢獻(공헌) – 寄與(기여)
過激(과격) – 急進(급진)
瓜期(과기) – 瓜時(과시)
瓜年(과년) – 破瓜(파과)
過失(과실) – 失敗(실패)
寡妻(과처) – 荊婦(형부)
寡妻(과처) – 荊妻(형처)
冠省(관생) – 除煩(제번)
匡正(광정) – 廓正(확정)
掛冠(괘관) – 掛冕(괘면)
敎徒(교도) – 信徒(신도)
攪亂(교란) – 擾亂(요란)
交涉(교섭) – 折衝(절충)
驅迫(구박) – 虐待(학대)
九泉(구천) – 黃泉(황천)
權術(권술) – 權數(권수)
龜鑑(귀감) – 模範(모범)
歸省(귀성) – 歸鄕(귀향)
根源(근원) – 源泉(원천)
飢饉(기근) – 飢餓(기아)
企圖(기도) – 企劃(기획)
器量(기량) – 才能(재능)
飢死(기사) – 餓死(아사)
氣質(기질) – 性格(성격)
基礎(기초) – 根底(근저)
車同軌(거동궤) – 書同文(서동문)
姑息策(고식책) – 彌縫策(미봉책)
槐安夢(괴안몽) – 南柯夢(남가몽)
金蘭契(금란계) – 魚水親(어수친)
落膽(낙담) – 失望(실망)
難澁(난삽) – 難解(난해)
朗讀(낭독) – 音讀(음독)
濫觴(남상) – 權輿(권여)
濫觴(남상) – 嚆矢(효시)
納得(납득) – 了解(요해)
內紛(내분) – 內爭(내쟁)

유의어(類義語), 유사어(類似語)

內紛(내분) – 內訌(내홍)
冷淡(냉담) – 薄情(박정)
冷靜(냉정) – 沈着(침착)
勞思(노사) – 焦勞(초로)
論劾(논핵) – 臺論(대론)
論劾(논핵) – 彈劾(탄핵)
雷同(뇌동) – 附同(부동)
累卵(누란) – 風燈(풍등)
累卵(누란) – 風燭(풍촉)
能辯(능변) – 達辯(달변)
能熟(능숙) – 老練(노련)
斷腸(단장) – 斷魂(단혼)
達成(달성) – 成就(성취)
淡交(담교) – 心友(심우)
逫至(답지) – 殺到(쇄도)
大家(대가) – 巨星(거성)
大衆(대중) – 群衆(군중)
道德(도덕) – 倫理(윤리)
桃源(도원) – 仙境(선경)
都尉(도위) – 駙馬(부마)
都尉(도위) – 粉侯(분후)
獨占(독점) – 專有(전유)
突變(돌변) – 豹變(표변)
凍梨(동리) – 卒壽(졸수)
同意(동의) – 贊成(찬성)
同窓(동창) – 同門(동문)
等閑(등한) – 疎忽(소홀)
桃源境(도원경) – 別天地(별천지)
妄想(망상) – 夢想(몽상)
罵倒(매도) – 詰責(힐책)
冥府(명부) – 地獄(지옥)
明哲(명석) – 聰明(총명)
謀反(모반) – 反逆(반역)

茅屋(모옥) – 草屋(초옥)
謀陷(모함) – 中傷(중상)
目擊(목격) – 目睹(목도)
沒頭(몰두) – 專心(전심)
無窮(무궁) – 無限(무한)
無事(무사) – 安全(안전)
無視(무시) – 默殺(묵살)
默讀(묵독) – 目讀(목독)
問責(문책) – 叱責(질책)
未開(미개) – 原始(원시)
彌滿(미만) – 充滿(충만)
未熟(미숙) – 幼稚(유치)
未然(미연) – 事前(사전)
尾行(미행) – 追跡(추적)
敏捷(민첩) – 迅速(신속)
未曾有(미증유) – 破天荒(파천황)
薄情(박정) – 冷情(냉정)
半白(반백) – 艾老(애로)
半白(반백) – 知命(지명)
反省(반성) – 改悛(개전)
發達(발달) – 進步(진보)
拔萃(발췌) – 選擇(선택)
放念(방념) – 安堵(안도)
放念(방념) – 安心(안심)
放浪(방랑) – 流浪(유랑)
訪問(방문) – 尋訪(심방)
背恩(배은) – 忘德(망덕)
白眉(백미) – 壓卷(압권)
變遷(변천) – 沿革(연혁)
別乾坤(별건곤) – 理想鄕(이상향)
保存(보존) – 保全(보전)
伏龍(복룡) – 鳳兒(봉아)
伏龍(복룡) – 臥龍(와룡)

奔走(분주) – 盡力(진력)
負約(부약) – 食言(식언)
負約(부약) – 違約(위약)
符合(부합) – 一致(일치)
分毫(분호) – 秋毫(추호)
分毫(분호) – 毫釐(호리)
不滅(불멸) – 不朽(불후)
不運(불운) – 悲運(비운)
不惑(불혹) – 强仕(강사)
鵬圖(붕도) – 雄圖(웅도)
非命(비명) – 橫死(횡사)
比翼(비익) – 琴瑟(금슬)
比翼(비익) – 連理(연리)
比翼鳥(비익조) – 連理枝(연리지)
氷人(빙인) – 月老(월로)
思慮(사려) – 分別(분별)
使命(사명) – 任務(임무)
四寶(사보) – 四友(사우)
寺院(사원) – 寺刹(사찰)
使嗾(사주) – 敎唆(교사)
散步(산보) – 散策(산책)
象徵(상징) – 表象(표상)
狀況(상황) – 情勢(정세)
書簡(서간) – 書翰(서한)
先哲(선철) – 先賢(선현)
說明(설명) – 解說(해설)
細密(세밀) – 綿密(면밀)
昭詳(소상) – 仔細(자세)
逍遙(소요) – 散策(산책)
素行(소행) – 品行(품행)
束縛(속박) – 拘束(구속)
俗世(속세) – 塵世(진세)
刷新(쇄신) – 革新(혁신)

유의어(類義語), 유사어(類似語)

衰盡(쇠진) – 衰退(쇠퇴)
隨機(수기) – 應變(응변)
手段(수단) – 方法(방법)
修理(수리) – 修繕(수선)
瘦瘠(수척) – 憔悴(초췌)
熟讀(숙독) – 精讀(정독)
宿命(숙명) – 天命(천명)
瞬時(순시) – 轉瞬(전순)
瞬時(순시) – 刹那(찰나)
順從(순종) – 服從(복종)
承諾(승낙) – 許諾(허락)
視界(시계) – 視野(시야)
示唆(시사) – 暗示(암시)
市井(시정) – 閭閻(여염)
始祖(시조) – 鼻祖(비조)
信音(신음) – 雁書(안서)
信音(신음) – 雁札(안찰)
室女(실녀) – 處女(처녀)
實施(실시) – 實行(실행)
尋常(심상) – 平凡(평범)
相思病(상사병) – 花風病(화풍병)
瞬息間(순식간) – 一刹那(일찰나)
握沐(악목) – 握髮(악발)
眼界(안계) – 視野(시야)
斡旋(알선) – 周旋(주선)
殃禍(앙화) – 災殃(재앙)
弱點(약점) – 虛點(허점)
抑壓(억압) – 壓迫(압박)
燃眉(연미) – 焦眉(초미)
年歲(연세) – 春秋(춘추)
廉價(염가) – 低價(저가)
永久(영구) – 永遠(영원)
永眠(영면) – 他界(타계)

營養(영양) – 滋養(자양)
領土(영토) – 版圖(판도)
外見(외견) – 外觀(외관)
外國(외국) – 異國(이국)
要請(요청) – 要求(요구)
夭逝(요서) – 夭折(요절)
運命(운명) – 運勢(운세)
運送(운송) – 運輸(운수)
運營(운영) – 運用(운용)
威信(위신) – 威嚴(위엄)
威壓(위압) – 壓迫(압박)
威脅(위협) – 脅迫(협박)
流離(유리) – 漂泊(표박)
唯美(유미) – 耽美(탐미)
維新(유신) – 鼎新(정신)
潤澤(윤택) – 豊富(풍부)
隱匿(은닉) – 隱蔽(은폐)
應對(응대) – 應接(응접)
依存(의존) – 依支(의지)
異論(이론) – 異議(이의)
利用(이용) – 活用(활용)
移轉(이전) – 轉居(전거)
認可(인가) – 許可(허가)
一律(일률) – 劃一(획일)
一致(일치) – 合致(합치)
一毫(일호) – 秋毫(추호)
一擧兩得(일거양득) – 一石二鳥(일석이조)
一文不知(일문부지) – 目不識丁(목불식정)
一衣帶水(일의대수) – 指呼之間(지호지간)
蔗境(자경) – 佳境(가경)
自負(자부) – 自信(자신)
自然(자연) – 天然(천연)
自稱(자칭) – 自讚(자찬)

正氣(정기) – 浩氣(호기)
精誠(정성) – 至誠(지성)
鼎新(정신) – 刷新(쇄신)
情趣(정취) – 風情(풍정)
制壓(제압) – 鎭壓(진압)
朝廷(조정) – 政府(정부)
早春(조춘) – 初春(초춘)
周甲(주갑) – 華甲(화갑)
周甲(주갑) – 還甲(환갑)
中心(중심) – 核心(핵심)
櫛雨(즐우) – 櫛風(즐풍)
知己(지기) – 知音(지음)
志望(지망) – 志願(지원)
支配(지배) – 統治(통치)
指彈(지탄) – 詰難(힐난)
進步(진보) – 向上(향상)
質問(질문) – 質疑(질의)
全無識(전무식) – 判無識(판무식)
贊助(찬조) – 協贊(협찬)
刹那(찰나) – 瞬間(순간)
參考(참고) – 參照(참조)
參與(참여) – 參加(참가)
蒼空(창공) – 碧空(벽공)
處女林(처녀림) – 原始林(원시림)
天賦(천부) – 天稟(천품)
天地(천지) – 乾坤(건곤)
淸濁(청탁) – 好惡(호오)
滯留(체류) – 滯在(체재)
招請(초청) – 招待(초대)
囑望(촉망) – 期待(기대)
寸土(촌토) – 尺土(척토)
錐囊(추낭) – 白眉(백미)
推測(추측) – 推量(추량)

유의어(類義語), 유사어(類似語)

快活(쾌활) – 活潑(활발)
怠慢(태만) – 懶怠(나태)
泰西(태서) – 西洋(서양)
推敲(퇴고) – 潤文(윤문)
頹落(퇴락) – 朽落(후락)
平等(평등) – 同等(동등)

平常(평상) – 平素(평소)
漂泊(표박) – 流離(유리)
畢竟(필경) – 結局(결국)
學費(학비) – 學資金(학자금)
海外(해외) – 異域(이역)
虛頭(허두) – 冒頭(모두)

協力(협력) – 合力(합력)
還甲(환갑) – 回甲(회갑)
效用(효용) – 效能(효능)
休憩(휴게) – 休息(휴식)
戲弄(희롱) – 弄洛(농락)
戲弄(희롱) – 嘲弄(조롱)

전의어(轉義語)

字義에서 바뀌어 넓은 뜻으로 흔히 쓰이는 말

脚光(각광) : 사회적 관심이나 흥미, 주목
角逐(각축) : 서로 이기려고 다투며 덤벼듦.
干城(간성) : 나라를 지키는 믿음직한 군대나 인물
葛藤(갈등) : 둘 이상의 욕구나 이해가 서로 대립한 상태를 비유
堪輿(감여) : 하늘과 땅
巨擘(거벽) : 뛰어난 사람
階梯(계제) : 어떤 일을 할 수 있게 된 형편이나 기회
傾國(경국) : 뛰어나게 아름다운 여인
警鐘(경종) : 경계(警戒)하기 위한 주의(注意)나 충고(忠告)
鷄肋(계륵) : 그다지 큰 소용은 없으나 버리기에는 아까운 것
掛冠(괘관) : 벼슬을 내놓고 물러남
股肱(고굉) : 임금이 가장 신임하는 신하
膏粱(고량) : 맛있는 음식, 부귀한 가문
鼓舞(고무) : 격려하여 힘과 용기를 북돋움
鼓吹(고취) : 용기나 기운을 북돋워 일으킴
高枕(고침) : 근심 없이 편안히 지냄
膏血(고혈) : 남을 괴롭혀 얻은 이익
古稀(고희) : 일흔 살
瓜期(과기) : 여자 나이 16세
瓜滿(과만) : 여자 나이 16세
關鍵(관건) : 어떤 사물이나 문제 해결의 가장 중요한 부분
關門(관문) : 어떤 일을 하기 위하여 통과해야 할 초입
光陰(광음) : 시간, 세월
槐夢(괴몽) : 한때의 헛된 부귀영화

教鞭(교편) : 교직생활
驅使(구사) : 말이나 수사법, 기교, 수단 따위를 능숙하게 마음대로 부려 씀.
鳩首(구수) : 여럿이 머리를 맞대는 일
驅馳(구치) : 매우 바쁘게 돌아다님
國色(국색) : 나라 안에서 으뜸가는 미인
國香(국향) : 나라 안에서 으뜸가는 미인
君臨(군림) : 어떤 분야에서 절대적인 세력을 가지고 남을 압도함을 비유적으로 이르는 말
屈指(굴지) : 여럿 가운데에서 손가락을 꼽아 셀만큼 뛰어남
權輿(권여) : 사물의 시초
蹶起(궐기) : 어떤 목적(目的)을 위하여 굳게 마음먹고 일어남
鬼斧(귀부) : 신기한 연장이나 훌륭한 세공
隙駒(극구) : 세월의 흐름이 빠름
閨中(규중) : 부녀가 거처하는 방
克己(극기) : 욕심을 눌러 이김
錦歸(금귀) : 출세하여 고향에 돌아감
琴瑟(금슬) : 부부간의 사랑
金子塔(금자탑) : 후세에 오래 남을 뛰어난 업적을 비유적으로 이르는 말
崎嶇(기구) : 세상살이가 순탄하지 않음
奇別(기별) : 소식을 전하는 것, 또는 그 종이
起伏(기복) : 형편이 나빠졌다 좋아졌다 함
旗手(기수) : 어떤 단체 활동에서 앞장서는 사람
杞憂(기우) : 앞일에 대한 쓸데없는 걱정
旗幟(기치) : 어떤 목적을 위해서 내세우는 태도나 주장
起爆劑(기폭제) : 어떤 사건을 일으키는 결정적 계기

難關(난관) : 일을 해 나가기 어려운 고비
亂舞(난무) : 함부로 나서서 마구 날뛰는 것을 비유
難産(난산) : 어떤 일이 매우 어렵게 이루어짐을 비유
難航(난항) : 일이 순조롭지 못하게 진행됨을 비유
捏造(날조) : 근거없는 사실을 꾸며댐
南面(남면) : 임금이 되어 나라를 다스림
濫觴(남상) : 사물의 처음이나 기원
內幕(내막) : 겉으로 드러나지 아니한 일의 속사정
綠林(녹림) : 도둑의 소굴
壟斷(농단) : 이익이나 권리를 독차지함
籠絡(농락) : 상대를 제 마음대로 놀림
籠城(농성) : 데모대가 시위의 수단으로 한 자리를 떠나지 않고 지킴
牢籠(뇌롱) : 가두거나 속박함, 상대를 제 마음대로 놀림
累卵(누란) : 대단히 위태로움
茶飯事(다반사) : 예삿일, 흔한 일
斷末魔(단말마) : 숨이 끊어질 때의 모진 고통, 임종(臨終)
螳斧(당부) : 미약한 힘
圖南(도남) : 웅대한 일을 계획하고 있음
桃源(도원) : 살기 좋은 이상향, 별천지
塗炭(도탄) : 몹시 어렵고 고통스러움
都鄙(도비) : 서울과 시골
獨步(독보) : 남이 견줄 수 없게 됨을 비유
東郭履(동곽리) : 동곽의 신발, 매우 가난함
棟梁(동량) : 한 집안이나 한 나라를 맡을만한 인재

전의어(轉義語)

字義에서 바뀌어 넓은 뜻으로 흔히 쓰이는 말

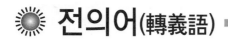

凍梨(동리) : 아흔살
冬扇(동선) : 철에 맞지 아니함
銅臭(동취) : 돈으로 벼슬을 사거나 수전노짓을 함
頭角(두각) : 뛰어난 학식이나 재능
杜撰(두찬) : 틀린곳이 많은 작품
登龍門(등용문) : 출세를 위한 관문
馬脚(마각) : 숨기고 있던 일이나 전체가 부지중에 드러남
幕間(막간) : 어떤 일을 잠깐 중단하거나 쉬는 동안을 비유
幕後(막후) : 드러나지 않는 이면을 비유
望九(망구) : 구십 살을 바라봄. 81세
網羅(망라) : 널리 빠짐없이 모음
望百(망백) 백 살을 바라봄. 91세
望八(망팔) : 팔십 살을 바라봄. 71세
埋玉(매옥) : 인재나 미인이 죽어서 땅에 묻힘을 아끼어 이르는 말
埋葬(매장) : 어떤 사람을 사회적으로 활동하지 못하게 하거나 용납하지 못하게 함을 비유
萌芽(맹아) : 새로운 일의 시초 또는 그러한 조짐
明鑑(명감) : 맑은 거울, 높은 식견
矛盾(모순) : 두 가지 이치가 서로 어긋나 맞지 않음
蒙塵(몽진) : 임금의 피난
撫摩(무마) : 분쟁이나 사건 등을 어물어물 덮어 버림
霧散(무산) : 일이 헛되이 없어짐을 비유
未亡人(미망인) : 남편이 죽고 홀로 남은 여자
彌縫策(미봉책) : 임시방편의 계책
米壽(미수) : 88세를 의미
薄氷(박빙) : 근소한 차이를 비유하는 말
拍車(박차) : 어떤 일을 촉진하려고 더하는 힘을 비유
反芻(반추) : 어떤 일을 되풀이하여 음미하거나 생각하거나 함
攀桂(반계) : 과거에 급제함
半壽(반수) : 81세
跋扈(발호) : 권세를 멋대로 부리며 함부로 날뜀
白眉(백미) : 여럿 가운데에서 가장 뛰어난 사람이나 훌륭한 물건, 작품
魄散(백산) : 몹시 놀람
白壽(백수) : 아흔아홉 살

白眼視(백안시) : 남을 업신여기거나 무시함
白刃(백인) : 칼집에서 빼 칼
伏龍(복룡) : 숨어 세상에 나오지 않은 뛰어난 선비
覆轍(복철) : 앞서가던 사람이 실패한 자취
蜂起(봉기) : 벌떼처럼 떼 지어 세차게 일어나는 것을 비유
鳳兒(봉아) : 장차 큰 인물이 될 만한 소년
駙馬(부마) : 임금의 사위
分水嶺(분수령) : 어떤 사물이나 사태가 발전하는 전환점을 비유
不毛地(불모지) : 어떠한 사물이나 현상이 발달하지 못한 곳의 비유
不夜城(불야성) : 밝고 화려함을 비유
不肖(불초) : 어버이의 덕망에 미치지 못하는 어리석은 사람
不惑(불혹) : 마흔 살
不朽(불후) : 영원토록 변하거나 없어지지 아니함을 비유
鵬圖(붕도) : 한없이 큰 포부
沸騰(비등) : 떠들썩해짐을 비유
臂膊(비박) : 가장 믿어 의지하는 사람
比翼(비익) : 부부 금슬이 좋음
師保(사보) : 천자 또는 태자를 가르쳐 인도함
獅子吼(사자후) : 열변을 토하는 연설
蛇足(사족) : 쓸데없는 짓
傘壽(산수) : 80세, 祝福
産婆(산파) : 어떤 일의 실현을 위하여 잘 주선해서 이루어지도록 하는 존재를 비유
三徙(삼사) : 자식의 교육에 정성을 다함
嘗膽(상담) : 원수를 갚거나 마음먹은 일을 이루기 위하여 온갖 어려움과 괴로움을 참고 견딤
象牙塔(상아탑) : 속세를 떠나 오로지 학문이나 예술에만 잠기는 경지
曙光(서광) : 좋은일이 일어나려는 조짐
鼠竊(서절) : 좀도둑
庶膝(서슬) : 일반백성
席捲(석권) : 굉장한 기세로 영토를 남김없이 빼앗거나 세력 범위를 넓힘을 비유
旋風(선풍) : 돌발적으로 세상을 뒤흔드는 기세
星霜(성상) : 일년동안의 세월
贖罪羊(속죄양) : 남의 죄를 대신 지는 사람의 비유
笑中刀(소중도) : 겉으로는 웃으나 속에는 해칠 마음을 품음

率土(솔토) : 온 천하의 백성
首鼠(수서) : 머뭇거리며 진퇴나 거취를 정하지 못함
袖手(수수) : 아무 일도 하지 않음
守株(수주) : 융통성이 없는 어리석은 사람
菽麥(숙맥) : 세상 물정을 모르는 사람, 사리분별을 못하는 사람
菽水(숙수) : 콩과 물, 나쁜 음식
試金石(시금석) : 가치, 능력, 역량 따위를 알아볼 수 있는 기준이 되는 기회나 사물을 비유적으로 이르는 말
市虎(시호) : 여러 사람이 한 입으로 하는 거짓말은 쇠도 녹임
食言(식언) : 약속을 지키지 않음
宸襟(신금) : 임금의 마음
蜃氣樓(신기루) : 홀연히 나타나 짧은 시간 동안 유지되다가 사라지는 아름답고 환상적인 일이나 현상 따위
薪米(신미) : 생활의 재료
失脚(실각) : 권력 투쟁의 결과로 실권(實權)이나 세력을 잃음을 비유
雙璧(쌍벽) : 양쪽 모두 우열을 가릴수 없도록 뛰어남
握髮(악발) : 政事에 바쁨
雁帛(안백) : 편지
晏駕(안가) : 임금이 죽음(崩御)
雁書(안서) : 먼 곳에서 온 소식이나 편지
阿房宮(아방궁) : 화려한 집을 비유
眼中釘(안중정) : 눈에 거슬리는 사람
牙城(아성) : 아주 중요한 근거지
壓卷(압권) : 제일 잘된 책이나 작품
艾年(애년) : 쉰 살
野合(야합) : 좋지 못한 목적으로 서로 어울림
粱肉(양육) : 좋은 음식
如反掌(여반장) : 손바닥을 뒤집음. 일이 매우 쉬움
捐館(연관) : 귀인의 죽음
逆鱗(역린) : 임금의 분노
連理枝(연리지) : 두 나무의 가지가 서로 맞닿아 결이 서로 통함. 부부의 사이가 좋음
燃眉(연미) : 눈썹에 불이 붙음. 매우 급함
煙霞(연하) : 안개와 노을. 고요한 산수의 경치
領袖(영수) : 남의 위에 서서 모범이 될 만한 사람. 한 단체의 우두머리
盈仄(영측) : 해와 달도 차면 기움, 흥성함에는 쇠퇴함이 뒤따름

전의어(轉義語)

字義에서 바뀌어 넓은 뜻으로 흔히 쓰이는 말

五車書(오거서) : 아주 많은 책. 장서(藏書)
五常(오상) : 仁, 義, 禮, 智, 信
屋漏(옥루) : 집이 샘. 사람이 보이지 않는 곳
蝸角(와각) : 세상이 좁음
蝸角觝(와각저) : 하찮은 일로 벌이는 싸움, 작은 나라끼리의 싸움
臥龍(와룡) : 숨어 세상에 나오지 않은 뛰어난 선비
渦中(와중) : 시끄럽고 떠드는 사건의 가운데
完璧(완벽) : 결함이 없어 완전함
鴛鴦(원앙) : 사이좋은 부부
鴛鴦契(원앙계) : 금슬이 좋음
搖籃(요람) : 발생지, 자라나는 곳
容膝(용슬) : 방이나 장소가 비좁음
容喙(용훼) : 말 참견을 함
牛骨塔(우골탑) : 가난한 농촌의 소를 팔아 마련한 농촌 학생들의 등록금으로 세워진 대학이란 뜻으로 대학을 빈정거려 비유하는 말
六宮(육궁) : 후비가 거처하는 궁전
衣鉢(의발) : 도를 전하는 징표
而立(이립) : 30세
耳順(이순) : 60세
一髮(일발) : 극히 작음, 아주 짧음
一字師(일자사) : 핵심을 짚어주는 스승
一蹴(일축) : 단번에 거절하거나 물리침
蔗境(자경) : 이야기 따위가 점점 재미있어짐
刺股(자고) : 졸음을 극복하고 열심히 공부함
長蛇陣(장사진) : 많은 사람이 줄을 지어 길게 늘어선 모양을 이르는 말
長安(장안) : 수도라는 뜻으로 '서울'을 일컫는 말
長川(장천) : 밤낮으로 쉬지 아니하고 연달아
猪突(저돌) : 앞뒤를 생각함이 없이 돌진(突進)하는 것
前轍(전철) : 앞 사람의 그릇된 일이나 행동의 자취
折角(절각) : 상대방의 기세를 누르거나 콧대를 납작하게 만듦
切磨(절마) : 덕행과 학문을 닦음
絕塞(절새) : 멀리 떨어진 국경의 요새
折檻(절함) : 강경하게 간(諫)함, 엄하게 꾸짖음
點額(점액) : 시험에 낙제함
點睛(점정) : 가장 중요한 부분을 완성함

鼎談(정담) : 세사람이 이야기함
精髓(정수) : 사물의 가장 중심이 되는 알짜
糟糠(조강) : 가난을 함께 한 아내
彫琢(조탁) : 시문 따위를 매끄럽게 다듬음
卒壽(졸수) : 90세
踵武(종무) : 先人의 사업을 이음
從心(종심) : 일흔 살
走馬燈(주마등) : 무엇이 언뜻언뜻 빨리 지나감을 비유
櫛雨(즐우) : 오랜 세월을 객지에서 방랑하며 온갖 고생을 다 함
知音(지음) : 마음이 서로 통하는 친한 벗
咫尺(지척) : 아주 가까운 거리
知天命(지천명) : 50세
指呼間(지호간) : 아주 가까운 거리
桎梏(질곡) : 자유가 없는 고통스런 상태
蹉跌(차질) : 하던 일이나 계획이 틀어짐
滄桑(창상) : 세상일의 변천이 심함
千里眼(천리안) : 뛰어난 통찰력
鐵面皮(철면피) : 염치가 없고 뻔뻔스러운 사람
青眼視(청안시) : 좋게보고 잘 대함
楚歌(초가) : 사방 어디에도 도울 사람이 없는 외롭고 곤란한 지경
焦眉(초미) : 매우 급함
錐囊(추낭) : 재능이 뛰어난 사람
秋扇(추선) : 철이 지나서 쓸모없이 된 물건
秋毫(추호) : 가을 털, 매우 적음, 조금인 것
逐鹿(축록) : 서로 경쟁하여 어떤 지위를 얻고자 하는 일. 서로 이기려고 다투며 덤벼듦
春秋(춘추) : 나이, 연세, 해(세월), 역사
出帆(출범) : 일이 시작됨을 비유
泰斗(태두) : 그 방면에 썩 권위 있는 사람
推敲(퇴고) : 시문을 지을때 고치고 다듬는 것
破鏡(파경) : 부부가 헤어짐
破瓜(파과) : 여자 나이 16세, 남자 나이 64세를 나타냄
波動(파동) : 사회적으로 어떤 현상이 퍼져 커다란 영향을 미침
破僻(파벽) : 궁벽한 상태를 깨트려 부숨
波長(파장) : 충격적인 일이 끼치는 영향 또는 그 영향이 미치는 정도나 동안을 비유적으로 이르는 말

破天荒(파천황) : 이전에 아무도 하지 못한 일을 처음으로 해냄
跛行(파행) : 일이 불균형하게 진행됨을 비유
幣帛(폐백) : 비단. 예물, 선물
肺腑(폐부) : 마음속 깊은 곳
鞭撻(편달) : 타이르고 격려함
片鱗(편린) : 극히 작은 부분
風靡(풍미) : 어떤 사조나 사회적 현상 등이 사회를 휩쓸거나 휩쓸게 하는 것
蒲柳質(포류질) : 연약한 나무. 몸이 약하여 병에 걸리기 쉬운 체질
風燈(풍등) : 매우 위태함
風燭(풍촉) : 매우 위태함
海內(해내) : 四海안이란 뜻으로 국내 또는 천하를 이름
解語花(해어화) : 아름다운 여인
披肝膽(피간담) : 서로 속마음을 털어놓고 친하게 사귐
荊棘(형극) : 고난 또는 뒤얽힌 상태
懸梁(현량) : 졸음을 극복하고 열심히 공부함
瑕疵(하자) : 옥의 티와 몸의 사마귀. 흠
杏林(행림) : 병 고치는 의원
彗星(혜성) : 어떤 분야에서 갑자기 뛰어나게 드러남
糊口(호구) : 겨우 끼니를 이어 감
糊口策(호구책) : 겨우겨우 먹고 살아갈 계책
毫釐(호리) : 조금, 아주 적은 분량
狐鼠(호서) : 약삭빠른 사람, 교활한 사람
糊塗(호도) : 일시적으로 우물우물하여 덮어버리는 것을 비유
紅疫(홍역) : 몹시 애먹거나 어려운 일
紅一點(홍일점) : 많은 남자 사이에 끼어 있는 한 사람의 여자
畵餠(화병) : 아무 소용없는 것
花風病(화풍병) : 相思病
還甲(환갑) : 만 60세
換骨(환골) : 더 좋게 바뀜
黃口(황구) : 철없는 사람
膾炙(회자) : 칭찬을 받으며 사람의 입에서 자주 오르내림
徽音(휘음) : 맑고 아름다운 소리, 좋은 평판
嚆矢(효시) : 어떤 사물이나 현상이 시작되어 나온 맨 처음
喜壽(희수) : 77세

사자성어(四字成語), 고사성어(故事成語) - 2級 범위 ※ 2급 범위내에서도 빈번히 출제됨

加減乘除 (가감승제) : 덧셈, 뺄셈, 곱셈, 나눗셈을 아울러 이르는 말

街談巷說 (가담항설) : 길거리나 세상사람들 사이에 떠도는 이야기. 세상에 떠도는 뜬소문

家書萬金 (가서만금) : 자기 집에서 온 편지의 반갑고 소중함을 이르는 말

佳人薄命 (가인박명) : 여자의 용모가 너무 아름다우면 명이 짧고 운명이 기박하다는 뜻

刻骨難忘 (각골난망) : 은혜에 대한 고마운 마음이 뼈에 사무쳐 잊혀지지 않음

刻舟求劍 (각주구검) : 시대의 변천을 모르고 융통성이 없이 어리석음

刻骨銘心 (각골명심) : 뼈 속에 새기고 마음 속에 새긴다는 것으로 마음 속에 깊이 새겨둠

肝膽相照 (간담상조) : 상호간에 진심을 터놓고 격의없이 사귐 서로의 마음을 터놓고 숨김없이 친하게 사귐

肝膽楚越 (간담초월) : 마음이 맞지 않으면 서로 관계가 있더라도 초나라와 월나라처럼 서로 등지게 됨

肝膽胡越(간담호월) : (유)肝膽楚越, 서로 가까운 거리에 있지만 관계가 매우 멂

間於齊楚 (간어제초) : 약자가 강자들 틈에 끼어서 괴로움을 겪음

感慨無量 (감개무량) : 마음속에서 느끼는 감동이나 느낌이 끝이 없음 또는 그 감동이나 느낌

甘井先渴 (감정선갈) : '물맛이 좋은 우물은 빨리 마른다'는 뜻으로, 재주가 뛰어난 사람이 일찍 쇠함을 이르는 말

綱紀肅正 (강기숙정) : 규율을 바르게 다지는 것

開卷有益 (개권유익) : '책을 읽으면 유익하다'는 뜻으로 독서를 권장하는 말

改過遷善 (개과천선) : 잘못을 고치고 착하게 살아갈 때 하는 말

蓋世之才 (개세지재) : 세상을 뒤덮을 만한 재주 또는 그런 재주를 가진 인재

擧棋不定 (거기부정) : 바둑돌을 들고 놓을 곳을 정하지 못함. 확고한 주관이 없거나 계획이 수시로 바뀜

擧案齊眉 (거안제미) : '밥상을 눈 높이까지 올려 남편에게 바친다'는 뜻으로 아내가 남편을 공경함을 이르는 말

去者日疏 (거자일소) : 서로 멀리 떨어져 있으면 점점 사이가 멀어짐을 이르는 말 또는 죽은자는 잊혀지기 마련임

車載斗量 (거재두량) : 물건이나 인재 등이 많아서 그다지 귀하지 않음을 이르는 말

擧措失當 (거조실당) : 모든 조치가 정당하지 않음.

乞兒得錦 (걸아득금) : 빌어먹는 아이가 비단을 얻은 것. 분수밖에 생긴 일을 지나치게 자랑하는 것.

牽强附會 (견강부회) : 자신의 형편에 이롭도록 무리하게 억지를 부리는 것]

見機而作 (견기이작) : 낌새를 알아채고 미리 조치함

犬馬之勞 (견마지로) : 자기의 노력을 낮추어 일컫는 말. 개나 말의 수고로움

見聞一致 (견문일치) : 보고 들은 바가 꼭 같음

堅忍不拔 (견인불발) : 굳게 참고 견디어 마음이 흔들리지 않음

犬兎之爭 (견토지쟁) : 두 사람의 싸움으로 제삼자가 이익을 봄을 이르는 말

耕當問奴 (경당문노) : 밭갈기는 마땅히 사내종에게 물어야함. 일은 그 방면의 전문가에게 물음이 좋음.

瓊枝玉葉 (경지옥엽) : (유)金枝玉葉, 임금의 자손이나 귀한 자손

經天緯地 (경천위지) : 하늘을 날줄로 삼고 땅을 씨줄로 삼아 천하를 다스린다

鷄口牛後 (계구우후) : 큰 단체의 말단보다는 작은 단체의 우두머리가 되는 것이 낫다는 말

桂玉之秋 (계옥지추) : 땔나무와 쌀 구하기가 힘듬. 남의 나라에 사는 괴로움.

季札掛劍 (계찰괘검) : 신의(信義)를 중히 여김.

孤立無援 (고립무원) : 고립되어 구원을 받을 데가 없음

孤城落日 (고성낙일) : 외딴 성과 서산에 지는 해. 즉 세력이 다하고 남의 도움이 없는 매우 외로운 처지를 이르는 말

高枕安眠 (고침안면) : '베개를 높이하여 편안히 잔다' 는 뜻으로, 근심없이 편안히 지냄을 이르는 말

鼓腹擊壤 (고복격양) : 의식(衣食)이 풍부하여 안락하며 태평세월을 즐기는 일

姑息之計 (고식지계) : 당장의 편안함만을 꾀하는 일시적인 방편

孤身隻影 (고신척영) : 몸 붙일 곳 없이 외로이 떠도는 홀몸

苦肉之策 (고육지책) : 적을 속이는 수단으로서 제 몸 괴롭히는 것을 돌보지 않고 쓰는 계책

孤掌難鳴 (고장난명) : 외손뼉은 울리지 않는다는 데서, 혼자만의 힘으로는 어떤 일을 하기가 어렵다는 것을 비유함

曲學阿世 (곡학아세) : 학문을 왜곡하여 세속에 아부함. 자신의 소신이나 철학을 굽혀 권세나 시세에 아첨함

空中樓閣 (공중누각) : 공중에 있는 누각처럼 근거가 없는 가공의 사물

誇大妄想 (과대망상) : 턱없이 과장하여 엉뚱하게 생각함

過猶不及 (과유불급) : 정도를 지나침은 미치지 못함과 같음

사자성어(四字成語), 고사성어(故事成語)

瓜田李下 (과전이하) : 의심받기 쉬운 행동은 피하는 것이 좋음.

管鮑之交 (관포지교) : 매우 친밀하게 서로를 잘 이해해 주는 친구 사이

冠婚喪祭 (관혼상제) : 관례·혼례·상례·제례의 사례(四禮)를 통틀어 이르는 말

矯角殺牛 (교각살우) : 잘못된 점을 고치려다가 그 방법이나 정도가 지나쳐 오히려 일을 그르침을 이르는 말

膠柱鼓瑟 (교주고슬) : 융통성이 없고 고집스런 경우. 즉, 규칙에 얽매이어 변통할 줄 모르는 사람을 일컫는다.

膠漆之交 (교칠지교) : (유)管鮑之交, 아교(膠)와 옻칠(漆)처럼 벗끼리 끈끈하게 사귀는 우정

膠漆之心 (교칠지심) : (유)管鮑之交, 아교(膠)와 옻칠(漆)처럼 끈끈한 사귐

口蜜腹劍 (구밀복검) : 말로는 친한 체하지만 속으로는 은근히 해칠 생각을 품고 있음을 비유하여 이르는 말

狗猛酒酸 (구맹주산) : '개가 사나우면 술이 시어짐. 한 나라에 간신배가 있으면 어진 신하가 모이지 않음

鳩首會議 (구수회의) : 여럿이 한자리에 모여앉아 머리를 맞대고 의논함.

勸善懲惡 (권선징악) : 착한 일은 권장하고 악한 일을 징계함

群鷄一鶴 (군계일학) : 평범한 사람 가운데 뛰어난 한 사람을 비유함

群雄割據 (군웅할거) : 많은 영웅들이 각지에 자리잡고 서로 세력을 다툼

君子三樂 (군자삼락) : 군자의 세가지 즐거움. 곧,
첫째로, 부모가 모두 살아계시고 형제가 무고한 것.
둘째로, 하늘을 우러러 부끄럼이 없고,
셋째로, 천하의 영재를 얻어 교육하는 것을 말한다.

窮餘之策 (궁여지책) : 궁한 끝에 나는 한 꾀

權謀術數 (권모술수) : 목적을 위해서는 가리지 않고 쓰는 온갖 술책

窮鳥入懷 (궁조입회) : 궁할때는 적에게도 의지함.

閨中七友 (규중칠우) : 부녀자가 바느질을 하는데 필요한 7가지 물건인 바늘, 실, 골무, 가위, 자, 인두, 다리미.

金石盟約 (금석맹약) : 쇠나 돌처럼 굳은 약속

今昔之感 (금석지감) : 요즘 현실과 옛날을 비교할 때 차이가 너무 심한 것을 보고 받는 느낌

金城湯池 (금성탕지) : '쇠로 만든 성과 뜨거운 물로 가득찬 못' 이라는 뜻으로, 방어 시설이 견고한 성을 이르는 말

金蘭之契 (금란지계) : 친구 사이의 매우 두터운 정을 이르는 말

金枝玉葉 (금지옥엽) : 임금의 집안과 자손. 귀여운 자손

琴瑟相和 (금슬상화) : (유)琴瑟之樂(금슬지락). 금슬(琴瑟), 즉 거문고와 비파 소리가 조화를 이룸. 부부 사이가 다정하고 화목함.

琴瑟之樂 (금슬지락) : 거문고와 비파를 부부에 비유. 부부간의 사랑. 조화를 잘 이루는 부부사이의 즐거움.

驥服鹽車 (기복염거) : 천리마가 소금 수레를 끎. 유능한 사람이 알아주는 이를 만나지 못해, 천한 일에 종사함.

己飢己溺 (기기기닉) : 자기가 굶주리고 물에 빠지듯이, 다른 사람의 고통을 자기의 고통으로 생각하고 도와줌.

起承轉結 (기승전결) : 문학 작품의 서술 체계를 구성하는 형식

奇巖怪石 (기암괴석) : 기이하게 생긴 바위와 괴상하게 생긴 돌

奇巖絕壁 (기암절벽) : 기이하게 생긴 바위와 깎아지른 듯한 낭떠러지

氣盡脈盡 (기진맥진) : 기력이 다하고 맥이 풀림. 기진역진(氣盡力盡)

騎虎之勢 (기호지세) : '호랑이를 타고 달리는 형세'라는 말로 이미 시작한 일을 중도에 그만 둘 수 없는 경우를 이르는 말

奇貨可居 (기화가거) : 좋은 기회를 놓치지 말아야 함을 이르는 말

落膽喪魂 (낙담상혼) : 실의에 빠지고 마음이 상해서 넋을 잃음.

洛陽紙貴 (낙양지귀) : 낙양땅의 종이 값이 귀함. 책의 평판이 좋아 매우 잘 팔림.

爛商討論 (난상토론) : (유)爛商討議, 충분히 생각하고 의견을 나누어 토의함.

亂臣賊子 (난신적자) : 나라를 어지럽게 하는 신하와 부모에게 거역하는 자식

暖衣飽食 (난의포식) : 따뜻하게 입고 배불리 먹음

南柯一夢 (남가일몽) : 꿈과 같이 헛된 한 때의 부귀영화

男負女戴 (남부여대) : 가난한 사람들이 살 곳을 찾아 이리저리 떠돌아다님을 이르는 말

南風不競 (남풍불경) : '남쪽지방의 노래에 활기가 없다'는 뜻으로, 남쪽지방 세력이 부진함을 이르는 말

內柔外剛 (내유외강) : 사실은 마음이 약한데도 외부에는 강하게 나타냄

老萊之戲 (노래지희) : 자식이 나이가 들어도 부모의 자식에 대한 마음은 똑같으므로 변함없이 효도해야 함.

사자성어(四字成語), 고사성어(故事成語)

路柳墻花 (노류장화) : '길가의 버들과 울타리에 핀 꽃'이라는 뜻으로, '창녀'를 빗대어 이르는 말

老馬之智 (노마지지) : '늙은 말의 지혜'라는 뜻으로, 연륜이 깊으면 나름의 장점과 특기가 있음을 말함

勞心焦思 (노심초사) : 몹시 마음을 쓰며 애를 태움

勞而無功 (노이무공) : 애는 썼으나 보람이 없음을 이르는 말

綠林豪傑 (녹림호걸) : 도둑이나 불한당을 부르는 별칭

綠陰芳草 (녹음방초) : 푸른 나무 그늘과 꽃다운 풀. 곧 여름의 자연경치

綠衣紅裳 (녹의홍상) : '연두저고리에 다홍치마'라는 뜻으로 젊은 여자의 고운 옷차림을 이르는 말

弄瓦之慶 (농와지경) : 딸을 낳은 즐거움을 뜻함

弄璋之慶 (농장지경) : 아들을 낳은 즐거움.

籠鳥戀雲 (농조연운) : 새장에 갇힌 새가 구름을 그리워하듯이 속박당한 몸이 자유를 그리워함.

累卵之勢 (누란지세) : 알을 쌓아 놓은 듯한 형세. 곧, 매우 위태로운 형세

多岐亡羊 (다기망양) : 학문의 길이 다방면이어서 진리를 깨치기 어려움을 뜻함

多錢善賈 (다전선고) : 밑천이 넉넉하면 장사를 잘할 수 있음.

多才多能 (다재다능) : 여러 방면에 재능이 많음

斷機之戒 (단기지계) : 짜던 베도 도중에 자르면 쓸모없이 되듯이, 학문도 중도에 그만둠이 없이 꾸준히 계속해야 한다는 가르침

斷金之交 (단금지교) : 친구 사이의 사귀는 정이 두텁고 깊은 것

丹脣皓齒 (단순호치) : 붉은 입술과 하얀 치아. 아름다운 여자

膽大心小 (담대심소) : 담력은 크게 가지되 주의는 세심해야 함.

黨同伐異 (당동벌이) : 일의 옳고 그름은 따지지 않고 뜻이 같은 무리끼리는 서로 돕고 그렇지 않은 무리는 배척함을 이르는 말

大驚失色 (대경실색) : 몹시 놀라 얼굴빛이 하얗게 변함을 말함

大膽無雙 (대담무쌍) : 대담한 것으로 따져봤을 때 그와 상대할 말한 사람이 없는 의미

大書特筆 (대서특필) : 신문 등의 출판물에서 어떤 기사에 큰 비중을 두어 다룸을 이르는 말

對牛彈琴 (대우탄금) : 어리석은 사람에게는 깊이 이치를 말해도 알아듣지 못하므로 소용이 없음을 이르는 말

大義滅親 (대의멸친) : 큰 도리를 지키기 위하여 부모나 형제도 돌아보지 않음

德必有隣 (덕필유린) : 덕이 있으면 반드시 이웃이 따른다는 의미

道傍苦李 (도방고리) : '길가의 쓰디 쓴 자두'라는 뜻으로, 아무도 따는 사람이 없이 버림받음을 일컫는 말

桃園結義 (도원결의) : 유비, 관우, 장비가 도원에서 의형제를 맺은 데에서 유래한 말로, 의형제를 맺음을 이르는 말

道聽塗說 (도청도설) : 말을 들으면 깊이 생각하지 않고 다른 사람에게 전해버리는 경솔한 언행이나 소문

塗炭之苦 (도탄지고) : 진흙구덩이나 숯불 속에 떨어진 것처럼 생활이 몹시 곤란함을 말함

獨不將軍 (독불장군) : 무슨 일이든 자기 생각대로 혼자서 처리하는 사람

讀書三到 (독서삼도) : 독서는 눈으로 보고, 입으로 읽고, 마음으로 깨우쳐야함

讀書尙友 (독서상우) : 책을 읽음으로써 옛 현인(賢人)들과 벗할 수 있다는 말

棟梁之材 (동량지재) : 한 나라나 한 집안의 큰 일을 맡을만한 사람

同門修學 (동문수학) : 한 스승 밑에서 함께 학문을 닦음

同病相憐 (동병상련) : 어려운 처지나 비슷한 경우에 있는 사람끼리 서로 불쌍히 여겨 동정하고 도움

凍足放尿 (동족방뇨) : '언 발에 오줌누기라'는 뜻으로, 곧 효력이 없어져 더 나쁘게 되는 일을 이르는 말

杜門不出 (두문불출) : 집 안에만 틀어박혀 세상 밖으로 나다니지 아니함

斗酒不辭 (두주불사) : '말술도 사양하지 않는다'는 뜻으로, 술을 매우 잘 마심을 이르는 말

麻中之蓬 (마중지봉) : 삼밭에 나는 쑥. 선한 사람과 사귀면 그 감화를 받아 자연히 선해짐.

萬古風霜 (만고풍상) : 오랫동안 겪은 수많은 쓰라린 경험

萬里滄波 (만리창파) : (유)萬頃蒼波. 한없이 넓고 넓은 바다

萬死無惜 (만사무석) : 만번 죽어도 아까울 것이 없을 정도로 죄가 매우 무거워 용서할 여지가 없음을 이르는 말

萬事瓦解 (만사와해) : 한 가지 잘못으로 모든 일이 다 틀려 버림

사자성어(四字成語), 고사성어(故事成語)

萬事亨通 (만사형통) : 모든 일이 뜻대로 잘 이루어짐

萬世無疆 (만세무강) : (유)萬壽無疆. 아주 오랫동안 끝없이 삶.

萬壽無疆 (만수무강) : 장수를 빌 때 쓰는 말로 수명이 끝이 없음

晩時之歎 (만시지탄) : 시기에 늦어 기회를 놓쳤음을 안타까워하는 탄식

亡國之音 (망국지음) : '나라를 망하게 할 음악'이란 뜻으로, 저속하고 잡스러운 음악을 이르는 말

忘年之交 (망년지교) : 노인이나 나이에 거리끼지 않고 사귀는 젊은 벗. 망년지우(忘年之友)

望雲之情 (망운지정) : 객지에 있는 자식이 고향에 계신 어버이를 생각하는 마음

亡子計齒 (망자계치) : '죽은 자식의 나이 세기'란 말로, 이미 지나간 일을 다시 생각해 봐야 소용없음을 나타낸 말

望蜀之歎 (망촉지탄) : 蜀나라 땅을 얻고 싶어 하는 탄식

賣劍買牛 (매검매우) : 전쟁을 끝내고 농사를 짓게 함.

買占賣惜 (매점매석) : 물건값이 오를 눈치를 보고 혼자 이익을 보려고 막 사두는 것과 사놓은 물건도 오를것에 대비해 팔기를 꺼리는 일

梅蘭菊竹 (매란국죽) : 품성이 군자와 같이 고결하다고 여겨 사군자(四君子)라 함

賣鹽逢雨 (매염봉우) : 소금팔다가 비를 만남. 일에 마(魔)가 끼어 잘안된다는 뜻

梅妻鶴子 (매처학자) : 유유자적한 풍류 생활을 이르는 말

麥秀之歎 (맥수지탄) : 고국의 멸망을 한탄함을 이르는 말

孟母斷機 (맹모단기) : 맹자의 어머니가 아들이 학업을 중단하고 돌아왔을 때, 짜던 베를 칼로 잘라 훈계한 고사 (유)斷機之戒

命在頃刻 (명재경각) : 목숨이 경각에 달렸다는 뜻으로 금방 숨이 끊어질 지경에 이름

明哲保身 (명철보신) : 어지러운 세상에서 총명하고 사리에 밝아서, 이치에 맞게 일을 처리하며 자신을 잘 보전함

矛盾之說 (모순지설) : 말의 앞뒤가 맞지 않음. '모순'이라고도 함

目食耳視 (목식이시) : 세상의 평판을 의식해서 겉치장에 골몰하는 것의 비유

目不忍見 (목불인견) : 차마 눈 뜨고 볼 수 없는 참상이나 꼴불견

武陵桃源 (무릉도원) : 신선이 살았다는 전설적인 중국의 명승지.

無不通知 (무불통지) : 무슨 일이든지 환히 통하여 모르는 것이 없음

無所不至 (무소부지) : 이르지 아니한 데가 없음

無爲徒食 (무위도식) : 하는 일이 없고 먹고 놀기만 하는 것을 뜻한다

無爲自然 (무위자연) : 인위(人爲)를 보탬이 없는 자연 그대로의 상태

無知莫知 (무지막지) : 매우 무지하고 우악스러움

門前沃畓 (문전옥답) : 집 가까이에 있는 기름진 논

文質彬彬 (문질빈빈) : 겉모양의 아름다움과 본바탕이 서로 잘 어울림.

物色比類 (물색비류) : 같은 것을 비교해서 목적에 맞는 것을 구비하는 것

勿失好機 (물실호기) : 좋은 기회를 놓치지 않음

物我一體 (물아일체) : 자연과 자아가 하나된 상태. 대상물에 완전히 몰입된 경지

尾生之信 (미생지신) : 우직하여 융통성이 없이 약속만을 굳게 지킴

迷津寶筏 (미진보벌) : 길을 헤매는 나루에서 길을 찾아가는 훌륭한 배란 뜻으로 삶에 가르침을 주는 책

博覽强記 (박람강기) : 여러 가지의 책을 널리 많이 읽고 기억을 잘함

薄利多賣 (박리다매) : 상품의 이익을 적게 보고 많이 팔아 이윤을 올리는일

博學審問 (박학심문) : 널리 배우고 자세하게 묻는다는 뜻으로, 배우는 사람이 반드시 명심해야 할 태도를 말함

伴食宰相 (반식재상) : 실력이나 능력이 모두 부족한 재상, 유능한 재상 옆에 붙어서 정사를 처리하는 宰相

半身不隨 (반신불수) : 병이나 사고로 반신이 마비되는 일 또는 그런 사람

反哺之孝 (반포지효) : 자식이 자란 후에 어버이의 은혜를 갚은 효성을 이르는 말

拔本塞源 (발본색원) : 좋지 않은 일의 근본 원인을 완전히 없애 다시는 그러한 일이 생길 수 없도록 함

發憤忘食 (발분망식) : 끼니까지도 잊을 정도로 어떤 일에 열중함

拔山蓋世 (발산개세) : 힘은 산을 뽑을 만큼 매우 세고 기개는 세상을 덮을 만큼 웅대함을 이르는 말

旁岐曲徑 (방기곡경) : 옆으로 난 샛길과 구불구불한 길

放聲大哭 (방성대곡) : 북받치는 슬픔 또는 분노를 참지 못해 목을 놓아 크게 욺.

傍若無人 (방약무인) : 아무 거리낌 없이 함부로 말하고 행동함.

사자성어(四字成語), 고사성어(故事成語)

方底圓蓋 (방저원개) : '네모진 바닥에 둥근 뚜껑'이란 뜻으로, 사물이 서로 맞지 않음을 이르는 말

背水之陣 (배수지진) : 물을 등지고 치는 진으로 목숨을 건 싸움을 말한다

伯樂一顧 (백락일고) : 현명한 사람일지라도 자기를 알아주는 자를 만나야 출세할 수 있음을 비유한 말

白龍魚服 (백룡어복) : '흰 용이 물고기의 옷을 입었다'는 뜻으로, 신분높은 사람이 남모르게 나다님

伯仲之間 (백중지간) : 큰 차이 없는 형세'라는 뜻으로, 우열의 차이가 없이 엇비슷함을 이르는 말

伯夷叔齊 (백이숙제) : 은나라의 충신으로 절개를 지켜 수양산에서 굶어죽은 형제

百八煩惱 (백팔번뇌) : 사람이 지닌 108가지의 번뇌

百花齊放 (백화제방) : 많은 꽃이 일제히 핌. 온갖 학문이나 예술, 사상이 개방되어 발표됨을 비유한 말

兵不厭詐 (병불염사) : 용병에 있어서는 속임수를 꺼리지 않음. 전쟁에서는 모든 방법으로 적군을 속여야 함.

輔車相依 (보거상의) : (유)脣亡齒寒. 수레에서 덧방나무와 바퀴가 서로 의지함. 긴밀한 관계를 맺으면서 서로 돕고 의지함.

報怨以德 (보원이덕) : 원한을 덕으로 갚음

普遍妥當 (보편타당) : 어떤 경우에도 두루 통용되고 적용되는 성질

伏地不動 (복지부동) : 마땅히 해야 할 일을 하지 않고 몸을 사림을 비유하여 이르는 말

封庫罷職 (봉고파직) : 어사나 감사가 부정을 저지른 원을 파면시키고 관고를 봉하여 잠그던 일

富國强兵 (부국강병) : 나라의 경제력을 넉넉하게 하고 군사력을 튼튼하게 하는 일

釜中之魚 (부중지어) : (유)魚遊釜中. 솥 속의 물고기. 죽을때가 가까움.

粉骨碎身 (분골쇄신) : 뼈가 가루가 되고 몸이 부서질 정도로 자기 몸을 희생할 각오로 전력을 다함을 비유한 말

不共戴天 (불공대천) : 한 하늘 아래에서 같이 살 수 없는 원수

不俱戴天 (불구대천) : 한 하늘 아래에서 같이 살 수 없는 원수

鵬程萬里 (붕정만리) : 붕새의 날아가는 하늘 길이 만리로 트임을 말하는데, 이는 곧 전도양양한 장래를 의미함.

非夢似夢 (비몽사몽) : 완전히 잠이 들지도 잠에서 깨어나지도 않은 어렴풋한 상태

悲憤慷慨 (비분강개) : 의롭지 못한 일 또는 잘못되어 가는 세태 등에 대해서 슬프고 분하여 의분이 북받침

貧者一燈 (빈자일등) : 물질의 많고 적음보다 정성이 중요함을 뜻함

不撤晝夜 (불철주야) : 밤낮을 가리지 않고 어떤 일을 계속함

不肖小子 (불초소자) : 어버이의 덕망을 닮지 못한 자식. 못난 사람을 일컫는다

四顧無親 (사고무친) : 사방을 돌아보아도 친한 사람이 없음. 곧, 의지할 만한 사람이 없이 외로운 처지를 말함

四顧無託 (사고무탁) : (유)四顧無親. 사방을 둘러보아도 의탁할 데가 없음.

捨己從人 (사기종인) : 자신의 잘못을 과감히 버리고 남의 좋은 점을 배운다는 뜻

四面楚歌 (사면초가) : 아무에게도 도움을 받지 못하는, 외롭고 곤란한 지경에 빠진 형편

斯文亂賊 (사문난적) : 유교 사상에 어긋나는 언행을 하는 사람

四分五裂 (사분오열) : 여러 갈래로 갈기갈기 찢어지거나 분열되어 질서가 없어짐

沙上樓閣 (사상누각) : 겉모양은 번듯하나 기초가 약하여 오래가지 못하는 일등을 비유하여 이르는 말

四柱單子 (사주단자) : 정혼한 후, 신랑집에서 신랑의 사주를 적어 신부집에 보내는 간지. 사주

四柱八字 (사주팔자) : 태어난 연·월·일·시가 사주이고, 그에 따른 간지(干支) 여덟 글자가 팔자이다

三可宰相 (삼가재상) : 세 사람 말이 모두 옳다고 한 황정승의 말에서 나온 말로, 마음이 아주 너그러운 사람을 뜻함

三人成虎 (삼인성호) : 근거 없는 말이라도 여러 사람이 말하면 곧이 듣게 됨을 이르는 말

三顧草廬 (삼고초려) : 인재를 맞아들이기 위하여 끈기 있게 노력함을 비유함

森羅萬象 (삼라만상) : 우주에 있는 온갖 사물과 현상

三水甲山 (삼수갑산) : 지세가 험하고 교통이 불편해 가기 어려운 곳이라는 뜻에서 '몹시 어려운 지경'을 비유

傷弓之鳥 (상궁지조) : 한번 화살에 맞은 새는 구부러진 나무만 보아도 놀란다는 뜻

사자성어(四字成語), 고사성어(故事成語)

桑田滄海 (상전창해) : (유)桑田碧海. 뽕나무 밭이 변하여 푸른 바다가 됨. 세상이 몰라보게 변했음을 뜻함.

桑中之喜 (상중지희) : 남녀간의 불의(不義)의 쾌락이나 풍속의 퇴폐를 풍자하여 이르는 말

霜風高節 (상풍고절) : 곤경에 처하여도 굽히지 않는 서릿바람 같은 높은 절개

喪魂落膽 (상혼낙담) : (유)落膽喪魂. 넋을 잃고 실의에 빠짐.

塞翁之馬 (새옹지마) : 인생의 길흉화복은 변화가 많아서 예측하기가 어렵다는 말

生口不網 (생구불망) : 산입에 거미줄 치지는 아니함. 아무리 곤궁하여도 그럭저럭 먹고 살 수 있음.

雪膚花容 (설부화용) : 눈처럼 흰 피부와 꽃처럼 아름다운 얼굴

雪中松柏 (설중송백) : (유)歲寒松柏. 눈 속의 소나무와 잣나무

纖纖玉手 (섬섬옥수) : 가냘프고 옥처럼 고운 여자의 손

城下之盟 (성하지맹) : '성 밑까지 처들어온 적군과 맺는 맹약'이라는 뜻으로, 적국과 맺는 굴욕적인 맹약을 이르는 말

歲寒三友 (세한삼우) : '추운 겨울철의 세 벗'이라는 뜻으로, 추위에 잘 견디는 소나무대나무매화나무를 이르는 말

歲寒松柏 (세한송백) : (유)雪中松柏. 추운 겨울의 소나무와 잣나무. 어떤 역경 속에서도 지조를 굽히지 않음. 또는 그런 지조

小貪大失 (소탐대실) : 작은 것을 탐하다가 큰 것을 잃음

巢毁卵破 (소훼난파) : 새집이 부서지면 알도 깨짐. 조직이나 집단이 무너지면 그 구성원들도 피해를 입게 됨.

松都三絕 (송도삼절) : 조선시대에 서화담·황진이·박연폭포를 개성의 뛰어난 세 존재로 이르던 말

松茂栢悅 (송무백열) : 소나무가 무성하면 잣나무가 기뻐함. 벗이 잘되는 것을 기뻐함.

松柏之質 (송백지질) : 건강한 체질. 소나무와 잣나무는 서리를 맞고 더욱더 무성해지는 데서 유래된 말

宋襄之仁 (송양지인) : 너무 착하기만 하여 쓸데없는 아량을 베풀어 실속이 없음.

首丘初心 (수구초심) : '여우가 죽을 때에 머리를 자기가 살던 굴 쪽으로 둔다'는 뜻으로, 고향을 그리워하는 마음을 이르는 말

壽考無疆 (수고무강) : 목숨이 다함이 없음.

手不釋卷 (수불석권) : '손에서 책을 놓지 않는다'는 뜻으로 부지런히 학문에 힘씀을 이르는 말

守株待兎 (수주대토) : 융통성 없이 구습에 젖어 시대의 변천을 모름을 이름

壽則多辱 (수즉다욕) : 오래 살면 그 만큼 욕된 일이 많음

隋侯之珠 (수후지주) : 천하의 귀중한 보배.

脣亡齒寒 (순망치한) : 서로 이해관계가 밀접해 어느 한쪽이 망하면 다른 한쪽도 온전하기 어려움

脣齒輔車 (순치보거) : 이해관계가 밀접해 서로 도와감

食少事奔 (식소사분) : 먹을 것은 적은데 할 일은 많음

申申付託 (신신부탁) : 거듭 되풀이하며 간절히 부탁함

新陳代謝 (신진대사) : 묵은 것이 없어지고 새 것이 대신 생기는 일

神出鬼沒 (신출귀몰) : '귀신같이 나타났다가 사라진다'는 뜻으로, 자유자재로 나타나고 사라짐

實事求是 (실사구시) : 실제에 입각해서 진리를 탐구함

心機一轉 (심기일전) : 어떤 동기가 있어 이제까지 가졌던 마음가짐을 버리고 완전히 달라짐

十年減壽 (십년감수) : 수명이 십년이나 줄 정도로 위험한 고비를 겪음

十指不動 (십지부동) : '열 손가락을 꼼짝하지 아니한다'는 뜻으로, 게을러서 아무 일도 하지 아니함을 이르는 말

十伐之木 (십벌지목) : 아무리 심지가 굳은 사람이라도 여러 번 말을 하면 결국 마음을 돌려 따르게 됨

阿修羅場 (아수라장) : 싸움이나 그 밖의 다른 일로 큰 혼란에 빠진 곳 또는 그런 상태를 말함

眼中之人 (안중지인) : 눈앞에 있는 정(情)든 사람이나, 평생 사귄 사람

殃及池魚 (앙급지어) : '성문에 난 불을 못의 물로 끄니 그 못의 물고기가 다 죽었다'는 뜻으로, 엉뚱하게 재난을 당함을 이르는 말

良禽擇木 (양금택목) : '새도 가지를 가려 앉는다' 는 뜻에서, 현명한 선비는 좋은 군주를 가려서 섬김을 비유

藥籠中物 (약롱중물) : 약롱 속의 약품. 꼭 필요한 사람.

사자성어(四字成語), 고사성어(故事成語)

兩是雙非 (양시쌍비) : 양편의 주장이 다 이유가 있어서 시비를 가리기 어려움

楊布之狗 (양포지구) : 겉이 달라졌다고 해서 속까지 달라진 것으로 알고 있는 사람을 가리키는 말

養虎遺患 (양호유환) : '범을 길러서 화근을 남긴다'는 뜻으로, 화근이 될 것을 길러서 나중에 화를 당함

魚魯不辨 (어로불변) : 어(魚)자와 로(魯)자를 분간하지 못한다'는 뜻으로 '아주 무식함'을 비유한 말

魚網鴻離 (어망홍리) : '물고기를 잡으려고 쳐 놓은 그물에 기러기가 걸림. 남의 일로 엉뚱하게 화를 입게 됨.

魚遊釜中 (어유부중) : 물고기가 솥 안에서 노님. 살아 있기는 하여도 생명이 얼마 남지 아니하였음.

抑强扶弱 (억강부약) : 강한 자를 누루고 약한 자를 도움

億兆蒼生 (억조창생) : 수많은 백성. 수많은 사람

嚴妻侍下 (엄처시하) : 무서운 아내를 아래에서 모시고 있다는 데서, 아내의 주장 밑에서 쥐어 사는 남편을 조롱하는 말

如履薄氷 (여리박빙) : 살얼음을 밟듯이 아슬아슬하고 위험한 일

炎凉世態 (염량세태) : 세력이 있을 때는 아첨하여 따르고 세력이 없어지면 푸대접하는 세상인심을 비유

榮枯盛衰 (영고성쇠) : 인생이나 사물의 번성함과 쇠락함이 서로 바뀜

榮枯一炊 (영고일취) : (유)南柯一夢. 인생이 꽃피고 시드는 것은 한번 밥짓는 순간같이 덧없고 부질없음.

五更燈火 (오경등화) : 밤새워 열심히 공부함

烏飛梨落 (오비이락) : 까마귀 날자 배가 우연히 떨어졌다는 뜻으로 아무 관계도 없이 한일이 공교롭게도 때가 같아 의심을 받음

傲霜孤節 (오상고절) : '서릿발 속에서도 굽히지 않고, 외로이 지키는 절개' 라는 뜻으로, '국화(菊花)를 비유함'

吳越同舟 (오월동주) : 서로 적의를 품은 사람들이 한 자리에 있게 된 경우나 서로 협력하여야 하는 상황

烏有先生 (오유선생) : 실제로 없는 인물. 가공의 인물

烏合之卒 (오합지졸) : 까마귀가 모인 것처럼 질서없이 어중이 떠중이가 모인 군중을 뜻함

瓦釜雷鳴 (와부뇌명) : 기왓가마가 우뢰와 같은 소리를 내면서 끓음. 별로 아는 것도 없는 사람이 과장해서 말함.

玉骨仙風 (옥골선풍) : 살빛이 희고 고결하여 신선과 같은 풍채

屋上架屋 (옥상가옥) : '지붕 위에 또 지붕을 만든다'는 뜻으로, 흔히 물건이나 일을 부질없이 거듭함

溫厚篤實 (온후독실) : 성격이 침착하여 정이 두터운 성실한 사람

要領不得 (요령부득) : 말이나 글 따위의 요령을 잡을 수가 없음

堯舜時節 (요순시절) : 요임금과 순임금이 덕으로 천하를 다스리던 태평한 시절

欲蓋彌彰 (욕개미창) : 진상을 감추려 하면 더욱 밝게 드러나게 됨.

欲速不達 (욕속부달) : 일을 빨리 하려고 서두르면 도리어 이루지 못함

欲言未吐 (욕언미토) : '하고 싶은 말은 있어도 아직 다하지 못하였다' 는 뜻으로, 감정의 깊이가 있음

欲巧反拙 (욕교반졸) : 너무 잘 하려고 기교를 지나치게 부리면 오히려 잘 되지 않음

欲燒筆硯 (욕소필연) : 붓과 벼루를 태워버리고 싶어함. 남이 지은 문장의 뛰어남을 보고 자신의 재주가 그에 미치지 못함을 탄식함.

龍味鳳湯 (용미봉탕) : 맛이 썩 좋은 음식

愚公移山 (우공이산) : 무슨 일이든 꾸준히 노력하면 성공함을 비유한 말

牛刀割鷄 (우도할계) : '소 잡는 칼로 닭을 잡는다'는 뜻으로, 작은 일에 어울리지 아니하게 큰 도구를 씀

羽化登仙 (우화등선) : '사람이 신선이 되어 하늘로 올라감'을 이르는 말

雨後竹筍 (우후죽순) : 비 온 뒤에 여기저기 죽순처럼, 어떤 일이 일시에 많이 생겨남을 비유한 말

雲泥之差 (운니지차) : '구름과 진흙의 차이'라는 뜻으로, 사정이 크게 다름을 이르는 말

元亨利貞 (원형이정) : 주역(周易)의 건괘(乾卦)의 네가지 덕, 곧 천도(天道)의 네 가지 원리를 이르는 말

月盈則食 (월영즉식) : 달이 차면 반드시 이지러짐. 무슨 일이든지 성하면 반드시 쇠하게 됨.

渭樹江雲 (위수강운) : 멀리 떨어져 있는 벗이 서로 그리워함.

韋編三絕 (위편삼절) : 책을 열심히 읽음. 공자가 주역을 즐겨 읽어 책의 가죽끈이 세 번이나 끊어졌다는 데서 유래.

柔能制剛 (유능제강) : 부드러운 것이 오히려 능히 굳센 것을 이김

사자성어(四字成語), 고사성어(故事成語)

流芳百世 (유방백세) : 꽃다운 이름이 후세에 길이 전함

唯我獨尊 (유아독존) : 세상에서 오직 나만이 훌륭하다고 뽐냄

悠悠自適 (유유자적) : 속세를 떠나 아무것에도 속박되지 않고 조용하고 편안히 생활함

遺臭萬年 (유취만년) : 더러운 이름을 먼 장래에까지 끼침

殷鑑不遠 (은감불원) : 다른 사람의 실패를 자신의 거울로 삼음.

隱忍自重 (은인자중) : 괴로움을 감추어 참고 스스로 신중히 함

陰德陽報 (음덕양보) : 남이 모르게 덕행을 쌓은 사람은 뒤에 그 보답을 받게 됨을 이르는 말

吟風弄月 (음풍농월) : 밝은 달을 대하여 시를 읊으며 즐거이 놂. 즉, 풍류를 즐긴다는 뜻

應接不暇 (응접불가) : '응접에 바빠 겨를이 없다'는 뜻으로, 일이 몹시 바쁜 상태를 이르는 말

利用厚生 (이용후생) : 백성이 사용하는 기구를 편리하게 하고 의식을 넉넉하게 하여, 생활을 윤택하게 함

二律背反 (이율배반) : 서로 모순되어 양립할 수 없는 두 개의 명제

泥田鬪狗 (이전투구) : '진흙탕에서 싸우는 개'라는 뜻으로, 자기의 이익을 위하여 비열하게 다툼

理判事判 (이판사판) : 막다른 데 이르러 어찌할 수 없게 된 지경

以暴易暴 (이포역포) : 나쁜 사람을 바꾼다면서 또 다른 나쁜 사람을 들어앉힘

日久月深 (일구월심) : 날이 갈수록 바라는 마음이 더욱 간절해짐.

一以貫之 (일이관지) : 하나의 이치로서 모든 것을 꿰뚫었다는 뜻으로, 처음부터 끝까지 변하지 않음

一筆揮之 (일필휘지) : 글씨를 단숨에 힘차고 시원하게 써 내려감

一炊之夢 (일취지몽) : 밥 한 끼 지을 동안의 꿈. 한때의 헛된 부귀영화

日就月將 (일취월장) : 날로 달로 끊임없이 진보하고 발전함

異端邪說 (이단사설) : 정통하지 않고 틀린 학설

一網打盡 (일망타진) : 한 그물에 다 두드려 잡음. 곧, 한꺼번에 모조리 잡아들임

日暖風和 (일난풍화) : 날씨가 따뜻하고 바람이 부드러움

一葉知秋 (일엽지추) : 조그마한 일을 가지고 장차 올 일을 미리 짐작함

一葉片舟 (일엽편주) : 나뭇잎처럼 작은 배

一牛鳴地 (일우명지) : 소의 울음소리가 들릴 정도로 가까운 거리의 땅

一衣帶水 (일의대수) : 한 줄기 좁은 강물이나 바닷물

一波萬波 (일파만파) : 작은 한 사건이 큰 파장을 불러 일으킴을 의미한다

一敗塗地 (일패도지) : 여지없이 패하여 다시 일어날 수 없게 된 지경에 이름

慈母敗子 (자모패자) : 자식을 과잉보호하면 실패하기 쉽다는 뜻

自激之心 (자격지심) : 자기가 한 일에 대해 스스로 미흡하다고 생각하는 것

自己矛盾 (자기모순) : (유)自家撞着. 같은 사람의 말이나 행동이 앞뒤가 서로 맞지 아니함.

子膜執中 (자막집중) : 융통성이 없음.

赤手空拳 (적수공권) : 맨손과 빈주먹

積水成淵 (적수성연) : 한 방울의 물이 모여 연못을 이룸.

賊反荷杖 (적반하장) : '도둑이 되레 매를 든다'는 뜻으로, 잘못한 사람이 도리어 잘한 사람을 나무라는 경우를 말함

積塵成山 (적진성산) : '티끌 모아 태산을 이룬다'는 말로, 아무리 작은 것도 쌓이면 큰 덩어리가 됨

前途洋洋 (전도양양) : 앞길이 훤하게 열려 희망에 차있음을 뜻함.

前人未踏 (전인미답) : 현재까지 아무도 도달하지 않은 것

戰戰兢兢 (전전긍긍) : 몹시 두려워서 벌벌 떨며 조심함

絕世佳人 (절세가인) : 매우 뛰어난 미인

截長補短 (절장보단) : '긴 것을 잘라 짧은 것을 보충한다'는 뜻으로, 장점으로 단점이나 부족한 것을 보충함

切齒腐心 (절치부심) : 몹시 분하여 이를 갈며 속을 썩힘

漸入佳境 (점입가경) : 들어갈수록 점점 재미가 있음. 예술작품, 경치가 갈수록 멋지고 아름다운 모양을 일컬음

鄭衛桑間 (정위상간) : '(유)亡國之音, 鄭衛之音. 춘추전국시대 정나라와 위나라에서 유행하던 음악은 뽕나무 사이의 소리처럼 음란함.

鄭衛之音 (정위지음) : 춘추전국시대 정나라와 위나라에서 유행하던 음란한 망국(亡國)의 음악

精進潔齊 (정진결제) : 심신을 깨끗이하고 행동을 삼가는 것

사자성어(四字成語), 고사성어(故事成語)

頂門一鍼 (정문일침) : '정수리에 침을 놓는다'는 뜻으로, 따끔한 충고나 교훈을 이름

諸子百家 (제자백가) : 중국 춘추전국시대의 여러 학파를 통틀어 이르는 말

朝令暮改 (조령모개) : 아침에 내린 영을 저녁에 고침. 곧, 법령 등이 빈번하게 바뀜

朝三暮四 (조삼모사) : 간사한 잔꾀로 남을 속이거나 눈앞에 보이는 차이만 알고 결과가 같음을 모르는 어리석음을 뜻함.

朝名市利 (조명시리) : '명예는 조정에서 이익은 시장에서 다투라' 는 뜻으로, 무슨 일이든 알맞은 곳에서 해야 함

左衝右突 (좌충우돌) : 이리저리 닥치는대로 부딪힘. 아무 사람이나 구분하지 않고 함부로 맞닥뜨림

足脫不及 (족탈불급) : 맨발로 뛰어도 미치지 못함을 말하는 것으로 능력이나 역량 따위가 뚜렷한 차이가 있음을 이름

種瓜得瓜 (종과득과) : (유)種豆得豆. 외 심은데 외가 남.

縱橫無盡 (종횡무진) : 세로와 가로로 다함이 없다는 데서, 자유자재하여 끝이 없는 상태를 말함

左瞻右顧 (좌첨우고) : 왼쪽을 돌아보고 오른쪽을 돌아봄.

主客顚倒 (주객전도) : '주인과 손의 위치가 서로 뒤바뀐다'는 뜻으로, 사물의 경중·선후·완급 등이 서로 뒤바뀜

朱脣皓齒 (주순호치) : (유)丹脣皓齒. 붉은 입술에 흰 이. 아름다운 미인을 뜻함.

酒池肉林 (주지육림) : 술은 못을 이루고 고기는 숲을 이룬다는 뜻으로 굉장하게 차린 술잔치를 가리키는 말. 호화로운 생활

中原逐鹿 (중원축록) : 군웅(群雄)이 제왕의 지위를 얻으려고 다툼. 서로 경쟁하여 어떤 지위를 얻고자 함

芝蘭之交 (지란지교) : '지초와 난초 같은 향기로운 사귐'이라는 뜻으로, 벗 사이의 맑고도 높은 사귐을 말함

指鹿爲馬 (지록위마) : 사슴을 가리켜 말이라고 우긴 조고의 고사에서 비롯한 말. 곧, 윗사람을 농락하여 권세를 마음대로 휘두름

支離滅裂 (지리멸렬) : 순서없이 함부로 뒤섞여 갈피를 잡을 수 없는 상태

知命之年 (지명지년) : 공자(孔子)가 나이 쉰 살에 천명(天命)을 알았다는 데서 나온 말로 '쉰 살'을 이름

至上命令 (지상명령) : 절대로 복종해야 할 명령

紙上兵談 (지상병담) : (유)卓上空論, 종이 위에서 펼치는 용병의 이야기

池魚之殃 (지어지앙) : '못의 물로 불을 끄니 물이 줄어 물고기가 죽는다' 는 뜻으로 엉뚱한 사람이 재앙을 입음

指天射漁 (지천사어) : '하늘을 보고 고기를 쏜다'는 뜻으로, 되지 않을 일을 무리하게 하려는 것을 일컬음

知彼知己 (지피지기) : 적의 사정과 나의 사정을 자세히 앎

志學之年 (지학지년) : '학문에 뜻을 두는 나이'라는 뜻으로, 열다섯 살이 된 나이를 뜻함

秦鏡高懸 (진경고현) : 사람의 마음까지도 비추었다는 진(秦)나라 거울이 높게 매달려 있음.

塵合泰山 (진합태산) : 먼지가 모여 태산이 됨.

車胤聚螢 (차윤취형) : (유)螢雪之功. 차윤이 반딧불이를 모아 그 빛으로 공부함.

借廳入室 (차청입실) : 대청을 빌려 쓰다가 점점 안방까지 들어감. 처음에는 남에게 의지하다가 점차 그의 권리까지 침범함.

借廳借閨 (차청차규) : (유)借廳入室. 대청을 빌려 쓰다가 점점 안방까지 들어감.

創業守成 (창업수성) : 일을 시작하기는 쉬우나 이룬 것을 지키기는 어렵다는 말

滄桑之變 (창상지변) : (유)桑田碧海. 푸른 바다가 뽕나무밭이 되는 변화

彰善懲惡 (창선징악) : (유)勸善懲惡. 착한 것을 드러내고, 악한 것을 징계함.

滄海桑田 (창해상전) : (유)桑田碧海. 푸른 바다가 뽕나무밭이 되는 변화

滄海遺珠 (창해유주) : 넓고 큰 바다 속에 캐어지지 않은 채 남아 있는 진주. 세상에 미처 알려지지 않은 드물고 귀한 보배.

滄海一粟 (창해일속) : 넓고 큰 바다 속의 좁쌀 한 알'이란 뜻으로, 아주 많거나 넓은 것 가운데 매우 하찮고 작은 것을 이름

滄海一滴 (창해일적) : (유)九牛一毛. 넓고 큰 바다 속의 물방울 하나

隻手空拳 (척수공권) : (유)赤手空拳. 외손에 빈주먹

斥和洋夷 (척화양이) : 서양의 오랑캐와 화해함을 배척하는 쇄국정책을 일컬음

天高馬肥 (천고마비) : '하늘이 높고 말이 살찐다'는 뜻으로, '가을'을 일컫는 말

사자성어(四字成語), 고사성어(故事成語)

天方地軸 (천방지축) : 못난 사람이 종작없이 덤벙이는 일. 너무 급하여 허둥지둥 함부로 날 뜀

天淵之差 (천연지차) : (유)雪泥之差. 하늘과 연못과의 거리의 차이

天佑神助 (천우신조) : 하늘이 돕고 신이 도움

千載一遇 (천재일우) : 천 년에 한 번 만날 수 있는 기회. 곧, 좀처럼 만나기 어려운 좋은 기회

天衣無縫 (천의무봉) : '천사의 옷은 꿰맨 흔적이 없다'는 뜻으로, 문장이 훌륭하여 손 댈 곳이 없을 만큼 잘 되었음을 가리킴

天長地久 (천장지구) : 하늘과 땅은 영원히 변치 않음을 이르는 말. 흔히 장수를 빌 때 하는 말

天藏地秘 (천장지비) : '하늘과 땅 속에 감추어져 있다'는 뜻으로, 파묻혀서 세상에 알려지지 아니함을 이르는 말

天眞爛漫 (천진난만) : 말이나 행동이 천진함. 조금도 꾸밈이 없이 아주 순진하고 참됨

千篇一律 (천편일률) : 천 가지 책이 모두 하나의 내용과 형식이라는 뜻으로 사건이나 사물이 한결같아 단조로움을 이룸

青出於藍 (청출어람) : 열심히 학문에 정진하면 제자나 후배가 스승이나 선배보다 뛰어날 수 있다는 말

鐵石肝腸 (철석간장) : 쇠나 돌같이 굳고 단단한 마음

徹天之恨 (철천지한) : 하늘을 뚫을 정도로 사무친 한

晴耕雨讀 (청경우독) : 부지런히 일하며 여가를 헛되이 보내지 않고 공부함

草木皆兵 (초목개병) : '적을 두려워한 나머지 온 산의 초목을 모두 적군으로 잘못 보았다'는 뜻으로, 군세의 왕성함을 나타냄

焦眉之急 (초미지급) : '눈썹에 불이 붙었다'는 뜻으로, 매우 급함을 이르는 말

焦心苦慮 (초심고려) : (유)勞心焦思. 마음을 태우며 애써 생각함.

寸鐵殺人 (촌철살인) : 간단한 말이나 문장으로 상대방의 급소를 찔러 당황하게 만들거나 감동을 시키는 경우에 쓰이는 말

春樹暮雲 (춘수모운) : 봄철의 수목(樹木)과 해질무렵의 구름. 곧 벗을그리는 정(情)

春雉自鳴 (춘치자명) : 봄철의 꿩이 스스로 욺. 시키거나 요구하지 아니하여도 자기 스스로 함.

取捨選擇 (취사선택) : 취할 것은 취하고, 버릴 것은 버려서 골라 잡음

推己及人 (추기급인) : 자기의 마음을 미루어 보아 남에게도 그렇게 행동함

出將入相 (출장입상) : 나가서는 장수가 되고 들어와서는 재상이 됨을 말함. 문무를 다 갖추었음을 이르는 말

醉生夢死 (취생몽사) : '술에 취하여 꿈 속에 살고 죽는다'는 뜻으로, 한평생을 하는 일 없이 흐리멍덩하게 살아감을 말함

置之度外 (치지도외) : 내버려 두고 문제로 삼지 않음

七步之才 (칠보지재) : '일곱 걸음을 걸을 동안에 시를 지을 만한 재주' 라는 뜻으로, 아주 뛰어난 글재주를 말함

貪官汚吏 (탐관오리) : 백성의 재물을 탐내어 빼앗는 행실이 깨끗하지 못한 관리

泰然自若 (태연자약) : 마음에 어떠한 충동을 받아도 움직임이 없이 천연스러움

土崩瓦解 (토붕와해) : 흙이 무너지고 기왓장이 깨지듯이 조직체가 일시에 무너짐

兎營三窟 (토영삼굴) : 토끼가 위기에서 벗어나기 위하여 세 개의 굴을 파 놓아 둠. 자신의 안전을 위하여 미리 몇 가지 대비책을 짜 놓음.

吐盡肝膽 (토진간담) : 간과 쓸개를 다 토함. 실정(實情)을 숨김없이 다 털어놓고 말함.

破鏡不照 (파경부조) : 깨어진 거울은 원래로 돌아오지 못함

破瓜之年 (파과지년) : 여자 나이 16세. 남자 나이 64세를 나타냄.

破廉恥漢 (파렴치한) : 부끄러움을 모르는 사람

破釜沈舟 (파부침주) : (유)背水之陣. 살아 돌아올 기약을 하지 않고 결사의 각오로 싸우겠다는 굳은 결의

破邪顯正 (파사현정) : 그릇된 것을 깨뜨리고 올바르게 바로잡음

破顔大笑 (파안대소) : 매우 즐거운 표정으로 활짝 웃음

八字所關 (팔자소관) : 타고난 운수로 인하여 어쩔 수 없이 당하는 일

抱腹絶倒 (포복절도) : 배를 안고 몸을 가누지 못할 정도로 몹시 웃음

暴惡無道 (포악무도) : 매우 사납고 악함

風樹之嘆 (풍수지탄) : 부모가 돌아가신 뒤에 효도를 다하지 못한것을 후회함.

風餐露宿 (풍찬노숙) : 바람을 먹고 이슬에 잠잠. 객지에서 겪는 숱한 고생

彼此一般 (피차일반) : 두 편이 서로 같음

사자성어(四字成語), 고사성어(故事成語)

匹夫之勇 (필부지용) : '평범한 사람의 용기'란 뜻으로, 작은 용기를 뜻함

匹夫匹婦 (필부필부) : 평범만 남자와 평범한 여자

下石上臺 (하석상대) : '아랫돌 빼서 윗돌 괴고 윗돌 빼서 아랫돌 괸다'는 뜻으로, 임시변통으로 이리저리 둘러맞춤을 일컬음

汗牛充棟 (한우충동) : '수레에 실으면 소가 땀을 흘리고, 집안에 쌓으면 들보까지 가득 찬다'는 뜻으로, 장서가 매우 많음을 말함

閑雲野鶴 (한운야학) : 아무 매인 데 없는 한가로운 생활로 유유자적하는 경지

割半之痛 (할반지통) : '몸의 반쪽을 베어 내는 고통'이라는 뜻으로, 형제 자매가 죽었을 때의 슬픔을 비유하는 말

割恩斷情 (할은단정) : 애뜻한 사랑을 끊음

含憤蓄怨 (함분축원) : 분한 마음을 품고 원한을 쌓음

含哺鼓腹 (함포고복) : '잔뜩 먹고 배를 두드린다'는 뜻으로, 먹을 것이 풍족하여 즐겁게 지냄을 이르는 말

恒茶飯事 (항다반사) : 밥을 먹고 차를 마시는 일처럼 늘 있어서 이상하거나 신통할 것이 없는 일

亢龍有悔 (항룡유회) : 하늘 끝까지 다다른 용이 내려갈 길 밖에 없음을 후회함. 부귀영화가 극도로 다다른 사람은 쇠락할 염려가 있음.

解衣推食 (해의추식) : 남에게 옷과 음식을 베푸는 것

向陽花木 (향양화목) : '볕을 잘 받은 꽃나무'라는 뜻으로, 크게 잘 될 사람을 이르는 말

海翁好鷗 (해옹호구) : 사람에게 야심(野心)이 있으면 새도 그것을 알고 가까이 하지 않음.

虛氣平心 (허기평심) : 기(氣)를 가라앉히고 마음을 편안하게 가짐

虛靈不昧 (허령불매) : 잡된 생각이 없이 마음이 신령하여 어둡지 아니함

虛禮虛飾 (허례허식) : 정성이 없이 겉으로만 번드르르하게 꾸밈 또는 그런 예절이나 법식

虛無孟浪 (허무맹랑) : 터무니없이 허황하고 실상이 없음

軒軒丈夫 (헌헌장부) : 외모가 준수하고 풍채가 당당한 남자

現身說法 (현신설법) : 자기자신의 모습을 바탕으로 해서 남에게 설법하는 것

賢問愚答 (현문우답) : 현명한 물음에 대한 어리석은 대답

螢雪之功 (형설지공) : 반딧불과 눈으로 쌓은 공이란 뜻으로, 어려운 처지에서도 학문에 힘써 이룬 공을 말함.

虎父犬子 (호부견자) : 아버지는 잘났는데 아들은 못나고 어리석다는 뜻

好事多魔 (호사다마) : 좋은 일에는 흔히 방해되는 일이 많음

虎視眈眈 (호시탐탐) : 야심을 품고 날카로운 눈초리로 기회를 엿보는 모양

豪言壯談 (호언장담) : 분수에 맞지 않는 말을 큰소리로 자신있게 말한다는 뜻

浩然之氣 (호연지기) : 넓고 큰 기운. 무엇에도 구애를 받지 않고 떳떳하고도 유연한 기운

胡蝶之夢 (호접지몽) : 인생의 덧없음. 중국의 장자가 꿈에 나비가 되어 즐겁게 놀았다는 데서 유래

皓齒丹脣 (호치단순) : (유)丹脣皓齒. 흰 이와 붉은 입술. 아름다운 미인을 뜻함.

紅爐點雪 (홍로점설) : 사욕이나 의혹이 일시에 꺼져 없어짐

和光同塵 (화광동진) : 빛이 섞이어 먼지와 함께 함. 자기의 어짊과 능력을 드러내지 않고 세속에 섞여 살면서도 본질은 변치 않음.

畵龍點睛 (화룡점정) : 무슨 일을 하는 데에 가장 중요한 부분을 완성함을 이르는 말

畵蛇添足 (화사첨족) : 쓸데없는 군짓을 하여 도리어 실패함. 사족(蛇足)

畵虎類狗 (화호유구) : 범을 그리려다 강아지를 그림. 소양이 없는 사람이 호걸인 체하다 도리어 망신 당함

換骨奪胎 (환골탈태) : 선인의 시나 문장을 살리되, 새로움을 보태 자기 작품으로 삼음 또는 용모가 변하여 전보다 아름답게 되는 경우

厚顔無恥 (후안무치) : 뻔뻔스러워 부끄러움이 없음

喜怒哀樂 (희로애락) : 기쁨과 노여움과 슬픔과 즐거움

사자성어(四字成語), 고사성어(故事成語) – 1級

苛斂誅求 (가렴주구) : 세금을 가혹하게 거두어들이고, 무리하게 재물을 빼앗음

家貧落魄 (가빈낙백) : 집안이 가난하여 뜻을 얻지 못하고 실의에 빠짐

竿頭之勢 (간두지세) : 대막대기 끝에 선 형세 ▶ 매우 위태로운 형세

奸臣賊子 (간신적자) : 간사한 신하와 부모를 거스르는 자식

渴而穿井 (갈이천정) : 목이 마를 때에야 비로서 우물을 팜.
▶ 미리 대비하지 않으면 일이 임박해서 소용이 없음.

竭澤而漁 (갈택이어) : 연못의 물을 말려서 고기를 잡음.
▶ 멀리 내다보지 못하고 눈앞의 이익만을 꾀함.

甘井先竭 (감정선갈) : 단 우물이 먼저 마름
▶ 재주가 뛰어난 사람이 일찍 쇠함.

甘呑苦吐 (감탄고토) : 달면 삼키고 쓰면 뱉음 ▶ 자신의 비위에 따라서 사리의 옳고 그름을 판단함.

甲男乙女 (갑남을녀) : 갑이란 남자와 을이란 여자 ▶ 평범한 사람들

康衢煙月 (강구연월) : 평화로운 큰 거리에서 밥 짓는 연기에 달빛이 비치는 모습 ▶ 태평한 세상의 평화로운 풍경

剛毅木訥 (강의목눌) : 강직하고, 의연하고, 질박하고, 어눌함.

蓋棺事定 (개관사정) : 시체를 관에 넣고 뚜껑을 덮은 후에야 일을 결정함.
▶ 사람이 죽은 후에야 비로소 그 사람에 대한 평가가 제대로 됨.

開門揖盜 (개문읍도) : 문을 열어 도둑에게 예를 갖춤
▶ 제 스스로 화를 불러들임.

改善匡正 (개선광정) : 고쳐서 좋고 바르게 함.

坑儒焚書 (갱유분서) : 선비를 구덩이에 묻고 책을 불태움

擧棋不定 (거기부정) : 바둑돌을 들고 놓을 곳을 정하지 못함.
▶ 확고한 주관이 없거나 계획이 수시로 바뀜

去頭截尾 (거두절미) : 머리와 꼬리를 잘라 버림.
▶ 어떤 일의 요점만 간단히 말함

乾坤一擲 (건곤일척) : 하늘과 땅에 한번 던져봄.
▶ 운명을 걸고 단판걸이로 승부를 겨룸.

隔靴搔癢 (격화소양) : 신을 신고 발바닥을 긁음.
▶ 성에 차지 않아 안타까움

見蚊拔劍 (견문발검) : 모기를 보고 칼을 뺌.
▶ 사소한 일에 크게 성내어 덤빔

鯨戰蝦死 (경전하사) : 고래 싸움에 새우 등 터짐 ▶ 강한 자끼리 서로 싸우는 통에 아무 상관도 없는 약한 자가 해를 입음.

溪壑之慾 (계학지욕) : 시냇물이 흐르는 산골짜기의 욕심 ▶ 끝이 없는 욕심

股肱之臣 (고굉지신) : 다리와 팔 같이 중요한 신하
▶ 임금이 가장 신임하는 신하

叩頭謝罪 (고두사죄) : 머리를 조아리며 잘못을 빎.

膏粱珍味 (고량진미) : 기름진 고기와 좋은 곡식으로 만든 맛있는 음식

孤臣冤淚 (고신원루) : 임금의 신임이나 사랑을 받지 못하는 외로운 신하의 원통한 눈물

股掌之臣 (고장지신) : 다리와 손같이 중요한 신하

曲突徙薪 (곡돌사신) : 굴뚝을 구부리고 땔나무를 다른 곳으로 옮김.
▶ 화근을 미리 치움으로써 재앙을 미연에 방지함.

困獸猶鬪 (곤수유투) : 궁지에 몰리면 약한 짐승이라도 싸우려고 덤빈다는 뜻

骨肉相殘 (골육상잔) : 가까운 혈족끼리 서로 해치고 죽임

孔子穿珠 (공자천주) : 공자가 구슬을 뀀 ▶ 자기보다 못한 사람에게 모르는 것을 묻는 것이 부끄러운 일이 아님.

管中窺豹 (관중규표) :대롱 속으로 표범을 엿봄 ▶ 시야가 매우 좁음

刮目相對 (괄목상대) : 눈을 비비고 상대편을 봄 ▶ 남의 학식이나 재주가 놀랄 만큼 부쩍 늚을 이르는 말.

曠日彌久 (광일미구) : 헛되이 세월을 보내며 일을 오래 끎.

曠日持久 (광일지구) : 헛되이 세월을 보내며 날짜만 끎.

曠前絶後 (광전절후) : 앞에는 비었고, 뒤에는 끊어짐
▶ 과거에도 미래에도 존재하지 않는 일

蛟龍得水 (교룡득수) : 교룡이 물을 얻음 ▶ 좋은 기회를 얻음

矯枉過正 (교왕과정) : 잘못된 것을 바로잡으려다가 너무 지나쳐서 오히려 나쁘게 됨.

矯枉過直 (교왕과직) : 굽은 것을 바로 잡으면서 정도를 지나침

敎子採薪 (교자채신) : 자식에게 땔나무 캐오는 법을 가르침
▶ 무슨 일이든 장기적인 안목을 갖고 근본적인 처방에 힘씀

狡兎三窟 (교토삼굴) : 교활한 토끼는 세 개의 숨을 굴을 파 놓음.
▶ 사람이 교묘하게 잘 숨어 재난을 피함.

狗尾續貂 (구미속초) : 담비 꼬리가 모자라 개의 꼬리로 이음.
▶ 훌륭한 것 뒤에 보잘것없는 것이 뒤따름.

救火投薪 (구화투신) : 불을 끄려고 섶나무를 집어 던짐 ▶ 잘못된 일의 근본을 다스리지 않고 성급하게 행동하다가 도리어 그 해를 더 크게 함.

群盲撫象 (군맹무상) : 장님 여럿이 코끼리를 만짐 ▶ 사물을 좁은 소견과 주관으로 잘못 판단함.

窮寇勿迫 (궁구물박) : 피할 곳 없는 도적을 쫓지 말 것
▶ 곤경에 처한자를 함부로 몰아붙이지 말라는 뜻

窮寇勿追 (궁구물추) : 피할 곳 없는 도적을 쫓지 말 것

窮年累世 (궁년누세) : 자신의 일생(一生)과 자손 대대

窮鼠莫追 (궁서막추) : 피할 곳 없는 쥐를 쫓지 말 것

사자성어(四字成語), 고사성어(故事成語)

捲土重來 (권토중래) : ▶ 어떤 일에 실패한 뒤에 힘을 가다듬어 다시 그 일에 착수함

貴鵠賤鷄 (귀곡천계) : 고니를 귀하게 여기고 닭을 천하게 여김 ▶ 먼 데 있는 것을 귀하게 여기고 가까운 데 있는 것을 천하게 여김

龜背刮毛 (귀배괄모) : 거북의 등에서 털을 깎음 ▶ 불가능한 일을 무리하게 하려고 함.

橘化爲枳 (귤화위지) : 귤이 변하여 탱자가 됨 ▶ 환경의 변화를 받음

隙駒光陰 (극구광음) : ▶ 몹시 빨리 지나가는 세월

金蘭之誼 (금란지의) : 쇠처럼 단단하고 난초 향기처럼 그윽한 사귐

金石牢約 (금석뇌약) : 쇠나 돌처럼 굳고 변함없는 약속

汲水功德 (급수공덕) : 목마른 사람에게 물을 길어다 주는 공덕

氣焰萬丈 (기염만장) : 꺼드럭거리는 기세가 대단하여 멀리까지 뻗침

杞人之憂 (기인지우) : 기나라 사람의 근심 ▶ 앞일에 대한 쓸데없는 걱정

落穽下石 (낙정하석) : 함정에 빠진 사람에게 돌을 떨어뜨림 ▶ 어려운 처지에 놓인 사람을 도와주기는 커녕 도리어 괴롭힘

南橘北枳 (남귤북지) : 강남의 귤을 강북에 심으면 탱자가 됨 ▶ 사람은 사는 곳의 환경에 따라 착하게도 되고 악하게도 됨.

狼子野心 (낭자야심) : 이리의 야성 ▶ 신의가 없는 사람은 쉽게 교화할 수 없음

囊中之錐 (낭중지추) : 주머니 속의 송곳 ▶ 재능이 뛰어난 사람은 숨어 있어도 저절로 사람들에게 알려짐

囊中取物 (낭중취물) : 주머니 속의 물건을 얻음 ▶ 아주 쉬운 일

駑馬十駕 (노마십가) : 느리고 둔한 말도 준마의 하룻길을 열흘에는 갈 수 있음 ▶ 둔하고 재능이 모자라는 사람도 열심히 하면 훌륭한 사람이 될 수 있음

訥言敏行 (눌언민행) : 말은 느려도 실제 행동은 재빠르고 능란함

凌雲之志 (능운지지) : 구름을 깔보는 지조 ▶ 속세를 떠나서 초탈하려는 마음

簞食豆羹 (단사두갱) : 대나무로 만든 밥그릇 하나에 담은 밥과 제기 하나에 떠 놓은 국 ▶ 변변치 못한 음식

戴盆望天 (대분망천) : 머리에 동이를 이고 하늘을 바라보려 함 ▶ 한 번에 두 가지 일을 함께 하기 어려움

戴天之讎 (대천지수) : 한 하늘을 이고 살지 못할 원수

屠龍之技 (도룡지기) : 용을 잡는 재주 ▶ 쓸데없는 재주

(道)塗不拾遺 (도불습유) : 나라가 태평하고 풍습이 아름다워 백성이 길에 떨어진 물건을 주워 가지지 아니함 ▶ 나라가 잘다스려지고 있음을 뜻함

豚蹄一酒 (돈제일주) : 돼지 발굽과 술 한 잔 ▶ 작은 물건으로 많은 물건을 구하려고 하는 것을 비꼬아 하는 말

冬扇夏爐 (동선하로) : 겨울의 부채와 여름의 화로 ▶ 철이 지나 쓸데없는 물건

東馳西走 (동치서주) : 동쪽으로 달리고 서쪽으로 달림 ▶ 매우 바빠서 어쩔줄 모름

杜漸防萌 (두점방맹) : 싹이 나오지 못하게 막음 ▶ 좋지 못한 일의 조짐이 보였을 때 즉시 그 해로운 것을 제거해야 더 큰 해(害)가 되지 않음.

登樓去梯 (등루거제) : 다락에 오르게 하고 사다리를 치움 ▶ 사람을 꾀어서 어려운 처지에 빠지게 함

麻姑搔痒 (마고소양) : 마고 선녀가 긴 손톱으로 가려운 데를 긁음 ▶ 바라던 일이 뜻대로 잘됨

磨斧爲鍼 (마부위침) : 도끼를 갈아 바늘을 만듦

磨斧作針 (마부작침) : 도끼를 갈아 바늘을 만듦 ▶ 작은 노력이라도 끈기있게 계속하면 큰 일을 이룰 수 있음

萬彙群象 (만휘군상) : 우주에 있는 온갖 사물과 현상

網漏呑舟 (망루탄주) : 그물이 새면 배를 삼킴 ▶ 법령이 지나치게 관대하면 큰 죄를 짓고도 피할 수 있게 되어 기강이 서지 않음

亡羊補牢 (망양보뢰) : 양을 잃고 우리를 고침 ▶ 이미 어떤 일을 실패한 뒤에 뉘우쳐도 아무 소용이 없음

芒刺在背 (망자재배) : 가시를 등에 지고 있음 ▶ 마음이 아주 조마조마하고 편하지 아니함

盲龜遇木 (맹귀우목) : 눈 먼 거북이 우연이 나무를 붙잡았다는 뜻 ▶ 어려운 처지에서 우연히 행운을 얻게 됨

明珠闇投 (명주암투) : 명주를 어둠 속에서 남에게 던져줌 ▶ 귀중한 물건도 남에게 잘못 주면 오히려 원망을 듣게 됨.

明珠彈雀 (명주탄작) : 새를 잡는데 명주를 씀 ▶ 작은 것을 탐내다가 큰 것을 손해 보게 됨.

毛骨悚然 (모골송연) : 두려움에 온 몸의 털이 곤두서고, 뼈마디가 시림.

矛盾撞着 (모순당착) : 같은 사람의 말이나 행동이 앞뒤가 서로 맞지 아니함

夢寐之間 (몽매지간) : 잠을 자며 꿈을 꾸는 동안

猫頭懸鈴 (묘두현령) : 고양이 머리에 방울 달기 ▶ 실행될수 없는 일

猫項懸鈴 (묘항현령) : 쥐가 고양이 목에 방울달기 ▶ 실행할 수 없는 헛된 논의

毋望之福 (무망지복) : 뜻하지 않게 얻는 복

無病自灸 (무병자구) : 질병이 없는데 스스로 뜸질을 함 ▶ 불필요한 노력을 하여 정력을 낭비함

彌縫之策 (미봉지책) : 임시변통으로 이리저리 꾸며 맞추기 위한 계책

巫山之夢 (무산지몽) : 남녀의 정교(情交)

巫山之雨 (무산지우) : 남녀의 정교(情交)

無依無托 (무의무탁) : 몸을 의탁할곳이 없음 ▶ 몹시 빈곤하고 고독한 형편

門前雀羅 (문전작라) : 문 밖에 새 그물을 쳐놓을 만함 ▶ 손님들의 발길이 끊어짐

사자성어(四字成語), 고사성어(故事成語)

微官末職 (미관말직) : 지위가 아주 낮은 벼슬

米珠薪桂 (미주신계) : 식량은 주옥(珠玉)보다 비싸고, 땔감은 계수나무보다 비쌈 ▶ 物價가 치솟아 오름

盤根錯節 (반근착절) : 서린 뿌리와 얼크러진 마디 ▶ 처리하기 매우 힘든 사건이나 세력이 단단하여 흔들리지 않음

飯囊酒袋 (반낭주대) : 밥을 담는 주머니와 술을 담는 부대

班門弄斧 (반문농부) : 전문가 앞에서 얄팍한 재주를 뽐냄

斑衣之戲 (반의지희) : 늙도록 다하는 효도

反哺之孝 (반포지효) : 까마귀 새끼가 자라서 늙은 어미에게 먹이를 물어다 줌 ▶ 자식이 자란 후에 어버이의 은혜를 갚는 효

杯盤狼藉 (배반낭자) : 잔치가 파할 무렵이나 파한 뒤의 어지러운 술자리

白駒過隙 (백구과극) : 인생은 문틈으로 흰 말이 지나가는 것을 봄과 같다는 뜻 ▶ 인생은 빠르게 지나감

百年偕樂 (백년해락) : 부부가 한 평생 즐거움을 같이 함.

百年偕老 (백년해로) : 부부가 되어 한평생을 사이좋게 지내고 즐겁게 함께 늙음

百折不撓 (백절불요) : 어떠한 난관에도 결코 굽히지 않음

百尺竿頭 (백척간두) : 몹시 어렵고 위태로운 지경

伐性之斧 (벌성지부) : 사람의 마음을 탐하게하여 성명(性命)을 잃게 함 ▶ 여색과 요행을 이르는 말

伐齊爲名 (벌제위명) : 겉으로는 어떤 일을 하는체하고 속으로는 딴짓을 함

兵家常事 (병가상사) : 전쟁에서 이기고 지는 일은 흔히 있는 일 ▶ 실패는 흔히 있는 일이나 낙심할것 없다는 말

病入骨髓 (병입골수) : 병이 고치기 어렵게 몸속 깊이 듦

捧腹絕倒 (봉복절도) : 배를 잡고 몸을 굽히고 자빠질 정도로 웃음

駙馬都尉 (부마도위) : 임금의 사위에게 주던 칭호

負薪救火 (부신구화) : 섶을 지고 불을 끄려함 ▶ 매우 어리석고 위태로운 행동

負薪之憂 (부신지우) : 섶을 지어야 하는 근심

釜中生魚 (부중생어) : 오래 밥을 짓지 못해 솥 안에 물고기가 생겼다는 뜻 ▶ 매우 가난함을 뜻함

負荊請罪 (부형청죄) : 가시나무를 짊어지고 죄를 청함 ▶ 자신의 잘못을 인정하고 처벌을 자청함

粉骨碎身 (분골쇄신) : 뼈가 가루가 되고 몸이 부서지도록 노력함

焚書坑儒 (분서갱유) : 농업에 관한 것만을 제외하고 모든 서적을 불태우고 수많은 유생을 구덩이에 묻어 죽인 일

佛頭著糞 (불두저분) : 부처님 머리에 붙은 똥 ▶ 경멸이나 모욕을 당함

不撓不屈 (불요불굴) : 한번 먹은 마음이 흔들리거나 굽힘이 없음

不寒而慄 (불한이율) : 춥지 아니한데 떪 ▶ 몹시 두려워함

鵬程萬里 (붕정만리) : 붕새의 날아가는 하늘길이 만리로 트임 ▶ 전도양양한 장래를 의미함

悲憤慷慨 (비분강개) : 의롭지 못한 일을 보고 의기가 북받치어 슬퍼하고 한탄함

髀肉之歎 (비육지탄) : 재능을 발휘할 때를 얻지 못하여 헛되어 세월만 보내는 것을 한탄함.

徙家忘妻 (사가망처) : 이사를 갈 때 아내를 잊고 두고 감 ▶ 무엇을 잘 잊음

徙木之信 (사목지신) : 나라를 다스리는 사람은 백성을 속이지 않아야 하고, 백성의 신임을 받아야 함.

邪不犯正 (사불범정) : 정의가 불의를 반드시 이기게 됨

似是而非 (사시이비) : 겉으로는 그럴듯하지만 속은 거짓됨

蛇心佛口 (사심불구) : 뱀의 마음에 부처의 입이란 뜻 ▶ 마음은 간악하되 입으로는 착한말을 함

獅子奮迅 (사자분신) : 사자가 성낸듯 그 기세가 거세고 날램

社稷爲墟 (사직위허) : 사직이 폐허가 됨. 나라가 망함

霜風高節 (상풍고절) : 고난에 처하여도 굽히지 않는 높은 절개

山溜穿石 (산류천석) : 산에서 떨어지는 물방울이 바위를 뚫음 ▶ 무슨 일이든 꾸준히 하면 성공한다는 뜻

山珍海饌 (산진해찬) : 산에서 나는 진귀한 것과 바다에서 나는 맛있는 것

生巫殺人 (생무살인) : 선무당이 사람을 잡음 ▶ 기술과 경험이 적은 사람이 일을 한다고 나섰다가 도리어 화를 초래함

鼠肝蟲臂 (서간충비) : 쥐의 간과 벌레의 팔 ▶ 쓸모없는 사람이나 물건

席不暇暖 (석불가난) : 앉은 자리가 따뜻할 겨를이 없음 ▶ 자리나 거처를 자주 옮기거나 바쁘게 활동함

雪泥鴻爪 (설니홍조) : 눈이 쌓인 진흙 위에 난 기러기의 발자국이 눈이 녹으면 없어짐 ▶ 인생의 자취가 눈 녹듯이 사라져 무상함을 비유

舌芒於劍 (설망어검) : 혀가 칼보다 날카로움

城狐社鼠 (성호사서) : 성안에 사는 여우와 사당에 사는 쥐 ▶ 임금의 곁에 있는 간신의 무리나 관청의 세력에 기대어 사는 무리

洗踏足白 (세답족백) : 일을 하고도 아무런 보수를 받지 못함

首鼠兩端 (수서양단) : 구멍에서 머리를 내밀고 나갈까 말까 망설이는 쥐 ▶ 머뭇거리며 진퇴나 거취를 정하지 못하는 상태

繡衣夜行 (수의야행) : 비단옷 입고 밤에 다님 ▶ 보람없는 일을 함

사자성어(四字成語), 고사성어(故事成語)

水滴穿石 (수적천석) : 물방울이 바위를 뚫음
▶ 꾸준히 노력하면 성공할수 있다는 뜻

羞花閉月 (수화폐월) : 꽃도 부끄러워하고 달도 숨음
▶ 여인의 얼굴과 맵시가 매우 아름다움

菽麥不辨 (숙맥불변) : 콩인지 보리인지를 구별하지 못함 ▶ 사리 분별을 못함

膝甲盜賊 (슬갑도적) : 남의 글이나 저술을 베껴 마치 제가 지은 것처럼 하는 사람

實陳無諱 (실진무휘) : 사실대로 진술하고 숨기는 바가 없음

心在鴻鵠 (심재홍곡) : 마음은 기러기나 고니가 날아오면 쏘아 맞출 것만 생각함
▶ 학업을 닦으면서 마음은 다른곳에 씀

十匙一飯 (십시일반) : 밥 열 술이 밥 한 그릇이 됨 ▶ 여러 사람이 조금씩 힘을 합하면 한 사람을 돕기 쉬움

十顚九倒 (십전구도) : 열 번 구르고 아홉 번 거꾸러짐

十寒一曝 (십한일폭) : 열흘 동안 춥다가 하루 볕이 쬠 ▶ 일이 꾸준하게 진행 되지 못하고 중간에 자주 끊김

阿鼻叫喚 (아비규환) : 아비지옥과 규환지옥 ▶ 여러 사람이 비참한 지경에 빠져 울부짖는 참상

握髮吐哺 (악발토포) : 감고 있던 머리를 거머쥐고 먹던 것을 뱉고 영접함
▶ 정무(政務)를 보살피기에 잠시도 편안함이 없음

暗衢明燭 (암구명촉) : 어두운 거리에 밝은 등불 ▶ 삶의 지혜를 제공하는 책

暗中摸索 (암중모색) : 물건 따위를 어둠 속에서 더듬어 찾음 ▶ 은밀한 가운데 일의 실마리나 해결책을 찾아내려 함

曖昧模糊 (애매모호) : 말이나 태도 따위가 희미하고 흐려 분명하지 아니함

夜行被繡 (야행피수) : 밤에 비단옷을 입고 다님 ▶ 보람없는 일을 함

掩目捕雀 (엄목포작) : 눈을 가리고 참새를 잡으려 함
▶ 일을 불성실하게 하는것에 대한 경계

掩耳盜鈴 (엄이도령) : 귀를 막고 방울을 훔침 ▶ 모든 사람이 그 잘못을 다 알고 있는데 꾀를 써서 남을 속이려 함

與民偕樂 (여민해락) : 임금이 백성과 함께 즐김

與狐謀皮 (여호모피) : 여우에게 가죽을 내어 놓으라고 꼬임
▶ 근본적으로 이룰수 없는 일

捐金沈珠 (연금침주) : 금을 산에 버리고 구슬을 못에 빠뜨림
▶ 재물을 가벼이 보고 부귀를 탐하지 않음

鳶飛魚躍 (연비어약) : 솔개가 날고 물고기가 뜀. 온갖 동물이 생을 즐김

燕雁代飛 (연안대비) : ▶ 사람의 일이 서로 어긋남

煙霞痼疾 (연하고질) : ▶ 고요한 산수의 경치를 몹시 사랑하고 즐기는 성벽(性癖)

煙霞之癖 (연하지벽) : 고요한 산수의 경치를 몹시 사랑하고 즐기는 기질

曳尾塗中 (예미도중) : 벼슬을 하지 않고 한가롭게 지냄

寤寐不忘 (오매불망) : 자나 깨나 잊지 못함

玉石俱焚 (옥석구분) : 옥과 돌이 함께 불에 탐 ▶ 옳은 사람이나 그른 사람의 구별 없이 모두 재앙을 입음

玉石同櫃 (옥석동궤) : 옥과 돌이 같은 궤에 있음 ▶ 옳은 사람이나 그른 사람의 구별없이 모두 재앙을 입음

玉石同碎 (옥석동쇄) : 옥과 돌이 함께 부수어짐 ▶ 착한 사람이나 그릇된 사람이 구별없이 모두 재앙을 입음

蝸角之勢 (와각지세) : 달팽이의 더듬이 위의 형세

蝸角之爭 (와각지쟁) : 달팽이의 더듬이 위에서 싸움 ▶ 하찮은 일로 벌이는 싸움. 작은 나라끼리의 싸움

臥薪嘗膽 (와신상담) : 섶에 몸을 눕히고 쓸개를 맛봄 ▶ 원수를 갚거나 마음먹은 일을 이루기 위하여 온갖 어려움과 괴로움을 참고 견딤

蝸牛角上 (와우각상) : 달팽이의 더듬이 위. 세상이 좁음.

玩物喪志 (완물상지) : 쓸데없는 물건을 가지고 노는 데 팔려 소중한 자기의 본심을 잃음

玩火自焚 (완화자분) : 무모한 일로 남을 해치려다 결국 자신이 해를 입게 됨

矮人看場 (왜인간장) : 키 작은 사람의 마당극 보기

矮人看戲 (왜인간희) : 키 작은 사람의 연극 보기

矮人觀場 (왜인관장) : 키 작은 사람의 마당극 보기

矮子看戲 (왜자간희) : 키가 작은 사람이 큰 사람 틈에 끼여 구경은 못하고서 앞사람의 이야기만 듣고는 자기가 본 체 또는 아는 체 한다는 뜻 ▶ 자신은 아무것도 모르면서 남이 그렇다고 하니까 덩달아서 그렇다고 하는것을 뜻함.

燎原之火 (요원지화) : 벌판을 태우며 나가는 불 ▶ 세력이 매우 대단하여 막을 수 없음

雨後竹筍 (우후죽순) : 비가 온 뒤에 여기저기 솟는 죽순
▶ 어떤 일이 한때에 많이 생겨남

雲上氣稟 (운상기품) : 속됨을 벗어난 고상한 기질과 성품

鴛鴦之契 (원앙지계) : 원앙의 만남 ▶ 금슬이 좋은 부부의 사이

怨入骨髓 (원입골수) : 원한이 뼛속에 사무침. 몹시 원망함

流言蜚語 (유언비어) : 사실여부가 분명치 않은 사람 사이에 흐르는 소문과 날라 다니는 소문

肉山脯林 (육산포림) : 고기가 산을 이루고 포(脯)가 숲을 이룸
▶ 몹시 사치스러운 잔치

衣架飯囊 (의가반낭) : 옷걸이와 밥주머니 ▶ 아무 쓸모없는 사람

意馬心猿 (의마심원) : 생각은 말처럼 달리고 마음은 원숭이처럼 설렘
▶ 사람의 마음이 세속의 번뇌와 욕정 때문에 항상 어지러움

사자성어(四字成語), 고사성어(故事成語)

以指測海 (이지측해) : 손가락으로 바다의 깊이를 잰다는 뜻
▶ 자기의 역량을 모르는 어리석음을 뜻함

人工淘汰 (인공도태) : 인공적으로 좋은 것, 우수한 것만 살아남도록 만듦

人口膾炙 (인구회자) : 칭찬받을 일로 사람들의 입에 자주 오르내림을 뜻함

人爲淘汰 (인위도태) : 우성인 것만 살아남도록 인위적으로 만듦.
품종 개량에서 특수한 형질을 지닌 것만을 가려서 교배함

一騎當千 (일기당천) : 한사람의 기병이 천명을 당한다는 뜻
▶ 무예나 능력이 아주 뛰어남

一瀉千里 (일사천리) : 강물이 빨리 흘러 천 리를 감.
▶ 어떤 일이 거침없이 빨리 진행됨.

一曝十寒 (일폭십한) : 하루 볕 쬐고 십일 동안 추움
▶ 일이 진행도중 자주 끊김

臨時防牌 (임시방패) : 무너진 성벽을 급한 대로 우선 방패로 막음

自家撞着 (자가당착) : 같은 사람의 말이나 행동이 앞뒤가 서로 맞지 아니함

自繩自縛 (자승자박) : 자기의 줄로 자기 몸을 옭아 묶음 ▶ 자기가 한 말과 행동에 자기 자신이 옭혀 곤란하게 됨.

自業自縛 (자업자박) : 자기가 저지른 일의 결과로 자신이 옭힘

自然淘汰 (자연도태) : 자연계에서 그 생활 조건에 적응하는 생물은 생존하고, 그렇지 못한 생물은 저절로 사라지는 일

長袖善舞 (장수선무) : 소매가 길면 춤을 잘 출 수 있음 ▶ 재물이 넉넉한 사람은 일을 하거나 성공하기가 쉬움

賊反荷杖 (적반하장) : 도둑이 도리어 매를 듦 ▶ 잘못한 사람이 아무 잘못도 없는 사람을 나무람.

前車覆轍 (전거복철) : 앞 수레가 엎어진 바퀴 자국 ▶ 이전 사람의 그릇된 일이나 행동의 자취

前倨後恭 (전거후공) : 전에는 거만하다가 나중에는 공손함 ▶ 상대편의 입지에 따라 대하는 태도가 일변하는 것

輾轉反側 (전전반측) : 누워서 몸을 이리저리 뒤척이며 잠을 이루지 못함.

輾轉不寐 (전전불매) : 누워서 몸을 이리저리 뒤척이며 잠을 이루지 못함.

前虎後狼 (전호후랑) : 앞문에서 호랑이를 막고 있는데 뒷문으로 이리가 들어옴 ▶ 재앙이 끊일 사이 없이 닥침.

截長補短 (절장보단) : 긴 것을 잘라서 짧은 것을 보충함.

切齒扼腕 (절치액완) : 이를 갈고 팔을 걷어붙이며 몹시 분해함.

頂門一鍼 (정문일침) : 정수리에 침을 놓음 ▶ 따끔한 충고나 교훈

挺身出戰 (정신출전) : 앞장서서 나가 싸움 ▶ 위급할 때 과감히 나서 모든 책임을 다함.

濟河焚舟 (제하분주) : 배를 타고 물을 건넌 후 배를 태워버림
▶ 결사항전의 의지의 표현

糟糠之妻 (조강지처) : 지게미와 쌀겨로 끼니를 이을 때의 아내
▶ 몹시 가난하고 천할 때에 고생을 함께 겪어 온 아내

爪牙之士 (조아지사) : 손톱과 어금니 같은 선비
▶ 충성으로 임금을 모시는 신하

粗衣惡食 (조의악식) : 거친 옷을 입고 좋지 않은 음식을 먹음

粗衣粗食 (조의조식) : 거친 옷을 입고 거친 밥을 먹음

左顧右眄 (좌고우면) : 왼쪽을 돌아보고 오른쪽을 돌아봄

左眄右顧 (좌면우고) : 왼쪽을 돌아보고 오른쪽을 돌아봄

主客顚倒 (주객전도) : 주인과 손의 위치가 서로 뒤바뀜
▶ 사물의 경중, 선후, 완급 따위가 서로 뒤바뀜

酒袋飯囊 (주대반낭) : 술주머니와 밥주머니 ▶ 먹고 마실 줄만 알지 일할 줄을 모르는 쓸모없는 사람

走馬加鞭 (주마가편) : 달리는 말에 채찍질함 ▶ 잘하는 사람을 더욱 장려함

竹頭木屑 (죽두목설) : 대나무 조각과 나무 부스러기 ▶ 쓸모가 적은 물건. 못 쓰게 된 것들을 모아 재활용함

櫛風沐雨 (즐풍목우) : 머리털을 바람으로 빗질하고 몸은 빗물로 목욕함
▶ 오랜 세월을 객지에서 방랑하며 온갖 고생을 다 함

珍羞盛饌 (진수성찬) : 진귀한 반찬으로 가득 차린 음식

盡忠竭力 (진충갈력) : 충성을 다하고 힘을 다함

採薪之憂 (채신지우) : 섶을 만들어야 하는 근심 ▶ 병이 들어서 땔나무를 할 수 없음. 자신의 병을 겸손하게 이르는 말

徹地之冤 (철지지원) : 땅에 사무치는 크나큰 원한

徹天之冤 (철천지원) : 하늘에 사무치는 크나큰 원한

樵童汲婦 (초동급부) : 교육을 받지 못한 하층 사람들 또는 평범한 사람들

出爾反爾 (출이반이) : 너에게서 나와서 너에게 돌아감 ▶ 행복과 불행, 좋은것과 나쁜것이 결국은 모두 자기 자신에 의하여 초래됨

吹毛覓疵 (취모멱자) : 상처를 찾으려고 털을 불어 헤침.
▶ 억지로 남의 작은 허물을 들추어냄

惻隱之心 (측은지심) : 사람의 본성에서 우러나오는 불쌍히 여겨 언짢아 하는 마음

癡人說夢 (치인설몽) : 어리석은 사람이 꿈 이야기를 함 ▶허황된 말을 지껄임

七顚八起 (칠전팔기) : 일곱 번 넘어지고 여덟 번 일어남 ▶ 여러 번 실패하여도 굴하지 아니하고 꾸준히 노력함.

七顚八倒 (칠전팔도) : 일곱 번 구르고 여덟 번 거꾸러짐 ▶ 수없이 실패를 거듭하거나 매우 심하게 고생함.

七縱七擒 (칠종칠금) : 마음대로 잡았다 놓아 주었다 함
▶ 상대편을 마음대로 요리함.

사자성어(四字成語), 고사성어(故事成語)

針小棒大 (침소봉대) : 작은 일을 크게 불리어 떠벌림

唾面自乾 (타면자건) : 다른 사람이 나의 얼굴에 침을 뱉으면 저절로 그 침이 마를 때까지 기다림 ▶ 처세에는 인내가 필요함을 강조하여 이르는 말

探囊取物 (탐낭취물) : 주머니를 뒤져 물건을 얻음 ▶ 어떤 일을 쉽게 이룸.

貪賂無藝 (탐뢰무예) : 뇌물을 탐함에 그 끝이 없음.

吐哺握發 (토포악발) : 민심을 수렴하고 정무를 보살피기에 잠시도 편안함이 없음.

投鞭斷流 (투편단류) : 채찍을 던져 흐르는 강물을 막음 ▶ 병력이 많고 강대함을 비유하여 이르는 말

兔死狐悲 (토사호비) : 토끼가 죽으니 여우가 슬퍼함 ▶ 같은 무리의 불행을 슬퍼함

波瀾萬丈 (파란만장) : 물결이 만 길임 ▶ 사람의 생활이나 일의 진행이 여러 가지 곡절과 시련이 많고 변화가 심함.

波瀾重疊 (파란중첩) : 물결 위에 물결임

悖入悖出 (패입패출) : 사리에 어긋나게 비정상적인 방법으로 얻은 재물은 비정상적으로 다시 나감.

鞭長莫及 (편장막급) : 돕고 싶지만 능력이 미치지 못함.

弊袍破笠 (폐포파립) : 해어진 옷과 부서진 갓 ▶ 초라한 차림새

蒲柳之姿 (포류지자) : 갯버들의 모습

蒲柳之質 (포류지질) : 갯버들의 자질. 잎이 일찍 떨어지는 연약한 나무 ▶ 몸이 잔약하여 병에 걸리기 쉬운 체질

豹死留皮 (표사유피) : 표범은 죽어서 가죽을 남김 ▶ 사람은 죽어서 명예를 남겨야 함.

夏爐冬扇 (하로동선) : 여름의 화로와 겨울의 부채 ▶ 격(格)이나 철에 맞지 아니함.

夏扇冬曆 (하선동력) : 여름의 부채와 겨울의 새해 책력 ▶ 선사하는 물건이 철에 맞음

下穽投石 (하정투석) : 함정에 빠진 사람에게 돌을 던짐

緘口無言 (함구무언) : 입을 다물로 아무 말도 하지 아니함.

含哺鼓腹 (함포고복) : 잔뜩 먹고 배를 두드림 ▶ 먹을 것이 풍족하여 즐겁게 지냄

偕老同穴 (해로동혈) : 살아서는 같이 늙고 죽어서는 한 무덤에 묻힘 ▶ 생사를 같이하자는 부부의 굳은 맹세

向隅之歎 (향우지탄) : 구석을 향하여 한탄함 ▶ 좋은 때(기회)를 만나지 못한 것을 한탄함

虛心坦懷 (허심탄회) : 품은 생각을 터놓고 말할 만큼 아무 거리낌이 없고 솔직함

懸梁刺股 (현량자고) : 허벅다리를 찌르고 머리카락을 노끈으로 묶음 ▶ 잠을 물리치며 학업에 매우 힘씀.

狐假虎威 (호가호위) : 여우가 호랑이의 위세를 빌림 ▶ 남의 권세를 빌려 위세를 부림

狐丘之戒 (호구지계) : 남에게 원한을 사는 일이 없도록 조심함

糊口之計 (호구지계) : 입에 풀칠하는 계책

糊口之策 (호구지책) : 입에 풀칠하는 계책. 가난한 사람에서 그저 겨우 먹고 살아 가는 방책

虎狼之國 (호랑지국) : 호랑이같은 나라. 신의가 없는 나라

毫毛斧柯 (호모부가) : 수목을 어릴 때 베지 않으면 마침내 도끼를 사용하게 됨 ▶ 화근(禍根)은 크기 전에 없애야 함. 나쁜 버릇은 어릴 때 고쳐야 함.

狐死兔悲 (호사토비) : 여우가 죽으면 토끼가 슬퍼함 ▶ 같은 무리의 죽음을 슬퍼함

狐死兔泣 (호사토읍) : 여우가 죽으면 토끼가 욺 ▶ 같은 무리의 죽음을 슬퍼함

虎視耽耽 (호시탐탐) : 범이 눈을 부릅뜨고 먹이를 노려봄 ▶ 남의 것을 빼앗기 위하여 형세를 살피며 가만히 기회를 엿봄

狐死首丘 (호사수구) : 여우가 죽을 때 머리를 제가 살던 굴이 있는 언덕으로 돌림 ▶ 고향을 그리는 마음

惑世誣民 (혹세무민) : 세상을 어지럽히고 백성을 미혹하게 하여 속임

魂飛魄散 (혼비백산) : 혼백이 어지러이 흩어짐 ▶ 몹시 놀라 넋을 잃음

渾然一致 (혼연일치) : 의견이나 주장 따위가 완전히 하나로 일치함.

畫龍點睛 (화룡점정) : 무슨 일을 하는 데에 가장 중요한 부분을 완성함. 글을 짓거나 일을 하는 데서 가장 요긴한 어느 한 대목을 성공적으로 완성함.

華胥之夢 (화서지몽) : 낮잠 또는 좋은 꿈

和氏之璧 (화씨지벽) : 화씨의 구슬 ▶ 천하의 귀중한 보배. 뛰어난 인재

畵中之餠 (화중지병) : 그림의 떡. 먹거나 얻을 수 없음. ▶ 아무 소용이 없음

鰥寡孤獨 (환과고독) : 홀아비. 과부. 고아. 늙어서 자식이 없는 외롭고 의지할곳 없는 불쌍한 사람들을 가리킴

歡呼雀躍 (환호작약) : 기뻐서 크게 소리를 치며 날뜀

懷璧有罪 (회벽유죄) : 분수에 맞지 않는 귀한 물건을 지니고 있으면 훗날 화를 초래할 수 있음.

繪事後素 (회사후소) : 사람은 좋은 바탕(어짊)이 있은 뒤에 형식(禮度)을 더해야 함 ▶ 형식적인 예(禮)보다는 그 예의 본질인 인(仁)한 마음이 중요함.

橫說竪說 (횡설수설) : 조리가 없이 말을 이러쿵저러쿵 지껄임.

孝悌忠信 (효제충신) : 어버이에 대한 효도, 형제끼리의 우애, 임금에 대한 충성, 벗 사이의 믿음

諱疾忌醫 (휘질기의) : 병을 숨기고 의사를 꺼려 함 ▶ 자신의 결점을 감추고 고치려 하지 않음.

주제별(같은뜻) 사자성어(四字成語) – 1級 범위

성어	독음	뜻
竿頭之勢	(간두지세)	위태로운 형세
百尺竿頭	(백척간두)	
累卵之危	(누란지위)	
奸臣賊子	(간신적자)	불충과 불효
亂臣賊子	(난신적자)	
渴而穿井	(갈이천정)	미리 대비하지 않아 나중에 후회됨
亡羊補牢	(망양보뢰)	
甘井先竭	(감정선갈)	재주가 좋은자가 먼저 쇠함
甘泉先竭	(감천선갈)	
膏粱珍味	(고량진미)	맛있는 음식
山海珍味	(산해진미)	
山珍海饌	(산진해찬)	
股掌之臣	(고장지신)	충성스런 신하
股肱之臣	(고굉지신)	
曠日彌久	(광일미구)	헛되이 세월을 보냄
曠日持久	(광일지구)	
無爲徒食	(무위도식)	
曠前絕後	(광전절후)	과거에도 미래에도 없는 일
前無後無	(전무후무)	
窮寇勿迫	(궁구물박)	궁지에 몰린자를 지나치게 핍박하지 말것
窮寇莫追	(궁구막추)	
困獸猶鬪	(곤수유투)	
窮狗莫追	(궁구막추)	
窮鼠莫追	(궁서막추)	
金蘭之誼	(금란지의)	두터운 우정
金蘭之契	(금란지계)	
管鮑之交	(관포지교)	
金石牢約	(금석뇌약)	굳건한 약속
金石之約	(금석지약)	
囊中取物	(낭중취물)	아주 쉬운 일
探囊取物	(탐낭취물)	
戴天之讐	(대천지수)	원수지간
不共戴天	(불공대천)	
冬扇夏爐	(동선하로)	철이 지난 물건
夏爐冬扇	(하로동선)	
東奔西走	(동분서주)	매우 바쁜 생활
東馳西走	(동치서주)	
磨斧爲針(鍼)	(마부위침)	작은 노력이 큰 일을 이룸
愚公移山	(우공이산)	
水滴穿石	(수적천석)	
明珠彈雀	(명주탄작)	작은것을 탐하다가 큰것을 잃음
小貪大失	(소탐대실)	

성어	독음	뜻
猫頭懸鈴	(묘두현령)	실행할수 없는 논의
猫項懸鈴	(묘항현령)	
與狐謀皮	(여호모피)	
巫山之夢	(무산지몽)	남녀의 情交
朝雲暮雨	(조운모우)	
朝雲之情	(조운지정)	
雲雨之情	(운우지정)	
雲雨之樂	(운우지락)	
鴛鴦之契	(원앙지계)	부부간의 사랑
琴瑟相和	(금슬상화)	
百年偕老	(백년해로)	
偕老同穴	(해로동혈)	
百折不撓	(백절불요)	결코 굽히지 않음
百折不屈	(백절불굴)	
七顚八起	(칠전팔기)	
捧腹絕倒	(봉복절도)	매우 크게 웃음
抱腹絕倒	(포복절도)	
拍掌大笑	(박장대소)	
粉骨碎身	(분골쇄신)	전력을 다함
犬馬之勞	(견마지노)	
繡衣夜行	(수의야행)	보람없는 행동
錦衣夜行	(금의야행)	
夜行被繡	(야행피수)	
自家撞着	(자가당착)	언행이 앞과 뒤가 맞지 않음
矛盾撞着	(모순당착)	
羞花閉月	(수화폐월)	뛰어난 미인
傾國之色	(경국지색)	
花容月態	(화용월태)	
實陳無諱	(실진무휘)	사실대로 고함
以實直告	(이실직고)	
與民偕樂	(여민해락)	백성과 임금이 함께 즐김
與民同樂	(여민동락)	
玉石俱焚	(옥석구분)	옳은 사람과 그른 사람이 함께 재앙을 당함
玉石同碎	(옥석동쇄)	
玉石同櫃	(옥석동궤)	
矮人看場	(왜인간장)	분별력 없이 무조건 남의 말에 따르는 일
矮人看戲	(왜인간희)	
附和雷同	(부화뇌동)	
輾轉不寐	(전전불매)	몸을 뒤척이며 잠을 이루지 못함
輾轉反側	(전전반측)	
傲霜孤節	(오상고절)	높은 절개, 국화를 뜻함
霜風高節	(상풍고절)	
錐處囊中	(추처낭중)	뛰어난 사람은 숨어 있어도 저절로 알려짐
囊中之錐	(낭중지추)	
波瀾萬丈	(파윤만장)	시련과 변화가 많음
波瀾重疊	(파란중첩)	

제1회 1級 쓰기 연습문제 (쓰기배정漢字 2005字범위내 - 가나다순) ※ 정답은 101쪽

1. AI 高病原성 감염으로 가금류에 치명적 타격
2. 결혼을 앞둔 새신랑이 양복점에서 새옷을 가봉하다.
3. 어린나이에 그런생각을 하다니 참으로 가상하구나
4. 그는 십년 복역 끝에 가석방으로 출소하였다.
5. 시간에 늦게 도착한 수험생은 가차없이 저지당했다.
6. 국가대표 축구팀이 국민들로부터 각광을 받다.
7. 각박한 세상인심 누구를 탓하랴!
8. 그 드라마의 출연자는 각본을 외우느라 여념이 없었다.
9. 생선이나 육류를 말린것을 간물이라고도 한다.
10. 그는 남을 잘속이는 간사한 사람이다.
11. 남의 사생활을 간섭하지 말것
12. 그곳을 간신히 빠져 나왔다.
13. 다수를 위한 간절한 소망이니 꼭 이루어질것이다.
14. 종교인이 자기의 신앙적인 체험을 간증하다.
15. 동·서 냉전시대에는 간첩 활동이 그치지 않았다.
16. 마침내 그들의 흉계를 간파하여 일망 타진하였다.
17. 노래가 끝나자 장내는 감격과 흥분의 도가니로 변했다.
18. 달콤하여 감미로운 맛을 느끼다.
19. 그는 예술작품을 잘이해하는 뛰어난 감상력을 지녔다.
20. 나는 상사의 질책을 모두 감수해야만 했다.
21. 살인죄로 반평생을 감옥살이 했다.
22. 경찰은 피의자의 정신을 감정 의뢰했다.
23. '監察'은 감시하고 살핀다는 뜻이고, 감찰은 영업허가를 관청에서 내주는 증표이다.
24. '減縮'은 덜어서 줄인다는 뜻이고, 감축은 감사하고 축하한다는 뜻이다.
25. 인삼은 몸이 튼튼하고 혈기가 왕성해지는 강장식품이다.
26. 日帝에 강점되었던 국토는 지하자원을 모두 빼앗겼다.
27. 일본에서 발생한 강진으로 우리나라 동해에도 미진이 생겼다.
28. 반만년 역사를 개관하다.
29. 올림픽 개막식이 거행되었다.
30. 싸움에서 이기고 돌아온 개선장군
31. '改訂'은 잘못된것을 고치어 바로잡는다는 뜻이고, 개정은 재판을 시작한다는 뜻이다.
32. 타향살이에서 느끼는 시름과 객수를 술로 달래다.
33. 왕명을 거역하는자가 죽임을 당했었다.
34. 하는짓이 꼭 무슨 거조를 낼것만 같다.
35. 벼수확을 거지반 끝냈다.
36. 이황은 조선조의 거유이다.
37. 할머니는 건망증이 심해 무엇이든 잘 잊어버린다.
38. 손전등에 불을 켜려면 건전지가 필요하다.
39. 격변하는 국제정세에 대처하기 위해 전담기구를 설립했다.
40. 한·미 쇠고기협상이 끝나자 농민들은 매우 격분하였다.
41. 비단은 견사를 원료로 써서 만든 천이다.
42. 그 장군의 어깨위에 四星 견장이 더욱 장엄해 보였다.
43. 넓은 밭두둑에 결구된 배추가 길게 나열된 들녘
44. 노·사의 교섭이 결렬되자 노동자들이 파업을 시작했다.
45. 눈이 아파 병원에 갔더니 결막염이라 했다.
46. 허위학력 위조로 교수자격이 결여되었다.
47. 이 논문은 그의 오랜 연구생활의 결정이다.
48. 돈이 부족하여 닥쳐온 어음 결제를 하지 못했다.
49. 세관원과 결탁하여 밀수품을 들여오다 적발되었다.
50. 아직도 국내에는 결핵환자가 상당수 있다.
51. 그녀는 재주와 인물을 겸비한 재원이다.
52. 공무원은 자기를 낮추는 겸허한 자세로 국민에게 봉사해야 한다.
53. 한려수도의 그림같은 경개가 추억을 장식했다.
54. 요즘은 부동산 경기가 좋지 않다.
55. 친구라도 함부로 대하는 말투에 경멸감을 느꼈다.
56. 너무 경박한 언행은 상대방에게 불쾌감을 준다.
57. 정치가는 경솔한 말을 함부로해선 안된다.
58. 훈련에 온 힘을 경주하여 최선을 다했다.
59. 오지 사람들에게 미신타파 계몽운동을 벌였다.
60. 돈을 송금할테니 계좌번호를 알려주세요.
61. 그는 俗世에 얽매이지 않는 고답적 인격자이다.
62. 그는 재 도전했으나 이번에도 고배의 쓴잔을 마셨다.
63. 종기에는 고약을 붙여야 빨리 낫는다.
64. 앞마당에 피어난 목련의 고아한 자태가 가히 장관이다.
65. 고모의 아들이나 딸들은 나와 고종 사촌형제간이다.
66. 독립운동을 했다는 이유로 일본군에 끌려가 갖은 고초를 겪었다.
67. '工具'는 기계따위를 만드는데 쓰이는 기구를 뜻하고, '공구'는 몹시 두렵다는 뜻이다.
68. 그 공란은 칼럼이 들어갈 자리다.
69. 적의 공략으로 폐허가 되었다.
70. 공룡은 쥐라기와 백악기에 걸쳐 발생한 거대한 파충류의 총칭이다.
71. 검사가 법원에 공소를 제기하다.
72. 민방위 훈련이 시작됨과 동시에 공습 경보가 울렸다.
73. 그녀는 시부모를 잘 공양하였다.
74. 유명가수가 되어 해외공연을 하였다.
75. 각종 한자자격시험에 국가공인 부여는 매우 엄격해야 한다.
76. 일제강점기간에 거의 모든 쌀을 공출 당했다.
77. 그는 정당공천을 받지 못하고 무소속으로 출마했다.
78. 그는 회사발전에 공헌한바가 커서 이사로 승진하였다.
79. 그가 나라에 세운 공훈은 국가유공자가 되기에 충분하다.
80. '果刀'는 과일깎는 칼을 뜻하고, '과도'는 옮아가거나 바뀌어 가는 도중을 뜻한다.
81. 과부는 銀이 서말이고 홀아비는 이가 서말이다.
82. 세무서는 국민에게 각종 세금을 과세하는 관청이다.
83. 생일을 축하하기 위해 제과점에서 케이크를 샀다.
84. 육체적 쾌감을 자극하는 관능적 영상물을 배제하였다.
85. 영화 관람객이 좌석을 모두 채웠다.
86. 정부조직개편으로 한 장관이 두개 부서의 업무를 관장하는 곳이 많아졌다.
87. 새로운 혜성의 진로를 파악하기 위해 천체 관측에 몰두하였다.
88. 주민등록 재정비기간에 관할 동사무소에 신고하였다.
89. 도심을 뒤흔드는 폭주족의 광란의 질주
90. 지난 잘못은 모두 잊고 괘념치 마시오.

제2회 1級 쓰기 연습문제

※ 정답은 101쪽

1. 시설내의 범죄자들의 올바른 인성교육은 교도관의 노력에 좌우된다.
2. 해외에 거주하는 교민들에게 모국의 선거권을 검토중이다.
3. 농업분야에서 우수種을 결합한 교배種 연구에 박차를 가하다.
4. 남을 시켜 죄를 짓게한 교사犯도 똑같은 처벌을 받는다.
5. 넥타이로 목을 졸라 연인을 살해한 자가 교살犯으로 체포되었다.
6. 한 정당은 20명의 국회의원이 있어야 교섭단체를 구성할 수 있다.
7. 홈런을 얻어맞고 투수는 교체되었다.
8. 미국에 가장 많은 교포들이 살고 있다.
9. 정보를 서로 교환하다.
10. 서울시립악단이 교향곡을 연주하다.
11. 선수들의 과다한 연봉인상 요구에 구단측은 난감해 했다.
12. 구두점은 쉼표와 마침표이다.
13. 신문사에서 구독者 확보를 위해 선물공세를 펴다.
14. 지휘자의 구령에 따라 우리는 행진을 계속했다.
15. 음주운전으로 20일간 구류형을 받았다.
16. 농촌도 도시화 영향으로 구매력이 커지고 있다.
17. 훈련병들이 매일 아침 연병장을 구보한다.
18. 그는 3개 국어를 자유자재로 구사할줄 안다.
19. 회사발전을 위해 자신의 구상을 밝혔다.
20. 큰 일을 앞두고 사소한 일에 구애되지 말아라.
21. 피고인을 구인하려면 영장이 필요하다.
22. 기생충 구제약은 1년에 두차례 정도 복용한다.
23. 당신은 연로한데도 양친이 모두 구존하시니 부럽습니다.
24. 구주(구라파의 준말) 일대를 여행하다.
25. 구차한 변명으로 과오를 면하고 싶지 않다.
26. 사치풍조를 구축하고 검소한 생활을 하다.
27. [ ] [ ] : 서로 사귐
28. [ ] [ ] : 교묘함과 졸렬함
29. [교] [칠] : 아교와 옻칠, 아주 친한 사이
30. [ ] [ ] : 맞붙어 싸움
31. [구] [축] [함] : 어뢰를 주요무기로 하고, 고속으로 적을 공격하는 소형의 군함.
32. [국] [한] : 범위를 일정한 부분에 한정함.
33. [군] [도] : 떼를 이룬 도둑
34. [군] [벌] : 출신이나 경력등에 의한 군인의 파벌
35. [군] [수] : 군사상의 수요 또는 그 물자
36. [궁] [궐] : 임금이 거처하는 집, 대궐
37. [권] [모] : 그때 형편에 따라 둘러 맞추는 모략
38. [권] [법] : 주먹을 써서 지르고 막아내고 하는 격투기술
39. [권] [총] : 한손으로 발사할수 있는 짧고 작은 총
40. [궤] [도] : 일이 발전하는 정상적인 방향과 단계
41. [귀] [감] : 거울 삼아 본받을만한 모범
42. [귀] [항] : 배가 출발하였던 항구로 되돌아옴
43. [규] [방] : 부녀자가 거처하는 방
44. 책의 소재를 규명하다.
45. 회담이 교착상태에 빠지다.
46. 기름 유출 피해 지역에 구호 물자를 보냈다.
47. 몽고는 초원과 구릉지대가 많다.
48. 우리나라의 국시는 자유민주주의이다.
49. 한쪽날개가 부러진 헬리콥터는 균형을 잃고 추락했다.
50. [극] [약] : 독약보다는 약 하나, 적은 분량으로도 사람이나 동물에게 위험을 주는 약품
51. [극] [찬] : 매우 칭찬함.
52. [극] [진] : 마음과 힘을 다함
53. [근] [계] : 편지 첫머리에 쓰는 말로, '삼가아뢲니다'의 뜻
54. [근] [배] : '삼가 절한다'는 뜻으로 편지 맨끝에 쓰는 말
55. 살림살이가 넉넉하지 못해 근근히 살아갑니다.
56. 우리 할아버지는 아직 근력이 좋으시다.
57. 그들 자매는 분간하기 어려울만큼 용모가 근사하다.
58. [근] [신] : 말이나 행동을 삼가하고 조심함.
59. [근] [조] : 사람의 죽음에 대하여 삼가 슬픈 마음을 나타냄.
60. [ ] [ ] : 부지런함과 게으름
61. [근] [하] : 삼가 축하함.
62. [근] [황] : 요즈음의 형편
63. [ ] [ ] [ ] : 봄에는 금강산, 여름에는 봉래산, 가을에는 풍악산, 겨울에는 개골산으로 일컫는 산
64. [금] [기] : 꺼리어서 싫어하거나 금함
65. [ ] [ ] : 금빛처럼 누른 머리털
66. [ ] [ ] : 날짐승과 길짐승
67. [ ] [ ] : 거문고와 비파, 부부간의 사랑
68. [금] [욕] : 육체적인 욕망을 억눌러 금함
69. [금] [자] [탑] : 「金」자 모양의 탑. 후세에 오래 남을 뛰어난 업적
70. [금] [치] [산] : 법원이 심신상실자에게 재산처분을 못하게 하는 제도
71. [급] [등] : 물가가 갑자기 오름
72. [ ] [ ] : 갑자기 습격함
73. 현지에 구조대를 급파하다.
74. [긍] [지] : 자신의 능력을 믿음으로써 가지는 자랑
75. [긍] [정] : 어떤 사실 현상, 사태 따위를 그러하다고 인정함.
76. 반도체산업은 우리나라의 기간산업으로 자리잡았다.
77. [ ] [ ] : 배고픔과 목마름
78. 회사내의 기강을 확립하다.
79. 한국남아의 기개를 떨치다.
80. 한강에 투신자살을 기도하려다 실패하였다.
81. 한 · 미 육해군 기동훈련이 동해에서 실시되었다.
82. [기] [득] : 이미 취득함.
83. [기] [로] : 갈림길
84. [ ] [ ] : 말(馬)을 탐
85. 범인이 수사망을 기묘하게 피해 달아났다.
86. 키가 가장 큰 동물은 기린이다.
87. 남을 기망하여 금품을 뜯어낸 행위는 사기죄이다.
88. 군사기밀을 누설한 죄로 군사재판에 회부되었다.
89. 기발한 아이디어로 난관을 극복하다.
90. 급히 오라는 기별을 받았다.
91. 한반도의 오랜 역사는 참으로 기복이 심하였다.
92. 그는 평생 모은 재산을 후학들을 위해 학교재단에 기부하였다.

제3회 1級 쓰기 연습문제

※ 정답은 101쪽

1. 그는 횡령혐의로 기소되었다.
2. [기] [생] [충] : 다른 생물의 몸에 붙어서 양분을 섭취하며 사는 동물
3. 그는 기숙사에서 기거하며 대학에 다닌다.
4. 요즈음 날씨가 추워서 감기가 기승을 부린다.
5. 식량부족으로 기아에서 허덕이는 국가를 지원하고 있다.
6. 한나라의 부강은 中 · 小 기업이 번창함에 있다.
7. [기] [원] : 바라는 일이 이루워지기를 빔
8. 고대화석은 인류의 기원을 연구하는데 많은 도움이 된다.
9. [기] [일] : 제삿날
10. '機長'은 승무원중의 최고책임자를 뜻하고 '기장'은 장부에 기록한다는 뜻이다.
11. 새벽을 가르는 열차의 기적소리
12. 소경이 눈을 뜨고 불구자가 일어났다면 그것은 기적이다.
13. 모교에 컴퓨터를 기증했다.
14. 기초가 튼튼한 건물
15. [ ] [ ] : 기상과 취침
16. [기] [항] : 항해중인 배가 목적지가 아닌 항구에 잠시 들름
17. [기] [항] : 비행중인 항공기가 목적지가 아닌 공항에 잠시 들름
18. 환경오염으로 기형아 출산의 우려가 높다.
19. [ ] [ ] : 긴요하고 급함
20. 한 · 미간 긴밀한 협조를 약속하다.
21. 올림픽을 앞두고 중국정부와 티베트족에 긴장감이 감돌다.
22. [길] [조] : 좋은일이 있을 조짐
23. [나] [열] : 죽 벌이어 놓음
24. [ ] [ ] : 벌거벗은 몸
25. [낙] [관] : 글씨나 그림 위에 찍힌 작가의 도장
26. 낙태 수술은 생명의 존엄성을 배척하는 행위이다.
27. [난] [소] : 동물의 암컷의 생식기관
28. 소총을 난사하여 많은 사상자가 생겼다.
29. 세상을 어지럽히는 도둑, 난적을 토멸하다.
30. 선거때 공약을 남발해놓고 감당 못하는 경우가 있다.
31. 어린물고기의 남획으로 씨가 말릴 지경이다.
32. [ ] [ ] : 북쪽으로 납치하여 감.
33. 시간을 낭비하지 않는자는 성공한다.
34. 결혼식에서 시를 낭송하였다.
35. 경찰이 모회사의 밀수거래를 은밀히 내사하는 중이다.
36. 지진발생국에서는 건물의 내진설계도가 매우 세밀하다.
37. 김치는 냉장고에서 오랫동안 신선도가 유지된다.
38. 갑자기 쏟아지는 우박으로 인해 농작물이 냉해를 입었다.
39. [냉] [한] : 식은 땀
40. 정부는 일본의 독도 탐방제안을 냉혹히 거부하였다.
41. 어제 등산을 했더니 몸이 노곤하다.
42. 그는 재벌회사의 비위를 노골적으로 드러냈다.
43. [노] [비] : 사내종과 계집종
44. IMF이후 경기침체로 노숙자들이 많이 생겼다.
45. [노] [승] : 늙은 중
46. 징역형은 노역장에서 노동을 해야한다.
47. 링컨은 노예제도를 폐지시켰다.
48. [ ] [ ] : 노동에 대한 보수, 품삯
49. 따거운 햇살을 피해 녹음이 우거진 나무그늘 아래서 쉬었다.
50. 매우 유익한 설명이였기에 빠뜨리지 않고 녹음하였다.
51. 곡선을 이룬 푸른 녹차밭 두둑이 아름다웠다.
52. [ ] [ ] : 사슴의 피
53. 지루한 이라크 전쟁은 미국내 많은 논란을 일으켰다.
54. 대학입시시험에 논술이 상당한 부분을 차지한다.
55. 대화중에서 농담이 너무 지나치면 상대방의 오해를 살수 있다.
56. [ ] [ ] : 짙음과 옅음
57. 소각장설립 반대농성을 벌이며 경찰과 대치중이다.
58. 인권유린의 기미가 농후하다.
59. [뇌] [성] : 천둥소리
60. 여름철에는 일본뇌염 모기에 주의해야 한다.
61. 보고서에 누락된 것을 보충하였다.
62. 피로가 누적되면 큰 병을 일으킬수도 있다.
63. 목재건물은 누전으로 인해 화재가 자주 발생한다.
64. 능숙한 솜씨로 피아노연주를 끝냈다.
65. 해결방안을 다각적으로 강구했다.
66. 수련회가 끝나고 귀가하기전 다과회를 열었다.
67. 다사 다망했던 한해를 보내고 새해를 맞이했다.
68. 다보탑은 경주 불국사에 있는 석탑이다.
69. [다] [산] : 아이 또는 새끼를 많이 낳음.
70. 한 건물에 여러세대가 사는 집을 다세대 주택이라고 한다.
71. 미나리는 다습지에서 사는 식물이다.
72. 그는 가수의 꿈을 단념하고 대학에 입학했다.
73. 공부를 잘하려면 체력을 단련하는것 또한 중요하다.
74. 범인의 지문은 사건해결의 단서가 된다.
75. 경찰은 무단횡단보도의 단속을 강화했다.
76. 그 일은 단순 노동이므로 누구든지 할 수 있다.
77. [단] [아] : 단정하고 아담함.
78. 곱게 단장한 신부의 우아한 머리모습
79. 그 어린이는 얌전하고 품행이 단정하다.
80. 울긋불긋 새로 단청한 古宮
81. 가을이 무르익어 단풍구경이 한창이다.
82. 은행에 건물을 담보로 하여 돈을 대출 받았다.
83. [담] [석] : 쓸개에 생기는 結石
84. 오랜동안 당뇨병으로 고생하다가 세상을 떠났다.
85. 옛부터 지금까지 당파로 인한 정치분쟁이 심한 나라
86. 지상에서 비행기를 향해 대공포를 쏘아대다.
87. [대] [마] [초] : 환각제로 쓰이는 대마의 이삭이나 잎
88. 젊음을 대변하는 울긋불긋한 옷차림
89. 장마에 대비해서 축대 보수공사를 하였다.
90. [대] [비] : 서로 맞대어 비교함
91. 농협에서 농부들에게 농기구를 대여해 주었다.
92. 합천 해인사의 팔만 대장경
93. 물속에 대장균이 많으니 끓여 먹어야 한다.
94. 어느 자선단체는 매일 어른들께 점심식사를 대접한다.
95. 주장한 내용이 확실하는지 원본과 대조해 보았다.
96. 금고를 열면 도난경보음은 자동으로 울린다.

제4회 1級 쓰기 연습문제

※ 정답은 101쪽

1. 죄를 짓고 도망하다.
2. 공장에서 방금 가져온 물건들은 도매로 팔렸다.
3. 보행자의 편리를 도모하기 위해 길을 닦았다.
4. 오락실에 가면 도박게임에 중독되기 쉽다.
5. 군인의 사명은 적의 도발로부터 나라를 지키는 것이다.
6. [ ] [ ] : 허가없이 산의 나무를 몰래 벰
7. 景氣가 매우 나빠서 회사가 도산위기에 빠졌다.
8. [도] [예] : 도기의 미술 · 공예
9. 육상 100m 세계신기록에 도전하였다.
10. 관중은 음악에 도취하여 자리를 뜰줄 몰랐다.
11. 전쟁으로 인해 민생이 도탄에 빠졌다.
12. 태평양을 범선으로 무사히 도항했다.
13. [ ] [ ] : 독 있는 뱀
14. 민주화운동은 독재정치에 맞서는 국민단합이다.
15. [ ] [ ] : 혼자 쓰도록 된 목욕탕
16. 세무서에서 밀린 세금을 빨리 내라는 독촉장이 날아왔다.
17. [돈] [사] : 돼지우리
18. 한국은 우방과의 신뢰가 돈독하다.
19. 노사간에 봉급인상을 동결하기로 합의했다.
20. 직장내에서는 동료간의 우애가 매우 중요하다.
21. 동맥은 심장에서 나온 피를 몸의 각 부분으로 나르는 혈관이다.
22. 한국과 미국은 유사시 동맹국의 관계에 있다.
23. 심한 추위로 피부가 동상을 입었다.
24. 그는 나이가 들었지만 여전히 동안이다.
25. 돈의 유혹에 마음의 동요를 일으키다.
26. 어머니는 유행가보다 동요를 더 좋아하신다.
27. [동] [탁] : 산에 나무나 풀이 없음
28. 인쇄하기 위해서는 먼저 동판을 뜬다.
29. 이중국적은 해외동포들이 모국의 국적도 갖는 경우이다.
30. 명석한 두뇌를 나라발전을 위해 쓰다.
31. 콩으로 만든 두부는 단백질이 풍부하다.
32. [둔] [감] : 무딘 감각
33. 둔필을 무릎쓰고 붓을 들었습니다.
34. 통증이 심한 끝에 감각마저 둔화되었다.
35. [等] [거] [리] : 여러사물에 같은 비중을 두는 일
36. 새임금이 등극하다.
37. 편지를 등기우편으로 보냈다.
38. 주민등록등본
39. 시험지를 등사하였다.
40. 요사스런 잡귀의 통칭 – 마귀 할멈
41. 천년세월 비바람에 碑文이 마멸되었다.
42. 기름질을 자주해야 기계의 마모를 예방할수 있다.
43. 수술하기전에 마취 주사를 놓는다.
44. 남녀노소를 막론하고 즐길수 있는 운동
45. 무엇부터 손을 대야할지 막막하다.
46. 본회의에서 결렬된 사항을 막후교섭을 통해 타결하다.
47. 만경창파 넓은 바다
48. [만] [담] : 재미있고 익살스럽게 세상을 풍자한 이야기
49. 그런말을 했을리 만무하다.
50. [만] [삭] : 아이 낳을 달이 다 참
51. 아저씨께서 만성 위장병으로 고생하시다.
52. 중국인 학생들이 성화봉송중 시위군중들에게 만용을 부렸다.
53. 4월 1일은 거짓말을 해도 괜찮다는 만우절이다.
54. 바닷물이 만조때 도로 위에 넘쳤다.
55. 어린이는 만화영화를 무척 좋아한다.
56. 日帝는 한국문화 말살정책에 혈안이 되었었다.
57. 주민등록이 말소되면 선거권이 없어진다.
58. 자기의 본분을 망각해서는 안된다.
59. 이 사전은 각 분야의 전문어를 망라하였다.
60. 그 할머니께서 너무 연로하시어 망녕이 드셨다.
61. 넓고 아득한 망망한 바다
62. 몸을 피해 남의 나라로 망명하였다.
63. 누구나 이루워질수 없는 망상을 자주하게 된다.
64. 망원경으로 적의 동태를 수시로 살피다.
65. 바퀴벌레는 병을 매개하는 해로운 곤충이다.
66. 살짝 드러나는 덧니가 매력的이다.
67. 숲에서 풍기는 상쾌한 냄새에 매료되어 자주 산에 간다.
68. 땅 속에 매몰된 시체
69. [매] [점] : 물건값이 오를것을 대비해 휩쓸어 사두는 일
70. [매] [석] : 물가가 오를때를 바라고 물건을 팔지 않는 경우
71. [매] [점] : 물건파는 가게
72. 돈에 매수되어 태도가 돌변하였다.
73. [ ] [ ] : 매화나무의 열매
74. 우리나라 동해에 상당량의 천연가스가 매장되어 있다.
75. 그녀의 외모는 뭇남성들의 시선을 끌만큼 매혹적이다.
76. 대체로 종교는 내세를 주장하는 맥락에서 이루어졌다.
77. [맹] [신] : 옳고 그름을 가리지 아니하고 덮어놓고 믿음
78. 어진 신하는 왕 앞에서 충성을 다할것을 맹서하였다.
79. [맹] [장] : 하복부의 오른편 아래에 있는 막창자
80. [맹] [장] : 용맹한 장수
81. 골프장 설립에 앞서 타당성을 면밀히 검토하였다.
82. 적당한 운동으로 병을 이겨내는 면역性을 키운다.
83. [면] [제] : 병역이나 납세같은 의무를 면해주는 일
84. [면] [죄] : 죄를 면해주는 일
85. 운전면허시험에 합격하였다.
86. 눈을 감고 깊은 명상에 잠기다.
87. 그는 매우 명석한 두뇌를 가지고 있다.
88. 내 말을 깊이 명심해라.
89. 수재민을 돕기 위한 모금운동
90. 정부전복을 모반하여 군사를 일으켰다.
91. 남의 상품을 모방하여 팔면 불법이다.
92. 말이나 글의 첫머리를 모두라고 한다.
93. 그의 삶은 일생동안 다른사람에게 모범이 되었다.
94. 그 그림은 감정평가상 진품이 아니고 모사품으로 밝혀졌다.
95. [모] [순] : 앞, 뒤가 서로 맞지 아니한 상태
96. 심한 모욕感에 얼굴이 빨개졌다.
97. 실내에서는 모자를 벗어야 한다.
98. 모태에서 자라고 있는 건강한 태아

제5회 1級 쓰기 연습문제 ※ 정답은 101쪽

1. 충신은 간신의 모함을 받아왔다.
2. 도박은 하나의 모험이다.
3. 모형비행기를 하늘 높이 날렸다.
4. 목사님 설교시간에 감동 받았다.
5. 목욕을 하고나면 피로가 풀린다.
6. [목] [침] : 나무토막으로 만든 베개
7. 팔만대장경은 목판으로 인쇄되었다.
8. 써커스는 묘기대회이다.
9. 묘소에 많은 참배객들이 줄을 잇다.
10. 바둑에서 대마(大馬)를 살리는 묘수를 썼다.
11. 이렇다할 묘안이 떠오르지 않는다.
12. 모든 일에 완전무결한 사람은 없다.
13. 귀국의 무궁한 번영을 기원합니다.
14. 미국은 누구나 무기를 소지할수 있는 나라이다.
15. 그녀는 평생동안 무대에서 노래를 불렀다.
16. 강도가 권총으로 무장하고 은행으로 침입했다.
17. 전몰장병에 대하여 묵념을 올렸다.
18. 일본의 독도에 대한 망언을 묵과할수 없다.
19. 각종 범죄로 사회질서가 문란하다.
20. [문] [외] [한] : 어떤일에 전문가가 아닌 사람
21. 나는 꿈속에서 길을 잃고 미로를 헤메고 있었다.
22. 인간심리를 미묘하게 묘사하다.
23. 교육은 백년대계인만큼 일시적인 미봉책을 써서는 안된다.
24. 미신을 타파하여 건전한 종교관을 갖는다.
25. [미] [진] : 민감한 사람만이 느낄수 있는 아주 약한 지진
26. 재물에 미혹되어 뇌물을 받다.
27. 태풍예보를 듣고 민속하게 대처했다.
28. 국제적 금괴 밀수범들을 소탕했다.
29. 그는 책을 많이 읽어 박식하다.
30. 청교도들은 종교박해를 피해 신대륙으로 정착했다.
31. [반] [기] : 반란을 일으킨 무리가 표지로 세우는 기
32. [ ] [ ] : 운반하여 보냄
33. [ ] [ ] : 운반하여 들여옴
34. [반] [주] : 밥에 곁들여 마시는 술
35. 책방에서 빌렸던 책을 반환하였다.
36. 이 책은 인도에서 발간된 책이다.
37. 가뭄에는 씨앗의 발아가 더디다.
38. 자신의 실력을 유감없이 발휘하였다.
39. 어린이들의 싸움을 말리지 않고 방관만 하고 있었다.
40. 식품의 장기보관을 목적으로 방부제를 써서는 안된다.
41. 구속을 면하기 위해 해외에서 방랑생활을 하고 있다.
42. 방만한 회사운영으로 부도를 면하지 못했다.
43. 윗사람도 몰라보다니 매우 방자하구나.
44. 각종 면직류 옷감은 방직공장에서 생산된다.
45. 정치범 재판시에 방청객을 제한하였다.
46. 범인을 추적할때는 방탄조끼를 꼭 차려 입었다.
47. 외국상품을 배격하고 국산품을 애용한다.
48. 배구시합에서 우승하였다.
49. 동료를 배반하여 이익을 취하다.
50. 서해 기름피해 어민들에게 손해를 배상하다.
51. 수표 뒷면에 자신의 이름을 배서하다.
52. 설날에는 어른들을 배알하고 세배한다.
53. 전문인력을 배양하여 각 기업체에 보급하다.
54. 핵무기 확산을 배척한다.
55. 훈련이 끝나고 일선 부대로 배치되었다.
56. [백] [숙] : 고기, 생선 따위를 맹물에 푹 삶아 익힘
57. 심판이 판정을 번복하여 선수들과 입씨름을 했다.
58. 우리나라 소설을 영문으로 번역하였다.
59. 사업이 날로 번창하여 직원수가 많아졌다.
60. 산림을 벌채하여 제재소로 보냈다.
61. 홍수로 나일강이 범람했다.
62. [범] [궐] : 대궐을 침범함.
63. 교묘히 법망을 피해 부동산을 거래하다.
64. [벽] [계] : 물이 맑아 푸른빛이 도는 시내
65. [벽] [안] : 눈동자가 파란 눈
66. 고구려 고분에는 벽화가 많다.
67. 경치좋은 별장에서 휴식을 취했다.
68. 법원은 그에게 자유형과 벌금을 병과했다.
69. 계약서 밑에 단서를 병기했다.
70. [병] [렬] : 나란히 늘어섬
71. 병세가 악화되어 입원했다.
72. 스위스에서는 영어, 불어, 독어가 병용된다.
73. [보] [균] : 병균을 몸속에 지님
74. 부족한 군량미를 보급하다.
75. 새기술을 널리 보급하다.
76. 불량청소년을 보도하다.
77. 나라 안팎에서 생긴 일을 보도하다.
78. 남에게 진 빚을 보상하다.
79. 남에게 끼친 손해를 보상하다.
80. 낡은 집을 보수하다.
81. 장학금으로 학비를 보조받았다.
82. 대통령을 보좌하여 국가발전에 힘쓰다.
83. 나는 친구가 入社하는데 신원보증을 섰다.
84. 군부대 입구에는 보초가 있기 마련이다.
85. 법은 만민에게 보편적으로 평등하다.
86. [보] [필] : 임금이나 신분이 높은 사람을 보좌함.
87. 어린이를 잘 보호하다.
88. 우발적사고에 대비하여 보험에 들었다.
89. 가끔 의류업계에 복고風의 옷이 유행했다.
90. 하천을 복개하여 주차장으로 이용하였다.
91. 맹장염이 악화되면 복막염으로 된다.
92. 남의 저작물을 복제하면 저작권 침해가 된다.
93. 식중독으로 복통을 일으키다.
94. 주요 간선도로 옆 인도를 정비했다.
95. 회사에 공헌도가 높은 사람일수록 봉급도 많이 받는다.
96. 봉당을 빌려주니 안방까지 달란다.
97. 외부의 출입을 봉쇄하다.
98. 재봉틀 따위로 박아서 만든 봉제품이 섬세하다.

제6회 1級 쓰기 연습문제

※ 정답은 101쪽

1. 엄숙한 마음으로 애국가를 봉창하였다.
2. 청소년문제의 심각성을 부각시키다.
3. 할아버지께서 별세하여서 부고장을 곳곳에 보냈다.
4. 원문에 덧붙여 날짜를 부기하다.
5. 그의 상업 부기실력이 뛰어났다.
6. 군휴가가 끝나고 부대로 돌아갔다.
7. 회사는 밀려오는 어음을 막지못해 부도가 났다.
8. 일정한 주거나 직업이 없이 부랑신세가 됐다.
9. 부사는 용언 또는 다른 부사앞에 놓이어 그 뜻을 한정한다.
10. 전쟁터에서 팔과 다리를 부상 당했다.
11. 서울 개성간 철도를 부설하다.
12. 대학내 병원을 부설하다.
13. 세무서는 국민에게 세금을 부세하는 기관이다.
14. 독수리는 부식성 동물인 까닭에 주로 사체위에 모여든다.
15. [부] [역] : 국가가 국민에게 의무적으로 지우는 노역
16. [부] [역] : 국가에 반역하는 일에 가담하거나 편듦
17. 초상집에 갈때는 부의금을 낸다.
18. 재앙을 물리치기 위해 부적을 지니고 다닌 사람도 있다.
19. 생산실적이 부진하여 매출이 줄었다.
20. 도덕심의 부패로 사회가 혼탁하다.
21. 그의 일생은 유난히 부침이 많았지만 결국은 성공했다.
22. 물위에 부표를 띄워 경계로 삼다.
23. 승강기가 부하량에 걸려 벨이 울렸다.
24. 말과 행동이 부합되는 생활을 하자.
25. 「+」를 양의 부호, 「−」를 음의 부호라고 한다.
26. 소선거구제가 부활되었다.
27. 독도의 망언에 온 국민이 분개하였다.
28. 그는 매우 분격하여 욕설을 퍼부었다.
29. 노사분규로 인해 생산라인이 중단됐다.
30. 대전은 호남선과 경부선의 분기점이다.
31. 분노에 찬 목소리에 긴장되었다.
32. 지나친 사치는 가정의 분란을 일으킨다.
33. 신생아가 분만실에 누워 있다.
34. 주초에는 회사일로 매우 분망하다.
35. 분무기로 채소밭에 농약을 살포하였다.
36. 영유권문제로 분쟁을 일으키다.
37. 칠판에다 분필로 낙서를 했다.
38. 장수의 비결은 규칙적인 생활에 있다.
39. 독수리가 하늘 높이 비등하였다.
40. 유기농법은 가급적 비료를 주지않는 재배법이다.
41. [ ] [ ] : 코웃음
42. 그는 비장한 각오로 해외유학길에 올랐다.
43. 비천한 종의 신분에서 궁녀가 되었다.
44. 높은 이자는 대출금 신청의 빈도를 떨어뜨린다.
45. 아내의 아버지를 '빙장 어르신' 이라 부른다.
46. 권총의 유효 사거리는 약 50m 정도이다.
47. 오늘 사격훈련에서 1등을 하였다.
48. 남을 속여 금품을 취하는 행위는 사기죄에 속한다.
49. 혼인한 두 집의 부모들끼리는 사돈지간이다.
50. 사막은 모래로 뒤덮인 불모지이다.
51. 8.15 특별사면으로 많은 수형자들이 출감하였다.
52. 그녀를 마음속으로 사모하였다.
53. 배가 고파 사발에 가득히 담긴 밥을 다먹었다.
54. 스승의 날 사부님께 작은 선물을 드렸다.
55. 왕은 유배중인 신하를 사사할것을 명했다.
56. 대통령이 국정운영을 위해 깊은 사색에 잠기다.
57. [사] [선] : 비스듬하게 그은 줄
58. [사] [악] : 간사하고 악함
59. 남의 사술에 넘어가 많은 돈을 잃었다.
60. 그는 겸손히 회장직을 사양했다.
61. 타국가 원수가 방문국의 군대를 사열하다.
62. [사] [절] : 나라를 대표하여 외국에 파견된 사람
63. [사] [절] : 제의를 받아들이지 않고 물리침
64. 목표물이 사정거리에 들어오다.
65. 불국사는 우리나라의 대사찰이다.
66. 지구환경변화로 가끔 산성비가 내린다.
67. 삼림을 보호하므로 홍수를 예방할수 있다.
68. 어린이는 삽화가 많이 들어있는 책을 좋아한다.
69. 동족상잔의 비극을 상기하다.
70. 이산가족이 30년만에 상봉하였다.
71. 성공사례를 상세히 소개하였다.
72. 고등법원의 선고에 불복하여 대법에 상소했다.
73. 사건의 진상을 자세히 상술하였다.
74. 비둘기는 평화를 상징한다.
75. 의견이 서로 상충하여 합의에 이르지 못했다.
76. 국제협상은 상호의 이익을 도모하는데서 성립한다.
77. 동심을 울리는 얄팍한 상혼을 써서 불량식품을 팔다.
78. 신체검사에서 색맹검사를 받았다.
79. 범인을 색출하기 위해 불심검문이 시작됐다.
80. 육류보다는 생선을 즐겨 먹다.
81. 처음가는 곳이라 모든것이 생소했다.
82. 생물이 새끼를 낳아 불리는 현상이 생식작용이다.
83. 물가상승은 먼저 서민들에게 고통을 준다.
84. 사실을 있는 그대로 적은 시가 서사시이다.
85. 요점만 간단하게 서술되어 있는 책
86. 경찰서장, 세무서장
87. 박물관 서첩에는 유명한 사람들이 쓴 글씨가 많다.
88. 수영에서 다섯종목을 석권했다.
89. 오랜 친구와 석별의 정을 나누었다.
90. 정치범이 대통령 특사로 석방되었다.
91. 세종대왕은 우리민족의 선구자였다.
92. 종교단체에서 청소년 선도에 앞장서다.
93. 우리는 우방국가들과 선린관계를 유지해야 한다.
94. 안개가 걷히면서 산봉우리가 선명하게 드러났다.
95. 해상 선박 기름유출 예방에 강력히 대처해야 한다.
96. 많은 사람들 가운데서 대표선수로 선발되었다.
97. 증인은 증언을 하기전에 반드시 선서를 하게된다.
98. 인천항에서 화물을 선적했다.

제7회 1級 쓰기 연습문제 ※ 정답은 101쪽

1. 법률을 제정하여 널리 선포하였다.
2. 기업이 설비투자를 많이 함으로써 실업자가 줄어든다.
3. 여성의 심리를 섬세한 필치로 그려낸 소설
4. 견직물은 천연섬유이다.
5. 태풍과 지진 등은 자연의 섭리이다.
6. 모든 영양분을 골고루 섭취해야 한다.
7. 고종 제위시 대원군이 한때 섭정을 하였었다.
8. 추석날 조상의 산소를 찾아 성묘를 했다.
9. 올림픽을 개최한지 어언 20여 성상이 흘렀다.
10. 거룩한 성전에서 예배를 드렸다.
11. 공항에서 세관직원들이 소지품을 검사했다.
12. 참나무껍질에서 배양된 세균이 버섯이 된다.
13. 암세포가 퍼지기전에 수술을 해야한다.
14. 음식물을 제외한 쓰레기는 소각된다.
15. 복덕방에서 전셋방을 소개했다.
16. 일년에 한번씩 우물을 소독한다.
17. 술취한 사람들이 거리에서 소란을 피웠다.
18. 더운 날씨에는 체력이 많이 소모된다.
19. 화재로 서류가 소멸되었다.
20. 소문난 잔치에 먹을것 없다.
21. 소박한 옷차림은 경건하게 보인다.
22. 조강지처를 소박해서는 안된다.
23. 장례식에 여자는 소복차림을 한다.
24. 군중들이 행사장에서 소요를 일으켰다.
25. 오랫동안 간직해온 소장품을 공개했다.
26. 매일 교실을 소제한다.
27. 기력이 다 소진하여 더이상 달리지 못했다.
28. 화재로 모든 물건이 소진되었다.
29. 인신매매범들이 모두 법원에 소추되었다.
30. 경찰이 소매치기를 소탕했다.
31. 예절이나 형식에 얽매이지 아니한 소탈한 성격
32. 뜻이 서로 잘 소통하여 좋은 결과를 맺었다.
33. 서울대공원으로 소풍을 갔다.
34. 그는 사기죄로 교도소에 수감되었다.
35. 회담제의를 수락하였다.
36. 뇌물을 받으면 수뢰죄에 해당된다.
37. 새정부가 수립되었다.
38. 이 자동차는 수명이 아주 짧다.
39. 그 아이는 키가 작다는 이유로 수모를 당하곤 했다.
40. 부하직원들을 수반하고 타기업체를 방문했다.
41. 강도를 잡기위해 전국에 수배령을 내렸다.
42. 범죄현장에 수사본부를 세우고 범인색출에 몰두했다.
43. 범인의 자택을 수색했다.
44. 귀향인파를 수송하기 위해 특별차량을 마련했다.
45. 맹장수술은 비교적 간단하다.
46. 수신상태가 고르지않아 통화를 할 수 없다.
47. 상품의 수요가 늘어야 생산도 늘어난다.
48. 장소가 넓어 많은 인원을 수용할수가 있었다.
49. 소의 질병은 수의사가 치료한다.
50. 올 상반기에 우리기업들이 많은 수익을 올렸다.
51. 막대한 보물이 배와 함께 수장되었다.
52. 목재가구에 사용된 아교풀은 접착력이 좋다.
53. 연필심의 재료는 아연이 아니고 흑연이다.
54. 착한 일은 천사를 악한 일은 악마를 상징한다.
55. 비리문제가 선거에 악재로 작용하다.
56. 시력이 좋으려면 안근이 좋아야한다.
57. 국가의 안녕을 비는 기도회에 참여했다.
58. 눈병이 생겨서 안대를 착용하였다.
59. 철새 도래를 위해 안식처를 제공하다.
60. 현대에서 가장 무서운 병은 역시 암이다.
61. 땅을 깊이 파내려가자 두터운 암반층이 나타났다.
62. 깎아지른듯이 높이 솟은 암벽을 밧줄 하나로 기어오르다.
63. 좋은 시를 암송하는것이 정서에 매우 유익하다.
64. 상대방의 당당한 체구에 압도 당하고 말았다.
65. 채무를 변제받기 위해 압류신청을 하다.
66. 수험생들은 항상 정신적 압박을 느낀다.
67. 바위 밑에 깔려 압사 당했다.
68. 범인을 서울로 압송 하였다.
69. 영장을 제시하고 증거물을 압수하였다.
70. 일제의 압제에 항거하다.
71. 이 글은 너무 압축되어 뜻을 알기 어렵다.
72. 스승의 은혜를 앙모하다.
73. 칠순을 맞이하여 삼가 장수하길 앙축하나이다.
74. 화산폭발로 인하여 앙화를 입었다.
75. 음주운전으로 경찰에 적발되자 애걸복걸 사정하다.
76. [애] [련] : 슬픈 사랑
77. [애] [련] : 사랑하여 그리워함.
78. 애석하게도 한점차로 지다.
79. 흘러간 노래중에 매우 애절한 곡이 많다.
80. 핸드폰은 현대인에게 매우 애착이 가는 물건이다.
81. 계속해서 사고가 나는걸 보니 액운이 낀 것 같다.
82. 얼음은 고체이지만 녹으면 액체가 된다.
83. 지나친 임금인상은 노사분규를 야기한다.
84. 숙제를 하지 못해 선생님께 야단 맞았다.
85. 아프리카 밀림지대에는 아직도 야만족들이 있다.
86. 봄은 만물이 약동하는 계절이다.
87. 달력은 양력과 음력으로 구분된다.
88. 폭행, 협박 등으로 남의 금품을 약취하면 강도가 된다.
89. 폭력을 써서 남의 것을 약탈하면 강도가 된다.
90. 약탕기에 끓고 있는 한약재의 냄새가 독특하다.
91. 이 목판글씨는 음각으로 새겨졌다.
92. 이 쌀은 양곡처리장에서 직접 찧었다.
93. 이 건물은 한달전에 팔려 다른 사람에게 양도 되었다.
94. 씨앗을 뿌리고 새싹이 돋으면 양묘작업에 힘써야 한다.
95. 丙寅양요는 1866년 프랑스 함대가 강화도를 침범한 사건이다.
96. 요즈음 누애를 치는 양잠농가가 거의 사라졌다.
97. 도로공사로 인하여 차량이 통제되니 널리 양지하시기 바랍니다.
98. 소송에서는 양측 당사자 말을 잘 헤아린다.

제8회 1級 쓰기 연습문제

※ 정답은 101쪽

1. 운동장에서 경기중 넘어져 양호실에 가서 약을 발랐다.
2. [양] [화] : 서양화의 준말
3. [양] [화] : 구두
4. [어] [사] : 임금님의 심부름꾼
5. [어] [사] : 임금님이 아랫사람에게 금품을 내림
6. 반체제인사가 어용으로 돌아서다(어용문학, 어용신문).
7. 독제정치의 억압에 항거하다.
8. 언어에서 억양은 감정표현의 중요한 부분이다.
9. 도난사건에서 억울하게 누명을 썼다.
10. 감정을 억제하고 이성적으로 행동하다.
11. 세금포탈에 대한 엄밀한 조사가 이루어졌다.
12. 청문회에서 증인으로 출석한자들이 엄숙한 선서를 했다.
13. 일이 바빠서 밥을 먹을 여가가 없다.
14. [여][독] : 여행으로 말미암아 생긴 피로나 병
15. [여][독] : 채 풀리지 아니하고 남아있는 독
16. 정치활동에 대한 국민들의 여론조사는 빈번히 실시된다.
17. 경제적 여유가 있어서 이웃돕기를 할 수 있었다.
18. [여][장] : 남자가 여자처럼 꾸밈
19. [여][장] : 길 떠날 차림
20. 지진의 여파로 국민들이 도탄에 빠졌다.
21. 임금님을 시해하려다 붙잡혀 역모죄로 처벌됐다.
22. 경부간 역전 마라톤대회에서 K대학교가 우승을 했다.
23. 천연두를 한방에서는 역질이라 일컫는다.
24. 고층건물 등에서 각 층의 바닥의 면적을 합친 평수를 연건평이라고 한다.
25. 극장무대에서 연극이 상연되었다.
26. 반기문 UN사무총장이 연단에 올라 세계평화를 역설했다.
27. 앞으로 은행대출시 연대보증제도를 폐지하기로 했다.
28. 석가탄신일에 연등행렬이 줄을 이었다.
29. 국제의원 연맹회의가 서울에서 개최되었다.
30. 백두대간에 연면히 뻗어있는 산맥들
31. 초근목피로 근근히 연명하였다.
32. 대기오염으로 생긴 연무가 도시의 하늘위에 펼쳐 있다.
33. 훈련병이 연병장에서 훈련을 받고 있다.
34. 가을하면 낙엽이 연상된다.
35. 실내에서 사용한 난로는 연소가 잘되어야 한다.
36. 조류독감이 전국에서 연쇄적으로 발생했다.
37. 태평양 연안지대에 부유국가가 많다.
38. 신문에 만화를 5년동안 연재하고 있다.
39. [연][패] : 싸울때마다 연달아 패함
40. [연][패] : 잇달아 우승함
41. 연필은 지울수가 있어서 사용할때 편리하다.
42. 만루홈런은 관중들을 완전히 열광시켰다.
43. 성공사례를 낱낱이 열거했다.
44. 열대사막에서는 물이 가장 중요하다.
45. 열악한 작업환경에서도 좋은 상품을 생산했다.
46. 고향의 부모님을 늘 염두에 두고 산다.
47. 인정의 경박함이여, 염량 세태를 탓해 무엇하리.
48. 염불에는 맘이 없고 잿밥에만 맘이 있다.
49. 염산은 염화수소의 수용액이며 무색투명하다.
50. 그는 세상을 싫어하는 염세적 성격때문에 스님이 되었다.
51. 사람은 염치가 있어야 존경받는다.
52. 공격에 앞서 적을 염탐하여 형세를 파악하다.
53. 도로에 염화칼슘을 뿌려 눈을 녹이다.
54. [엽][기] : 사냥철
55. [엽][기] : 괴이한 일이나 물건에 호기심을 가지고 즐겨찾아 다님
56. 좋은 영감이 떠오르자 작품을 만들기 시작했다.
57. 좋은 농촌을 만들기 위해 영농 후계자들을 양성하였다.
58. 새벽빛속에 영묘히 드러난 산봉우리
59. 정부가 영세한 기업을 도와 일자리 창출에 힘쓰다.
60. 충분한 영양섭취는 성장발육에 꼭 필요하다.
61. 독도는 우리나라 영역에 속한다.
62. 칸느영화제에서 영예의 대상을 받았다.
63. 사람은 만물의 영장이다.
64. 명예로운 전사를 한 그 유가족에게 영전을 베풀다.
65. 고드름 따서 각시방 영창에 달아놓아요.
66. 수감자는 돈을 지닐수 없고 교도소에 영치해야 한다.
67. 흡연은 건강에 나쁜 영향을 미친다.
68. 종교는 사람의 영혼의 불멸을 주창한다.
69. 은행에 돈을 예금했다.
70. 사람의 미래는 예측할수 없다.
71. 음악, 미술 등 예능과목에 탁월하다.
72. [ ] [ ] : 날카로움과 둔함
73. 은행원이 강도의 예리한 칼날 앞에서도 저항하였다.
74. 조류독감을 예방하기 위해 총력을 기울이다.
75. 일요일은 교회에서 예배를 드린다.
76. [예][빙] : 예를 갖추어 초빙하다.
77. [예][언] : 칭찬하여 기리는 말
78. [예][지] : 뛰어난 지혜
79. 국가에 대한 위대한 공훈을 예찬하다.
80. 국경일 기념식이 거행되자 수십발의 예포가 울려 퍼졌다.
81. 어음을 발행할때는 미리 예탁금을 내야 한다.
82. 시험문제가 까다로워 오답문제가 많다.
83. 쉬는 시간에 오락을 즐기는것도 기분전환에 도움이 된다.
84. 잘못된 국제조약은 국민에게 큰 오류를 범하게 된다.
85. 자기의 처지가 넉넉하다고해서 오만하면 환대받지 못한다.
86. 서릿발속에서도 굽히지 않고 오연히 피어있는 국화를 볼때면…
87. 지진 참사로 건물더미에 묻힌 가족을 향해 오열하는 유가족
88. 폐수로 오염된 하천을 살리기 위해 온 시민이 나섰다.
89. 일제침략과 한국전쟁은 우리민족사의 잊지 못할 오욕이다.
90. 의사의 오진으로 하마터면 수술할뻔 했다.
91. 요즈음 여론조사의 결과는 큰 오차가 생기지 않는다.
92. 사회봉사단원들을 오찬에 초대하였다.
93. 등산 도중 몸이 오슬오슬 춥고 떨리는 오한증세가 나서 하산했다.
94. 저의 말을 오해하지 말고 끝까지 들어주길 바랍니다.
95. 우리나라 기후는 온대지대이다.
96. 우리의 선조들은 온돌방을 사용해왔다.
97. [온] [아] : 모양 · 성격 등이 온화하고 아담함.

제9회 1級 쓰기 연습문제

※ 정답은 102쪽

1. [온] [화] : 성질이 온화하고 부드러움
2. 지진지역에서 다친데 없이 온전하게 돌아왔다.
3. 백제 옛성터에서 옹관묘가 발견되었다.
4. 간장을 담기 위해 옹기를 사왔다.
5. 신흥 사대부들은 이성계를 옹립하여 조선을 세웠다.
6. 경호원에게 옹위되어 군중앞에 나타난 老대통령
7. 여당이 정부각료를 옹호하는 발언을 하였다.
8. 계속된 장마로 하천공사가 와해되고 말았다.
9. 척추는 인체의 완충작용을 한다.
10. 결혼식장에 이렇게 많이 왕림하여 주셔서 감사합니다.
11. 혈기가 왕성한 시기에는 자주 싸운다.
12. [왜] [국] : 「일본」의 낮춤말
13. [왜] [적] : 적으로서의 일본이나 일본인
14. 일본교과서는 역사를 왜곡한 부분이 많다.
15. 조선의 정치에서 외척세도가 가끔 흥성하였다.
16. TV 전설의 고향에서 요괴의 등장이 빈번하다.
17. 장희빈은 결국 요망한 계집으로 일생을 마쳤다.
18. 마술이 요술이다.
19. 어려운 병도 요양을 잘하면 낫는다.
20. 세계평화는 아직도 요원할까?
21. 사내녀석이 하는 짓마다 어찌 그리 용렬하냐?
22. 공금을 어디다 썼는지 용도를 밝혀라.
23. [용] [루] : 임금의 눈물
24. [용] [병] : 봉급을 받고 병역에 복무하는 병사
25. 세계평화유지군이 곳곳에서 용맹을 떨치다.
26. 하늘을 치솟듯 장엄한 용암괴석들이 가히 별천지다.
27. 경찰이 범죄 용의자를 추적하였다.
28. 조선(造船) 공사는 고도의 용접술이 요구된다.
29. 소금은 물에 잘 용해된다.
30. 무쇠를 용해해서 주물을 만든다.
31. 농담이 지나치면 사람을 우롱하는 처사가 된다.
32. 미국은 우리의 전통적인 우방이다.
33. 유명축구선수 그는 젊은이들의 우상이다.
34. 편지를 가까운 우체국에서 우송하였다.
35. 부모 잃은 슬픔에 우수에 잠겼다.
36. 아름다운 모습과 우아한 태도로 청중을 매료시켰다.
37. 세계 수영선수권대회의 시차는 정말로 우열을 가리기가 힘들다.
38. 오늘 너를 만난건 우연이야
39. 날씨 탓인지 하루 종일 우울하다.
40. 그가 나보다 기술이 우월하다.
41. 그는 우유부단하여 늘 망설이기만 한다.
42. 우직한 사람은 한가지에만 매달리는 경향이 있다.
43. 우체국에 가서 우표를 샀다.
44. 시의 형식으로 쓰인 글이 운문이다.
45. 아파트 공사장에 골재를 운반하였다.
46. 화물운수사업은 운수가 좋아야 한다.
47. 운집한 군중앞에서 선거유세를 했다.
48. 태풍으로 페리호의 운항을 중지했다.
49. 분한 마음이 가슴에 가득했으나 끝내 울분을 참았다.
50. 부모를 잃은 가족들은 울적한 나날을 보냈다.
51. 울창한 숲을 지나 산 정상에 올랐다.
52. 웅담을 취하려고 야생곰을 밀렵해서는 안된다.
53. 북극 빙하의 소멸이 지구온난화현상을 웅변으로 증명하고 있다.
54. 숭례문의 옛모습은 최초의 웅비한 모습으로 복원될것이다.
55. 지대공 미사일이 원격조정으로 발사되었다.
56. 연설문 원고를 집필하느라 바빴다.
57. 사회생활을 하는데는 원만한 인간관계가 중요하다.
58. 실패를 남의 탓으로 돌리거나 남을 원망해서는 안된다.
59. 대한의 건각들이 태능에서 월계관을 향해 열심히 뛰고 있다.
60. 공무원이 권한밖의 일을 할때는 월권행위로 처벌받는다.
61. 한국은 양궁실력이 타국에 비해 월등하게 우수하다.
62. 남의 집안으로 월장하면 도둑으로 간주된다.
63. 공직사회에서는 화합과 위계질서가 조화를 이룬다.
64. 우리는 고유가, 고물가의 위기를 잘 극복해가야 한다.
65. 한국의 비무장지대는 위도 38°에 위치하고 있다.
66. 현충일에 국군전몰용사 위령탑 앞에서 묵념을 올렸다.
67. 참사항공사는 유가족에게 뭐라고 위로해야할지 몰랐다.
68. 교통법규 위반은 고귀한 생명에 대한 위협이다.
69. 위산 과다증세로 배가 매우 아팠다.
70. 후보자가 선거에서 당선되면 위상이 달라진다.
71. 고유가시대에 산유국들의 위세가 대단하다.
72. 지구의 위성은 달 하나 뿐이다.
73. 우리나라는 작지만 지진같은 큰재난이 없어 그나마 위안을 느낀다.
74. 계약을 지키지 않을때는 위약금을 물게 된다.
75. 산천초목도 떨게하는 대장군의 위엄
76. 브라질은 월드컵 3연패의 위업을 달성했다.
77. 배가 아파 병원에 갔더니 급성위염이란 진단이 나왔다.
78. 이 농장의 관리를 다른사람에게 위임할거라고 했다.
79. 적이 아군복장으로 위장하고 잠입하였다.
80. 법률에 따라 선서한 증언이 위증으로 밝혀졌다.
81. 외국의 유명상표를 위조하는 일이 빈번해졌다.
82. 생산자들이 농산물을 농협에 위탁판매를 하여 소득을 높였다.
83. 아파트 생산원가 공개는 위헌이 아니란 판결이 났다.
84. 흉기로 위협하여 금품을 빼앗으면 강도죄가 된다.
85. 우리정부는 중국의 동북공정에 대해 큰 유감의 뜻을 전했다.
86. [유] [도] : 일본 고유의 무술
87. [유] [도] : 목적하는 방향으로 이끎
88. 정년퇴직후 그는 전국 유람 관광길에 올랐다.
89. 기획부동산은 유령회사에서 사기행각을 벌이는 곳이 많다.
90. [유] [물] : 쓸모가 없어 버리어둔 물건
91. [유] [물] : 선대의 인류가 후세에 남긴 물건
92. 고구려 유민이 발해를 세웠다.
93. 왕권다툼이 내란을 유발하였다.
94. 왕권시대에 정치범들은 주로 유배지로 귀향 보내졌었다.
95. 우리의 훌륭한 문화유산을 계승발전시켜야 한다.
96. 국회의원 선거유세가 전국적으로 시작되었다.
97. [유] [신] : 낡은 제도를 고쳐 새롭게 함.
98. [유] [신] : 왕실이 망한뒤에 남아있는 신하

제10회 1級 쓰기 연습문제

※ 정답은 102쪽

1. 아버님의 유언에 따라 가업을 지키기로 했다.
2. 법원은 피고인에게 집행유예를 선고하였다.
3. 적군을 계곡으로 유인하여 일시에 쳐부수다.
4. [유] [치] : 젖니
5. [유] [치] : 맡아둠
6. [유] [치] : 나이가 어림
7. [유] [학] : 외국에서 공부함
8. [유] [학] : 타향에서 공부함
9. [유] [학] : 공자의 가르침을 가르치는 학문
10. 토지가 윤택하면 농작물이 풍요하다.
11. 육상의 교통수단에 의해 발생한 사고를 윤화라고 한다.
12. 기계작동이 뻑뻑하지 않도록 윤활유를 자주 바른다.
13. 고구려시대가 우리의 국토확장의 융성기였었다.
14. 잔치집에 가서 융숭한 대접을 받았다.
15. 은행에서 받은 융자금으로 공장을 지었다.
16. 정부가 중소기업에 자금을 융통해 주었다.
17. 勞使간의 융화를 도모하여 경제발전을 꾀하다.
18. 죄를 짓고 은거생활을 하는것이 감옥생활보다 괴롭다.
19. 음울한 날씨는 마음도 음울하게 만든다.
20. 신하는 왕 앞에서 읍소하며 간청하였다.
21. 피는 유출되면 금방 응고된다.
22. 응급환자가 있어서 119에 신고하였다.
23. 나는 공무원시험에 응시하였다.
24. 사람들의 비난을 가볍게 웃음으로 응수하며 받아 넘겼다.
25. 한국인의 모든 힘을 응집시켜 난국을 대처해야 한다.
26. 좋은 의료서비스로 삶의 질을 향상시키다.
27. 부모 잃은 유아를 친척에게 의탁시켰다.
28. 피의자의 해명에도 불구하고 많은 사람들이 의혹의 눈길을 보내고 있다.
29. 그녀는 내 친구의 이복누이이다.
30. 수표사용자는 뒷면에 이서를 해야한다.
31. 은행대출시에는 본인의 인감증명이 필요하다.
32. 사람은 처음 만났을때 상대방에게 좋은 인상을 주어야 한다.
33. 인쇄술 발달로 광고의 만능시대가 도래하였다.
34. 妻男은 나와 인척관계이다.
35. [인] [형] : 사람의 형상
36. [인] [형] : 편지에서, 매제가 손위 처남을 높이어 부르는 말
37. 배가 아침에 나가서 일몰 후에 돌아왔다.
38. 사업주가 근로자들의 임금을 모두 지불했다.
39. 이 아파트는 서민들에게 임대할 계획이다.
40. 건물을 세놓은 사람을 임대인이라 하고 세든 사람을 임차인이라 한다.
41. 시험날짜가 임박하니 긴장된다.
42. 신약은 개발된후 상당기간동안 임상실험을 거쳐야 판매된다.
43. 나는 해외에서 살고 있어서 할아버지의 임종을 보지 못했다.
44. 삼촌이 시장선거에 입후보하였다.
45. [자] [괴] : 스스로 부끄러워 함
46. [자] [괴] : 외부의 힘에 의하지 아니하고 저절로 무너짐
47. [자] [기] : 사기 그릇
48. [자] [기] : 자석의 끌어당기는 기운
49. 중대한 국책사업을 시작하기 앞서 국내 · 외의 유명단체에 자문을 구하다.
50. 결승전은 두 팀중에 자웅을 겨루는 마지막 경기이다.
51. 남의 어머니의 존칭은 자당이고 남에게 자기의 어머니를 이를때는 자친이라고 한다.
52. [작] [부] : 술집에서 손님을 접대하고 술을 따라주는 여자
53. 그는 잔인한 방법으로 연쇄살인을 하였다.
54. 일제는 독립운동가들에게 잔학한 고문을 일삼았다.
55. 비단은 잠부들의 손을 거쳐 얻은 누에고치에서 뽑은 명주실로 만들어진다.
56. 다리가 아파 가던 길을 잠시 쉬었다.
57. 잠수함은 물속으로 다닐수 있어 정체를 쉽게 알 수 없다.
58. 범인을 잡기위해 형사들이 잠복 근무에 들어갔다.
59. 계주가 어느날 돈을 갖고 잠적해 버렸다.
60. 고모님께서 시장에서 잡화점을 운영하신다.
61. [장] [구] : 장례때 쓰는 기구
62. [장] [구] : 무엇을 꾸미는데 쓰는 기구
63. 장기기증은 죽어가는 생명을 살리는 최대의 헌신이다.
64. [장] [도] : 먼길
65. [장] [도] : 주머니속에 넣거나 옷고름에 늘 차고 다니는 칼집이 있는 작은 칼
66. 노래자랑대회에서 장려상을 탔다.
67. 우리나라의 장례는 보통 3일만에 치러진다.
68. 시골 유료 순회극장은 야외에서 사방으로 장막을 둘러치고 영화를 상영했었다.
69. 날마다 그날의 매출을 장부에 기록하였다.
70. 이 군함은 지대공 미사일을 장비하고 있다.
71. 박사님은 집에 수많은 책을 저장해온 대 장서가이다.
72. 방안을 꽃으로 장식했다.
73. 미 대선에서 민주당이 정권을 장악할지도 모른다.
74. 건물을 지을때는 신체장애자를 위한 배려가 있어야 한다.
75. 국경일에 군악대의 장엄한 연주가 울려 퍼졌다.
76. 배가 매우 아파서 진찰한 결과 장염이라고 했다.
77. 건널목에 신호기를 장치하였다.
78. 양복을 만들기위해 옷감을 재단하였다.
79. 정원에 꽃을 재배하였다.
80. S그룹은 국내 최대의 재벌회사이다.
81. 성범죄자들은 재판에서 중형을 선고받았다.
82. 보석을 저당잡히고 돈을 빌렸다.
83. 창고에 식량을 저장하였다.
84. 대마초 흡연은 법에 저촉되는 행위이다.
85. 검소생활의 기본은 저축이다.
86. 지나친 개인주의는 사회발전을 저해할수도 있다.
87. 강제수용소의 실상을 적나라하게 묘사했다.
88. 한여름의 적막한 밤에 벌레소리만 들렸다.
89. 대학은 자기의 적성에 맞추어 전공을 선택해야 한다.
90. 해외생활은 기후변화에 잘 적응해야 한다.
91. 아버지의 직장이 서울로 전근되었다.

제11회 1級 쓰기 연습문제 ※ 정답은 102쪽

1. 연극 「로미오와 줄리엣」이 예술의 전당에서 공연되었다.
2. [전] [도] : 거꾸로 함
3. [전] [도] : 도리를 세상에 널리 전함
4. [전] [도] : 물체의 한부분에서 다른 부분으로 옮아감
5. [전] [보] : 전신으로 글을 보내는 통보
6. [전] [보] : 다른 관직에 보임됨
7. [전] [선] : 전투에 사용하는 배
8. [전] [선] : 전류가 흐르도록 하는 도체로서 쓰는 선
9. 아파트를 전세로 계약했다.
10. [전] [술] : 앞에서 이미 논술 또는 진술함.
11. [전] [술] : 싸움을 승리로 이끌기 위한 기술이나 방법
12. 조류독감 바이러스가 전염되었다.
13. [전] [적] : 싸워서 올린 실적
14. [전] [적] : (본적 따위를) 다른곳으로 옮김
15. [전] [파] : 전부 파괴됨
16. [전] [파] : 널리 전하여 퍼뜨림
17. [전] [파] : 적외선 이상의 파장을 가지는 전자기파
18. 기분을 전환하러 교외로 나갔다.
19. 화재가 발생하자 너무 절박하여 창문에서 뛰어내렸다.
20. 술과 담배를 절제하다.
21. 양쪽의 주장이 팽배하여 절충안을 갖기로 했다.
22. [점] [등] : 등에 불을 켬
23. [점] [등] : 시세가 점점 오름
24. 적국의 수도를 점령하다.
25. 결승에서 치열한 접전이 예상된다.
26. 전염병이 발생하여 외부와 접촉을 끊었다.
27. 독감이 발생할 우려가 있어서 예방접종을 실시했다.
28. 첨단제품일수록 부속품이 정교하다.
29. 고대국가에서는 상대국끼리 정략결혼이 흔했다.
30. 재판이 진행될때 정리가 실내질서를 정리한다.
31. 인체내에 동맥과 정맥의 혈관이 있다.
32. 고구려는 북방을 정벌하여 국토를 확장했다.
33. 몽골은 한때 아시아대륙을 정복한적이 있었다.
34. 첨단제품은 정밀과학기술로 만들어진다.
35. 고장난 자동차를 정비공장에 맡겼다.
36. 건강한 신체에 밝은 정서가 주어진다.
37. NASA는 학계의 정예들로 이루어진 조직이다.
38. 한국의 산악대원이 히말라야 정점에 태극기를 꽂았다.
39. 글의 내용이 잘못되어 정정하여 보냈다.
40. 우리나라의 여성들은 옛부터 정조관념을 중시해 왔다.
41. 원유를 정제하여 휘발유나 경유등을 만들어낸다.
42. 헬리콥터로 적진을 정찰하였다.
43. 다리가 부러져 정형외과에 입원하였다.
44. 우물을 정수기로 정화하여 마신다.
45. 지난번 세미나에서는 점심을 제공하였다.
46. 나는 6월에 육군을 제대하고 9월에 복학할 예정이다.
47. 그 함대의 총사령관은 넬슨제독이었다.
48. 광산에서 가져온 광석을 제련하여 금을 뽑아냈다.
49. 유명인사의 동상제막식이 많은 귀빈이 보는 가운데 거행됐다.
50. 강의 범람을 우려해서 제방을 높였다.
51. 할아버지 제사를 지내기 위해 시골로 가야한다.
52. 억울한 피해를 당해 법원에 제소하였다.
53. 자동차의 제어장치는 사고에 대비해서 꼭 필요하다.
54. 윌슨은 민족자결주의를 제창한 사람이다.
55. 한국과 러시아가 우주산업의 기술제휴를 맺었다.
56. [조] [각] : 내각을 조직함
57. [조] [각] : (어떤 형상을) 입체적으로 새기는 일
58. [조] [로] : 나이에 비해 빨리 늙음
59. [조] [로] : 아침이슬
60. 경찰이 피의자의 조서를 작성하였다.
61. 세무서는 국민으로부터 조세를 징수하는 기관이다.
62. 한 · 미가 오랜 협정 끝에 드디어 FTA조인식을 가졌다.
63. 이상기온으로 비행기가 불시착했으나 승객과 조종사가 모두 무사했다.
64. 대부분의 자동소총에 조준장치가 되어 있었다.
65. 우리 가문의 족보에 의하면 나는 29대손이다.
66. 조선시대 사대부들은 족벌체제를 이루는 근간이었다.
67. 부모 이상은 직계존속이고 자식 이하는 직계비속이다.
68. 그는 과로와 정신적 충격으로 졸도했다.
69. 약자를 괴롭히는것은 졸렬한 처사이다.
70. 탐험대가 아프리카 대륙을 종단했다.
71. [종] [묘] : 역대 제왕의 위패를 모시는 왕실의 사당
72. [종] [묘] : 씨나 싹을 심어서 묘목을 가꿈
73. 종횡으로 줄이 그어진 바둑판
74. 장관에서 일개 국장으로 좌천되었다.
75. 그는 주독으로 코가 빨갛게 변했다.
76. 농기구는 주물공장에서 생산된다.
77. 더이상의 주한 美주둔군의 철수는 없을거라고 했다.
78. 감기치료시 될수 있으면 주사를 맞지 않는것이 좋다.
79. 재판관은 법에 준거하여 판결을 내린다.
80. 법을 준수하므로서 살기좋은 사회가 된다.
81. 부동산계약은 중개업소를 통해서 이루어진다.
82. 올림픽 개막식이 전 세계로 위성중계되었다.
83. [중] [과] : 수효의 많음과 적음
84. 알콜에 중독되지 않도록 술을 적당히 마신다.
85. 勞 · 使간에 발생한 노동쟁의를 정부가 중재에 나섰다.
86. 모든 재판은 증거에 의해서 판결된다.
87. 유가상승으로 증권시세가 급락했다.
88. 친구의 개업식에 화환을 증정하였다.
89. 옥상위에 사무실을 증축하였다.
90. 나는 오늘 아침 회의에 10분을 지각하였다.
91. [지] [급] : (돈이나 물건을) 내어줌
92. [지] [급] : 매우 급함
93. 장마로 인해 하천공사가 지연되었다.
94. 일본은 지진으로 인해 가끔 피해를 입었다.
95. 항해중인 선박이 태풍예보를 듣고 지체없이 귀항하였다.
96. 변칙상속으로 세금을 포탈한 모기업사주가 국민의 지탄을 받았다.
97. [진] [공] : 공기가 전혀 없는 공간

제12회 1級 쓰기 연습문제

※ 정답은 102쪽

1. [진] [공] : 떨면서 두려워함
2. 지진발생으로 땅이 진동하고 건물과 교량이 파괴되었다.
3. 도서주민들에게 정규적으로 진료봉사를 한다.
4. 한약계에서는 진찰을 주로 진맥으로 대신한다.
5. [진] [부] : 참됨과 그렇지 못함
6. [진] [부] : 낡아서 새롭지 못함
7. 소송에서는 양자 모두가 충분한 진술을 할수 있어야 한다.
8. 경찰이 가두시위에 대해 강제진압에 나섰다.
9. 매점내의 잘 진열된 상품이 고객의 눈길을 끌었다.
10. 그렇게 화만 낼 게 아니라 진정하고 내 말 좀 들으시오.
11. 하수도 청소를 하던 인부가 산소부족으로 질식사하였다.
12. 그는 근무태만으로 징계를 받았다.
13. 수감자들이 소내 규칙을 어길때는 징벌을 받게 된다.
14. 대한민국의 남성들은 누구나 징병의 대상자이다.
15. 세무소직원들은 국민으로부터 세금을 징수하는 일을 한다.
16. 살인범에게 무기징역형이 선고되었다.
17. 땅속의 곤충들이 집단으로 이동할때 지진의 징후로 본다.
18. 출근길에 차량이 밀리어 매우 혼잡하였다.
19. 뒷집이 보이지 않게 앞집의 뒷창문에는 차면시설을 해야한다.
20. 한여름 야외활동중에는 차양이 넓은 모자를 쓴다.
21. 친구에게 일금 오십만원을 차용했다.
22. 생일이 오늘인줄로 착각했다.
23. 비행기가 무사히 육지에 착륙했다.
24. 이 생각 저생각으로 마음이 착잡하다.
25. 새해 아침해가 찬란하게 떠올랐다.
26. 구조대의 적극적인 활동에 사람들은 찬사를 아끼지 않았다.
27. 대다수의 시민이 조례개정에 찬성하였다.
28. 종교의식은 기도와 찬양으로 거행되었다.
29. 6.25 한국전쟁은 민족상잔의 참극이다.
30. 대통령이 국경일에 국립묘지를 참배하였다.
31. 양국간 군수뇌회의를 앞두고 참모회의를 가졌다.
32. 농민들의 어려움을 참작하여 사료값 인상을 보류하였다.
33. 태풍피해로 참혹한 고통을 받고 있는 미얀마에 애도를 표하다.
34. 서해안의 기름유출 참화를 결코 잊어서는 안된다.
35. 야구경기에서 프로팀이 실업팀에게 참패를 당했다.
36. 올해도 곡식이 창고에 넘칠만큼 풍년이다.
37. 도서지역에 병원을 창설하였다.
38. 우리나라가 우크라이나내의 니켈 채광권을 따냈다.
39. 채권자가 채무자에게 독촉장을 보냈다.
40. 육류보다 채소를 많이 섭취하면 성인병을 예방할수 있다.
41. 요즈음 각 기업체의 신입사원 채용이 한창이다.
42. 오늘 본 시험 채점결과는 1달후에 나온다.
43. 작품속의 악인은 언제나 처참한 최후를 맞는다.
44. 고대의 전투에서는 척후병의 염탐이 매우 중요했었다.
45. 그는 부유한 가정에서 태어났으나 중학교시절에 천애의 고아가 되었다.
46. 재건축공사를 위해 기존 아파트 철거가 한창이다.
47. 원자재값 인상으로 철근값도 대폭 인상되었다.
48. 이라크에 파병되었던 우리 국군이 철수하였다.
49. 사고의 진상을 철저히 조사하였다.
50. 우리나라도 사형제도를 철폐하게 될줄 모른다.
51. 입사원서에 졸업증명서를 첨부하였다.
52. 한번 작성된 재판기록은 함부로 첨삭할수 없다.
53. 회사에 납품한 물품대금을 청구하였다.
54. 국가관리는 청렴한 인품으로 대민봉사해야 한다.
55. 일요일은 집안을 깨끗이 청소한다.
56. 그 가수의 청아한 목소리가 관중을 사로잡았다.
57. 아파트 가격 급상승으로 청약자가 줄었다.
58. 신도시 지역에 학교신설을 정부에 청원하였다.
59. 다도해의 청정지역에서 전복양식에 성공했다.
60. 세금을 체납하면 압류를 당할수도 있다.
61. 주한미군의 체류기간은 무한정이다.
62. 노동부는 각기업체의 임금체불 상황을 감시한다.
63. 우편, 전신업무는 국가체신사업이다.
64. 군부대 면회소 앞에서 초병의 안내를 받았다.
65. 우리회사는 매달 강사를 초빙하여 社員교육을 한다.
66. 세계평화봉사단은 국경을 초월한 사랑의 단체이다.
67. 시험을 끝낸 대학입시생들은 초조하게 발표를 기다렸다.
68. 시계의 바늘은 초침, 분침, 시침 세개이다.
69. 채소는 소화를 촉진시킨다.
70. 그는 연로하여 재벌총수자리를 사임하고 은퇴하였다.
71. 마술사가 최면을 걸어 혼수상태에 빠졌다.
72. 달아나는 적을 비행기로 추격하였다.
73. 고속도로상에서 눈길에 미끄러져 연쇄추돌 사고가 났다.
74. 한번 추락된 위신은 회복하기가 어렵다.
75. 앞차를 추월하려면 과속위험의 부담을 감수해야 한다.
76. 추잡한 음담패설은 듣는이의 인상을 찌푸리게 한다.
77. 농어촌 학교장의 추천으로 도시內의 大學에 진학하였다.
78. 이 아파트 조감도는 100만분의 1의 축도이다.
79. 아버님의 생일을 축하하고 선물을 드렸다.
80. 해안선에 타국의 함선이 출몰을 거듭하였다.
81. 월동 김장배추가 시장으로 출하가 한창이다.
82. [출] [항] : 선박이나 항공기가 출발함
83. [출] [항] : 배가 항구를 떠남
84. 배달시 본제품에 충격을 주시 마시오.
85. 버스와 화물차가 충돌하였다.
86. 이성적인 냉정을 유지하고 충동적인 행동을 삼가하였다.
87. 나의 말이 기분을 상하게 했는지 모르지만 당신을 위한 충정으로 하는 말이었습니다.
88. 나는 바둑에 취미가 있다.
89. 모기업의 창립취지는 기술의 세계재패이다.
90. 대통령을 측근에서 모시다.
91. [치] [부] : 재물을 모아 부자가 됨
92. [치] [부] : 금전이나 물품의 출납을 기록함
93. [치] [사] : 죽게함
94. [치] [사] : 고맙고 감사하다는 뜻을 나타냄
95. 선생님의 지시로 칠판에 쓰인 문제를 풀었다.
96. 웅변은 은이고, 침묵은 금이다.

제13회 1級 쓰기 연습문제 ※ 정답은 102쪽

1. [침] [수] : 물이 들거나 물에 잠김
2. [침] [수] : 수면의 높임말
3. 한의원은 주로 침술을 이용해 치료한다.
4. 계속 밀어닥치는 한파때문에 침울한 날씨가 계속되었다.
5. 경기(景氣)가 침체되어 서민생활에 고통을 주다.
6. 환각제 사용이 현실에 깊이 침투되었다.
7. 불우한 이웃을 보살펴온 단체에 칭송을 아끼지 않았다.
8. [쾌] [락] : 기꺼이 승락함
9. [쾌] [락] : 즐거움
10. 부친의 병환이 빨리 쾌차하시기를 빕니다.
11. 바다위에서 펼쳐진 보트경기는 쾌속감을 더해준다.
12. 공해에 찌든 도시생활에서 쾌적한 주거환경은 무엇보다 중요하다.
13. 근면한 사람은 돈타령과 술타령을 하지 않는다.
14. 축구시합을 하다가 다리에 타박상을 입었다.
15. 경찰이 도박단을 일망 타진하였다.
16. 勞 · 使가 타협에 성공하였다.
17. 그는 학창시절 노래 솜씨가 탁월하였다.
18. 새정부에 새로운 내각이 탄생하였다.
19. 독재정부는 언론마저 탄압하였다.
20. [탈] [모] : 털이 빠짐
21. [탈] [모] : 모자를 벗음
22. 죄수가 경비가 소홀한 틈을 타서 탈옥하였다.
23. 군복무자가 휴가기간 만료일까지 귀대하지 않으면 탈영죄가 된다.
24. 도박에 탐닉하면 집안을 망친다.
25. 이민간 친구의 근황을 탐문하였다.
26. 우리의 기술진이 대서양에서 석유탐사에 나섰다.
27. 경쟁회사의 기밀을 탐정하는 산업스파이를 잡았다.
28. 적의 전력을 탐색하기 위해 위장진입을 시도하였다.
29. 관광업 활성화를 이루고져 전국의 명소를 탐방하였다.
30. 태풍피해 이재민들에게 모든 세금을 전액 탕감해주었다.
31. 회사업무에 태만한 사람들이 감원되었다.
32. 우리나라의 태풍은 주로 8~9월에 온다.
33. 태환권 발행은 주로 한국은행이 한다.
34. 태권도는 韓國 고유의 무술이다.
35. 여우는 주로 토굴 속에서 산다.
36. 학창시절에 태만함이 사회진출에 무력함을 통감하였다.
37. 친족의 사망소식을 듣고 통곡하였다.
38. 통화량이 증가하면 물가도 상승한다.
39. 잡지에 글을 투고하였다.
40. 빛이 유리를 투과하여 실내로 전달되었다.
41. 투철한 사명감을 갖고 공직생활을 해왔다.
42. 통신원으로 해외에 파견되었다.
43. 불우이웃돕기를 위해 모은 돈을 횡령한 파렴치한 인간도 있다.
44. 업무 수행시 뇌물을 받은 공무원은 파면되었다.
45. 부부가 불화하면 가정이 파멸된다.
46. 정치 · 사회분야에서 파벌이 심하면 국력이 쇠약해진다.
47. 수입쇠고기의 광우병 문제가 전국적으로 큰 파문을 일으켰다.
48. IMF환난을 만나 많은 기업들이 파산했었다.
49. 근로자들이 임금인상을 주장하며 파업에 들어갔다.
50. 날씨가 너무 추워서 수도관이 파열되었다.
51. 추수를 끝내고 보리를 파종하느라 바빴다.
52. 재계의 판도를 바꾸어 놓은 산유국의 고유가정책
53. 국내 소비업계의 판촉활동이 치열하다.
54. 일본의 아프리카 경제지원정책이 자칫 패권주의가 될까 우려된다.
55. 귀성객들의 편의를 위해 임시 열차를 증차하였다.
56. 입시준비에 편중된 교육제도를 개선하다.
57. 연구자료를 편집하여 교육지침서를 만들었다.
58. 언론은 편파보도를 하지 않고 공정해야 한다.
59. 보관기간이 지난 문서들을 폐기처분하였다.
60. 감기증세가 폐염으로 악화되었다.
61. 기존의 호주제도가 폐지되었다.
62. 적에게 포격을 가하다.
63. 한번 실패했다고 목적을 포기할수는 없다.
64. 음식을 잘 씹어 먹으면 적당한 량으로도 포만감을 느낀다.
65. 정부가 하곡 수매가격을 인상하였다.
66. 결혼을 축하하기 위해 많은 하례객들이 모였다.
67. 명절을 앞두고 화물량이 많아 화물계가 분주하다.
68. 큰 죄를 지은 탓에 왕의 명령으로 하옥되었다.
69. 이라크에서는 많은 양민들이 전쟁과 테러로 학살 당했다.
70. 한적한 시골생활이 마음의 여유를 갖게 한다.
71. 기온이 뚝 떨어져 몹시 추운 한파가 밀어닥쳤다.
72. 공동작업으로 얻은 이익을 고르게 할당하였다.
73. 공공장소에서 어린이는 할인 혜택을 받는다.
74. 심야시간에는 택시의 할증 요금이 적용된다.
75. [탐] [닉] : 주색(酒色)등의 못된 구렁에 빠짐
76. [함] [독] : 독한 마음을 먹음
77. [함] [선] : 군함, 기선 등의 총칭
78. [함] [정] : 군함, 구축함, 어뢰정, 구명정 등의 총칭
79. 거센 砲擊에 요새가 함락 되었다.
80. 중국 대지진으로 스촨성 일대가 함몰되었다.
81. 20세기 우리나라의 가장 큰 수치는 한 · 일 합방과 한국전쟁이었다.
82. 내뱉듯하는 말이라도 그속에는 여러가지 뜻이 함축되어 있었다.
83. 경쟁에 살아남기 위해서 합병하는 은행들이 많아졌다.
84. [합] [주] : 두 개 이상의 악기로 동시에 연주하는 일
85. [합] [창] : 여러사람이 목소리를 맞추어 노래를 부름
86. 외국을 여행할때는 거의 항공便을 이용한다.
87. 인종차별대우에 항거하다.
88. 전국의 항구, 항만 시설에 물동량이 활발하다.
89. 불경기로 인해 많은 인력이 해고 되었다.
90. [해] [독] : 해와 독
91. [해] [독] : 독기를 풀어 없앰
92. 오늘날 세계경제는 해박한 지식과 실용가치를 추구한다.
93. 백두산은 해발 2,774m의 아름다운 산이다.
94. 밤새 시위를 하던 군중에게 경찰이 해산 명령을 내렸다.
95. 草書는 흘려쓰는 글씨이고 해서는 正字로 쓰는 글씨이다.
96. 수학문제를 해석하다.
97. 문장의 뜻을 알기쉽게 해석하다.

제14회 1級 쓰기 연습문제

※ 정답은 102쪽

1. 칠레는 태평양 해안선을 따라 길게 이루어진 나라이다.
2. [핵] [무] [기] : 원자폭탄, 원자포, 핵탄두 따위
3. [핵] [실] [험] : 원자핵의 분열, 붕괴, 인공변환등에 관한 실험
4. [핵] [융] [합] : 원자핵 융합의 준말
5. 韓屋의 행랑채는 손님을 응접하는 곳이다.
6. 행려시는 노숙자의 죽음을 뜻한다.
7. 백살까지 향수하는 사람은 매우 드물다.
8. 법정에서 허위 진술을 하면 처벌받는다.
9. 일확천금을 노리는 것은 지나친 허영心 이다.
10. 일생동안 모은 재산을 죽음에 앞서 사회에 헌납하였다.
11. 국민의 기본권은 헌법에 잘 명시되어 있다.
12. 컴퓨터의 출현은 모든 분야에 일대 혁명을 가져왔다.
13. [혁] [대] : 가죽으로 만든 띠
14. [혁] [노] : 얼굴을 붉히며 버럭성을 냄
15. [혁] [파] : 제도, 기구, 법령 따위가 낡아서 못쓰게 된것을 폐지함.
16. 길이 기억될 혁혁한 업적을 남기다.
17. 양극화 현상은 두 개체의 현격한 사고방식을 좁혀가면서 해결 될수 있다.
18. 범인의 몽타주와 함께 현상금이 붙었다.
19. 아주 작은 미생물은 현미경으로 확대하여 본다.
20. 그는 현숙한 아내와 오붓한 가정을 이루어 살고 있다.
21. 숭례문의 현판글씨는 양녕대군의 솜씨이다.
22. 전세계가 산유국들의 원유생산 현황을 주시하고 있다.
23. 우리 몸속의 혈관은 동맥과 정맥으로 나뉜다.
24. 나의 혈액형은 B형이다.
25. 공공장소에서의 흡연행위는 여러사람에게 혐오感을 준다.
26. 범행장소에 있었다는 이유로도 충분히 혐의를 받을 수 있다.
27. 온국민이 협조하여 서해안 기름띠 제거에 나섰다.
28. 형벌은 형평의 원칙에 맞게 선고된다.
29. 인류역사상 호걸이란 전쟁영웅을 뜻한 바 크다.
30. 지구온난화 현상으로 예기치 못한 집중호우가 내릴때가 많다.
31. 유가파동으로 중동산유국들은 호황을 누리게 되었다.
32. 지나친 운동은 호흡장애를 일으킬수도 있다.
33. 호주에 혹독한 가뭄으로 곡물생산이 대폭 줄었다.
34. 사냥꾼이 사냥개를 너무 혹사시켰다.
35. 경쟁사회일지라도 상대방을 혹평하는것은 바람직하지 못하다.
36. 청소년기에는 이상과 현실을 혼동하기 쉽다.
37. 아프리카 후진국의 정치적 혼란이 계속되었다.
38. 제삿상 차림은 죽은 혼령을 위한다기보다는 효심의 실천이다.
39. 대마초흡연은 사람의 정신을 혼미하게 하여 정상적인 생활을 할수 없게 된다.
40. 國·漢文을 혼용하는것이 한국어를 제대로 인식하는 기본이다.
41. 산림이 황폐하면 작은 비에도 홍수를 겪게 된다.
42. 외국에 가서 사는 중국사람을 화교라고 한다.
43. 앞마당 화단에 많은 꽃들이 피었다.
44. 결혼식날 입는 예복이야말로 평생동안의 가장 화려한 옷일것이다.
45. 수출호조로 화물운송이 번잡하다.
46. 화창한 봄날에 꽃구경을 갔다.
47. 생산이 과잉되면 화폐 가치가 높아진다.
48. 다도해의 바다풍경을 화폭에 담다.
49. 두사람은 대판 싸웠지만 곧 화해했다.
50. 겨우 찾아낸 작은 사진을 크게 확대했다.
51. 복권이 당첨될 확률은 극히 낮다.
52. 공항에서는 언제든지 누구라도 신원을 확인한다.
53. 영업이 잘되어 점포를 확장하였다.
54. 지나친 알콜중독으로 정신이 환각상태에 빠졌다.
55. 사람은 환경의 지배를 받게 된다.
56. 과납된 세금은 환급된다.
57. 공연이 취소되자 주체측은 입장료를 환불하였다.
58. 달러를 원화로 환전하였다.
59. 부녀자 희롱이 넓은 의미에서 성추행과 같은 것이다.
60. 어린시절 희미한 기억에서 추억을 되살리다.
61. 세계가 전쟁없이 살아가기는 희박한 것인가?

■ 신문표제(TV자막 포함)

○ 매장 점거[62] 농성자[63] 5명 영장[64] 청구 ○ 미국 교량[65] 붕괴[66] 5명 사망 20명 실종[67] ○ 태풍[68] 우사기 간접 영향 내일 동해안 해일[69] 우려 ○ 6세 미만 아동 진료비[70] 경감 ○ 중국 고비 사막[71] '고온 건조[72]' ○ 제천의 낭만적[73]인 국제영화제 ○ 미 쇠고기 검역[74] 중단… 마트에 비상[75] ○ 미농산부, 한국시장 쇠고기 금수[76] 조치[77]되지 않기를 희망 ○ 가격 담합[78] 항공사에 3만달러 벌금[79] ○ 21세기는 과학과 기술의 융합[80]시대 ○ 요산 요수[81] 산악회[82] 오전 8시 서울역 앞에서 출발 – 목적지는 설악산 ○ 출산 장려[83] 정책으로 셋째아 무료 돌보미 제공[84] ○ 도로 양면에 주 · 정차[85] 위반[86] 단속[87] ○ 척추[88] 교정[89] 무료 상담 ○ 영화 '엽기적[90]인 그녀' ○ 웃음 대신 울음을 유발[91]하는 불치병[92] ○ 자외선[93] 오존수 세척[94] ○ 세계 파충류[95] 기획전[96] ○ 아세아[97] 중시[98] 마감 ○ 갑자기 몸에 종기[99]가 생겨 피부과[100] 치료를 받음 ○ 정유사[101] 상반기 영업 이익 최대 ○ 대한항공사[102], 중국항공사와 제휴[103] 결정 ○ 과도[104]한 대출[105]은 가계에 큰 부담 ○ 노인 학대[106] 예방 센터 ○ 제조업 체감[107] 경기 석달째 둔화[108] ○ 이사[109]철 맞아 주택 전세금[110] 올라 ○ 건설 일용직[111] 내년부터 보험[112] 적용 ○ 미국 주택 차압[113] 증가[114] 올해 200만 건 넘을 듯 ○ 고속도로 주변 주택가 소음[115] 피해[116] 커 ○ 애완[117] 동물보호 ○ 농협 양곡[118] 창고의 불은 방제[119] 약품 자연 발화 가능성 커 ○ 비정규직, 미화원[120]의 고용[121]을 보장하라 ○ 등산 · 야영객[122]들은 폭우[123]에 주의할 것 ○ 반도체[124] 흑자[125]와 같은 규모로 베트남에 최대 냉면[126] 공장 설립 ○ 제3순환[127] 도로사업 추진[128] '청신호' ○ 크레인 전복[129]으로 2명 사망 ○ 명량대첩[130] 축제[131] 2009년부터 전남도가 주관[132] ○ 남해안에 적조[133] 확산 우려 ○ 오늘밤의 날씨는 구름이 많이 끼고 열대야[134] 확산[135] 우려

1급 쓰기 연습문제 정답

제1회

1. 家禽類 2. 假縫 3. 嘉尙 4. 假釋放 5. 假借 6. 脚光 7. 刻薄 8. 脚本 9. 乾物 10. 奸詐 11. 干涉 12. 艱辛 13. 懇切 14. 干證 15. 間諜 16. 看破 17. 感激 18. 甘味 19. 鑑賞 20. 甘受 21. 監獄 22. 鑑定 23. 鑑札 24. 感祝 25. 强壯 26. 强占 27. 强震 28. 槪觀 29. 開幕 30. 凱旋 31. 開廷 32. 客愁 33. 拒逆 34. 擧措 35. 居之半 36. 巨儒 37. 健忘症 38. 乾電池 39. 激變 40. 激憤 41. 絹絲 42. 肩章 43. 結球 44. 決裂 45. 結膜炎 46. 缺如 47. 結晶 48. 決濟 49. 結託 50. 結核 51. 兼備 52. 謙虛 53. 景槪 54. 景氣 55. 輕蔑感 56. 輕薄 57. 輕率 58. 傾注 59. 啓蒙 60. 計座 61. 高踏 62. 苦杯 63. 膏藥 64. 高雅 65. 姑從 66. 苦楚 67. 恐懼 68. 空欄 69. 攻掠, 攻略 70. 恐龍 71. 公訴 72. 空襲 73. 供養 74. 公演 75. 公認 76. 供出 77. 公薦 78. 貢獻 79. 功勳 80. 過渡 81. 寡婦 82. 課稅 83. 製菓店 84. 官能85. 觀覽客 86. 管掌 87. 觀測 88. 管轄 89. 狂亂 90. 掛念

제2회

1. 矯導官 2. 僑民 3. 交配 4. 敎唆 5. 絞殺 6. 交涉 7. 交替 8. 僑胞 9. 交換 10. 交響曲 11. 球團 12. 句讀點 13. 購讀 14. 口令 15. 拘留 16. 購買力 17. 驅步 18. 驅使 19. 構想 20. 拘礙 21. 拘引 22. 驅除 23. 倶存 24. 歐洲 25. 苟且 26. 驅逐 27. 交際 28. 巧拙 29. 膠漆 30. 交戰 31. 驅逐艦 32. 局限 33. 群盜 34. 軍閥 35. 軍需 36. 宮闕 37. 權謀 38. 拳法 39. 拳銃 40. 軌道 41. 龜鑑 42. 歸港 43. 閨房 44. 糾明 45. 膠着 46. 救護 47. 丘陵 48. 國是 49. 均衡 50. 劇藥 51. 極讚 52. 極盡 53. 謹啓 54. 謹拜 55. 僅僅 56. 筋力 57. 近似 58. 謹愼 59. 謹弔 60. 勤怠 61. 謹賀 62. 近況 63. 金剛山 64. 禁忌 65. 金髮 66. 禽獸 67. 琴瑟 68. 禁慾 69. 金子塔 70. 禁治産 71. 急騰 72. 急襲 73. 急派 74. 矜持 75. 肯定 76. 基幹 77. 飢渴 78. 紀綱 79. 氣槪 80. 企圖 81. 機動 82.旣得 83. 岐路 84. 騎馬 85. 奇妙 86. 麒麟 87. 欺罔 88. 機密 89. 奇拔 90. 奇別, 寄別 91. 起伏 92. 寄附

제3회

1. 起訴 2. 寄生蟲 3. 寄宿舍 4. 氣勝 5. 飢餓 6. 企業 7. 祈願 8. 起源, 起原 9. 忌日 10. 記帳 11. 汽笛 12. 奇蹟 13. 寄贈 14. 基礎 15. 起寢 16. 寄港 17. 寄航 18. 畸形兒 19. 緊急 20. 緊密 21. 緊張 22. 吉兆 23. 羅列 24. 裸體 25. 落款 26. 落胎 27. 卵巢 28. 亂射 29. 亂賊 30. 濫發 31. 濫獲 32. 拉北 33. 浪費 34. 朗誦 35. 內査 36. 耐震 37. 冷藏庫 38. 冷害 39. 冷汗 40. 冷酷 41. 勞困 42. 露骨 43. 奴婢 44. 露宿者 45. 老僧 46. 勞役場 47. 奴隷 48. 勞賃 49. 綠陰 50. 錄音 51. 綠茶 52. 鹿血 53. 論難 54. 論述 55. 弄談 56. 濃淡 57. 籠城 58. 濃厚 59. 雷聲 60. 腦炎 61. 漏落 62. 累積 63. 漏電 64. 能熟 65. 多角 66. 茶菓會 67. 多忙 68. 多寶塔 69. 多産 70. 多世帶 71. 多濕地 72. 斷念 73. 鍛鍊 74. 端緖 75. 團束 76. 單純 77. 端雅 78. 丹粧 79. 端正 80. 丹靑 81. 丹楓 82. 擔保 83. 膽石 84. 糖尿病 85. 黨派 86. 對空砲 87. 大麻草 88. 代辯 89. 對備 90. 對比 91. 貸與 92. 大藏經 93. 大腸菌 94. 待接 95. 對照 96. 盜難

제4회

1. 逃亡 2. 都賣 3. 圖謀 4. 賭博 5. 挑發 6. 盜伐 7. 倒産 8. 陶藝 9. 挑戰 10. 陶醉 11. 塗炭 12. 渡航 13. 毒蛇 14. 獨裁 15. 獨湯 16. 督促 17. 豚舍 18. 敦篤 19. 凍結 20. 同僚 21. 動脈 22. 同盟國 23. 凍傷 24. 童顔 25. 動搖 26. 童謠 27. 童濯 28. 銅板 29. 同胞 30. 頭腦 31. 豆腐 32. 鈍感 33. 鈍筆 34. 鈍化 35. 距離 36. 登極 37. 登記 38. 謄本 39. 謄寫 40. 魔鬼 41. 磨滅 42. 磨耗 43. 痲醉 44. 莫論 45. 漠漠 46. 幕後 47. 萬頃 48. 漫談 49. 萬無 50. 滿朔 51. 慢性 52. 蠻勇 53. 萬愚節 54. 滿潮 55. 漫畵 56. 抹殺 57. 抹消 58. 忘却 59. 網羅 60. 妄靈 61. 茫茫 62. 亡命 63. 妄想 64. 望遠鏡 65. 媒介 66. 魅力 67. 魅了 68. 埋沒 69. 買占 70. 賣惜 71. 賣店 72. 買收 73. 梅實 74. 埋藏 75. 魅惑的 76. 脈絡 77. 盲信 78. 盟誓 79. 盲腸 80. 猛將 81. 綿密 82. 免疫 83. 免除 84. 免罪 85. 免許 86. 冥想 87. 明晳 88. 銘心 89. 募金 90. 謀叛 91. 模倣 92. 冒頭 93. 模範 94. 模寫 95. 矛盾 96. 侮辱 97. 帽子 98. 母胎

제5회

1. 謀陷 2. 冒險 3. 模型, 模形 4. 牧師 5. 沐浴 6. 木枕 7. 木版 8. 妙技 9. 墓所 10. 妙手 11. 妙案 12. 無缺 13. 無窮 14. 武器 15. 舞版 16. 武裝 17. 默念 18. 默過 19. 紊亂 20. 門外漢 21. 迷路 22. 微妙 23. 彌縫策 24. 迷信 25. 微震 26. 迷惑 27. 敏速 28. 密輸 29. 博識 30. 迫害 31. 叛旗 32. 搬送 33. 搬入 34. 飯酒 35. 返還 36. 發刊 37. 發芽 38. 發揮 39. 傍觀 40. 防腐劑 41. 放浪 42. 放漫 43. 放恣 44. 紡織 45. 傍聽客 46. 防彈 47. 排擊 48. 排球 49. 背反, 背叛 50. 賠償 51. 背書 52. 拜謁 53. 培養 54. 排斥 55. 配置 56. 白熟 57. 飜覆, 翻覆 58. 飜(翻)譯 59. 繁昌 60. 伐採 61. 汎(氾)濫 62. 犯闕 63. 法網 64. 碧溪 65. 碧眼 66. 壁畵 67. 別莊 68. 倂科 69. 倂記 70. 竝列 71. 病勢 72. 竝用, 倂用 73. 保菌 74. 補及 75. 普及 76. 保導 77. 報道 78. 報償 79. 補償 80. 補修 81. 補助 82. 補佐, 輔佐 83. 保證 84. 步哨 85. 普遍 86. 輔弼 87. 保護 88. 保險 89. 復古 90. 覆蓋 91. 腹膜炎 92. 複製 93. 腹痛 94. 幹線 95. 俸給 96. 封堂 97. 封鎖 98. 縫製

제6회

1. 奉唱 2. 浮刻 3. 訃告 4. 附記 5. 簿記 6. 部隊 7. 不渡 8. 浮浪 9. 副詞 10. 負傷 11. 敷設 12. 附設 13. 賦稅 14. 腐蝕 15. 賦役 16. 附逆 17. 賻儀 18. 符籍 19. 不振 20. 腐敗 21. 浮沈 22. 浮標 23. 負荷 24. 符合 25. 符號 26. 復活 27. 憤慨 28. 憤激 29. 紛糾 30. 分岐 31. 憤怒, 忿怒 32. 紛亂 33. 分娩 34. 奔忙 35. 噴霧 36. 紛爭 37. 粉筆 38. 祕訣 39. 飛騰 40. 肥料 41. 鼻笑 42. 悲壯 43. 卑賤 44. 頻度 45. 聘丈 46. 射距離 47. 射擊 48. 詐欺 49. 査頓 50. 沙漠 51. 赦免 52. 思慕 53. 沙鉢 54. 師傅 55. 賜死 56. 思索 57. 斜線 58. 邪惡 59. 詐術 60. 辭讓 61. 査閱 62. 使節 63. 謝絶 64. 射程 65. 寺刹 66. 酸性 67. 森林 68. 揷畵 69. 想起 70. 相逢 71. 詳細 72. 上訴 73. 詳述 74. 象徵 75. 相衝 76. 相互 77. 商魂 78. 色盲 79. 索出 80. 生鮮 81. 生疏 82. 生殖 83. 庶民 84. 敍事 85. 敍述 86. 署長 87. 書帖 88. 席卷, 席捲 89. 惜別 90. 釋放 91. 先驅者 92. 善導 93. 善隣 94. 鮮明 95. 船舶 96. 選拔 97. 宣誓 98. 船積

제7회

1. 宣布 2. 設備 3. 纖細 4. 纖維 5. 攝理 6. 攝取 7. 攝政 8. 省墓 9. 星霜 10. 聖殿 11. 稅關 12. 細菌 13. 細胞 14. 燒却 15. 紹介 16. 消毒 17. 騷亂 18. 消耗 19. 消滅 20. 所聞 21. 素朴 22. 疏薄 23. 素服 24. 騷擾 25. 所藏 26. 掃除 27. 消盡 28. 燒盡 29. 訴追 30. 掃蕩 31. 疏脫 32. 疏通 33. 消風, 逍風 34. 收監 35. 受諾 36. 受賂 37. 樹立 38. 壽命 39. 受侮 40. 隨伴 41. 手配 42. 搜査 43. 搜索 44. 輸送 45. 手術 46. 受信 47. 需要 48. 收容 49. 獸醫師 50. 收益 51. 水葬 52. 阿膠 53. 亞鉛 54. 惡魔 55. 惡材 56. 眼筋 57. 安寧 58. 眼帶 59. 安息處 60. 癌 61. 巖盤 62. 巖壁 63. 暗誦 64. 壓倒 65. 押留 66. 壓迫 67. 壓死 68. 押送 69. 押收 70. 壓制 71. 壓縮 72. 仰慕 73. 仰祝 74. 殃禍 75. 哀乞伏乞 76. 哀戀 77. 愛戀 78. 哀惜 79. 哀切 80. 愛着 81. 厄運 82. 液體 83. 惹起 84. 惹端 85. 野蠻 86. 躍動 87. 陽曆 88. 略取 89. 掠奪 90. 藥湯 91. 陰刻 92. 糧穀 93. 讓渡 94. 養苗 95. 洋擾 96. 養蠶 97. 諒知 98. 兩側

제8회

1. 養護 2. 洋畵 3. 洋靴 4. 御使 5. 御賜 6. 御用 7. 抑壓 8. 抑揚 9. 抑鬱 10. 抑制 11. 嚴密 12. 嚴肅 13. 餘暇 14. 旅毒 15. 餘毒 16. 輿論 17. 餘裕 18. 女裝 19. 旅裝 20. 餘波 21. 逆謀 22. 驛傳 23. 疫疾 24. 延建坪 25. 演劇 26. 演壇 27. 連帶 28. 燃燈 29. 聯盟 30. 延綿 31. 延命 32. 煙霧 33. 練兵 34. 聯想 35. 燃燒 36. 連鎖 37. 沿岸 38. 連載 39. 連敗 40. 連覇 41. 鉛筆 42. 熱狂 43. 列擧 44. 熱帶 45. 劣惡 46. 念頭 47. 炎凉 48. 念佛 49. 鹽酸 50. 厭世 51. 廉恥 52. 廉探 53. 鹽化 54. 獵期 55. 獵奇 56. 靈感 57. 營農 58. 靈妙 59. 零細 60. 營養 61. 領域 62. 榮譽 63. 靈長 64. 榮典 65. 映窓 66. 領置 67. 影響 68. 靈魂 69. 預金 70. 豫測 71. 藝能 72. 銳鈍 73. 銳利 74. 豫防 75. 禮拜 76. 禮聘 77. 譽言 78. 睿智 79. 譽讚 80. 禮砲 81. 預託金 82. 誤答 83. 娛樂 84. 誤謬 85. 傲慢 86. 傲然 87. 嗚咽 88. 汚染 89. 汚辱 90. 誤診 91. 誤差 92. 午餐 93. 惡寒 94. 誤解 95. 溫帶 96. 溫突 97. 溫雅

제9회

1. 溫和 2. 穩全 3. 甕棺 4. 甕器 5. 擁立 6. 擁衛 7. 擁護 8. 瓦解 9. 緩衝 10. 枉臨 11. 旺盛 12. 倭國 13. 倭賊 14. 歪曲 15. 外戚 16. 妖怪 17. 妖妄 18. 妖術 19. 療養 20. 遙遠 21. 庸劣 22. 用途 23. 龍淚 24. 傭兵 25. 勇猛 26. 鎔巖 27. 容疑者 28. 鎔接 29. 溶解 30. 鎔解 31. 愚弄 32. 友邦 33. 偶像 34. 郵送 35. 憂愁 36. 優雅 37. 優劣 38. 偶然 39. 憂鬱 40. 優越 41. 優柔 42. 愚直 43. 郵遞局 44. 韻文 45. 運搬 46. 運輸 47. 雲集 48. 運航 49. 鬱憤 50. 鬱寂 51. 鬱蒼 52. 熊膽 53. 雄辯 54. 雄飛 55. 遠隔 56. 原稿 57. 圓滿 58. 怨望 59. 月桂冠 60. 越權 61. 越等 62. 越墻 63. 位階 64. 危機 65. 緯度 66. 慰靈塔 67. 慰勞 68. 違反 69. 胃酸 70. 位相 71. 威勢 72. 衛星 73. 慰安 74. 違約 75. 威嚴 76. 偉業 77. 胃炎 78. 委任 79. 僞裝 80. 僞證 81. 僞造 82. 委託, 委托 83. 違憲 84. 威脅 85. 遺憾 86. 柔道 87. 誘導 88. 遊覽 89. 幽靈 90. 留物 91. 遺物 92. 遺民 93. 誘發 94. 流配 95. 遺産 96. 遊說 97. 維新 98. 遺臣

제10회

1. 遺言 2. 猶豫 3. 誘引 4. 乳齒 5. 留置 6. 幼稚 7. 留學 8. 遊學 9. 儒學 10. 潤澤 11. 輪禍 12. 潤滑 13. 隆盛 14. 隆崇 15. 融資 16. 融通 17. 融和 18. 隱居 19. 陰鬱 20. 泣訴 21. 凝固 22. 應急 23. 應試 24. 應酬 25. 凝集 26. 醫療 27. 依託 28. 疑惑 29. 異腹 30. 裏書 31. 印鑑 32. 印象 33. 印刷 34. 姻戚 35. 人形 36. 姻兄 37. 日沒 38. 賃金 39. 賃貸 40. 賃借 41. 臨迫 42. 臨床 43. 臨終 44. 立候補 45. 自愧 46. 自壞 47. 磁器, 瓷器 48. 磁氣 49. 諮問 50. 雌雄 51. 慈親 52. 酌婦 53. 殘忍 54. 殘虐 55. 蠶婦 56. 暫時 57. 潛水艦 58. 潛伏 59. 潛迹 60. 雜貨店 61. 葬具 62. 裝具 63. 臟器 64. 長途 65. 粧刀 66. 奬勵 67. 葬禮 68. 帳幕 69. 帳簿 70. 裝備 71. 藏書72. 裝飾 73. 掌握 74. 障礙 75. 莊嚴 76. 腸炎 77. 裝置 78. 裁斷 79. 栽培 80. 財閥 81. 裁判 82. 抵當 83. 貯藏 84. 抵觸 85. 貯蓄 86. 沮害 87. 赤裸裸 88. 寂寞 89. 適性 90. 適應 91. 轉勤

제11회

1. 殿堂 2. 顚倒 3. 傳道 4. 傳導 5. 電報 6. 轉補 7. 戰船 8. 電線 9. 傳貫 10. 前述 11. 戰術 12. 傳染 13. 戰績 14. 轉籍 15. 全破 16. 傳播 17. 電波 18. 轉換 19. 切迫 20. 節制 21. 折衷 22. 點燈 23. 漸騰 24. 占領 25. 接戰 26. 接觸 27. 接種 28. 精巧 29. 政略 30. 廷吏 31. 靜脈 32. 征伐 33. 征服 34. 精密 35. 整備 36. 情緖 37. 精銳 38. 頂點 39. 訂正 40. 貞操 41. 精製 42. 偵察 43. 整形 44. 淨化 45. 提供 46. 除隊 47. 提督 48. 製鍊 49. 除幕 50. 堤防 51. 祭祀 52. 提訴 53. 制御 54. 提唱 55. 提携 56. 組閣 57. 彫刻 58. 早老 59. 朝露 60. 調書 61. 租稅 62. 調印 63. 操縱 64. 照準 65. 族譜 66. 族閥 67. 尊屬 68. 卒倒 69. 拙劣 70. 縱斷 71. 宗廟 72. 種苗 73. 縱橫 74. 左遷 75. 酒毒 76. 鑄物 77. 駐屯 78. 注射 79. 準據 80. 遵守 81. 仲介 82. 中繼 83. 衆寡 84. 中毒 85. 仲裁 86. 證據 87. 證券 88. 贈呈 89. 增築 90. 遲刻 91. 支給 92. 至急 93. 遲延 94. 地震 95. 遲滯 96. 指彈 97. 眞空

제12회

1. 震恐 2. 震動 3. 診療 4. 診脈 5. 眞否 6. 陳腐 7. 陳述 8. 鎭壓 9. 陳列 10. 鎭靜 11. 窒息死 12. 懲戒 13. 懲罰 14. 徵兵 15. 徵收 16. 懲役 17. 徵候 18. 車輛 19. 遮面 20. 遮陽 21. 借用 22. 錯覺 23. 着陸 24. 錯雜 25. 燦爛 26. 讚辭 27. 贊成 28. 讚揚 29. 慘劇 30. 參拜 31. 參謀 32. 參酌 33. 慘酷 34. 慘禍 35. 慘敗 36. 倉庫 37. 創設 38. 採鑛 39. 債務者 40. 菜蔬 41. 採用 42. 採點 43. 悽慘 44. 斥候兵 45. 天涯 46. 撤去 47. 鐵筋 48. 撤收 49. 徹底 50. 撤廢 51. 添附 52. 添削 53. 請求 54. 淸廉 55. 淸掃 56. 淸雅 57. 請約 58. 請願 59. 淸淨 60. 滯納 61. 滯留 62. 滯拂 63. 遞信 64. 哨兵 65. 招聘 66. 超越 67. 焦燥 68. 秒針 69. 促進 70. 總帥 71. 催眠 72. 追擊 73. 追突 74. 墜落 75. 追越 76. 醜雜 77. 推薦 78. 縮圖 79. 祝賀 80. 出沒 81. 出荷 82. 出航 83. 出港 84. 衝擊 85. 衝突 86. 衝動 87. 衷情 88. 趣味 89. 趣旨 90. 側近 91. 致富 92. 置簿 93. 致死 94. 致謝 95. 漆板 96. 沈默

제13회

1. 沈水 2. 寢睡 3. 針術, 鍼術 4. 沈鬱 5. 沈滯 6. 浸透 7. 稱頌 8. 快諾 9. 快樂 10. 快差 11. 快速 12. 快適 13. 打令 14. 打撲傷 15. 打盡 16. 妥協 17. 卓越 18. 誕生 19. 彈壓 20. 脫毛 21. 脫帽 22. 脫獄 23. 脫營 24. 耽溺 25. 探問 26. 探査 27. 探偵 28. 探索 29. 探訪 30. 蕩滅 31. 怠慢 32. 颱風 33. 兌換 34. 跆拳道 35. 土窟 36. 痛感 37. 痛哭 38. 通貨 39. 投稿 40. 透過 41. 透徹 42. 派遣 43. 破廉恥 44. 罷免 45. 破滅 46. 派閥 47. 波紋 48. 破産 49. 罷業 50. 破裂 51. 播種 52. 版圖 53. 販促 54. 覇權 55. 便宜 56. 偏重 57. 編輯 58. 偏頗 59. 廢棄 60. 肺炎 61. 廢止 62. 砲擊 63. 抛棄 64. 飽滿 65. 夏穀 66. 賀禮 67. 荷物 68. 下獄 69. 虐殺 70. 閑寂 71. 寒波 72. 割當 73. 割引 74. 割增 75. 耽溺 76. 含毒 77. 艦船 78. 艦艇 79. 陷落 80. 陷沒 81. 合邦 82. 含蓄 83. 合倂 84. 合奏 85. 合唱 86. 航空 87. 抗拒 88. 港灣 89. 解雇 90. 害毒 91. 解毒 92. 該博 93. 海拔 94. 解散 95. 楷書 96. 解析 97. 解釋

제14회

1. 海岸線 2. 核武器 3. 核實驗 4. 核融合 5. 行廊 6. 行旅屍 7. 享壽 8. 虛僞 9. 虛榮 10. 獻納 11. 憲法 12. 革命 13. 革帶 14. 赫怒 15. 革罷 16. 赫赫 17. 懸隔 18. 懸賞金 19. 顯微鏡 20. 賢淑 21. 懸板 22. 現況 23. 血管 24. 血液 25. 嫌惡 26. 嫌疑 27. 協助 28. 衡平 29. 豪傑 30. 豪雨 31. 好況 32. 呼吸 33. 酷毒 34. 酷使 35. 酷評 36. 混同 37. 混亂 38. 魂靈 39. 昏迷 40. 混用 41. 洪水 42. 華僑 43. 花壇 44. 華麗 45. 貨物 46. 和暢 47. 貨幣 48. 畵幅 49. 和解 50. 擴大 51. 確率 52. 確認 53. 擴張 54. 幻覺 55. 環境 56. 還給 57. 還拂 58. 換錢 59. 戱弄 60. 稀微 61. 稀薄 62. 占據 63. 籠城者 64. 令狀 65. 橋梁 66. 崩壞 67. 失踪 68. 颱風 69. 海溢 70. 診療費 71. 沙漠 72. 乾燥 73. 浪漫的 74. 檢疫 75. 非常 76. 禁輸 77. 措置 78. 談合 79. 罰金 80. 融合 81. 樂水 82. 山岳會 83. 奬勵 84. 提供 85. 停車 86. 違反 87. 團束 88. 脊椎 89. 矯正 90. 獵奇的 91. 誘發 92. 不治病 93. 紫外線 94. 洗滌 95. 爬蟲類 96. 企劃(畵)展 97. 亞細亞 98. 證市 99. 腫氣 100. 皮膚科 101. 精油社 102. 航空社 103. 提携 104. 過度 105. 貸出 106. 虐待 107. 體感 108. 鈍化 109. 移徙 110. 傳貫金 111. 日傭職 112. 保險 113. 差押 114. 增加 115. 騷音 116. 被害 117. 愛玩 118. 糧穀 119. 防除 120. 美化員 121. 雇傭 122. 野營客 123. 暴雨 124. 半導體 125. 黑字 126. 冷麵 127. 循環 128. 推進 129. 顚覆 130. 大捷 131. 祝祭 132. 主管 133. 赤潮 134. 熱帶夜 135. 擴散

假(거짓 가) －仮
價(값 가) －価
暇(틈 가) －昄
覺(깨달을 각) －覚
監(볼 감) －监
鑑(거울 감) －鑑
强(강할 강) －強
蓋(덮을 개) －盖
據(근거 거) －拠
擧(들 거) －挙
傑(뛰어날 걸) －杰
儉(검소할 검) －倹
劍(칼 검) －剣
檢(조사할 검) －検
堅(굳을 견) －坚
缺(이지러질 결) －欠
徑(길 경) －径
經(지날 경) －経
輕(가벼울 경) －軽
繼(이을 계) －継
鷄(닭 계) －雞
觀(볼 관) －覌, 覌
關(관계할 관) －関
館(집 관) －舘
廣(넓을 광) －広
鑛(쇳돌 광) －鉱
壞(무너질 괴) －壊
橋(다리 교) －桥
矯(바로잡을 교) －矫
區(구분할 구) －区
舊(옛 구) －旧
驅(몰 구) －駆
龜(거북 귀) －亀
國(나라 국) －国
勸(권할 권) －劝, 劝
權(권세 권) －权
歸(돌아갈 귀) －帰
棄(버릴 기) －弃
氣(기운 기) －気
緊(긴할 긴) －紧
農(농사 농) －农
寧(편안 녕) －寍
惱(번뇌할 뇌) －悩
腦(머리골 뇌) －脳
單(홑 단) －单
團(모을 단) －团
斷(끊을 단) －断
擔(멜 담) －担
膽(쓸개 담) －胆
當(마땅할 당) －当
黨(무리 당) －党
對(대할 대) －对
臺(대 대) －台
圖(그림 도) －図
獨(홀로 독) －独
讀(읽을 독) －読
同(한가지 동) －仝
燈(등 등) －灯
樂(풍류 악, 즐길 락) －楽
亂(어지러울 란) －乱
濫(넘칠 람) －滥
藍(쪽 람) －蓝
覽(볼 람) －覧
來(올 래) －来
兩(두 량) －両
勵(힘쓸 려) －励
麗(고울 려) －麗
戀(그리워할 련) －恋
聯(연이을 련) －联
獵(사냥할 렵) －猟
靈(신령 령) －灵
禮(예도 례) －礼
勞(일할 로) －労
爐(화로 로) －炉
龍(용 룡) －竜
樓(다락 루) －楼
離(떠날 리) －难
臨(임할 림) －临
滿(가득할 만) －満
萬(일만 만) －万
蠻(오랑캐 만) －蛮
賣(팔 매) －売
脈(줄기 맥) －脉
麥(보리 맥) －麦
貌(모양 모) －皃
夢(꿈 몽) －梦
廟(사당 묘) －庿
無(없을 무) －无
發(필 발) －発
變(변할 변) －変
邊(가 변) －辺, 边
竝(나란히 병) －並
寶(보배 보) －宝
佛(부처 불) －仏
拂(떨칠 불) －払
冰(얼음 빙) －氷
寫(베낄 사) －写, 写
師(스승 사) －师
絲(실 사) －糸
辭(말씀 사) －辞
嘗(맛볼 상) －甞
桑(뽕나무 상) －桒
牀(상 상) －床
狀(형상 상) －状
敍(펼 서) －叙, 敘
釋(풀 석) －釈
僊(신선 선) －仙
攝(다스릴/잡을 섭) －摂
聲(소리 성) －声
世(인간 세) －卋
燒(사를 소) －焼
屬(무리 속) －属
續(이을 속) －続
壽(목숨 수) －寿
收(거둘 수) －収
數(셈할 수) －数
獸(짐승 수) －獣

약자(略字) 2급 범위

隨(따를 수) – 随
肅(엄숙할 숙) – 粛, 肃
濕(젖을 습) – 湿
乘(탈 승) – 乗
腎(콩팥 신) – 肾
實(열매 실) – 実
雙(두 쌍) – 双
亞(버금 아) – 亜
兒(아이 아) – 児
惡(악할 악) – 悪
鴈(기러기 안) – 雁
巖(바위 암) – 岩
壓(누를 압) – 圧
藥(약 약) – 薬
壤(흙덩이 양) – 壌
嚴(엄할 엄) – 厳
業(업 업) – 业
與(줄 여) – 与
餘(남을 여) – 余
譯(번역할 역) – 訳
驛(역 역) – 駅
硏(갈 연) – 研
鹽(소금 염) – 塩
榮(영화 영) – 栄
營(경영할 영) – 営
藝(재주 예) – 芸, 艺
譽(명예 예) – 誉
豫(미리 예) – 予
往(갈 왕) – 徃
員(인원 원) – 負
僞(거짓 위) – 偽
圍(둘레 위) – 囲
爲(할 위) – 為
隱(숨을 은) – 隠
陰(그늘 음) – 阴
應(응할 응) – 応
醫(의원 의) – 医
貳(두 이) – 弐
益(더할 익) – 益
刃(칼날 인) – 刄

殘(남을 잔) – 残
雜(섞일 잡) – 雑
壯(장할 장) – 壮
將(장수 장) – 将
莊(씩씩할/엄할 장) – 荘
裝(꾸밀 장) – 装
奬(장려할 장) – 奨
哉(어조사 재) – 㢤
爭(다툴 쟁) – 争
傳(전할 전) – 伝
戰(싸울 전) – 战
轉(구를 전) – 転
錢(돈 전) – 銭
竊(훔칠 절) – 窃
點(점 점) – 点, 奌
定(정할 정) – 㝎
靜(고요할 정) – 静
濟(건널 제) – 済
齊(가지런할 제) – 斉
條(가지 조) – 条
卒(마칠 졸) – 卆
從(좇을 종) – 从
晝(낮 주) – 昼
鑄(쇠불릴 주) – 鋳
增(더할 증) – 増
曾(일찍 증) – 曽
蒸(찔 증) – 蒸
證(증거 증) – 証
珍(보배 진) – 珎
盡(다할 진) – 尽
眞(참 진) – 真
質(바탕 질) – 質
參(참여할 참) – 参
慘(슬플 참) – 惨
冊(책 책) – 册
處(곳 처) – 処
淺(얕을 천) – 浅
賤(천할 천) – 賎
踐(밟을 천) – 践
遷(옮길 천) – 迁

鐵(쇠 철) – 鉄
廳(청사 청) – 庁
聽(들을 청) – 聴
體(몸 체) – 体
遞(갈릴 체) – 逓
觸(닿을 촉) – 触
總(다 총) – 総
蟲(벌레 충) – 虫
醉(취할 취) – 酔
齒(이 치) – 歯
漆(옻칠할 칠) – 柒
沈(잠길 침) – 沉
稱(일컬을 칭) – 称
墮(떨어질 타) – 堕
彈(탄알 탄) – 弾
擇(가릴 택) – 択
澤(못 택) – 沢
兔(토끼 토) – 兎
廢(폐할 폐) – 廃
豐(풍년 풍) – 豊
學(배울 학) – 学
解(풀 해) – 觧
虛(빌 허) – 虚
獻(바칠 헌) – 献
險(험할 험) – 険
驗(시험할 험) – 験
縣(고을 현) – 県
賢(어질 현) – 賢
顯(나타낼 현) – 顕
螢(반딧불 형) – 蛍
號(이름 호) – 号
畫(그림 화) – 画
華(빛날 화) – 华
擴(넓힐 확) – 拡
歡(기쁠 환) – 欢
會(모일 회) – 会
懷(품을 회) – 懐
興(일 흥) – 兴
戲(놀이 희) – 戯

약자(略字) 1급 추가 범위

皐(언덕고) – 皋	揷(꽂을삽) – 插	豬(돼지저) – 猪
擡(들대) – 抬	纖(가늘섬) – 繊	劑(약제제) – 剤
燾(비칠도) – 焘	燮(불꽃섭) – 变	僭(주제넘을참) – 僣
籃(대바구니람) – 篮	礙(거리낄애) – 碍	癡(어리석을치) – 痴
籠(대바구니롱) – 篭	淵(못연) – 渕	鋪(가게포) – 舗
灣(물굽이만) – 湾	鬱(답답할울) – 欝	鹹(짤함) – 醎
倂(아우를병) – 併	蔭(그늘음) – 蔭	峽(골짜기협) – 峡
敷(펼부) – 旉	棧(사다리잔) – 桟	
滲(스밀삼) – 渗	蠶(누에잠) – 蚕	

일자다음자(一字多音字), 동자다음자(同字異音字)

두가지 이상의 音을 지닌 漢字

한자	뜻·음	예
賈	성(姓) 가	賈島(가도)
	장사 고	商賈(상고)
覺	깨닫다 각	覺醒(각성)
	꿈깨다 교	覺案(교안)
降	내리다 강	降雪(강설)
	항복하다 항	降伏(항복)
更	다시 갱	更新(갱신)
	고치다 경	變更(변경)
車	수레 거	人力車(인력거)
	수레 차	自動車(자동차)
醵	추렴할 거	醵金(거금)
	추렴할 갹	醵出(갹출)
乾	하늘,마르다 건	乾坤(건곤)
	마르다 간	乾物(간물)
見	보다 견	見學(견학)
	뵙다 현	謁見(알현)
契	맺을 계	契約(계약)
	부족이름 글	契丹(글안)
汨	골몰할 골	汨沒(골몰)
	물이름 멱	汨水(멱수)
串	꿸 관	串柿(관시)
	땅이름 곶	甲串(갑곶)
廓	둘레 곽	城廓(성곽)
	클 확	廓大(확대)
龜	터지다 균	龜裂(균열)
	거북,본받다 귀	龜鑑(귀감)
奈	어찌 나	奈落(나락)
	어찌 내	奈何(내하)
內	안 내	室內(실내)
	궁궐 나	內人(나인)
茶	차 다	茶房(다방)
	차 차	葉茶(엽차)
單	홑 단	單純(단순)
	오랑캐이름 선	單于(선우)
丹	붉다 단	丹楓(단풍)
	꽃이름 란	牡丹(모란)
糖	엿 당	糖尿(당뇨)
	사탕 탕	雪糖(설탕)
宅	집 택	住宅(주택)
	집안 댁	宅內(댁내)
度	법도 도	程度(정도)
	헤아릴 탁	度地(탁지)
讀	읽다 독	讀書(독서)
	구절 두	句讀(구두)
兜	투구 두	兜橋(두교)
	도솔천 도	兜率(도솔)
木	나무 목	草木(초목)
	모과 모	木瓜(모과)
畝	이랑 무	頃畝法(경무법)
	이랑 묘	田畝(전묘)
磻	반계 반	磻溪(반계)
	반계 번	碌磻洞(녹번동)
便	똥오줌 변	便所(변소)
	편하다 편	便利(편리)
洑	보 보	洑稅(보세)
	스며흐를 복	洑流(복류)
復	회복하다 복	復舊(복구)
	다시 부	復興(부흥)
否	아닐 부	否定(부정)
	막힐 비	否運(비운)
輻	바퀴살 복	輻射(복사)
	바퀴살 폭	輻輳(폭주)
北	북녘 북	南北(남북)
	달아나다 배	敗北(패배)
沸	끓을 비	沸點(비점)
	용솟음할 불	沸沫(불말)
馮	탈 빙	馮氣(빙기)
	성 풍	馮氏(풍씨)
寺	절 사	寺刹(사찰)
	내관 시	內寺(내시)
殺	죽이다 살	殺生(살생)
	덜다 쇄	相殺(상쇄)
參	석 삼	參千(삼천)
	참여하다 참	參加(참가)
狀	형상 상	現狀(현상)
	문서 장	賞狀(상장)

일자다음자(一字多音字), 동자다음자(同字異音字)

塞
- 변방 새 要塞(요새)
- 막다 색 閉塞(폐색)

索
- 찾다 색 索出(색출)
- 흩어지다 삭 索莫(삭막)

羨
- 부러워할 선 羨望(선망)
- 무덤길 연 羨道(연도)

說
- 말씀 설 說話(설화)
- 달래다 세 遊說(유세)
- 기뻐하다 열 說樂(열락)

省
- 살필 성 反省(반성)
- 덜 생 省略(생략)

屬
- 무리 속 屬國(속국)
- 부탁할 촉 屬望(촉망)

率
- 거느리다 솔 引率(인솔)
- 비율 률 能率(능률)

衰
- 쇠할 쇠 衰落(쇠락)
- 상복 최 斬衰(참최)

數
- 셈 수 數式(수식)
- 자주 삭 數脈(삭맥)
- 촘촘할 촉 數罟(촉고)

帥
- 장수 수 元帥(원수)
- 거느리다 솔 帥先(솔선)

宿
- 묵다 숙 旅人宿(여인숙)
- 성수 수 星宿(성수)

拾
- 줍다 습 拾得(습득)
- 열 십 拾圓(십원)

食
- 먹다 식 飮食(음식)
- 밥 사 簞食瓢飮(단사표음)

識
- 알다 식 知識(지식)
- 기록하다 지 標識(표지)

沈
- 잠기다 침 沈沒(침몰)
- 성씨 심 沈氏(심씨)

什
- 열사람 십 什長(십장)
- 세간 집 什器(집기)

氏
- 성씨 씨 姓氏(성씨)
- 나라이름 지 月氏(월지)

惡
- 악할 악 惡人(악인)
- 미워할 오 憎惡(증오)

樂
- 좋아하다 요 樂山樂水(요산요수)
- 즐기다 락 樂園(낙원)
- 노래 악 音樂(음악)

若
- 같다 약 若干(약간)
- 반야 야 般若(반야)

於
- 어조사 어 於中間(어중간)
- 감탄하다 오 於呼(오호)

葉
- 잎 엽 落葉(낙엽)
- 성 섭 葉氏(섭씨)

易
- 바꾸다 역 貿易(무역)
- 쉽다 이 難易(난이)

莞
- 빙그레할 완 莞島(완도)
- 왕골 관 莞浦(관포)

歪
- 기울 왜 舌歪(설왜)
- 기울 외 歪調(외조)

咽
- 목구멍 인 咽喉(인후)
- 목멜 열 嗚咽(오열)

佚
- 편안 일 佚樂(일락)
- 질탕 질 佚蕩(질탕)

刺
- 찌르다 자 刺客(자객)
- 찌르다 척 刺殺(척살)

炙
- 구울 자 膾炙(회자)
- 구울 적 魚炙(어적)

抵
- 막다 저 抵抗(저항)
- 칠 지 抵掌(지장)

著
- 지으다 저 著述(저술)
- 나타나다 저 顯著(현저)
- 붙다 착 附著(부착)

躇
- 머뭇거릴 저 躊躇(주저)
- 건너뛸 착 躇階(착계)

提
- 끌다 제 提携(제휴)
- 보리수 리 菩提(보리)

切
- 끊다 절 切斷(절단)
- 온통 체 一切(일체)

辰
- 별 진 辰宿(진수)
- 때 신 生辰(생신)

徵
- 부르다 징 徵戒(징계)
- 가락 치 徵音(치음)

諸
- 모든 제 諸般(제반)
- 어조사 저 居諸(거저)

差
- 다르다 차 差度(차도)
- 부릴 채 差備(채비)

拓
- 열다 척 開拓(개척)
- 박다 탁 拓本(탁본)

推
- 옮기다 추 推進(추진)
- 밀다 퇴 推敲(퇴고)

槌
- 칠 추 槌鑿(추착)
- 방망이 퇴 鐵槌(철퇴)

則
- 법칙 칙 法則(법칙)
- 곧 즉 則(즉)-다시말하면

洞
- 고을 동 洞里(동리)
- 밝다 통 洞察(통찰)

跛
- 절음발이 파 跛行(파행)
- 비스듬히설 피 跛立(피립)

布
- 베, 펴다 포 布告(포고)
- 베풀다 보 布施(보시)

暴
- 나타내다 폭 暴露(폭로)
- 모질다 포 暴惡(포악)

合
- 합하다 합 合同(합동)
- 홉 홉 一合(일홉)

皮
- 가죽 피 皮革(피혁)
- 가죽 비 鹿皮(녹비)

行
- 다니다 행 行動(행동)
- 항렬 항 行列(항렬)

畵
- 그림 화 畵家(화가)
- 그으다 획 計畵(계획)

活
- 살다 활 生活(생활)
- 물소리 괄 活活(괄괄)

陜
- 좁을 협 陜所(협소)
- 땅이름 합 陜川(합천)

瑩
- 밝을 형 瑩然(형연)
- 옥돌 영 瑩鏡(영경)

滑
- 미끄러지다 활 滑降(활강)
- 익살스럽다 골 滑稽(골계)

噫
- 한숨쉴 희 噫嗚(희오)
- 트림할 애 噫氣(애기)

한자능력 검정시험 1급 예상문제(1~13회)

예상문제를 푸는 동안
'讀音' 과 '訓音' 부분에서
5문제 이상 틀릴 때는
'섞음漢字' 전체읽기를 하여
틀린 글자는 다시 외우고 시험에 임박해서는
가위로 잘라서 읽어보고 틀린 글자는 다시 외우고
시험 2~3일전에는 '섞음漢字' 밑에다
훈 · 음을 적어서 정확한지 다시 확인하게 되면
모든 글자를 모두 암기할수 있을뿐더러
다른 유형별에도 큰 영향을 미치게 됩니다.
'섞음漢字' 사용은 학생의 상황에 따라
신속하게 이용할 수 있고 경우에 따라서는
2·3급용도 익힐 필요가 있습니다.
정답은 148쪽에 있음.

국가공인
제1회 한자능력검정시험 1급 예상문제

합격점수 : 160점
제한시간 : 90분

※ 다음 漢字語에 대하여 물음에 답하시오.

(1) 彎環　(2) 饒貸
(3) 慈訓　(4) 扮飾
(5) 考妣　(6) 肺腑
(7) 知音　(8) 破鏡
(9) 黃口　(10) 狐鼠
(11) 黎民　(12) 懇曲
(13) 偈頌　(14) 粉粟
(15) 櫃封　(16) 埃及
(17) 俯伏　(18) 包括
(19) 浴槽　(20) 奸慝
(21) 肩臂　(22) 汲浪
(23) 烏瓷　(24) 遭遇
(25) 窈靄　(26) 宦海
(27) 棺槨　(28) 訌阻
(29) 嗾囑　(30) 譏察
(31) 博洽　(32) 馬廏
(33) 巫覡　(34) 曖昧
(35) 諧謔　(36) 采緞
(37) 溝壑　(38) 匍匐
(39) 搏殺　(40) 膨潤
(41) 玉蟾　(42) 嗜眠
(43) 筵稟　(44) 怯懦
(45) 踪迹　(46) 醯鷄
(47) 强靭　(48) 謚法
(49) 喘息　(50) 眩惑

[問 1~50] 위 漢字語의 讀音을 쓰시오.

[問 51~55] 위 漢字語 (1)~(5)의 뜻을 쉬운 우리말로 쓰시오.

(51) 彎環 :
(52) 饒貸 :
(53) 慈訓 :
(54) 扮飾 :
(55) 考妣 :

[問 56-60] 위 漢字語 (6)~(10)의 轉義(字義가 아님)를 쓰시오.

(56) 肺腑 :
(57) 知音 :
(58) 破鏡 :
(59) 黃口 :
(60) 狐鼠 :

※ 다음 漢字에 대하여 물음에 답하시오.

(61) 飼　(62) 駮
(63) 惚　(64) 撐
(65) 覲　(66) 幟
(67) 猜　(68) 捏
(69) 堰　(70) 椎
(71) 樸　(72) 諦
(73) 遝　(74) 劾
(75) 傴　(76) 顎
(77) 搗　(78) 醴
(79) 嶋　(80) 粘
(81) 涅　(82) 硝
(83) 叢　(84) 嘉
(85) 昆　(86) 釜
(87) 襪　(88) 羨
(89) 罕　(90) 龔
(91) 脹　(92) 雀

[問 61~92] 위 漢字(61~92)의 訓 · 音을 쓰시오.

[問 93~102] 위 漢字 (83)~(92)의 部首를 쓰시오.

(93) 叢　(94) 嘉　(95) 昆
(96) 釜　(97) 襪　(98) 羨
(99) 罕　(100) 龔　(101) 脹
(102) 雀

※ 다음 글을 읽고 물음에 답하시오.

島山은 사람의 개성을 존중하였다. 그러므로 모든 사람은 다 자기가 좋아하는 대로 독특한 설계의 주택을 지을 자유가 있을 뿐더러 그렇게 천태만상[103]의 가옥의 집단이야말로 부락[104] 또는 도시의 美를 말할 수 있다고 하였다. 다만 지키지 못할 것은 부락 전체의 설계 배치[105]되지 아니할 것, 위생적[106]일 것, 사치[107]하지 아니할 것, 美를 고려할 것 등의 여러 원칙이었다. 島山이 설계한 공회당[108]・여관[109]・학교・목욕탕[110]・운동장・우체국[111]・금융[112]과 협동조합의 업무를 하는 기관[113]이 설치될 것이었다.
이 부락에 세울 학교는 일반 교육의 학교 이외에 직업학교를 세우자는 것이 島山이 특별히 역점을 두어서 계획한 것이었다. 직업학교는 농・잠[114]・림・원예[115]・목축[116]・공 등의 여러 과목을 두되 工에는 농가 건축・농촌 토목・實業・식료품 가공・농구 제조의 목공・철공・농촌・상업을 포함하는 것이었다.
학과를 教授하되 실습을 주로 하여 농촌에는 田・畓・채소원[117]・과수원[118]・상원[119]・조림[120]을 실지로 행하고 토목에서는 도로・치산[121]・치수[122]・배수[123] 관계를 직접 경영[124]하고 공업 부문에 있어서도 그리하여서 이 학교를 졸업하고 나면 소자본과 약간의 기구[125]로 독립한 하나의 직업을 가져서 한 지방의 한 부문을 담당할수 있게 하자는 것인데, 이 학생들은 재학 중에 모범촌 생활을 견습하고 또 실제로 그 생활의 습관[126]을 길러서 자기의 고향에 돌아가면 그것을 모범촌[127]에 의거[128]하여 改造하고 지도할 수 있는 능력을 얻게 될 것이다.(中略)
島山은 우리 민족이 상호[129]간에 질시[130]와 증오[131]가 많고 相愛 相敬하는 和氣가 부족함을 매양 한탄[132]하였다. 島山은 영어의 'smile' 이란 말을 즐겨하였다. 島山은 松苔산장[133] 입구에 문을 세우고 '빙그레' 또는 '방그레' 하고 간판[134]을 써 붙일 것을 말하고 있었다.
松苔 동리를 들어설 때에는 "방그레 웃어라" 하는 뜻이었다. 전국 요처에 사람이 많이 모이는 곳에 '빙그레' '방그레' 라고 좋은 모양과 좋은 글씨로 써 붙이고, 또는 조각으로나 그림으로도 빙그레 웃는 모양을 아름답게 만들어서 전국에 미소운동[135]을 일으키는 것도 좋겠다고 말하였다. '갓난이의 방그레', '늙은이의 빙그레', '젊은이의 방그레' 모두 얼마나 아름다운 행복의 표정인가. 갓난이의 방그레는 갓난이의 청정[136]심의 나타남인 것으로 사람이란 근심도 없고 설움도 없는, 가책[137] 혼탁[138] 없는 양심에서만 화기 있는 미소가 나오는 것이다.
쓴웃음, 빈정대는 웃음, 건방진 웃음, 어이없어 웃는 웃음, 아양 떨며 짓는 웃음은다 부정[139]한 물이 든 웃음이다. 순박[140]한 미소, 이것이 島山이 바라는 미소이니 우리 민족 삼천만이 다 이 미소를 입 언저리, 눈시울에 띠게 되면 우리나라는 태평[141]하고 창성[142]하게 된다는 것이었다.

[問 103-142] 윗글 밑줄 그은 漢字語를 漢字(正字)로 쓰시오.

(103) 천태만상	[ ]	(104) 부락	[ ]
(105) 배치	[ ]	(106) 위생적	[ ]
(107) 사치	[ ]	(108) 공회당	[ ]
(109) 여관	[ ]	(110) 목욕탕	[ ]
(111) 우체국	[ ]	(112) 금융	[ ]
(113) 기관	[ ]	(114) 잠	[ ]
(115) 원예	[ ]	(116) 목축	[ ]
(117) 채소원	[ ]	(118) 과수원	[ ]
(119) 상원	[ ]	(120) 조림	[ ]
(121) 치산	[ ]	(122) 치수	[ ]
(123) 배수	[ ]	(124) 경영	[ ]
(125) 기구	[ ]	(126) 습관	[ ]
(127) 모범촌	[ ]	(128) 의거	[ ]
(129) 상호	[ ]	(130) 질시	[ ]
(131) 증오	[ ]	(132) 한탄	[ ]
(133) 산장	[ ]	(134) 간판	[ ]
(135) 미소	[ ]	(136) 청정	[ ]
(137) 가책	[ ]	(138) 혼탁	[ ]
(139) 부정	[ ]	(140) 순박	[ ]
(141) 태평	[ ]	(142) 창성	[ ]

[問 143-147] 윗글 밑줄 그은 漢字語 [103-142] 가운데서 첫소리가 '긴소리' 인것을 5개만 가려 그 번호를 쓰시오. (실제로는 5개 이상임)

(143) [ ] (144) [ ] (145) [ ]
(146) [ ] (147) [ ] [ ]

[問 148-152] 다음에서 첫소리가 '긴소리' 인것을 그 번호로 답하시오.

(148) ① 蒸溜 ② 悠長 ③ 豪快 ④ 惹端
(149) ① 遵範 ② 恢復 ③ 鳴響 ④ 俊逸
(150) ① 肺癌 ② 懷孕 ③ 割腔 ④ 筵席
(151) ① 僧侶 ② 抱擁 ③ 饑荒 ④ 狂騰
(152) ① 剽竊 ② 裕福 ③ 敎鞭 ④ 喉頭

[問 153-162] 다음 同音異義語를 구별하여 正字로 쓰시오.

○ 단정 (153) [ ] 얌전하고 바름
(154) [ ] 깨끗이 정돈되어 있음
○ 보상 (155) [ ] 남에게 진 빚이나 받은 물건을 갚음
(156) [ ] 남에게 끼친 손해를 갚음
○ 성전 (157) [ ] 신성한 전당
(158) [ ] 거룩한 사명을 띤 전쟁
○ 진부 (159) [ ] 참됨과 그렇지 못함
(160) [ ] 낡아서 새롭지 못함
○ 유학 (161) [ ] 외국에서 공부함
(162) [ ] 공자의 가르침을 가르치는 학문

[問 163-166] 다음 漢字의 略字는 正字로, 正字는 略字로 쓰시오.

(163) 壽 (164) 臺 (165) 膽
(166) 壱

[問 167-176] 反對字로 結合된 漢字語가 되도록 [167-171], 反對語로 서로 對立이 되도록 [172-176] ( )안에 漢字를 쓰시오.

(167) 光 ↔ ( )
(168) 親 ↔ ( )
(169) ( ) ↔ 捨
(170) ( ) ↔ 此
(171) 胸 ↔ ( )
(172) 白眼視 ↔ ( )
(173) 嫡子 ↔ ( )
(174) 穩健 ↔ ( )
(175) 削除 ↔ ( )
(176) ( ) ↔ 嫌惡

[問 177-186] 類義(같은 뜻) 字로 結合된 漢字語가 되도록 [177-181], 類義語로 짝이 되도록 [182-186] ( )안에 漢字를 쓰시오.

(177) 窘 - ( ) (178) ( ) - 懼
(179) 扮 - ( ) (180) 併 - ( )
(181) ( ) - 翔 (182) 書翰 - ( )
(183) 毫釐 - ( ) (184) 鵬圖 - ( )
(185) ( ) - 泰西 (186) ( ) - 花風病

[問 187-196] 다음 〈例〉의 뜻을 참고하여 아래의 四字(故事)成語를 完成하시오.

〈例〉
○ 곤경에 처한자를 쫓지 말것
○ 쓸모없는 사람이나 물건
○ 혀가 칼보다 날카로움
○ 위태로운 형세
○ 요점만 간단히 말함
○ 도둑이 도리어 매를 듦
○ 인재는 숨어 살아도 저절로 알려짐
○ 실패후에 재도전함
○ 인재를 열심히 구함
○ 변변치 못한 음식
○ 칭찬 받으며 사람의 입에 오르내림
(★순서대로가 아님)

(187) 去( )截( ) (188) ( )( )於劍
(189) 囊( )( )錐 (190) ( )寇( )追
(191) 鼠( )蟲( ) (192) ( )哺握( )
(193) 捲土( )( ) (194) 簞( )( )羹
(195) ( )( )膾炙 (196) 竿( )之( )

[問 197-200] 다음 四字(故事)成語를 完成하시오.

(197) 膠( )鼓( ) (198) 主客( )( )
(199) ( )( )不昧 (200) ( )哺之( )

국가공인 제2회 한자능력검정시험 1급 예상문제

합격점수 : 160점
제한시간 : 90분

※ 다음 漢字語에 대하여 물음에 답하시오.

(1) 仔豚　(2) 雅趣
(3) 鸞駕　(4) 冶匠
(5) 開闢　(6) 青眼視
(7) 破瓜　(8) 披肝膽
(9) 糊塗　(10) 都鄙
(11) 紺碧　(12) 蜃樓
(13) 綻露　(14) 艮方
(15) 默禱　(16) 刮取
(17) 煙筒　(18) 竭歡
(19) 貼藥　(20) 宏闊
(21) 呵責　(22) 戰歿
(23) 狐媚　(24) 溢血
(25) 潟湖　(26) 嗅覺
(27) 顆粒　(28) 輸尿管
(29) 擅横　(30) 竪立
(31) 滌暑　(32) 拔穗
(33) 急逝　(34) 樞轄
(35) 誤謬　(36) 彷徨
(37) 横斷　(38) 括弧
(39) 碇泊　(40) 頑迷
(41) 些少　(42) 戎服
(43) 噴射　(44) 綽約
(45) 渺漠　(46) 捏造
(47) 移徙　(48) 肌膚
(49) 靭帶　(50) 擡袖

[問 1~50] 위 漢字語 (1)~(50)의 讀音을 쓰시오.

[問 51~55] 위 漢字語 (1)~(5)의 뜻을 쉬운 우리말로 쓰시오.

(51) 仔豚 :
(52) 雅趣 :
(53) 鸞駕 :
(54) 冶匠 :
(55) 開闢 :

[問 56~60] 위 漢字語 (6)~(10)의 轉義(字義가 아님)를 쓰시오.

(56) 青眼視 :
(57) 破瓜 :
(58) 披肝膽 :
(59) 糊塗 :
(60) 都鄙 :

※ 다음 漢字에 대하여 물음에 답하시오.

(61) 嬬　(62) 紐
(63) 搔　(64) 馳
(65) 鎰　(66) 泄
(67) 詭　(68) 廬
(69) 燼　(70) 珊
(71) 硫　(72) 聳
(73) 鰥　(74) 怯
(75) 朽　(76) 晃
(77) 餐　(78) 熾
(79) 塊　(80) 拐
(81) 灘　(82) 疸
(83) 臘　(84) 胥
(85) 卉　(86) 窯
(87) 畢　(88) 勒
(89) 彙　(90) 台
(91) 疊　(92) 蛋

[問 61~92] 위 漢字(61~92)의 訓 · 音을 쓰시오.

[問 93~102] 위 漢字 (83)~(92)의 部首를 쓰시오.

(93) 臘　(94) 胥　(95) 卉
(96) 窯　(97) 畢　(98) 勒
(99) 彙　(100) 台　(101) 疊
(102) 蛋

※ 다음 글을 읽고 물음에 답하시오.

○교통 체증[103]으로 우리가 입는 손실[104]은 막대하다. 연료[105]의 소모[106], 시간허비와 같은 손실을 초래하는 것은 물론 배기[107] 가스로 인해 환경[108] 오염[109]을 유발하여 시민들의 건강을 위협[110]하기도 한다.

이런 교통 체증을 해결하는 방법은 간단하다. 도로를 확충[111]하여 도로율을 높이고 차량을 줄이는 것이다. 하지만 이 방법은 한계가 있을 수밖에 없기 때문에 교통공학자들은 첨단[112] 교통시스템 개발에 몰두[113]하고 있다.

도로 · 차량 신호 등의 기존 교통체계에 전자[114] · 정보통신 · 컴퓨터 등의 첨단 기술을 접목한 지능형 교통시스템을 개발하려는 것이다. 이 시스템이 구축[115]되면 교통 서비스를 획기적[116]으로 개선할 수 있다. 그러나 이 시스템이 제대로 작동하기 위해서는 전제되어야 할 것이 있다. 도로 상황을 제대로 반영[117]한 최적의 교통 흐름 모델이 바로 그것이다. 1997년 물리학자 케르너는 교통의 흐름을 3단계로 구분한 '단계 전환' 이론을 발표했다.

그는 교통 흐름을 '원활[118]' 한 소통[119] 단계, 차량 진행이 늦어지면서 나란히 가는 '동기화 소통' 단계, 그리고 차량 흐름이 멈추는 '정체' 단계로 구분했다. 원활한 소통 단계에서는 차량들이 서로 멀리 떨어져 있어서 속도를 높이며 차선을 자유롭게 바꿀 수 있다. 이 상태는 입자들이 임의대로 움직이고 서로 충돌[120]할 가능성이 거의 없어 밀도[121]가 낮은 기체의 흐름을 떠올리게 한다.

러시아워 때는 교통량이 갑작스럽게 증가하여 충돌 위험이 높아지고 차량 평균속도가 줄어든다. 이는 액체[122]의 상태와 유사하다.

〈신문표제와 TV자막〉 ○ 미 의회 일본군 성 노예[123](위안부[124]) 결의안 만장일치로 채택 ○ 서해안 만조[125]시 침수 주의 ○ 남부 대부분 지방 폭염[126] 주의보 ○ 장마대비 제방[127]과 축대[128] 미리 보강

○ 해외부동산 취득[129], 보유[130], 처분도 납세대상

○ 대한항공사, 중국항공사와 제휴[131] 결정

○ 여름철 건강을 위해 풍부한 과즙[132] 적극 권장[133]

○ 못믿을 냉장[134]업체의 냉동식품이 비위생[135]적

○ 자동차생산회사, 전기 · 전자 소재[136]중시…촉각[137], 후각, 감성[138], 청각, 시각 등의 소재를 소비자의 기호[139]에 맞게 연구하다. ○ 연세의료원, 직장폐쇄[140]…교섭[141] 결렬[142]

[問 103–142] 윗글 밑줄 그은 漢字語를 漢字(正字)로 쓰시오.

(103) 체증 [ ]　(104) 손실 [ ]
(105) 연료 [ ]　(106) 소모 [ ]
(107) 배기 [ ]　(108) 환경 [ ]
(109) 오염 [ ]　(110) 위협 [ ]
(111) 확충 [ ]　(112) 첨단 [ ]
(113) 몰두 [ ]　(114) 전자 [ ]
(115) 구축 [ ]　(116) 획기적 [ ]
(117) 반영 [ ]　(118) 원활 [ ]
(119) 소통 [ ]　(120) 충돌 [ ]
(121) 밀도 [ ]　(122) 액체 [ ]
(123) 노예 [ ]　(124) 위안부 [ ]
(125) 만조 [ ]　(126) 폭염 [ ]
(127) 제방 [ ]　(128) 축대 [ ]
(129) 취득 [ ]　(130) 보유 [ ]
(131) 제휴 [ ]　(132) 과즙 [ ]
(133) 권장 [ ]　(134) 냉장 [ ]
(135) 위생 [ ]　(136) 소재 [ ]
(137) 촉각 [ ]　(138) 감성 [ ]
(139) 기호 [ ]　(140) 폐쇄 [ ]
(141) 교섭 [ ]　(142) 결렬 [ ]

[問 143–152] 윗글 밑줄 그은 漢字語 [103–142] 가운데서 첫소리가 '긴소리' 인것을 10개만 가려 그 번호를 쓰시오. (10개 이상쓸때는 규정에 따라 감점)

(143) [ ]　(144) [ ]
(145) [ ]　(146) [ ]
(147) [ ]　(148) [ ]
(149) [ ]　(150) [ ]
(151) [ ]　(152) [ ]

[問 153–162] 다음 同音異義語를 구별하여 正字로 쓰시오.

○유신 (153) [ ] 낡은 제도를 고쳐 새롭게 함
(154) [ ] 왕실이 망한뒤에 남아있는 신하

○한해 (155) [ ] 가뭄으로 말미암아 입은 재해
(156) [ ] 추위로 농작물이 입은 손해

○공구 (157) [ ] 몹시 두려움
(158) [ ] 기계 따위를 만드는데 쓰이는 기구

○노숙 (159) [ ] 오래 경험하여 익숙함
(160) [ ] 한뎃잠

○여장 (161) [ ] 남자가 여자처럼 꾸밈
(162) [ ] 길 떠날 차림

[問 163-166] 다음 漢字의 略字는 正字로, 正字는 略字로 쓰시오.

(163) 蒸 (164) 戲 (165) 併
(166) 灾

[問 167-176] 反對字로 結合된 漢字語가 되도록 [167-171], 反對語로 서로 對立이 되도록 [172-176] ( )안에 漢字를 쓰시오.

(167) 舅 ↔ ( )
(168) 矛 ↔ ( )
(169) ( ) ↔ 曇
(170) ( ) ↔ 劣
(171) 肌 ↔ ( )
(172) 混沌 ↔ ( )
(173) ( ) ↔ 凌蔑
(174) 順坦 ↔ ( )
(175) ( ) ↔ 拾得
(176) ( ) ↔ 陳腐

[問 177-186] 類義(같은 뜻) 字로 結合된 漢字語가 되도록 [177-181], 類義語로 짝이 되도록 [182-186] ( )안에 漢字를 쓰시오.

(177) 覲 - ( )
(178) 煤 - ( )
(179) 萌 - ( )
(180) ( ) - 悛
(181) 汨 - ( )
(182) 急變 - ( )
(183) 專心 - ( )
(184) 修繕 - ( )
(185) 目睹 - ( )
(186) 比翼鳥 - ( )

[問 187-196] 다음 〈例〉의 뜻을 참고하여 아래의 四字(故事)成語를 完成하시오.

〈例〉
○ 평생 부부의 즐거움
○ 약한 짐승도 궁지에 몰리면 덤빈다
○ 시야가 매우 좁음
○ 주저하며 망설임
○ 실패했다고 낙심하지 말것
○ 마음을 모두 털어 놓음
○ 아주 쉬운 일
○ 화근을 미연에 방지함
○ 신의가 없는 나라
○ 세월이 몹시 빠름
(★순서대로가 아님)

(187) ( )眄( )顧
(188) 兵家( )( )
(189) 虛( )坦( )
(190) ( )突徙( )
(191) ( )狼之( )
(192) 隙駒( )( )
(193) 囊( )取( )
(194) ( )( )窺豹
(195) 困獸( )( )
(196) ( )( )偕樂

[問 197-200] 다음 四字(故事)成語를 完成하시오.

(197) 破釜( )( ) (198) 背( )之( )
(199) 輔車( )( ) (200) 望( )之情

국가공인
제3회 한자능력검정시험 1급 예상문제

합격점수 : 160점
제한시간 : 90분

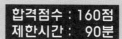

※ 다음 漢字語에 대하여 물음에 답하시오.

(1) 糖蜜　(2) 譴謫
(3) 禮容　(4) 野營
(5) 猝然　(6) 嚆矢
(7) 膾炙　(8) 鼓舞
(9) 蒲柳質　(10) 錐囊
(11) 硅酸　(12) 眷顧
(13) 婉媚　(14) 刺戟
(15) 欽恤　(16) 煤煙
(17) 黨錮　(18) 痕迹
(19) 嘔吐　(20) 擘指
(21) 窘乏　(22) 儀仗
(23) 抹殺　(24) 闇鈍
(25) 匡輔　(26) 陰莖
(27) 乖戾　(28) 按摩
(29) 媚附　(30) 輪廓
(31) 揷匙　(32) 撲殺
(33) 藩邦　(34) 袞袍
(35) 譴責　(36) 扇貂
(37) 解剖　(38) 顆粒
(39) 經筵　(40) 步哨
(41) 竹筍　(42) 邏卒
(43) 誅戮　(44) 昂奮
(45) 訊問　(46) 截片
(47) 侵蝕　(48) 庖丁
(49) 覲親　(50) 欣快

[問 1~50] 위 漢字語의 讀音을 쓰시오.

[問 51~55] 위 漢字語 (1)~(5)의 뜻을 쉬운 우리말로 쓰시오.

(51) 糖蜜 :
(52) 譴謫 :
(53) 禮容 :
(54) 野營 :
(55) 猝然 :

[問 56-60] 위 漢字語 (6)~(10)의 轉義(字義가 아님)를 쓰시오.

(56) 嚆矢 :
(57) 膾炙 :
(58) 鼓舞 :
(59) 蒲柳質 :
(60) 錐囊 :

※ 다음 漢字에 대하여 물음에 답하시오.

(61) 幻　(62) 紬
(63) 塾　(64) 舵
(65) 隘　(66) 幇
(67) 饅　(68) 晏
(69) 握　(70) 棒
(71) 酬　(72) 敲
(73) 衲　(74) 宕
(75) 梢　(76) 湮
(77) 屑　(78) 埃
(79) 龐　(80) 鑽
(81) 帖　(82) 讖
(83) 禿　(84) 鞏
(85) 宸　(86) 乖
(87) 堊　(88) 翌
(89) 馴　(90) 蝕
(91) 曳　(92) 黜

[問 61~92] 위 漢字(61~92)의 訓 · 音을 쓰시오.

[問 93~102] 위 漢字 (83)~(92)의 部首를 쓰시오.

(93) 禿　(94) 鞏　(95) 宸
(96) 乖　(97) 堊　(98) 翌
(99) 馴　(100) 蝕　(101) 曳
(102) 黜

※ 다음 글을 읽고 물음에 답하시오.

103. 태평양 연안[103]지대에 부유국가가 많다.
104. 광산에서 가져온 광석을 제련[104]하여 금을 뽑아낸다.
105. 막대한 보물이 배와 함께 수장[105]되었다.
106. 바닷물이 만조[106]때 도로 위로 넘쳤다.
107. 축구시합을 하다가 다리에 타박상[107]을 입었다.
108. 경기(景氣)가 침체[108]되어 서민생활이 어렵습니다.
109. 환각제 사용이 현실에 깊이 침투[109]되었다.
110. 경찰이 소매치기들을 소탕[110]하였다.
111. 심한 추위로 피부가 동상[111]을 입었다.
112. 청교도들은 종교박해[112]를 피해 신대륙으로 정착했다.
113. 범인의 자택을 수색[113]했다.
114. 앞으로 은행대출시 연대[114]보증제도를 폐지하기로 했다.
115. 태권도에서 네종목을 석권[115]했다.
116. 홍수로 나일강이 범람[116]하였다.
117. 공룡[117]은 쥐라기와 백악기에 걸쳐 발생한 거대한 파충류의 총칭이다.
118. 국제적 금괴 밀수범[118]들을 소탕했다.
119. 모든 영양분을 골고루 섭취[119]해야 한다.
120. 국가대표 축구팀이 국민들로부터 각광[120]을 받았다.
121. 결승전은 두 팀중에 자웅[121]을 겨루는 마지막 경기 이다.
122. 해외에 거주하는 교민[122]들에게 모국의 선거권을 검토 중이다.
123. 어음을 발행할때는 미리 예탁금[123]을 내야 한다.
124. 핵무기 확산을 배척[124]한다.
125. 훈련병들이 매일 아침 연병장을 구보[125]한다.
126. 그는 3개 국어를 자유자재로 구사[126]할줄 안다.
127. 새해 아침해가 찬란[127]하게 떠올랐다.
128. 아파트 생산원가 공개는 위헌[128]이 아니란 판결이 났다.
129. 의견이 서로 상충[129]하여 합의에 이르지 못했다.
130. 잠수함[130]은 수중 잠입중에는 정체를 쉽게 알 수 없다.
131. 한여름 야외활동중에는 차양[131]이 넓은 모자를 쓴다.
132. 일정한 주거나 직업이 없이 부랑[132]신세가 됐다.
133. 은행에 건물을 담보[133]로 하여 돈을 대출 받았다.
134. 인체내에 동맥과 정맥[134]의 혈관이 있다.
135. 주한미군의 체류[135]기간은 무한정이다.
136. 대한의 건각들이 태능에서 월계관[136]을 향해 열심히 뛰고 있다.
137. 기계작동이 빽빽하지 않도록 윤활[137]유를 자주 바른다.
138. 고구려시대가 우리의 국토확장의 융성[138]기였었다.
139. 설날에는 어른들을 배알[139]하고 세배한다.
140. 회담이 교착[140]상태에 빠지다.
141. 원유를 정제[141]하여 휘발유나 경유등을 만든다.
142. 지난 잘못은 모두 잊고 괘념[142]치 마시오.

[問 103-142] 윗글 밑줄 그은 漢字語를 漢字(正字)로 쓰시오.

(103) 연안	[ ]	(104) 제련	[ ]
(105) 수장	[ ]	(106) 만조	[ ]
(107) 타박상	[ ]	(108) 침체	[ ]
(109) 침투	[ ]	(110) 소탕	[ ]
(111) 동상	[ ]	(112) 박해	[ ]
(113) 수색	[ ]	(114) 연대	[ ]
(115) 석권	[ ]	(116) 범람	[ ]
(117) 공룡	[ ]	(118) 밀수범	[ ]
(119) 섭취	[ ]	(120) 각광	[ ]
(121) 자웅	[ ]	(122) 교민	[ ]
(123) 예탁금	[ ]	(124) 배척	[ ]
(125) 구보	[ ]	(126) 구사	[ ]
(127) 찬란	[ ]	(128) 위헌	[ ]
(129) 상충	[ ]	(130) 잠수함	[ ]
(131) 차양	[ ]	(132) 부랑	[ ]
(133) 담보	[ ]	(134) 정맥	[ ]
(135) 체류	[ ]	(136) 월계관	[ ]
(137) 윤활	[ ]	(138) 융성	[ ]
(139) 배알	[ ]	(140) 교착	[ ]
(141) 정제	[ ]	(142) 괘념	[ ]

[問 143-152] 윗글 밑줄 그은 漢字語 [103-142] 가운데서 첫소리가 '긴소리' 인것을 10개만 가려 그 번호를 쓰시오. (10개 이상쓸때는 규정에 따라 감점)

(143) [ ]	(144) [ ]
(145) [ ]	(146) [ ]
(147) [ ]	(148) [ ]
(149) [ ]	(150) [ ]
(151) [ ]	(152) [ ]

[問 153-162] 다음 同音異義語를 구별하여 正字로 쓰시오.

○부설 (153) [ ] 어떤데에 부속시켜 설치함
(154) [ ] 철도, 교량, 지뢰 등을 설치함

○사모 (155) [ ] 애틋하게 생각하고 그리워함
(156) [ ] 스승의 부인

○애련 (157) [ ] 슬픈 사랑
(158) [ ] 사랑하여 그리워함

○ 엽기 (159) [　　] 사냥철
(160) [　　] 괴이한 일이나 물건에 호기심을 가지고 즐겨 찾아다님

○ 장도 (161) [　　] 먼길
(162) [　　] 주머니속에 넣거나 옷고름에 늘 차고 다니는 칼집이 있는 작은 칼

[問 163-166] 다음 漢字의 略字는 正字로, 正字는 略字로 쓰시오.

(163) 鋪　(164) 總　(165) 蚕
(166) 棄

[問 167-176] 反對字로 結合된 漢字語가 되도록 [167-171], 反對語로 서로 對立이 되도록 [172-176] (　)안에 漢字를 쓰시오.

(167) 靈 ↔ (　　)
(168) (　　) ↔ 醜
(169) (　　) ↔ 妣
(170) 臂 ↔ (　　)
(171) (　　) ↔ 密
(172) (　　) ↔ 動搖
(173) 昻騰 ↔ (　　)
(174) 分裂 ↔ (　　)
(175) 奢侈 ↔ (　　)
(176) (　　) ↔ 挫折

[問 177-186] 類義(같은 뜻) 字로 結合된 漢字語가 되도록 [177-181], 類義語로 짝이 되도록 [182-186] (　)안에 漢字를 쓰시오.

(177) 描 - (　　)
(178) 嘔 - (　　)
(179) (　　) - 侶
(180) (　　) - 擢
(181) 幇 - (　　)
(182) (　　) - 追跡
(183) (　　) - 專有
(184) 忘想 - (　　)
(185) 謀陷 - (　　)
(186) 破天荒 - (　　)

[問 187-196] 다음 〈例〉의 뜻을 참고하여 아래의 四字(故事)成語를 完成하시오.

〈例〉
○ 교묘하게 재난을 피함
○ 여럿사람의 작은 정성이 한사람을 구함
○ 경멸이나 모욕을 당함
○ 앞뒤가 서로 맞지 않음
○ 훌륭한것 뒤에 보잘것 없는것이 뒤따름
○ 조정의 간신 무리
○ 학문의 길이 여러갈래로 나뉨
○ 고상한 기질과 성품
○ 도둑이 도리어 매를 듦
○ 선무당이 사람을 잡음
○ 적군에 항복하여 맺은 조약
○ 후회해도 소용 없음
(★순서대로가 아님)

(187) 賊反(　　)(　　)
(188) 佛頭(　　)(　　)
(189) (　　)(　　)撞着
(190) (　　)(　　)續貂
(191) 雲(　　)(　　)稟
(192) 生巫(　　)(　　)
(193) (　　)(　　)補牢
(194) 城(　　)社(　　)
(195) 十匙(　　)(　　)
(196) 狡兎(　　)(　　)

[問 197-200] 다음 四字(故事)成語를 完成하시오.

(197) (　)(　)借閨　(198) 巢毁(　)(　)
(199) (　)(　)焦思　(200) 對牛(　)(　)

국가공인
제4회 한자능력검정시험 1급 예상문제

합격점수 : 160점
제한시간 : 90분

[問 1~50] 다음 漢字語[1-50]의 讀音을 쓰시오.

(1) 沈澱　(2) 胸襟
(3) 闍羅　(4) 舅姑
(5) 嗜好　(6) 精髓
(7) 走馬燈　(8) 牢籠
(9) 風燭　(10) 傘壽
(11) 偏狹　(12) 彫塑
(13) 蹂躪　(14) 腔腸
(15) 箸筒　(16) 遡求
(17) 沙礫　(18) 鞏固
(19) 陛見　(20) 潔癖
(21) 肇始　(22) 斑白
(23) 曳索　(24) 懊惱
(25) 聾兒　(26) 揀擇
(27) 膾汁　(28) 杜鵑
(29) 孕婦　(30) 縊殺
(31) 急煞　(32) 穢德
(33) 擢用　(34) 晴曇
(35) 眞摯　(36) 痕跡
(37) 喬木　(38) 防禦
(39) 凜烈　(40) 騷擾
(41) 更迭　(42) 崎嶇
(43) 巨匠　(44) 模楷
(45) 菱狀　(46) 姓銜
(47) 袞裳　(48) 澄謐
(49) 涅槃　(50) 犧樽

[問 51~55] 위 漢字語 (1)~(5)의 뜻을 풀이하시오.

(51) 沈澱 :
(52) 胸襟 :
(53) 闍羅 :
(54) 舅姑 :
(55) 嗜好 :

[問 56-60] 위 漢字語 (6)~(10)의 轉義(字義가 아님)를 쓰시오.

(56) 精髓 :
(57) 走馬燈 :
(58) 牢籠 :
(59) 風燭 :
(60) 傘壽 :

[問 61~92] 아래 漢字(61~92)의 訓 · 音을 쓰시오.

(61) 漲　(62) 潟
(63) 礁　(64) 醬
(65) 禦　(66) 倦
(67) 廠　(68) 鍍
(69) 膺　(70) 蠶
(71) 蔗　(72) 簞
(73) 恍　(74) 棍
(75) 扼　(76) 眈
(77) 訃　(78) 駿
(79) 吼　(80) 腿
(81) 釀　(82) 粗
(83) 爬　(84) 夙
(85) 緯　(86) 竿
(87) 匡　(88) 糊
(89) 斃　(90) 輿
(91) 爻　(92) 羲

[問 93~102] 위 漢字 (83)~(92)의 部首를 쓰시오.

(93) 爬　(94) 夙　(95) 緯
(96) 竿　(97) 匡　(98) 糊
(99) 斃　(100) 輿　(101) 爻
(102) 羲

[問 103-130] 다음 내용에 알맞은 漢字(正字)를 쓰시오.

(103) 타락 – 올바른 길에서 벗어나 나쁜 행실에 빠짐
(104) 고분 – 고대의 무덤
(105) 배양 – 식물을 북돋아 기름
(106) 지휘 – 단체의 행동을 통솔함
(107) 부설 – 철도, 교량, 지뢰 등을 설치함
(108) 위협 – 위력으로 으르고 협박함
(109) 묘사 – 어떤 대상이나 현상을 있는 그대로 서술하거나 그리는 일
(110) 항공 – 항공기로 공중을 비행함
(111) 폭격 – 폭탄을 떨어뜨려 적의 전력이나 국토를 파괴하는 일
(112) 오염 – 더럽게 물 듦
(113) 태반 – 거의 절반
(114) 궁극 – 어떤 과정의 마지막이나 끝
(115) 저항 – 따르지 아니하고 버팀
(116) 축출 – 쫓아 몰아냄
(117) 진공 – 떨면서 두려워함
(118) 탄화 – 탄소함유물이 화학적 변화에 의해 탄소로 되는 일
(119) 도섭 – 물을 건넘
(120) 균형 – 어느 한쪽으로 치우치거나 기울지 아니하고 고름
(121) 맹목 – 사리판단에 어두운 눈
(122) 도구 – 일할때 쓰이는 연장의 총칭
(123) 어휘 – 일정한 범위 안에서 쓰이는 낱말의 총체
(124) 변천 – 변하여 바뀜
(125) 관록 – 官員에게 주던 봉급
(126) 만끽 – 음식을 마음껏 먹고 마심, 마음껏 욕망을 채움
(127) 점포 – 가겟집
(128) 장악 – 손안에 잡아 쥠
(129) 배격 – 물리침
(130) 삽입 – 끼워 넣음

[問 131-140] 윗글 漢字語 [103-130] 가운데서 첫 소리가 '긴소리' 인것을 10개만 가려 그 번호를 쓰시오.

(131) [ ]　　(132) [ ]
(133) [ ]　　(134) [ ]
(135) [ ]　　(136) [ ]
(137) [ ]　　(138) [ ]
(139) [ ]　　(140) [ ]

[問 141-152] 다음 뜻풀이에 알맞은 單語를 漢字(正字)로 쓰시오.

(141) ( )( ) : 죄인 혹은 그런 혐의가 있는 사람을 강제로 잡음
(142) ( )( ) : 같은 형상의 물건을 만들기 위한 틀
(143) ( )( ) : 국방상 중요한 곳에 구축하여 놓은 견고한 방어시설
(144) ( )( ) : 일정한 임무를 주어 사람을 보냄
(145) ( )( ) : 높이어 소중히 여김
(146) ( )( ) : 계속적으로 근무하는 사람이 받는 일정한 보수
(147) ( )( ) : 능히 해냄
(148) ( )( ) : 도덕이나 질서 · 규칙 따위가 뒤죽박죽이 되어 어지러움
(149) ( )( ) : 일정한 방침에 따라 제한하거나 제약함
(150) ( )( ) : 시끄럽게 들리는 소리
(151) ( )( ) : 말을 타고 싸우는 군사
(152) ( )( ) : 깊이 공경하여 삼가고 조심하는데가 있음

[問 153-162] 다음 同音異義語를 구별하여 正字로 쓰시오.

○학대 (153) [ ] 혹독한 짓으로 남을 괴롭힘
(154) [ ] 학을 수놓은 허리띠

○간사 (155) [ ] 일을 맡아서 주선하고 처리함
(156) [ ] 간교하고 남을 잘속임

○개정 (157) [ ] 잘못된 것을 고치어 바로잡음
(158) [ ] 재판을 시작함

○내진 (159) [ ] 지진을 견딤
(160) [ ] 의사가 환자의 집에 와서 진료함

○ 미진 (161) [ ] 아주 약한 지진
(162) [ ] 아주 작은 띠끌

[問 163-166] 다음 漢字의 略字는 正字로, 正字는 略字로 쓰시오.

(163) 盖 (164) 劍 (165) 脉
(166) 縣

[問 167-176] 反對字로 結合된 漢字語가 되도록 [167-171], 反對語로 서로 對立이 되도록 [172-176] ( )안에 漢字를 쓰시오.

(167) 榮 ↔ ( )
(168) ( ) ↔ 鈍
(169) 噓 ↔ ( )
(170) 匙 ↔ ( )
(171) ( ) ↔ 婢
(172) ( ) ↔ 咸池
(173) ( ) ↔ 懶怠
(174) 近接 ↔ ( )
(175) 解弛 ↔ ( )
(176) ( ) ↔ 慘敗

[問 177-186] 類義(같은 뜻) 字로 結合된 漢字語가 되도록 [177-181], 類義語로 짝이 되도록 [182-186] ( )안에 漢字를 쓰시오.

(177) ( ) – 愎
(178) ( ) – 酷
(179) ( ) – 慝
(180) 爽 – ( )
(181) ( ) – 酬
(182) 變遷 – ( )
(183) 斡旋 – ( )
(184) ( ) – 焦眉
(185) ( ) – 版圖
(186) ( ) – 鎭壓

[問 187-196] 다음 〈例〉의 뜻을 참고하여 아래의 四字(故事)成語를 完成하시오.

〈例〉
○ 마음이 조마조마함
○ 매우 바쁨
○ 무리하게 재물을 빼앗음
○ 비참하게 울부짖는 참상
○ 같은 무리의 죽음을 슬퍼함
○ 가난한자를 도움
○ 사리를 분별하지 못함
○ 황금을 돌같이 여김
○ 어리석고 위태로운 행동
○ 모든 책임이 나에게 있음
○ 못입고 못먹고
○ 묻는 말에 엉뚱한 대답
(★순서대로가 아님)

(187) 菽麥( )( )
(188) ( )( )叫喚
(189) ( )( )救火
(190) 粗衣( )( )
(191) 兎( )狐( )
(192) ( )爾( )爾
(193) 捐( )沈( )
(194) 苛斂( )( )
(195) 東馳( )( )
(196) 芒( )( )背

[問 197-200] 다음 四字(故事)成語를 完成하시오.

(197) 良禽( )( ) (198) 抑强( )( )
(199) 傲霜( )( ) (200) 爛商( )( )

국가공인 제5회 한자능력검정시험 1급 예상문제

합격점수 : 160점
제한시간 : 90분

※ 다음 漢字語에 대하여 물음에 답하시오.

(1) 勅旨　(2) 妙齡
(3) 婢僕　(4) 曉得
(5) 橫財　(6) 鳩首
(7) 權輿　(8) 搖籃
(9) 拍車　(10) 宸襟
(11) 賭博　(12) 副腎
(13) 羹汁　(14) 咀嚼
(15) 樽酒　(16) 愉快
(17) 檄召　(18) 簇子
(19) 矜誇　(20) 浮腫
(21) 豊饒　(22) 揀擇
(23) 褒賞　(24) 漕船
(25) 掩襲　(26) 靭帶
(27) 頹弛　(28) 餌藥
(29) 嘉尙　(30) 潰瘍
(31) 仇讐　(32) 容喙
(33) 遭艱　(34) 疊徵
(35) 靜謐　(36) 褐色
(37) 脛巾　(38) 灌漑
(39) 黃疸　(40) 凄涼
(41) 櫻脣　(42) 開諭
(43) 愛撫　(44) 粘膜
(45) 銓注　(46) 陪審
(47) 煮沸　(48) 豺虎
(49) 豪俠　(50) 嚮導

[問 1~50] 위 漢字語의 讀音을 쓰시오.

[問 51~55] 위 漢字語 (1)~(5)의 뜻을 쉬운 우리말로 쓰시오.

(51) 勅旨 :
(52) 妙齡 :
(53) 婢僕 :
(54) 曉得 :
(55) 橫財 :

[問 56-60] 위 漢字語 (6)~(10)의 轉義(字義가 아님)를 쓰시오.

(56) 鳩首 :
(57) 權輿 :
(58) 搖籃 :
(59) 拍車 :
(60) 宸襟 :

※ 다음 漢字에 대하여 물음에 답하시오.

(61) 圄　(62) 杖
(63) 猾　(64) 豚
(65) 熄　(66) 綴
(67) 套　(68) 攄
(69) 烋　(70) 剝
(71) 牟　(72) 歇
(73) 衒　(74) 悖
(75) 讒　(76) 腺
(77) 黍　(78) 磻
(79) 擅　(80) 墟
(81) 疵　(82) 稷
(83) 棗　(84) 贅
(85) 叩　(86) 宥
(87) 臀　(88) 鼈
(89) 麓　(90) 疎
(91) 悉　(92) 乏

[問 61~92] 위 漢字(61~92)의 訓 · 音을 쓰시오.

[問 93~102] 위 漢字 (83)~(92)의 部首를 쓰시오.

(93) 棗　(94) 贅　(95) 叩
(96) 宥　(97) 臀　(98) 鼈
(99) 麓　(100) 疎　(101) 悉
(102) 乏

※ 다음 글을 읽고 물음에 답하시오.

3·1운동의 경위 및 역사적 의의 1919년 3월 1일, 민족의 자주독립을 세계 만방[103]에 선언[104]한 이 날은 50周年을 맞게 되는 금일에 있어 더욱 그 역사적 의의가 선명[105]해지고 있다.(中略)

즉, 1919년의 혁명[106]은 단순히 제1차 세계대전의 종전의 기회를 타서 일어난, 그것도 윌슨 미국대통령이 창도[107]한 민족 자결[108]에 응하기 위한 단순한 한때의 호응[109] 한때의 궐기는 아니었다. 1919년의 혁명은 동양사로 보나 서양사로 보나 없어서는 안 될 역사의 하나의 장엄[110]한 峰巒(만)이고 이 밑을 스치고 지나간 것이 제1차 세계대전 또는 그 이후의 사조[111]였던 것이다. 1919년 延延 5,000里의 불바다를 이루었고, 상해 혁명정부를 낳아 놓았고, 한중 연합군[112]의 결성, 중일전쟁, 태평양전쟁이 있었고, 마침내 1945년 민족의 해방, 1948년의 총선거, 정부 수립[113], 국권회복을 가져와 한국전쟁을 거쳐 오늘에 이르고 있다.

동양의 義가 한민족을 통하여 선언되면서 利의 시대를 정죄하는 새로운 義의 시대를 이끌어 오는 데 동양의 헌장으로서의 3·1독립선언의 웅심[114]한 뜻이 있다고 하겠다. 3·1독립선언서는 선언서 벽두에 민족의 독립[115]을 엄숙[116]히 선언했고, 그 뒤 민족의 책무를 준엄[117]하게 규정하고 나서 침략[118]자 일본의 죄과[119]와 동양의 이상을 간독 또는 극명[120]히 서술[121]했고 나중에 도의에 대한 찬가[122]를 우렁차게 부르고 끝으로 공약 삼장을 붙이면서 민족대표 33인의 서명으로 끝마쳤다.(中略)

천하 何物이든지 此를 저지[123] 억제[124]치 못할지니라. 구시대의 유물[125]인 침략주의 강권[126]주의의 희생을 作하야 유사[127]이래 누천년에 처음으로 이민족겸제의 통고를 당한 지 수에 십년을 過한지라. 我生存權의 박탈됨이 무릇 幾何이며, 심령[128]상 발전의 장애[129]됨이 무릇 幾何이며, 신예[130]와 독창으로써 세계문화의 대조류[131]에 기여[132] 보비할 기면을 유실함이 무릇 幾何이뇨." "아아 신천지가 목전[133]에 전개[134]되도다! 위력의 시대가 去하고 道義의 시대가 來하도다! 과거 전 시대의 연마[135] 長養된 인도적 정신이 바야흐로 신광명의 서광[136]을 인류의 역사에 투사[137]하기 始하도다! 新春이 세계에 來하여 만물이 回蘇를 최촉[138] 하는도다! 동빙한설에 호흡을 閉蟄한 것이 彼一時의 勢라 하면, 화풍난양에 기맥을 振舒함은 此一時의 勢이니 천지의 復運에 際하고 세계의 변조[139]를 乘한 吾人은 아모 주저할 것 없으며, 아모 기탄[140]할 것 없도다. 我의 고유한 자유권을 보전[141]하야 전왕의 樂을 飽享할 것이며, 我의 자족한 독창력을 발휘[142]하야 春滿의 大界에 민족적 정화를 결뉴할지로다."〈한국사상과 교육中에서〉

[問 103-142] 윗글 밑줄 그은 漢字語를 漢字(正字)로 쓰시오.

(103) 만방 [ ] (104) 선언 [ ]
(105) 선명 [ ] (106) 혁명 [ ]
(107) 창도 [ ] (108) 자결 [ ]
(109) 호응 [ ] (110) 장엄 [ ]
(111) 사조 [ ] (112) 연합군 [ ]
(113) 수립 [ ] (114) 웅심 [ ]
(115) 독립 [ ] (116) 엄숙 [ ]
(117) 준엄 [ ] (118) 침략 [ ]
(119) 죄과 [ ] (120) 극명 [ ]
(121) 서술 [ ] (122) 찬가 [ ]
(123) 저지 [ ] (124) 억제 [ ]
(125) 유물 [ ] (126) 침략 [ ]
(127) 유사 [ ] (128) 심령 [ ]
(129) 장애 [ ] (130) 신예 [ ]
(131) 대조류 [ ] (132) 기여 [ ]
(133) 목전 [ ] (134) 전개 [ ]
(135) 연마 [ ] (136) 서광 [ ]
(137) 투사 [ ] (138) 최촉 [ ]
(139) 변조 [ ] (140) 기탄 [ ]
(141) 보전 [ ] (142) 발휘 [ ]

[問 143-152] 윗글 밑줄 그은 漢字語 [103-142] 가운데서 첫소리가 '긴소리' 인것을 10개만 가려 그 번호를 쓰시오. (10개 이상쓸때는 규정에 따라 감점)

(143) [ ] (144) [ ]
(145) [ ] (146) [ ]
(147) [ ] (148) [ ]
(149) [ ] (150) [ ]
(151) [ ] (152) [ ]

[問 153-162] 다음 同音異義語를 구별하여 正字로 쓰시오.

○어사 (153) [ ] 임금님의 심부름꾼
(154) [ ] 임금님이 아랫사람에게 금품을 내림

○유도 (155) [ ] 일본 고유의 무술
(156) [ ] 목적하는 방향으로 이끎

○탈모 (157) [ ] 털이 빠짐
(158) [ ] 모자를 벗음

○쾌락 (159) [ ] 기꺼이 승락함
(160) [ ] 즐거움

○침수 (161) [ ] 물이 들거나 물에 잠김
(162) [ ] 수면의 높임말

[問 163-166] 다음 漢字의 略字는 正字로, 正字는 略字로 쓰시오.

(163) 塩 (164) 粛 (165) 随
(166) 變

[問 167-176] 反對字로 結合된 漢字語가 되도록 [167-171], 反對語로 서로 對立이 되도록 [172-176] ( )안에 漢字를 쓰시오.

(167) 忙 ↔ ( )
(168) ( ) ↔ 穢
(169) ( ) ↔ 濁
(170) 誹 ↔ ( )
(171) 雌 ↔ ( )
(172) 肯定 ↔ ( )
(173) 訥辯 ↔ ( )
(174) 相剋 ↔ ( )
(175) ( ) ↔ 相異
(176) 偶然 ↔ ( )

[問 177-186] 類義(같은 뜻) 字로 結合된 漢字語가 되도록 [177-181], 類義語로 짝이 되도록 [182-186] ( )안에 漢字를 쓰시오.

(177) 誹 - ( ) (178) ( ) - 痺
(179) 苟 - ( ) (180) ( ) - 峻
(181) ( ) - 憚 (182) 放浪 - ( )
(183) 奔走 - ( ) (184) 隱匿 - ( )
(185) ( ) - 統治 (186) ( ) - 叱責

[問 187-196] 다음 〈例〉의 뜻을 참고하여 아래의 四字(故事)成語를 完成하시오.

〈例〉

○ 성에 차지 않아 안타까움
○ 천재가 일찍 쇠함
○ 태평성대의 평화로운 풍경
○ 상대를 마음껏 요리함
○ 긴팔은 장수를 뜻함
○ 일이 진행중 자주 끊김
○ 사람은 死後에 제대로 평가됨
○ 가난한 사람이 그저 겨우 먹고 살아가는 방책
○ 목마른 자가 우물 판다
○ 재물이 넉넉하면 일을 하거나 성공하기가 쉬움
○ 일이 거침없이 빨리 진행됨
○ 십일 추워 얼지 않는 강물 없다
○ 사람의 발길이 끊어짐
(★순서대로가 아님)

(187) 一瀉( )( ) (188) 甘( )( )竭
(189) ( )棺( )定 (190) 七( )( )擒
(191) 十( )( )曝 (192) ( )衢( )月
(193) 糊( )之( ) (194) ( )袖( )舞
(195) 門前( )( ) (196) ( )( )搔癢

[問 197-200] 다음 四字(故事)成語를 完成하시오.

(197) 伴食( )( ) (198) 換骨( )( )
(199) 開卷( )( ) (200) 泥田( )( )

국가공인
제6회 한자능력검정시험 1급 예상문제

합격점수 : 160점
제한시간 : 90분

※ 다음 漢字語에 대하여 물음에 답하시오.

(1) 暴注	(2) 準朔
(3) 丹念	(4) 猪突
(5) 臆說	(6) 圖南
(7) 東郭履	(8) 濫觴
(9) 斷末魔	(10) 庶膝
(11) 燐火	(12) 範疇
(13) 煇煌	(14) 醵金
(15) 闊葉	(16) 謫仙
(17) 隱遁	(18) 勘處
(19) 彷徨	(20) 茸茅
(21) 魚蝦	(22) 痔漏
(23) 曇徵	(24) 贅辭
(25) 喧騷	(26) 模糊
(27) 恍惚	(28) 斟酌
(29) 啞鈴	(30) 宛然
(31) 未洽	(32) 奢侈
(33) 恭遜	(34) 畵帖
(35) 簫笛	(36) 渾然
(37) 暴洒	(38) 素描
(39) 耕墾	(40) 暹羅
(41) 諦聽	(42) 瘠軀
(43) 淘汰	(44) 反哺
(45) 炸發	(46) 皎月
(47) 散炙	(48) 紺瞳
(49) 漁撈	(50) 驕傲

[問 1~50] 위 漢字語의 讀音을 쓰시오.

[問 51~55] 위 漢字語 (1)~(5)의 뜻을 쉬운 우리말로 쓰시오.

(51) 暴注 :
(52) 準朔 :
(53) 丹念 :
(54) 猪突 :
(55) 臆說 :

[問 56-60] 위 漢字語 (6)~(10)의 轉義(字義가 아님)를 쓰시오.

(56) 圖南 :
(57) 東郭履 :
(58) 濫觴 :
(59) 斷末魔 :
(60) 庶膝 :

※ 다음 漢字에 대하여 물음에 답하시오.

(61) 軸	(62) 藿
(63) 吝	(64) 澄
(65) 跆	(66) 貶
(67) 豬	(68) 蹉
(69) 彫	(70) 簇
(71) 梳	(72) 穗
(73) 桎	(74) 逍
(75) 湍	(76) 鎚
(77) 鰍	(78) 喘
(79) 肛	(80) 晦
(81) 罹	(82) 纂
(83) 赦	(84) 渠
(85) 兢	(86) 爽
(87) 兜	(88) 陛
(89) 脣	(90) 牡
(91) 矩	(92) 夷

[問 61~92] 위 漢字(61~92)의 訓 · 音을 쓰시오.

[問 93~102] 위 漢字 (83)~(92)의 部首를 쓰시오.

(93) 赦	(94) 渠	(95) 兢
(96) 爽	(97) 兜	(98) 陛
(99) 脣	(100) 牡	(101) 矩
(102) 夷		

※ 다음 글을 읽고 물음에 답하시오.

<u>고액권</u>[103] 발행이나 <u>화폐</u>[104] 단위 <u>절하</u>[105]는 <u>착시</u>[106]현상으로 인해 돈 씀씀이를 크게 하기때문에 물가상승 우려가 있고, 그렇지 않아도 어려운 경제를 스테그플레이션으로 빠지게 할 가능성이 높다.

<u>수출</u>[107]증가와 경제회복에 <u>기관차</u>[108] 역할을 잘 감당하여 <u>투자</u>[109]가 활성화하고 가계<u>부채</u>[110]로 발목을 잡힌 소비문제가 풀리는 선순환 구조가 작동할지, 아니면 <u>환율</u>[111] 절하와 무역<u>장벽</u>[112]으로 인해 하반기 이후 수출증가세 마저 <u>둔화</u>[113]돼 더 이상 경제활력을 일으킬 주체가 없어질지 아무도 <u>장담</u>[114]할 수 없는 불확실한 상황이다. 한은 <u>총재</u>[115]가 취해야 할 최우선 <u>통화</u>[116] <u>금융</u>[117] 정책이 <u>혼란</u>[118]과 부작용이 매우 큰 고액권 화폐 발행과 화폐단위 절하이어야 하는지 답답하기 그지없다. 더욱이 불법정치자금의 <u>관행</u>[119]이나 검은 돈거래의 <u>폐습</u>[120]이근절되지 않은 상태에서 고액화폐 발행은 <u>뇌물</u>[121]이나 <u>투명</u>[122]하지 않은 거래의 단위를 고액화시키는 사회적 <u>부패</u>[123]를 증대시키는 것이다.

정치자금법이 투명하게 개정되고 자금<u>세탁</u>[124]방지법에 완전한 계좌<u>추적</u>[125]권이 담보되지 않는 한 고액권 발행은 사회적 부패비용이 훨씬 더 클 수밖에 없다.

○ 해저 <u>광물</u>[126] <u>독점</u>[127] <u>탐사권</u>[128] <u>확보</u>[129] ○ 지난달 <u>무역</u>[130] <u>수지</u>[131] 적자 6만달러 ○ <u>공항</u>[132] 전산 <u>장애</u>[133]로 승차권 <u>발권</u>[134] 업무 중단 ○ 서울시, <u>재개발</u>[135] <u>지분</u>[136] 쪼개기 <u>분양권</u>[137] 안준다. ○ 국세청, 강북 지역 <u>투기</u>[138] <u>혐의자</u>[139] 세무 조사 ○ 중국 - 티베트…자살 <u>폭탄</u>[140] <u>진위</u>[141] <u>공방</u>[142]

[問 103-142] 윗글 밑줄 그은 漢字語를 漢字(正字)로 쓰시오.

(103) 고액권 [ ]	(104) 화폐 [ ]
(105) 절하 [ ]	(106) 착시 [ ]
(107) 수출 [ ]	(108) 기관차 [ ]
(109) 투자 [ ]	(110) 부채 [ ]
(111) 환율 [ ]	(112) 장벽 [ ]
(113) 둔화 [ ]	(114) 장담 [ ]
(115) 총재 [ ]	(116) 통화 [ ]
(117) 금융 [ ]	(118) 혼란 [ ]
(119) 관행 [ ]	(120) 폐습 [ ]
(121) 뇌물 [ ]	(122) 투명 [ ]
(123) 부패 [ ]	(124) 세탁 [ ]
(125) 추적 [ ]	(126) 광물 [ ]
(127) 독점 [ ]	(128) 탐사권 [ ]
(129) 확보 [ ]	(130) 무역 [ ]
(131) 수지 [ ]	(132) 공항 [ ]
(133) 장애 [ ]	(134) 발권 [ ]
(135) 재개발 [ ]	(136) 지분 [ ]
(137) 분양권 [ ]	(138) 투기 [ ]
(139) 혐의자 [ ]	(140) 폭탄 [ ]
(141) 진위 [ ]	(142) 공방 [ ]

[問 143-152] 윗글 밑줄 그은 漢字語 [103-142] 가운데서 첫소리가 '긴소리' 인것을 10개만 가려 그 번호를 쓰시오. (10개 이상쓸때는 규정에 따라 감점)

(143) [ ]	(144) [ ]
(145) [ ]	(146) [ ]
(147) [ ]	(148) [ ]
(149) [ ]	(150) [ ]
(151) [ ]	(152) [ ]

[問 153-162] 다음 同音異義語를 구별하여 正字로 쓰시오.

○횡재 (153) [ ] 뜻밖의 재물을 얻음
(154) [ ] 뜻하지 아니한 재앙

○감수 (155) [ ] 외부의 자극을 받아들임
(156) [ ] 수명이 줄어짐

○교사 (157) [ ] 교묘하게 남을 속임
(158) [ ] 남을 꾀거나 부추겨서 나쁜짓을 하게 함

○보수 (159) [ ] 고맙게 해준데 대한 갚음
(160) [ ] 보충하여 수리함

○연패 (161) [ ] 싸울때마다 연달아 패함
(162) [ ] 잇달아 우승함

[問 163–166] 다음 漢字의 略字는 正字로, 正字는 略字로 쓰시오.

(163) 纖　　(164) 淵　　(165) 湿

(166) 柒

[問 167–176] 反對字로 結合된 漢字語가 되도록 [167–171], 反對語로 서로 對立이 되도록 [172–176] (　)안에 漢字를 쓰시오.

(167) (　　) ↔ 寡

(168) (　　) ↔ 醉

(169) 表 ↔ (　　)

(170) (　　) ↔ 愚

(171) (　　) ↔ 寐

(172) 間歇 ↔ (　　)

(173) (　　) ↔ 演繹

(174) 離陸 ↔ (　　)

(175) (　　) ↔ 酷評

(176) (　　) ↔ 左遷

[問 177–186] 類義(같은 뜻) 字로 結合된 漢字語가 되도록 [177–181], 類義語로 짝이 되도록 [182–186] (　)안에 漢字를 쓰시오.

(177) (　　) – 僕

(178) 懦 – (　　)

(179) (　　) – 沼

(180) 氾 – (　　)

(181) (　　) – 捷

(182) (　　) – 天稟

(183) (　　) – 蒼空

(184) (　　) – 滯在

(185) 囑望 – (　　)

(186) 休憩 – (　　)

[問 187–196] 다음 〈例〉의 뜻을 참고하여 아래의 四字(故事)成語를 完成하시오.

〈例〉

○ 하나로 일치함
○ 순한 바람과 적절한 비
○ 보람없는 일을 함
○ 재앙이 끊이지 않음
○ 전문가 앞에서 얄팍한 재주를 뽐냄
○ 딸을 낳은 즐거움
○ 장점으로 단점을 보충
○ 객지에서 겪은 온갖 고생
○ 꾸준히 노력하면 성공함
○ 바라던 일이 뜻대로 잘됨
○ 병력이 많고 강대함
○ 부부의 굳은 맹세
○ 가재는 게편
(★순서대로가 아님)

(187) 櫛風(　)(　)

(188) 渾(　)一(　)

(189) 班(　)弄(　)

(190) 麻姑(　)(　)

(191) (　)鞭(　)流

(192) 繡(　)夜(　)

(193) 截(　)補(　)

(194) 偕(　)(　)穴

(195) (　)虎(　)狼

(196) 山溜(　)(　)

[問 197–200] 다음 제시된 成語의 反對語 [197], 類義語[198–200]를 完成하시오.

(197) 流方百世 ↔ (　)(　)萬年

(198) 韋編三絶 – (　)耕(　)讀

(199) 霜風高節 – (　)霜(　)節

(200) 窮狗莫追 – 困獸(　)(　)

국가공인
제7회 한자능력검정시험 1급 예상문제

합격점수 : 160점
제한시간 : 90분

※ 다음 漢字語에 대하여 물음에 답하시오.

(1) 顎骨	(2) 當路
(3) 腦醬	(4) 每朔
(5) 焦熱	(6) 荊棘
(7) 容喙	(8) 屋漏
(9) 三徙	(10) 燃眉
(11) 頸椎	(12) 悴顔
(13) 股慄	(14) 橘顆
(15) 禿筆	(16) 訛謬
(17) 儺禮	(18) 棗栗
(19) 劫運	(20) 友誼
(21) 莖路	(22) 應酬
(23) 痼疾	(24) 柴扉
(25) 止哭	(26) 脈搏
(27) 棍杖	(28) 苛斂
(29) 落伍	(30) 煽惑
(31) 櫃封	(32) 斧柯
(33) 跆拳	(34) 經綸
(35) 娼妓	(36) 剝彙
(37) 蹂躪	(38) 蛤仔
(39) 鞏膜	(40) 攄懷
(41) 瞻叩	(42) 咆哮
(43) 磨崖	(44) 捕鯨
(45) 甕粕	(46) 解剖
(47) 桎梏	(48) 魂魄
(49) 悚悸	(50) 嬌羞

[問 1~50] 위 漢字語의 讀音을 쓰시오.

[問 51~55] 위 漢字語 (1)~(5)의 뜻을 쉬운 우리말로 쓰시오.

(51) 顎骨 :

(52) 當路 :

(53) 腦醬 :

(54) 每朔 :

(55) 焦熱 :

[問 56-60] 위 漢字語 (6)~(10)의 轉義(字義가 아님)를 쓰시오.

(56) 荊棘 :

(57) 容喙 :

(58) 屋漏 :

(59) 三徙 :

(60) 燃眉 :

※ 다음 漢字에 대하여 물음에 답하시오.

(61) 黎	(62) 賂
(63) 蒸	(64) 螺
(65) 衢	(66) 棠
(67) 憧	(68) 渦
(69) 悼	(70) 懦
(71) 涌	(72) 裸
(73) 嚬	(74) 酪
(75) 鷹	(76) 艷
(77) 幀	(78) 濾
(79) 哮	(80) 陟
(81) 肌	(82) 擲
(83) 枚	(84) 脊
(85) 凜	(86) 竊
(87) 鳳	(88) 呆
(89) 遲	(90) 壹
(91) 甁	(92) 戎

[問 61~92] 위 漢字(61~92)의 訓 · 音을 쓰시오.

[問 93~102] 위 漢字 (83)~(92)의 部首를 쓰시오.

(93) 枚	(94) 脊	(95) 凜
(96) 竊	(97) 鳳	(98) 呆
(99) 遲	(100) 壹	(101) 甁
(102) 戎		

[問 103-142] 다음 글에서 밑줄 그은 單語를 漢字(正字)로 쓰시오.

(103) 남의 사생활을 간섭하지 말것
(104) 양쪽의 주장이 팽배하여 절충안을 갖기로 했다.
(105) 장례식에서 여자는 소복차림을 한다.
(106) 링컨은 노예제도를 폐지시켰다.
(107) 시계의 바늘은 초침, 분침, 시침 세개이다.
(108) 세무서는 국민에게 세금을 부세하는 기관이다.
(109) 천년세월 비바람에 碑文이 마멸되었다.
(110) 재판관은 법에 준거하여 판결을 내린다.
(111) 남을 기망하여 금품을 뜯어낸 행위는 사기죄이다.
(112) 엄숙한 마음으로 애국가를 봉창하였다.
(113) 몽고는 초원과 구릉지대가 많다.
(114) 한국전쟁은 민족상잔의 참극이다.
(115) 인쇄하기 위해서는 먼저 동판을 뜬다.
(116) 아직도 국내에는 결핵환자가 상당수 있다.
(117) 고대의 전투에서는 척후병의 염탐이 매우 중요했었다.
(118) 한번 실패했다고 목적을 포기할수는 없다.
(119) 오랜동안 당뇨병으로 고생하다가 세상을 떠났다.
(120) 수표사용자는 뒷면에 이서를 해야한다.
(121) 경찰이 피의자의 조서를 작성하였다.
(122) 국세청은 조세를 감찰하는 기관이다.
(123) 추수를 끝내고 보리를 파종하느라 바빴다.
(124) 눈이 아파 병원에 갔더니 결막염이라 했다.
(125) 자동차의 제어장치는 항시 정비해야 한다.
(126) 땅 속에 매몰된 시체
(127) 그는 횡령혐의로 기소되었다.
(128) 망원경으로 적의 동태를 수시로 살피다.
(129) 우리의 선조들은 온돌방을 사용해왔다.
(130) 여당이 정부각료를 옹호하는 발언을 하였다.
(131) 인삼은 몸이 튼튼하고 혈기가 왕성해지는 강장 식품이다.
(132) 도심을 뒤흔드는 폭주족의 광란의 질주
(133) 그는 십년 복역 끝에 가석방으로 출소하였다.
(134) 우리나라도 사형제도를 철폐하게 될줄 모른다.
(135) 그녀의 외모는 뭇남성들의 시선을 끌만큼 매혹적이다.
(136) 왕은 유배중인 신하를 사사할것을 명했다.
(137) 울창한 숲을 지나 산 정상에 올랐다.
(138) 보행자의 편리를 도모하기 위해 길을 닦았다.
(139) 태평양을 범선으로 무사히 도항했다.
(140) 충신은 간신의 모함을 받아왔다.
(141) 기발한 아이디어로 난관을 극복하다.
(142) 그는 평생 모은 재산을 후학들을 위해 학교재단에 기부하였다.

[問 143-152] 윗 글 밑줄 그은 漢字語[103-142] 가운데서 첫소리가 '긴소리' 인것을 10개만 가려 그 번호를 쓰시오.

(143) [ ] (144) [ ]
(145) [ ] (146) [ ]
(147) [ ] (148) [ ]
(149) [ ] (150) [ ]
(151) [ ] (152) [ ]

[問 153-162] 다음 同音異義語를 구별하여 正字로 쓰시오.

○결정 (153) [ ] 애써 노력하여 이루어진 보람있는 결과
(154) [ ] 판단을 내리어 정함

○합장 (155) [ ] 손바닥을 마주 합침
(156) [ ] 여러사람의 주검을 한무덤에 묻음

○농담 (157) [ ] 실없는 장난의 말
(158) [ ] 짙음과 옅음

○백숙 (159) [ ] 네 형제 가운데 맏과 세째
(160) [ ] 고기, 생선 따위를 맹물에 푹 삶아 익힘

○소박 (161) [ ] 꾸밈이나 거짓없이 수수한 그대로임
(162) [ ] 아내나 첩을 박대함

[問 163-166] 다음 漢字의 略字는 正字로, 正字는 略字로 쓰시오.

(163) 攝 (164) 峽 (165) 迁
(166) 処

[問 167-176] 反對字로 結合된 漢字語가 되도록 [167-171], 反對語로 對立이 되도록 [172-176] ( )안에 漢字를 쓰시오.

(167) ( ) ↔ 尾
(168) ( ) ↔ 瘠
(169) 露 ↔ ( )
(170) 逢 ↔ ( )
(171) ( ) ↔ 支

(172) 謙遜 ↔ (　　)

(173) 硬直 ↔ (　　)

(174) 束縛 ↔ (　　)

(175) (　　) ↔ 刹那

(176) (　　) ↔ 贈賄

[問 177-186] 類義(같은 뜻) 字로 結合된 漢字語가 되도록 [177-181], 類義語로 짝이 되도록 [182-186] (　)안에 漢字를 쓰시오.

(177) 譴- (　　)

(178) (　　) - 闊

(179) 擄 - (　　)

(180) 賭 - (　　)

(181) (　　) - 漫

(182) (　　) - 蔗境

(183) (　　) - 默殺

(184) 敏捷 - (　　)

(185) 錐囊 - (　　)

(186) 漂泊 - (　　)

[問 187-196] 다음 〈例〉의 뜻을 참고하여 아래의 四字(故事)成語를 완성하시오.

〈例〉

○ 유교 탄압
○ 정도가 지나치면 아니한것보다 못함
○ 사람은 환경의 지배를 받음
○ 늙은 어버이께 효도함
○ 견문이 매우 좁음
○ 철이 지나 쓸데 없는 물건
○ 삶의 지혜를 주는 책
○ 몹시 원망함
○ 실행할수 없는 헛된 논의
○ 궁지에 빠진 사람을 도리어 괴롭힘
○ 아름다운 여인
○ 무리하게 재물을 빼앗음
(★순서대로가 아님)

(187) 怨(　)(　)髓

(188) (　)(　)之孝

(189) 冬(　)夏(　)

(190) (　)穽(　)石

(191) (　)衢(　)燭

(192) 羞花(　)(　)

(193) (　)橘(　)枳

(194) 坑(　)焚(　)

(195) (　)(　)過直

(196) 猫(　)(　)鈴

[問 197-200] 다음 四字(故事)成語를 完成하시오.

(197) 脣(　)齒(　)　　(198) 塗(　)之(　)

(199) 車胤(　)(　)　　(200) 亢龍(　)(　)

국가공인
제8회 한자능력검정시험 1급 예상문제

합격점수 : 160점
제한시간 : 90분

※ 다음 漢字語에 대하여 물음에 답하시오.

(1) 銜勒	(2) 詭辯
(3) 螢窓	(4) 端雅
(5) 夫壻	(6) 率土
(7) 長蛇陣	(8) 折角
(9) 懸梁	(10) 鞭撻
(11) 臆測	(12) 弛緩
(13) 堊壁	(14) 結縛
(15) 悉皆	(16) 壅拙
(17) 師卦	(18) 爪甲
(19) 邂逅	(20) 諷刺
(21) 撫摩	(22) 畢捧
(23) 肢幹	(24) 駒隙
(25) 逆睹	(26) 陷穽
(27) 鄙劣	(28) 攄得
(29) 揶揄	(30) 闡明
(31) 凱旋	(32) 瞭哨
(33) 儼恪	(34) 檻送
(35) 訥辯	(36) 苗裔
(37) 洑畓	(38) 貶謫
(39) 鴻鵠	(40) 稗史
(41) 滲泄	(42) 紅蛤
(43) 奢華	(44) 汗腺
(45) 倡優	(46) 蜜蠟
(47) 圖讖	(48) 葵藿
(49) 嫉逐	(50) 咫尺

[問 1~50] 위 漢字語의 讀音을 쓰시오.

[問 51~55] 위 漢字語 (1)~(5)의 뜻을 쉬운 우리말로 쓰시오.

(51) 銜勒 :

(52) 詭辯 :

(53) 螢窓 :

(54) 端雅 :

(55) 夫壻 :

[問 56-60] 위 漢字語 (6)~(10)의 轉義(字義가 아님)를 쓰시오.

(56) 率土 :

(57) 長蛇陳 :

(58) 折角 :

(59) 懸梁 :

(60) 鞭撻 :

※ 다음 漢字에 대하여 물음에 답하시오.

(61) 勃	(62) 盒
(63) 灸	(64) 邀
(65) 捺	(66) 瘍
(67) 韮	(68) 碎
(69) 撮	(70) 翠
(71) 揷	(72) 鑰
(73) 瓷	(74) 袂
(75) 箔	(76) 闡
(77) 蕩	(78) 挽
(79) 煤	(80) 萊
(81) 眄	(82) 豺
(83) 壘	(84) 斡
(85) 閃	(86) 蘘
(87) 鳶	(88) 塞
(89) 黎	(90) 胚
(91) 釧	(92) 鼠

[問 61~92] 위 漢字(61~92)의 訓 · 音을 쓰시오.

[問 93~102] 위 漢字 (83)~(92)의 部首를 쓰시오.

(93) 壘	(94) 斡	(95) 閃
(96) 蘘	(97) 鳶	(98) 塞
(99) 黍	(100) 胚	(101) 釧
(102) 鼠		

※ 다음 신문표제(TV자막 포함)을 읽고 물음에 답하시오.

한국인 선교[103] 단원 23명 납치 사건에 경악[104]을 금치 못함.
한국 인질[105] 2명 석방[106] 곧 한국으로 후송[107] 위해 가즈니주 원로[108]와 함께 차에 타 바그람 군기지[109]로 이동.
한국인 인질 2명 한국 군의관[110]과 간호[111] 장교[112]에 의해 진찰[113] 받아.
아프칸 대통령은 유화책[114] 바라지만 미국정부는 인질 맞교환 거부[115]. 탈레반, 자폭[116] 요원 배치[117] 한국인 인질 분산 억류[118].
탈레반의 대변인 검거[119]에 박차[120] 위치 추적[121] 중. 아프칸, 탈레반에 대한 군사 작전 경고 전단[122] 살포[123] – AP 통신.
수니파 지도자, 인질 석방 촉구[124]. 한국정부, 피랍자[125] 전원 즉각 석방을 촉구. 아프칸정부와 탈레반의 협상 교착[126] 상태. 한국정부, 더이상 인질 희생[127] 좌시하지 않을 것.
한・미 합동 기습[128] 공격[129] 고려치 않음. 탈레반의 감당[130] 못할 요구와 만행[131]을 강력히 규탄[132]하며 한국인 인질 즉각 석방을 촉구. 탈레반 – 노련 잔학[133] … 협상[134] 난항[135] 예상. 미국, 탈레반 인질 협상 양보[136]하지 않고 본거지[137] 찾아내 소탕[138] 작전 시사[139].
직접협상의 관건[140]은 포로[141] 석방 인질 포로 맞교환 – 절충안[142]

[問 103–142] 윗글 밑줄 그은 漢字語를 漢字(正字)로 쓰시오.

(103) 선교 [ ]　(104) 경악 [ ]
(105) 인질 [ ]　(106) 석방 [ ]
(107) 후송 [ ]　(108) 원로 [ ]
(109) 군기지 [ ]　(110) 군의관 [ ]
(111) 간호 [ ]　(112) 장교 [ ]
(113) 진찰 [ ]　(114) 유화책 [ ]
(115) 거부 [ ]　(116) 자폭 [ ]
(117) 배치 [ ]　(118) 억류 [ ]
(119) 검거 [ ]　(120) 박차 [ ]
(121) 추적 [ ]　(122) 전단 [ ]
(123) 살포 [ ]　(124) 촉구 [ ]
(125) 피랍자 [ ]　(126) 교착 [ ]
(127) 희생 [ ]　(128) 기습 [ ]
(129) 공격 [ ]　(130) 감당 [ ]
(131) 만행 [ ]　(132) 규탄 [ ]
(133) 잔학 [ ]　(134) 협상 [ ]
(135) 난항 [ ]　(136) 양보 [ ]
(137) 본거지 [ ]　(138) 소탕 [ ]
(139) 시사 [ ]　(140) 관건 [ ]
(141) 포로 [ ]　(142) 절충안 [ ]

[問 143–152] 윗글 밑줄 그은 漢字語 [103–142] 가운데서 첫소리가 '긴소리' 인것을 10개만 가려 그 번호를 쓰시오.

(143) [ ]　(144) [ ]
(145) [ ]　(146) [ ]
(147) [ ]　(148) [ ]
(149) [ ]　(150) [ ]
(151) [ ]　(152) [ ]

[問 153–162] 다음 同音異義語를 구별하여 正字로 쓰시오.

○종묘 (153) [ ] 열대제왕의 위패를 모시는 왕실의 사당
(154) [ ] 씨나 싹을 심어서 묘목을 가꿈

○점등 (155) [ ] 등에 불을 켬
(156) [ ] 시세가 점점 오름

○개관 (157) [ ] 전체를 대강 살펴봄
(158) [ ] 도서관, 박물관 따위를 차려놓고 처음 엶.

○치부 (159) [ ] 재물을 모아 부자가 됨
(160) [ ] 금전이나 물품의 출납을 기록함

○호위 (161) [ ] 권세가의 위력을 이르는 말
(162) [ ] 따라다니며 보호하고 지킴

[問 163–166] 다음 漢字의 略字는 正字로, 正字는 略字로 쓰시오.

(163) 證　(164) 籠　(165) 灵
(166) 欠

[問 167–176] 反對字로 結合된 漢字語가 되도록 [167–171], 反對語로 서로 對立이 되도록 [172–176] (　)안에 漢字를 쓰시오.

(167) 辜 ↔ (　　)

(168) 狹 ↔ (　　)

(169) (　　) ↔ 娙

(170) 戟 ↔ (　　)

(171) (　　) ↔ 罰

(172) 夭折 ↔ (　　)

(173) 玉碎 ↔ (　　)

(174) (　　) ↔ 漠然

(175) (　　) ↔ 促進

(176) 點燈 ↔ (　　)

[問 177–186] 類義(같은 뜻) 字로 結合된 漢字語가 되도록 [177–181], 類義語로 짝이 되도록 [182–186] (　)안에 漢字를 쓰시오.

(177) 倦 – (　　)

(178) (　　) – 瞞

(179) 泄 – (　　)

(180) (　　) – 擾

(181) (　　) – 慊

(182) 狀況 – (　　)

(183) 永眠 – (　　)

(184) (　　) – 滋養

(185) (　　) – 塵世

(186) (　　) – 幼稚

[問 187–196] 다음 〈例〉의 뜻을 참고하여 아래의 四字(故事)成語를 完成하시오.

〈例〉

○ 이전사람의 그릇된 일이나 행동의 자취
○ 불가능한 일을 무리하게 하려고 함
○ 아무 소용이 없음
○ 자기보다 못한 자에게 묻는것이 부끄러운 일이 아님
○ 고향을 그리는 마음
○ 무엇을 잘 잊음
○ 재난에 대비함
○ 임금의 사위
○ 헛되이 정력을 낭비함
○ 신의가 없는 사람은 쉽게 교화할수 없음.
○ 자신만을 위한 사리판단
○ 상대방의 학식이나 재주가 부쩍 늚.
(★순서대로가 아님)

(187) 狼(　)野(　)

(188) 徙(　)忘(　)

(189) 駙(　)(　)尉

(190) (　)(　)自炙

(191) 龜(　)刮(　)

(192) (　)呑(　)吐

(193) 孔子(　)(　)

(194) (　)(　)之餠

(195) (　)(　)覆轍

(196) 刮目(　)(　)

[問 197–200] 다음 제시된 成語의 反對語 [197], 類義語[198–200]를 完成하시오.

(197) 雪上加霜 ↔ 錦上(　)(　)

(198) 百年偕老 – (　)(　)相和

(199) 傾國之色 – 羞(　)閉(　)

(200) 七(　)八起 – (　)(　)不撓

국가공인
제9회 한자능력검정시험 1급 예상문제

합격점수 : 160점
제한시간 : 90분

※ 다음 漢字語에 대하여 물음에 답하시오.

(1) 胴體	(2) 匕首
(3) 朔風	(4) 赴召
(5) 超逸	(6) 馬脚
(7) 冬扇	(8) 晏駕
(9) 牛壽	(10) 一蹴
(11) 獸蹄	(12) 稟告
(13) 虔肅	(14) 搖籃
(15) 醵飮	(16) 鞭撻
(17) 胸膈	(18) 掘鑿
(19) 謹弔	(20) 抛棄
(21) 艱辛	(22) 凋落
(23) 駱駝	(24) 按擦
(25) 叢論	(26) 搏殺
(27) 涕淚	(28) 狗脊
(29) 挫折	(30) 眼睛
(31) 欺瞞	(32) 白礬
(33) 恪虔	(34) 均霑
(35) 靑瓷	(36) 尨大
(37) 攘奪	(38) 唾液
(39) 腹腔	(40) 阮丈
(41) 凱旋	(42) 驚蟄
(43) 驅儺	(44) 詭辯
(45) 絹紗	(46) 遝至
(47) 窄迫	(48) 駭愕
(49) 胄裔	(50) 喧譁

[問 1~50] 위 漢字語 (1)~(50)의 讀音을 쓰시오.

[問 51~55] 위 漢字語 (1)~(5)의 뜻을 쉬운 우리말로 쓰시오.

(51) 胴體 :

(52) 匕首 :

(53) 朔風 :

(54) 赴召 :

(55) 超逸 :

[問 56-60] 위 漢字語 (6)~(10)의 轉義(字義가 아님)를 쓰시오.

(56) 馬脚 :

(57) 冬扇 :

(58) 晏駕 :

(59) 牛壽 :

(60) 一蹴 :

※ 다음 漢字에 대하여 물음에 답하시오.

(61) 鋪	(62) 徙
(63) 鐸	(64) 翊
(65) 瓊	(66) 孕
(67) 糠	(68) 曙
(69) 噫	(70) 堵
(71) 棲	(72) 牒
(73) 迅	(74) 聘
(75) 絢	(76) 甥
(77) 脾	(78) 賂
(79) 剌	(80) 勅
(81) 綻	(82) 疱
(83) 嗤	(84) 纂
(85) 膊	(86) 袴
(87) 杳	(88) 煞
(89) 舒	(90) 呱
(91) 彷	(92) 勺

[問 61~92] 위 漢字(61~92)의 訓 · 音을 쓰시오.

[問 93~102] 위 漢字 (83)~(92)의 部首를 쓰시오.

(93) 嗤	(94) 纂	(95) 膊
(96) 袴	(97) 杳	(98) 煞
(99) 舒	(100) 呱	(101) 彷
(102) 勺		

※ 다음 글을 읽고 물음에 답하시오.

○ 이광×는 「독립신문」 사장으로서 초기 임시 정부에서 나름대로의 역할을 다하게 된다. 그러나 곧 임시 정부 노선에 대한 불만과 회의[103] 때문에 그것에서 이탈[104]하게 된다. 신채호는 외교 독립 노선 중심의 온건[105] 방법이 불만이었고, 이광×는 망명 독립 운동가라는 자신의 처지 자체에 회의를 가지게 되었다.

이후 신채호는 폭력 투쟁, 민중 혁명만이 민족 해방 운동의 옳은 길이라 판단하고, 무정부주의자가 되어 적극투쟁 노선으로 일관[106]하게 되고, 이광×는 조선 총독부[107]의 촉탁[108]으로 상해[109]에 파견[110]된 애인의 권유[111]에 따라 민족 해방 운동 전선을 떠나 국내로 들어오게 된다. 결국 신채호는 일제 경찰에 체포[112]되어 망명지 감옥[113]에서 옥사하고, 이광×는 국내에 들어와 민족 개조론자로, 소설가로 행세하다가, 식민지[114]시대 말기에는 적극적인 친일파로 전락[115]함으로써 8·15후 민족 반역자[116]로 심판받게 된 것은, 우리가 다 아는 일이다.

불행했던 우리 근대사에서 중요 사상가로서 민족 사회의 봉건적[117] 인습과 문화 체제를 비판하고 근대 민족 문화의 수립[118]을 위해 날카로운 필봉[119]으로 조국이 식민지로 전락한 뒤에도 민족해방운동에 투신했던 이들 두 사람이었다. 왜 한 사람은 목숨을 바쳐 민족 운동 전선을 지킴으로 8·15후 민족해방 운동가로 추앙[120]받고, 다른 한 사람은 그 전선을 이탈했다가 결국 민족 반역자로 심판받게 되었는가?

이것은 곧, 국민의 민족 변절[121]者에 대한 심판의 눈길은 영원히 사라지지 않는다는 것을 강조한 대목이다.〈한국교육철학의 탐구 中에서〉

○ 일본의 후쿠오카 지방법원은 고이즈미 총리의 야스쿠니 신사[122]참배가 위헌[123]이라는 전격적인 판결을 내렸다. 이로써 그간 일본 내외의 논란을 일으켜 왔던 야스쿠니 문제가 새로운 차원을 맞이하게 될 것으로 보인다.

고이즈미의 야스쿠니 참배에 항의하는 소송[124]은 후쿠오카 외에도 6개 지방법원에 제기되었는데, 이 중 오사카와 마쓰야마 지방법원이 소송기각[125] 결정을 내린 것과 비교하면 이번 판결은 획기적인 의미를 갖는다.

이 판결이 여타 지방법원은 물론 향후 전개될 상급심의 재판[126]에 어떠한 영향을 끼칠지는 두고 볼 일이지만 보수색채가 강한 일본 사법부에서 나온 이례적인 판결로 말미암아 야스쿠니 문제가 다시금 뜨거운 쟁점으로 부상[127]할 조짐[128]이다.

○ 증인은 증언을 하기전에 반드시 선서[129]를 하게된다. ○ 훈련병이 연병[130]장에서 훈련을 받고 있다. ○ 지진발생국에서는 건물의 내진[131]설계도가 매우 세밀하다. ○ 새정부에 새로운 내각이 탄생[132]하였다.

○ 독재정부는 언론마저 탄압[133]하였다. ○ 지구환경변화로 가끔 산성[134]비가 내린다. ○ 올림픽 개막[135]식이 거행되었다. ○ 넓은 밭두둑에 결구[136]된 배추가 길게 나열된 들녘 ○ 독립운동을 했다는 이유로 일본경찰에 끌려가 갖은 고초[137]를 겪었다. ○ 결혼식장에서 시를 낭송[138]하였다. ○ 그는 재벌회사의 비위를 노골적[139]으로 드러냈다. ○ 만경[140]창파 넓은 바다 ○ 시험날짜가 임박[141]하니 긴장된다. ○ 숲에서 풍기는 상쾌한 냄새에 매료[142]되어 자주 산에 간다.

[問 103-142] 윗글 밑줄 그은 漢字語를 漢字(正字)로 쓰시오.

(103) 회의 [ ]	(104) 이탈 [ ]
(105) 온건 [ ]	(106) 일관 [ ]
(107) 총독부 [ ]	(108) 촉탁 [ ]
(109) 상해 [ ]	(110) 파견 [ ]
(111) 권유 [ ]	(112) 체포 [ ]
(113) 감옥 [ ]	(114) 식민지 [ ]
(115) 전락 [ ]	(116) 반역자 [ ]
(117) 봉건적 [ ]	(118) 수립 [ ]
(119) 필봉 [ ]	(120) 추앙 [ ]
(121) 변절 [ ]	(122) 신사 [ ]
(123) 위헌 [ ]	(124) 소송 [ ]
(125) 기각 [ ]	(126) 재판 [ ]
(127) 부상 [ ]	(128) 조짐 [ ]
(129) 선서 [ ]	(130) 연병 [ ]
(131) 내진 [ ]	(132) 탄생 [ ]
(133) 탄압 [ ]	(134) 산성 [ ]
(135) 개막 [ ]	(136) 결구 [ ]
(137) 고초 [ ]	(138) 낭송 [ ]
(139) 노골적 [ ]	(140) 만경 [ ]
(141) 임박 [ ]	(142) 매료 [ ]

[問 143-152] 윗글 밑줄 그은 漢字語 [103-142] 가운데서 첫소리가 '긴소리' 인것을 10개만 가려 그 번호를 쓰시오.

(143) [ ] (144) [ ] (145) [ ]
(146) [ ] (147) [ ] (148) [ ]
(149) [ ] (150) [ ] (151) [ ]
(152) [ ]

[問 153-162] 다음 同音異義語를 구별하여 正字로 쓰시오.

○유물 (153) [ ] 쓸모가 없어 버리어둔 물건
(154) [ ] 선대의 인류가 후세에 남긴 물건

○자괴 (155) [ ] 스스로 부끄러워함
(156) [ ] 외부의 힘에 의하지 아니하고 저절로 무너짐

○화장 (157) [ ] 분, 연지등을 바르며 얼굴을 곱게 꾸밈
(158) [ ] 시체를 불에 살라서 남은 뼈가루를 모아 장사 지냄

○과도 (159) [ ] 정도에 넘침
(160) [ ] 옮아가거나 바뀌어가는 도중

○구축 (161) [ ] 몰아서 쫓아냄
(162) [ ] 기초부터 차례로 짜맞추고 쌓아 올려서 꾸밈

[問 163-166] 다음 漢字의 略字는 正字로, 正字는 略字로 쓰시오.

(163) 爐 (164) 蛮 (165) 螢
(166) 獻

[問 167-176] 反對字로 結合된 漢字語가 되도록 [167-171], 反對語로 서로 對立이 되도록 [172-176] ( )안에 漢字를 쓰시오.

(167) 艱 ↔ ( ) (168) 弧 ↔ ( )
(169) ( ) ↔ 廢 (170) ( ) ↔ 仰
(171) ( ) ↔ 揚 (172) 媤宅 ↔ ( )
(173) 羞恥 ↔ ( ) (174) 溶解 ↔ ( )
(175) 偏頗 ↔ ( ) (176) ( ) ↔ 隱蔽

[問 177-186] 類義(같은 뜻) 字로 結合된 漢字語가 되도록 [177-181], 類義語로 짝이 되도록 [182-186] ( )안에 漢字를 쓰시오.

(177) ( ) - 幟 (178) 躁 - ( )
(179) ( ) - 轍 (180) ( ) - 祉
(181) 撞 - ( ) (182) 協贊 - ( )
(183) 思慮 - ( ) (184) ( ) - 尋訪
(185) ( ) - 綿密 (186) ( ) - 原始林

[問 187-196] 다음 〈例〉의 뜻을 참고하여 아래의 四字(故事)成語를 完成하시오.

〈例〉

○ 쓸데없는 재주
○ 쇠처럼 단단하고 난초처럼 그윽한 사귐
○ 궁지에서 행운을 얻음
○ 남의 원한을 사지 않도록 조심함
○ 스스로 화를 불러들임
○ 엎친데 덮친 상태
○ 탐관오리(貪官汚吏)
○ 몸은 글방에 마음은 딴곳에
○ 전도양양한 장래
○ 기세가 거세고 날램
(★순서대로가 아님)

(187) ( )瀾( )疊 (188) ( )龜遇( )
(189) 開( )揖( ) (190) 鵬程( )( )
(191) 獅( )( )迅 (192) 心( )( )鵠
(193) ( )賂( )藝 (194) 屠( )之技
(195) ( )丘之戒 (196) 金( )之誼

[問 197-200] 다음 제시된 成語의 反對語 [197~198], 類義語[199-200]를 完成하시오.

(197) 輕擧妄動 ↔ ( )( )自重
(198) 我( )引水 ↔ ( )地思( )
(199) 磨斧爲鍼 - 愚( )移( )
(200) 犬馬之勞 - ( )( )碎身

국가공인
제10회 한자능력검정시험 1급 예상문제

합격점수 : 160점
제한시간 : 90분

※ 다음 漢字語에 대하여 물음에 답하시오.

(1) 渡船 (2) 僉位
(3) 轉補 (4) 昧爽
(5) 反芻 (6) 象牙塔
(7) 失脚 (8) 領袖
(9) 解語花 (10) 屈指
(11) 拷掠 (12) 矜恤
(13) 莖葉 (14) 妓生
(15) 躬稼 (16) 叩謝
(17) 屠戮 (18) 懈怠
(19) 奢靡 (20) 嘉祥
(21) 枰錘 (22) 說客
(23) 撮影 (24) 姨從
(25) 脛骨 (26) 堵列
(27) 官銜 (28) 緬羊
(29) 蒐輯 (30) 模索
(31) 比喻 (32) 悚懼
(33) 癡呆 (34) 扼腕
(35) 脆弱 (36) 渦狀
(37) 嫡妾 (38) 袈裟
(39) 恐喝 (40) 恢宏
(41) 頑拒 (42) 舅甥
(43) 規矩 (44) 艶聞
(45) 煩悶 (46) 犧牲
(47) 隷屬 (48) 嘲笑
(49) 醬太 (50) 簪笏

[問 1~50] 위 漢字語 (1)~(50)의 讀音을 쓰시오.

[問 51~55] 위 漢字語 (1)~(5)의 뜻을 쉬운 우리말로 쓰시오.

(51) 渡船 :
(52) 僉位 :
(53) 轉補 :
(54) 昧爽 :
(55) 反芻 :

[問 56-60] 위 漢字語 (6)~(10)의 轉義(字義가 아님)를 쓰시오.

(56) 象牙塔 :
(57) 失脚 :
(58) 領袖 :
(59) 解語花 :
(60) 屈指 :

※ 다음 漢字에 대하여 물음에 답하시오.

(61) 暎 (62) 捐
(63) 渫 (64) 濱
(65) 狙 (66) 塹
(67) 礁 (68) 捷
(69) 妬 (70) 崩
(71) 蟾 (72) 播
(73) 頒 (74) 逼
(75) 胎 (76) 括
(77) 霧 (78) 馨
(79) 錘 (80) 媤
(81) 喫 (82) 站
(83) 麾 (84) 鼎
(85) 躬 (86) 寵
(87) 肪 (88) 褒
(89) 犀 (90) 冶
(91) 蒐 (92) 餞

[問 61~92] 위 漢字(61~92)의 訓 · 音을 쓰시오.

[問 93~102] 위 漢字 (83)~(92)의 部首를 쓰시오.

(93) 麾 (94) 鼎 (95) 躬
(96) 寵 (97) 肪 (98) 褒
(99) 犀 (100) 冶 (101) 蒐
(102) 餞

[問 103-142] 다음 글에서 밑줄 그은 單語를 漢字(正字)로 쓰시오.

(103) 지나친 임금인상은 노사분규를 야기한다.
(104) 법원은 그에게 자유형과 벌금을 병과했다.
(105) 나는 꿈속에서 길을 잃고 미로를 헤메고 있었다.
(106) 勞使간의 융화를 도모하여 경제발전을 꾀하다.
(107) 그는 재도전했으나 이번에도 고배의 쓴잔을 마셨다.
(108) 지진발생으로 땅이 진동하고 건물과 교량이 파괴되었다.
(109) 도서주민들에게 정규적으로 진료봉사를 한다.
(110) 더이상의 주한 美주둔군의 철수는 없을거라고 했다.
(111) 도박에 탐닉하면 집안을 망친다.
(112) 채무를 변제받기 위해 압류신청을 하다.
(113) 중국인 학생들이 성화봉송중 시위군중들에게 만용을 부렸다.
(114) 언어에서 억양은 감정표현의 중요한 부분이다.
(115) 사업이 날로 번창하여 직원수가 많아졌다.
(116) 여성의 심리를 섬세한 필치로 그려낸 소설
(117) 목재건물은 누전으로 인해 화재가 자주 발생한다.
(118) 로미오와 줄리엣이 예술의 전당에서 공연되었다.
(119) 소경이 눈을 뜨고 불구자가 일어났다면 그것은 기적이다.
(120) 박사님은 집에 수많은 책을 저장해온 대 장서가이다.
(121) 간장을 담기 위해 옹기를 사왔다.
(122) 눈병이 생겨서 안대를 착용하였다.
(123) 한강에 투신자살을 기도하려다 실패하다.
(124) 정부가 영세한 기업을 도와 일자리 창출에 힘쓰다.
(125) 충분한 영양섭취는 성장발육에 꼭 필요하다.
(126) 관중은 음악에 도취하여 자리를 뜰줄 몰랐다.
(127) 대학입시에 논술이 상당한 부분을 차지한다.
(128) 성범죄자들은 재판에서 중형을 선고받았다.
(129) 세무소직원들은 국민으로부터 세금을 징수하는 일을 한다.
(130) 살인범에게 무기징역형이 선고되었다.
(131) 땅속의 곤충들이 집단으로 이동하면 지진의 징후로 의심된다.
(132) 우체국에 가서 우표를 샀다.
(133) 태환권 발행은 주로 한국은행이 한다.
(134) 왕권시대에 정치범들은 주로 유배지로 귀향 보내졌었다.
(135) 무쇠를 용해해서 주물을 만든다.
(136) 농담이 지나치면 사람을 우롱하는 처사가 된다.
(137) 적이 아군복장으로 위장하고 잠입하였다.
(138) 식량부족으로 기아에서 허덕이는 국가를 지원하고 있다.
(139) 이 건물은 한달전에 팔려 다른 사람에게 양도 되었다.
(140) 그림은 감정평가상 진품이 아니고 모사품으로 밝혀졌다.
(141) 염치가 없는 사람은 존경받을수 없다.
(142) 높은 이자는 대출금 신청의 빈도를 떨어뜨린다.

[問 143-152] 윗 글 밑줄 그은 漢字語[103-142] 가운데서 첫소리가 '긴소리' 인것을 10개만 가려 그 번호를 쓰시오.

(143) [ ] (144) [ ]
(145) [ ] (146) [ ]
(147) [ ] (148) [ ]
(149) [ ] (150) [ ]
(151) [ ] (152) [ ]

[問 153-162] 다음 同音異義語를 구별하여 正字로 쓰시오.

○보도 (153) [ ] 나라안팎에서 생긴일을 전하여 알려줌
(154) [ ] 도와서 올바른데로 인도함

○사정 (155) [ ] 조사, 심사하여 결정함
(156) [ ] 탄환의 발사점에서 도달점까지의 거리

○민속 (157) [ ] 민간의 풍속
(158) [ ] 민첩하게 빠름

○동상 (159) [ ] 구리나 구리빛을 입혀서 사람, 동물의 형상을 만들어놓은 기념물
(160) [ ] 심한 추위로 피부가 얼어서 상하는 일

○공포 (161) [ ] 헛총
(162) [ ] 두렵고 무서움

[問 163-166] 다음 漢字의 略字는 正字로, 正字는 略字로 쓰시오.

(163) 乘 (164) 岩 (165) 籃
(166) 皃

[問 167-176] 反對字로 結合된 漢字語가 되도록 [167-171], 反對語로 서로 對立이 되도록 [172-176] ( )안에 漢字를 쓰시오.

(167) 昆 ↔ ( )
(168) ( ) ↔ 使
(169) ( ) ↔ 曙
(170) ( ) ↔ 晩
(171) ( ) ↔ 衰

(172) 餞送 ↔ (　　)

(173) 劣惡 ↔ (　　)

(174) 鹹水 ↔ (　　)

(175) (　　) ↔ 虐待

(176) 集合 ↔ (　　)

[問 177-186] 類義(같은 뜻) 字로 結合된 漢字語가 되도록 [177-181], 類義語로 짝이 되도록 [182-186] (　)안에 漢字를 쓰시오.

(177) (　　)-饉

(178) 寇-(　　)

(179) 剩-(　　)

(180) 奸-(　　)

(181) (　　)-泄

(182) 不朽-(　　)

(183) 周甲-(　　)

(184) (　　)-尺土

(185) (　　)-聰明

(186) 薄情-(　　)

[問 187-196] 다음 〈例〉의 뜻을 참고하여 아래의 四字(故事)成語를 完成하시오.

〈例〉

○ 나라가 잘 다스려짐
○ 사람들이 버린 무용지물
○ 임시변통으로 꾸민 계책
○ 왕이 가장 신임하는 신하
○ 결사항전의 의지
○ 허황된 말을 지껄임
○ 한때에 많은 일들이 생김
○ 확고한 주관이 없이 계획이 수시로 바뀜
○ 사람을 꾀어서 어려운 처지에 빠지게 함
○ 시련과 변화가 많음
○ 우겨서 남을 속임
○ 먹을것이 풍족하여 즐겁게 지냄
○ 좋은 기회를 얻음
(★순서대로가 아님)

(187) 道(　)拾(　)

(188) 股肱(　)(　)

(189) 癡(　)說(　)

(190) (　)(　)竹筍

(191) 擧(　)不(　)

(192) 登(　)(　)梯

(193) (　)瀾萬(　)

(194) 含(　)鼓(　)

(195) 彌(　)之(　)

(196) 蛟龍(　)(　)

[問 197-200] 다음 제시된 成語의 反對語 [197-198], 類義語[199-200]를 完成하시오.

(197) 門前成市 ↔ 門前(　)(　)

(198) 前虎後狼 - 錦上(　)(　)

(199) 小貪大失 - (　)(　)彈雀

(200) 寸鐵殺人 - (　)(　)一鍼

국가공인
제11회 한자능력검정시험 1급 예상문제

합격점수 : 160점
제한시간 : 90분

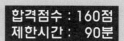

※ 다음 漢字語에 대하여 물음에 답하시오.

(1) 澣滌　(2) 殮襲
(3) 延滯　(4) 鎭痙
(5) 姪壻　(6) 櫛雨
(7) 毫釐　(8) 踵武
(9) 鼎談　(10) 桎梏
(11) 靈柩　(12) 毒箭
(13) 犀角　(14) 轟沈
(15) 賞牌　(16) 蹉跌
(17) 閭閻　(18) 膨脹
(19) 紐帶　(20) 咽頭
(21) 攄抱　(22) 撰定
(23) 壅滯　(24) 執拗
(25) 塾舍　(26) 窓窺
(27) 嫂叔　(28) 蔓延
(29) 混沌　(30) 階梯
(31) 乖愎　(32) 家牒
(33) 席捲　(34) 攪拌
(35) 弟嫂　(36) 奸惡
(37) 漏洩　(38) 憔悴
(39) 媒婆　(40) 搾油
(41) 揮灑　(42) 繭絲
(43) 掌匣　(44) 倭寇
(45) 珠簾　(46) 挾雜
(47) 渦形　(48) 完璧
(49) 鞍馬　(50) 俯瞰

[問 1~50] 위 漢字語 (1)~(50)의 讀音을 쓰시오.

[問 51~55] 위 漢字語 (1)~(5)의 뜻을 쉬운 우리말로 쓰시오.

(51) 瀚滌 :
(52) 殮襲 :
(53) 延滯 :
(54) 鎭痙 :
(55) 姪壻 :

[問 56-60] 위 漢字語 (6)~(10)의 轉義(字義가 아님)를 쓰시오.

(56) 櫛雨 :
(57) 毫釐 :
(58) 踵武 :
(59) 鼎談 :
(60) 桎梏 :

※ 다음 漢字에 대하여 물음에 답하시오.

(61) 筵　(62) 瘠
(63) 敷　(64) 劑
(65) 坦　(66) 眈
(67) 罵　(68) 斟
(69) 椽　(70) 鷹
(71) 鉢　(72) 讎
(73) 簞　(74) 鵠
(75) 勘　(76) 梏
(77) 萌　(78) 甦
(79) 悛　(80) 顴
(81) 髓　(82) 嗔
(83) 冀　(84) 暈
(85) 窯　(86) 欣
(87) 穿　(88) 戍
(89) 齊　(90) 裔
(91) 勒　(92) 僉

[問 61~92] 위 漢字(61~92)의 訓 · 音을 쓰시오.

[問 93~102] 위 漢字 (83)~(92)의 部首를 쓰시오.

(93) 冀　(94) 暈　(95) 窯
(96) 欣　(97) 穿　(98) 戍
(99) 齊　(100) 裔　(101) 勒
(102) 僉

※ 다음 글을 읽고 물음에 답하시오.

상품이 닳아서 없어지는 것을 물리적 마모[103]라 하고, 아직도 충분히 사용할 수 있는데도 불구하고 실증을 느껴 그것을 사용하지 않게 되는 것을 사회적 마모라고 한다.
현대 사회의 소비자들은 상품을 구매[104]할 때, 자기도 의식하지 못하는 사이에 사회적 마모의 영향[105]을 더 받는 경우가 많다. 자동차는 보통 10년 이상 쓸 수 있게 만들지만, 완전히 고장[106]이 나서 탈 수 없을 때까지 타지 않고 대부분 4~5년 내에 새 차로 바꾼다. 이것이 바로 사회적 마모에 의해 상품을 구매하는 예에 해당 된다.
상품은 생산되자마자 닳기 시작하는데 이러한 마모는 그 상품의 수명이 다할 때까지 계속된다. 그런데 신세대들은 구세대와는 달리, 어떠한 물건을 닳아서 더 이상 쓸 수 없을 때까지 사용하는 경우가 드물다. 더구나 개성이 강한 신세대는 너무 많이 퍼진 유행에 식상[107]해 새로운 것을 추구[108]하게 되므로, 그들은 어느 정도 시간이 지나면 새로운 것을 찾는다.
구세대가 유행을 따르는 것에 익숙한 데 비하여 신세대들은 단순히 유행을 따르는 데 급급하지 않고 새로운 유행을 창조해 내는 것이다. 유행이란 어떠한 양식[109]이나 현상이 새로운 경향으로서 널리 퍼지는 것, 또는 그러한 경향을 의미한다.
사람들은 흔히 유행을 신세대의 특성 중의 하나로만 여기고 기업[110]의 판매 전략[111]과는 전혀 연관이 없는 것으로 생각한다. 그러나 사실은 그렇지 않다. 유행의 주기가 짧아져서 새로운 것이 유행으로 퍼지게 되면 소비가 늘어나게 되고 이에 따라 기업들은 쉽게 이익을 낼 수 있게 된다.
따라서 유행에 민감[112]할수밖에 없는 의류 산업 계통[113]의 기업들은 새로운 유행을 만들어내는데에 기업의 사활을 걸게 된다. 이것은 자동차나 가구 같은 내구[114] 소비재를 생산하는 기업의 경우도 마찬가지다.
기업은 상품의 사회적 마모를 촉진[115]시키는 주체이다. 생산과 소비가 지속되어야 이윤[116]을 남길 수 있기 때문에, 하나의 상품을 생산해서 그 상품의 물리적 마모가 끝날 때까지를 기다렸다가는 그 기업은 망하기 쉽상이다. 이러한 상황에서 늘 수요[117]에 비해서 과잉[118] 생산을 하는 기업이 살아남을 수 있는 길은 상품의 사회적 마모를 짧게해서 사람들로하여금 소비하게 만드는 것이다. ○ 어린이를 유인[119]하고 돈을 요구하는 황당[120]한 유괴범[121]은 우리사회에서 영원히 추방[122]될 것이다.
○ 후각[123]은 같은 자극[124]에 있어서 쉽게 피로[125]해진다. ○ 모유수유[126]가 유방암[127] 예방에 효과적
○ 어린이 대상 성범죄 증가 추세[128] … 성폭력[129] 범죄자 유전자[130] 확보 ○ 성폭력 미수[131] 피의자 구속[132] … 여죄[133]는? ○ 아동 상대 성범죄자 처벌 양형[134] 높이고 가석방[135]도 없어 ○ 위안부 결의안을 일본 최대 우방[136]인 미국의회가 결정했다는 점에서 파문[137]이 예상됨
○ 남해안 어장에 적조[138]발생 ○축구협회, 베어백 전 감독 환송 오찬[139] ○ 홍보[140], 촬영[141]기획등 자원봉사자 모집 ○ 자전거도로에서 사고가 빈발[142] … 보행자 주의가 요구됨.

[問 103-142] 윗글 밑줄 그은 漢字語를 漢字(正字)로 쓰시오.

(103) 마모 [ ]	(104) 구매 [ ]
(105) 영향 [ ]	(106) 고장 [ ]
(107) 식상 [ ]	(108) 추구 [ ]
(109) 양식 [ ]	(110) 기업 [ ]
(111) 전략 [ ]	(112) 민감 [ ]
(113) 계통 [ ]	(114) 내구 [ ]
(115) 촉진 [ ]	(116) 이윤 [ ]
(117) 수요 [ ]	(118) 과잉 [ ]
(119) 유인 [ ]	(120) 황당 [ ]
(121) 유괴범 [ ]	(122) 추방 [ ]
(123) 후각 [ ]	(124) 자극 [ ]
(125) 피로 [ ]	(126) 수유 [ ]
(127) 유방암 [ ]	(128) 추세 [ ]
(129) 성폭력 [ ]	(130) 유전자 [ ]
(131) 미수 [ ]	(132) 구속 [ ]
(133) 여죄 [ ]	(134) 양형 [ ]
(135) 가석방 [ ]	(136) 우방 [ ]
(137) 파문 [ ]	(138) 적조 [ ]
(139) 오찬 [ ]	(140) 홍보 [ ]
(141) 촬영 [ ]	(142) 빈발 [ ]

[問 143-152] 윗글 밑줄 그은 漢字語 [115-142] 가운데서 첫소리가 '긴소리' 인것을 10개만 가려 그 번호를 쓰시오.

(143) [ ]　(144) [ ]
(145) [ ]　(146) [ ]
(147) [ ]　(148) [ ]
(149) [ ]　(150) [ ]
(151) [ ]　(152) [ ]

[問 153-162] 다음 同音異義語를 구별하여 正字로 쓰시오.

○반주 (153) [ ] 밥에 곁들이어 마시는 술
(154) [ ] 성악이나 기악을 좇아 다른 악기로 이를 돕는 연주

○감축 (155) [ ] 덜어서 줄임
(156) [ ] 감사하고 축하함

○유치 (157) [ ] 젖니
(158) [ ] 맡아둠

○사기 (159) [ ] 요망스럽고 간악한 기운
(160) [ ] 남을 속이어 이득을 꾀하는 행위

○장구 (161) [ ] 장례때 쓰는 기구
(162) [ ] 무엇을 꾸미는데 쓰는 기구

[問 163-166] 다음 漢字의 略字는 正字로, 正字는 略字로 쓰시오.

(163) 敷　(164) 嘗　(165) 獵
(166) 恋

[問 167-176] 反對字로 結合된 漢字語가 되도록 [167-171], 反對語로 서로 對立이 되도록 [172-176] ( )안에 漢字를 쓰시오.

(167) 需 ↔ ( )　(168) 輓 ↔ ( )
(169) 送 ↔ ( )　(170) ( ) ↔ 晦
(171) ( ) ↔ 獸　(172) 繁榮 ↔ ( )
(173) 唐慌 ↔ ( )　(174) 寬大 ↔ ( )
(175) 犧牲 ↔ ( )　(176) 胎生 ↔ ( )

[問 177-186] 類義(같은 뜻) 字로 結合된 漢字語가 되도록 [177-181], 類義語로 짝이 되도록 [182-186] ( )안에 漢字를 쓰시오.

(177) 凌 - ( )　(178) ( ) - 喚
(179) ( ) - 愕　(180) 惶 - ( )
(181) 枯 - ( )　(182) 知音 - ( )
(183) 詰難 - ( )　(184) 比翼 - ( )
(185) ( ) - 脅迫　(186) ( ) - 潤澤

[問 187-196] 다음 〈例〉의 뜻을 참고하여 아래의 四字(故事)成語를 完成하시오.

〈例〉

○ 적응하는 생물만이 존재하는 자연의 법칙
○ 무모한 용기
○ 선과 악이 함께 재앙을 입음
○ 좁은 소견과 주관으로 사물을 잘못 판단함
○ 인내로써 이룩한 가문
○ 운명을 걸고 단판걸이로 승부를 겨룸
○ 초라한 차림세
○ 자신의 잘못을 인정하고 처벌을 자청함
○ 말보다 행동이 중요함
○ 결사항전의 의지
○ 작은나라끼리의 싸움
○ 가까이 있지만 관계가 매우 멂
(★순서대로가 아님)

(187) ( )( )淘汰　(188) ( )袍( )笠
(189) ( )盲撫( )　(190) ( )( )同櫃
(191) ( )( )馮河　(192) ( )荊( )罪
(193) 蝸( )之( )　(194) 濟( )焚( )
(195) 訥( )敏( )　(196) ( )( )一擲

[問 197-200] 다음 四字(故事)成語를 完成하시오.

(197) 支離( )( )　(198) 雪膚( )( )
(199) 粉骨( )( )　(200) 奇貨( )( )

국가공인
제12회 한자능력검정시험 1급 예상문제

합격점수 : 160점
제한시간 : 90분

[問 1–50] 다음 漢字語(1–50)의 讀音을 쓰시오.

(1) 彈劾　(2) 揷穗
(3) 船醉　(4) 遡考
(5) 仔詳　(6) 壓卷
(7) 鵬圖　(8) 薪米
(9) 袖手　(10) 刺股
(11) 御璽　(12) 跌宕
(13) 抽籤　(14) 諭示
(15) 干潟　(16) 罫紙
(17) 刪定　(18) 浩蕩
(19) 夷狄　(20) 曠野
(21) 猖獗　(22) 淵澄
(23) 鼠賊　(24) 管轄
(25) 垢滓　(26) 鳴鳶
(27) 瓊簪　(28) 梵唄
(29) 瘠饒　(30) 倨傲
(31) 膏雉　(32) 撲滅
(33) 窈渺　(34) 攀桂
(35) 斧劈　(36) 寬宥
(37) 暗礁　(38) 煮醬
(39) 嘉謨　(40) 抵觸
(41) 奄忽　(42) 醱酵
(43) 崖畔　(44) 隅奧
(45) 啞嘔　(46) 裔胄
(47) 含咽　(48) 寇誰
(49) 燈盞　(50) 咐囑

[問 51～55] 위 漢字語 (1)～(5)의 뜻을 풀이하시오.

(51) 彈劾 :

(52) 揷穗 :

(53) 船醉 :

(54) 遡考 :

(55) 仔詳 :

[問 56–60] 위 漢字語 (6)～(10)의 轉義(字義가 아님)를 쓰시오.

(56) 壓卷 :

(57) 鵬圖 :

(58) 薪米 :

(59) 袖手 :

(60) 刺股 :

[問 61～92] 아래 漢字(61～92)의 訓 · 音을 쓰시오.

(61) 匣　(62) 剪
(63) 仇　(64) 拱
(65) 逵　(66) 蹄
(67) 忿　(68) 跌
(69) 騙　(70) 舅
(71) 砧　(72) 槌
(73) 瞰　(74) 紐
(75) 蠟　(76) 撰
(77) 倣　(78) 戮
(79) 癡　(80) 笠
(81) 鞭　(82) 鵲
(83) 耀　(84) 宦
(85) 肩　(86) 欣
(87) 烏　(88) 歆
(89) 痕　(90) 膣
(91) 恙　(92) 升

[問 93～102] 위 漢字 (83)～(92)의 部首를 쓰시오.

(93) 耀　(94) 宦　(95) 肩
(96) 欣　(97) 烏　(98) 歆
(99) 痕　(100) 膣　(101) 恙
(102) 升

[問 103-130] 다음 ( )속의 單語를 漢字(正字)로 쓰시오.

(103) (마찰) : 서로 비빔
(104) (붕괴) : 허물어져 무너짐
(105) (유대) : 둘 이상의 관계를 연결 또는 결합시키는 관계
(106) (무용) : 음악에 맞추어 율동적인 동작으로 감정과 의지를 표현하는 예술
(107) (희박) : 농도 밀도가 엷거나 얕음
(108) (극복) : 이겨냄
(109) (오락) : 쉬는 시간에 재미있게 놀아서 기분을 즐겁게 하는 일
(110) (번창) : 한창 잘되어 창성함
(111) (향연) : 특별히 융숭하게 베푸는 잔치
(112) (축제) : 축하하여 벌이는 큰규모의 행사
(113) (진혼) : 죽은사람의 영혼을 위로함
(114) (수호) : 지키어 보호함
(115) (역병) : 역병균의 공기전염으로 생기는 유행병
(116) (요절) : 나이 젊어서 죽음
(117) (원령) : 원한을 품고죽은 사람의 영혼
(118) (위무) : 위세와 무력
(119) (처참) : 슬프고 참혹함
(120) (승려) : 중
(121) (표절) : 남의 작품의 일부를 몰래 따다 씀
(122) (회화) : 그림
(123) (조각) : 어떤 형상을 입체적으로 새기는 일
(124) (모방) : 본뜨거나 본받음
(125) (소통) : 막히지 아니하고 잘 통함
(126) (봉황) : 봉황새
(127) (음산) : 흐리고 으스스함
(128) (운율) : 시문(詩文)의 音聲的 형식
(129) (농담) : 실없는 장난의 말
(130) (파악) : 손에 꽉잡아 쥠

[問 131-140] 윗글 漢字語 [103-130] 가운데서 첫 소리가 '긴소리' 인것을 10개만 그 번호를 가려 쓰시오.

(131) [ ]　(132) [ ]
(133) [ ]　(134) [ ]
(135) [ ]　(136) [ ]
(137) [ ]　(138) [ ]
(139) [ ]　(140) [ ]

[問 141-162] 다음 뜻풀이에 알맞은 單語를 漢字(正字)로 쓰시오.

(141) ( )( ) : 어떤 작용을 한쪽에서 다른쪽으로 전달하는 역할을 하는 것
(142) ( )( ) : 계약, 조약등을 맺음
(143) ( )( ) : 무당과 박수(남자무당)
(144) ( )( ) : 무엇을 이루어보려고 계획하거나 행동함
(145) ( )( ) : 살별, 꼬리별
(146) ( )( ) : 침
(147) ( )( ) : 숨이 막힘
(148) ( )( ) : 세상에 널리 퍼짐
(149) ( )( ) : 본이름을 숨김
(150) ( )( ) : 공덕을 칭송함
(151) ( )( ) : 얼굴, 머리, 옷차림 따위를 곱게 꾸밈
(152) ( )( ) : 맑고 기품이 있음

[問 153-162] 다음 漢字語의 同音異義語가 되게 빈칸을 채우시오(長·短音이나 硬·軟音은 관계없음)

(153) 婦道 : 지급인으로부터 수표나 어음의 지불을 제 날짜에 받을수 없게 되는 일 ( )
(154) 童謠 : 흔들리고 움직임 ( )
(155) 模寫 : 일을 꾀함 ( )
(156) 負商 : 상장과 정식상 외에 따로 덧붙여 주는 상 ( )
(157) 改善 : 싸움에서 이기고 돌아옴 ( )
(158) 副食 : 썩어서 벌레가 먹거나 문드러짐 ( )
(159) 賣店 : 물건값이 오를것을 대비해 휩쓸어 사두는 일 ( )
(160) 附逆 : 국가가 국민에게 의무적으로 지우는 일 ( )
(161) 磁氣 : 사기그릇 ( )
(162) 傳道 : 거꾸로 함 ( )

[問 163-166] 다음 漢字의 略字는 正字로, 正字는 略字로 쓰시오.

(163) 應　(164) 驛　(165) 属
(166) 践

[問 167–176] 反對字로 結合된 漢字語가 되도록 [167–171], 反對語로 서로 對立이 되도록 [172–176] ( )안에 漢字를 쓰시오.

(167) (   ) ↔ 惰
(168) 剛 ↔ (   )
(169) (   ) ↔ 寢
(170) 飢 ↔ (   )
(171) (   ) ↔ 拙
(172) 憎惡 ↔ (   )
(173) 膨脹 ↔ (   )
(174) 賃貸 ↔ (   )
(175) (   ) ↔ 粗雜
(176) 縱斷 ↔ (   )

[問 177–186] 類義(같은 뜻) 字로 結合된 漢字語가 되도록 [177–181], 類義語로 짝이 되도록 [182–186] ( )안에 漢字를 쓰시오.

(177) 姦 – (   )
(178) 邁 – (   )
(179) (   ) – 嶼
(180) 蹶 – (   )
(181) 懷 – (   )
(182) 閭閻 – (   )
(183) 尋常 – (   )
(184) 刷新 – (   )
(185) (   ) – 符合
(186) (   ) – 使嗾

[問 187–196] 다음 〈例〉의 뜻을 참고하여 아래의 四字(故事)成語를 完成하시오.

〈例〉
○ 병에 걸리기 쉬운 체질
○ 잘하는 사람을 더욱 장려함
○ 자신의 행동을 스스로 구속함
○ 나라가 망함
○ 미리 대비하지 않으면 임박해서 소용이 없음
○ 근본적으로 이루어질수 없는 일
○ 완전무결하며 흠이 없음
○ 떠다니는 헛된 소문
○ 고향을 그리는 마음
○ 우주에 있는 온갖 사물의 형상
(★순서대로가 아님)

(187) 自繩( )( )
(188) 渴( )穿( )
(189) ( )( )無縫
(190) 狐( )( )丘
(191) ( )( )蜚語
(192) 萬( )群( )
(193) ( )狐謀( )
(194) 社( )( )墟
(195) ( )( )加鞭
(196) ( )柳之質

[問 197–200] 다음 四字(故事)成語를 完成하시오.

(197) 德( )有( )   (198) 殃( )池( )
(199) 楊( )之狗   (200) 發( )忘( )

국가공인 제13회 한자능력검정시험 1급 예상문제

합격점수 : 160점
제한시간 : 90분

※ 다음 漢字語에 대하여 물음에 답하시오.

(1) 呱呱　(2) 渠魁
(3) 宥免　(4) 俚諺
(5) 拇指　(6) 菽水
(7) 臂膊　(8) 鳳兒
(9) 星霜　(10) 而立
(11) 豪奢　(12) 賄賂
(13) 涵養　(14) 諂諛
(15) 猜毁　(16) 耕耘
(17) 剖檢　(18) 謚號
(19) 扼腕　(20) 嫁娶
(21) 平坦　(22) 垢秕
(23) 暈輪　(24) 翠屛
(25) 驕佚　(26) 粗服
(27) 陶窯　(28) 鐵棒
(29) 辛辣　(30) 捲簾
(31) 鴛鴦　(32) 滲透
(33) 煎餠　(34) 鸞鳥
(35) 瞳孔　(36) 衲衣
(37) 旗幟　(38) 看做
(39) 交驩　(40) 萃集
(41) 波濤　(42) 粹然
(43) 詛呪　(44) 脊椎
(45) 纖芥　(46) 溢柿
(47) 昆孫　(48) 稗官
(49) 搔爬　(50) 頒給

[問 1~50] 위 漢字語 (1)~(50)의 讀音을 쓰시오.

[問 51~55] 위 漢字語 (1)~(5)의 뜻을 쉬운 우리말로 쓰시오.

(51) 呱呱 :
(52) 渠魁 :
(53) 宥免 :
(54) 俚諺 :
(55) 拇指 :

[問 56-60] 위 漢字語 (6)~(10)의 轉義(字義가 아님)를 쓰시오.

(56) 菽水 :
(57) 臂膊 :
(58) 鳳兒 :
(59) 星霜:
(60) 而立 :

※ 다음 漢字에 대하여 물음에 답하시오.

(61) 鸞　(62) 烙
(63) 詣　(64) 幅
(65) 愾　(66) 醯
(67) 擢　(68) 汗
(69) 玩　(70) 僭
(71) 鵲　(72) 辣
(73) 圃　(74) 銑
(75) 踊　(76) 燾
(77) 睹　(78) 諧
(79) 詰　(80) 葵
(81) 緻　(82) 倨
(83) 翔　(84) 嗅
(85) 拉　(86) 缸
(87) 芻　(88) 鈺
(89) 虔　(90) 銜
(91) 聾　(92) 膈

[問 61~92] 위 漢字(61~92)의 訓·音을 쓰시오.

[問 93~102] 위 漢字 (83)~(92)의 部首를 쓰시오.

(93) 翔　(94) 嗅　(95) 拉
(96) 缸　(97) 芻　(98) 鈺
(99) 虔　(100) 銜　(101) 聾
(102) 膈

※ 다음 글을 읽고 물음에 답하시오.

흰개미는 많게는 수백만 마리의 개체들이 모여 사회생활을 하며, 둥지를 만든다는 점에서 개미와 같을 뿐 개미류는 아닙니다. 흰개미는 단단한 피부[103]가 없어서 외부 기온의 변화에 대응하지 못합니다.
마치 인큐베이터 속에 든 미숙아[104]처럼 일정한 습도[105]와 온도가 유지되는 환경[106]이 아니면 살아갈 수 없습니다. 외부의 기후변화에 영향을 받지 않는 장치[107]를 마련하는 것이 생존의 관건[108]인 셈이죠. 그림에서 보다시피 흰개미 둥지는 대략 지하실, 둥지방, 다락방, 외벽[109] 채널로 이루어져 있습니다.
그러면 이제 둥지에서 공기가 순환[110]되는 과정을 알아봅시다. 편의상[111] 맨 아래 지하실에서부터 공기가 흘러간다고 보겠습니다. 지하실 위에 둥지방이 있는데, 여기에는 흰개미 방과 균실[112]이 있습니다. 이 균들은 흰개미들에게 서식처[113]를 제공받는 대가로 둥지 내부의 습도를 유지하는 데 중요한 역할[114]을 합니다.
둥지방 꼭대기에 아치 모양으로 생긴 공간이 바로 다락방입니다. 이 다락방에는 파이프같이 생긴 구멍들이 연결되어 있는데, 이것이 바로 외벽 채널입니다. 거의 수직으로 뻗어 있는 이 파이프들을 따라 내려오면 처음 출발했던 지하실에 도착하게 됩니다.
둥지 내의 공기는 이런 통로를 따라 순환하는데, 이 과정에서 온도변화가 일어납니다. 호흡[115]을 통해 배출[116]되는 탄산[117]가스의 농도[118] 변화도 주목할 만합니다. 흰개미는 이처럼 허약[119]한 생명체이지만, 에너지를 소비하는 냉난방 장치나 가습기[120]가 없어도 훌륭하게 생존해 나가고 있습니다.
기업[121]은행, 기술 기업에 연 3% 저금리 융자[122] 상품 판매. 장례[123]식장.
여자 염사[124] 다양 한 빈소[125]로 고객[126]에게 써비스.
정부, 고병원성 조류 인플루엔자 확산[127] 막기 위해 발생 지역 반경[128] 3km이내 모든 가금류[129] 살처분 매몰[130] 결정.
한국 첫 우주인 이소연씨, 과학 실험[131] 등 우주 임무 본격[132] 시작...오늘밤 육안으로 우주 정거장 관측[133] 가능. 주민등록 위장[134] 전입[135] 사건 즉각 원상 복구[136]. 중국산 항생제[137] 국산 둔갑. 환율시장 교란[138]행위 금지. 대법원, 부동산 팔려던 사람이 계약금을 받지 않았더라도 일방적인 계약 파기[139]를 할수 없음.
임금[140] 체불[141] 항의하다 폭행[142]으로 숨져.

[問 103-142] 윗글 밑줄 그은 漢字語를 漢字(正字)로 쓰시오.

(103) 피부 [ ] (104) 미숙아 [ ]
(105) 습도 [ ] (106) 환경 [ ]
(107) 장치 [ ] (108) 관건 [ ]
(109) 외벽 [ ] (110) 순환 [ ]
(111) 편의상 [ ] (112) 균실 [ ]
(113) 서식처 [ ] (114) 역할 [ ]
(115) 호흡 [ ] (116) 배출 [ ]
(117) 탄산 [ ] (118) 농도 [ ]
(119) 허약 [ ] (120) 가습기 [ ]
(121) 기업 [ ] (122) 융자 [ ]
(123) 장례 [ ] (124) 염사 [ ]
(125) 빈소 [ ] (126) 고객 [ ]
(127) 확산 [ ] (128) 반경 [ ]
(129) 가금류 [ ] (130) 매몰 [ ]
(131) 실험 [ ] (132) 본격 [ ]
(133) 관측 [ ] (134) 위장 [ ]
(135) 전입 [ ] (136) 복구 [ ]
(137) 항생제 [ ] (138) 교란 [ ]
(139) 파기 [ ] (140) 임금 [ ]
(141) 체불 [ ] (142) 폭행 [ ]

[問 143-147] 윗글 밑줄 그은 漢字語 [103-142] 가운데서 첫소리가 '긴소리' 인것을 5개만 가려 그 번호를 쓰시오.

(143) [ ] (144) [ ]
(145) [ ] (146) [ ]
(147) [ ]

[問 148-152] 다음에서 첫소리가 '긴소리'인것을 그 번호로 답하시오.

(148) ① 姨姪 ② 懸隔 ③ 蹉跌 ④ 述懷
(149) ① 御殿 ② 鴛鴦 ③ 芭蕉 ④ 滯陣
(150) ① 貪虐 ② 寃獄 ③ 媒婆 ④ 燦爛
(151) ① 辨濟 ② 虞犯 ③ 槿域 ④ 胸廓
(152) ① 頹惰 ② 稗官 ③ 牡桂 ④ 殊勳

[問 153-162] 다음 同音異義語를 구별하여 正字로 쓰시오.

○비등 (153) [ ] 비교하여볼때 서로 비슷함
(154) [ ] 높이 날아오름

○소진 (155) [ ] 사라져 없어짐
(156) [ ] 다 타서 없어짐

○기아 (157) [ ] 버려진 아이
(158) [ ] 굶주림

○낙관 (159) [ ] 인생과 세상을 좋고 즐거운 것으로 봄
(160) [ ] 글씨나 그림에 작가가 자신의 이름이나아호를쓰고도장을찍는일

○기적 (161) [ ] 증기를 내뿜는 힘으로 소리가 나게하는 장치
(162) [ ] 사람의힘으로할수없는신기한일

[問 163-166] 다음 漢字의 略字는 正字로, 正字는 略字로 쓰시오.

(163) 寧 (164) 径 (165) 挿
(166) 痴

[問 167-176] 反對字로 結合된 漢字語가 되도록 [167-171], 反對語로 對立이 되도록 [172-176] ( )안에 漢字를 쓰시오.

(167) 嫡 ↔ ( ) (168) 燥 ↔ ( )
(169) ( ) ↔ 嫁 (170) 陟 ↔ ( )
(171) 呑 ↔ ( ) (172) 原型 ↔ ( )
(173) 卑怯 ↔ ( ) (174) 降臨 ↔ ( )
(175) 曇天 ↔ ( ) (176) ( ) ↔ 陷沒

[問 177-186] 類義(같은 뜻) 字로 結合된 漢字語가 되도록 [177-181]. 類義語로 짝이 되도록 [182-186] ( )안에 漢字를 쓰시오.

(177) ( ) - 殼 (178) 奢 - ( )
(179) ( ) - 擦 (180) 蒙 - ( )
(181) ( ) - 幣 (182) 異域 - ( )
(183) 情趣 - ( ) (184) 刹那 - ( )
(185) ( ) - 逍遙 (186) ( ) - 束縛

[問 187-196] 다음 〈例〉의 뜻을 참고하여 아래의 四字(故事)成語를 완성하시오.

〈例〉

○ 사물의 경중, 선후, 완급 따위가 바뀜
○ 아무 쓸모없는 사람
○ 생명에 위험이 닥침
○ 물가가 치솟음
○ 강자들 틈에서 고초를 겪음
○ 몸을 의탁할곳이 없음
○ 남의 말만 믿고 아는체함
○ 자리를 자주 옮기며 바쁘게 활동함
○ 끈기있게 노력하면 큰 일을 이룸
○ 몹시 놀라 넋을 잃음
(★순서대로가 아님)

(187) 釜( )之( )
(188) ( )客( )倒
(189) 米( )薪( )
(190) 矮子( )( )
(191) ( )( )無托
(192) 磨斧( )( )
(193) ( )架( )囊
(194) 魂( )魄( )
(195) 鯨( )蝦( )
(196) 席( )暇( )

[問 197-200] 다음 四字(故事)成語를 완성하시오.

(197) ( )( )三絶 (198) 天藏( )( )
(199) ( )( )架屋 (200) 出將( )( )

예상문제 정답

1회

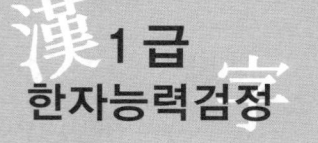

1. 만환 2. 요대 3. 자훈 4. 분식 5. 고비
6. 폐부 7. 지음 8. 파경 9. 황구 10. 호서
11. 여민 12. 간곡 13. 게송 14. 분속 15. 궤봉
16. 애급 17. 부복 18. 포괄 19. 욕조 20. 간특
21. 견비 22. 급랑 23. 오자 24. 조우 25. 요애
26. 환해 27. 관곽 28. 홍조 29. 주촉 30. 기찰
31. 박흡 32. 마구 33. 무격 34. 애매 35. 해학
36. 채단 37. 구학 38. 포복 39. 박살 40. 팽윤
41. 옥섬 42. 기면 43. 연품 44. 겁나 45. 종적
46. 혜계 47. 강인 48. 시법 49. 천식 50. 현혹

51. 둥근 모양, 둥근 물건
52. 너그러이 용서함
53. 어머님의 가르침
54. 사실을 숨기고 거짓으로 꾸밈
55. 죽은 아버지와 어머니
56. 마음의 깊은 속
57. 마음이 서로 통하는 친한 벗
58. 부부의 금슬이 좋지 아니하여 이별하는 일
59. 어린아이를 이르는 말
60. 간사하고 못된 무리

61. 기를 사 62. 논박할 박 63. 황홀할 홀
64. 버틸 탱 65. 뵈올 근 66. 기 치
67. 시기할 시 68. 꾸밀 날 69. 둑 언
70. 망치/등골 추 71. 순박할 박 72. 살필 체
73. 섞일 답 74. 꾸짖을 핵 75. 꼭두각시 뢰
76. 턱 악 77. 찧을 도 78. 단술 례
79. 섬 도 80. 붙을 점 81. 열반 녈
82. 화약 초 83. 모일/떨기 총 84. 아름다울 가
85. 맏 곤 86. 가마 부 87. 버선 말
88. 부러워할 선 89. 드물 한 90. 엄습할 습
91. 부을 창 92. 참새 작

93. 又 94. 口 95. 日 96. 金 97. 衣
98. 羊 99. 网 100. 衣 101. 肉 102. 隹

103. 千態萬象 104. 部落 105. 背馳 106. 衛生的
107. 奢侈 108. 公會堂 109. 旅館 110. 沐浴湯
111. 郵遞局 112. 金融 113. 機官 114. 鬣
115. 園藝 116. 牧畜 117. 菜蔬園 118. 果樹園
119. 桑園 120. 造林 121. 治山 122. 治水
123. 排水 124. 經營 125. 器具 126. 習慣
127. 模範村 128. 依據 129. 相互 130. 嫉視
131. 憎惡 132. 恨歎 133. 山莊 134. 看板
135. 微笑 136. 淸淨 137. 呵責 138. 混濁
139. 不淨 140. 淳朴,醇朴 141. 泰平 142. 昌盛

143~147. 105, 109, 117, 118, 120, 132, 137, 138중 택 5개

148. ④ 149. ④ 150. ① 151. ② 152. ③
153. 端正 154. 端整 155. 報償 156. 補償 157. 聖殿
158. 聖戰 159. 眞否 160. 陳腐 161. 留學 162. 儒學
163. 寿 164. 台 165. 胆 166. 壹 167. 陰
168. 疏 169. 取 170. 彼 171. 背 172. 青眼視

173. 庶子 174. 過激 175. 添加 176. 愛好
177. 塞 178. 悚 179. 飾, 裝 180. 合
181. 飛 182. 書簡 183. 分毫 184. 雄圖
185. 西洋 186. 相思病 187. 頭, 尾 188. 舌, 芒
189. 中, 之 190. 窮, 莫 191. 肝, 臂 192. 吐, 髮
193. 重, 來 194. 食, 豆 195. 人, 口 196. 頭, 勢
197. 柱, 瑟 198. 顚, 倒 199. 虛, 靈 200. 反, 孝

2회

1. 자돈 2. 아취 3. 난가 4. 야장 5. 개벽
6. 청안시 7. 파과 8. 피간담 9. 호도 10. 도비
11. 감벽 12. 신루 13. 탄로 14. 간방 15. 묵도
16. 괄취 17. 연통 18. 갈환 19. 첩약 20. 굉활
21. 가책 22. 전몰 23. 호미 24. 일혈 25. 석호
26. 후각 27. 과립 28. 수뇨관 29. 천횡 30. 수립
31. 척서 32. 발수 33. 급서 34. 추할 35. 오류
36. 방황 37. 횡단 38. 괄호 39. 정박 40. 완미
41. 사소 42. 융복 43. 분사 44. 작약 45. 묘막
46. 날조 47. 이사 48. 기부 49. 인대 50. 대수

51. 새끼 돼지
52. 아담한 정취
53. 연(輦)
54. 대장장이
55. 새로운 시대가 열림을 비유하는 말
56. 달갑게 여기거나 환대하여 봄
57. 여자나이 15~16세
58. 서로 속마음을 털어놓고 친하게 지냄
59. 일시적으로 우물쭈물하여 덮어버림
60. 서울과 시골

61. 홀어미 상 62. 맺을 뉴 63. 긁을 소
64. 달릴 치 65. 무게이름 일 66. 샐 설
67. 속일 궤 68. 농막집 려 69. 불탄끝 신
70. 산호 산 71. 유황 류 72. 솟을 용
73. 홀아비 환 74. 겁낼 겁 75. 썩을 후
76. 밝을 황 77. 밥 찬 78. 성할 치
79. 흙덩이 괴 80. 후릴 괴 81. 여울 탄
82. 황달 달 83. 섣달 랍 84. 서로 서
85. 초목 훼 86. 기와가마 요 87. 마칠 필
88. 굴레 륵 89. 무리 휘 90. 별 태
91. 거듭 첩 92. 새알 단

93. 肉 94. 肉 95. 十 96. 穴 97. 田
98. 力 99. 彐 100. 口 101. 田 102. 虫

103. 滯症 104. 損失 105. 燃料 106. 消耗
107. 排氣 108. 環境 109. 汚染 110. 威脅
111. 擴充 112. 尖端 113. 沒頭 114. 電子
115. 構築 116. 劃期的 117. 反影,反映 118. 圓滑
119. 疏通 120. 衝突 121. 密度 122. 液體
123. 奴隷 124. 慰安婦 125. 滿潮 126. 暴炎
127. 堤防 128. 築臺 129. 取得 130. 保有
131. 提携 132. 果汁 133. 勸獎 134. 冷藏
135. 衛生 136. 素材 137. 觸角 138. 感性
139. 嗜好 140. 閉鎖 141. 交涉 142. 決裂

143~152. 104, 109, 114, 117, 125, 129, 130, 132, 133, 134, 136, 138, 139 중 택 10개

153. 維新 154. 遺臣 155. 旱害 156. 寒害 157. 恐懼
158. 工具 159. 老熟 160. 露宿 161. 女裝 162. 旅裝
163. 莖 164. 戯 165. 併 166. 災 167. 姑
168. 盾 169. 晴 170. 優 171. 骨 172. 秩序

173. 推仰 174. 險難 175. 遺失 176. 斬新
177. 謁 178. 煙 179. 芽 180. 改
181. 沒 182. 突變 183. 沒頭 184. 修理
185. 目擊 186. 連理枝 187. 左, 右 188. 常, 事
189. 心, 懷 190. 曲, 薪 191. 虎, 國 192. 光, 陰
193. 中, 物 194. 管, 中 195. 猶, 鬪 196. 百, 年
197. 沈, 舟 198. 水, 陣 199. 相, 依 200. 雲

예상문제 정답

3회

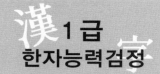

1. 당밀	2. 견적	3. 예용	4. 야영	5. 졸연
6. 효시	7. 회자	8. 고무	9. 포류질	10. 추낭
11. 규산	12. 권고	13. 완미	14. 자극	15. 흠휼
16. 매연	17. 당고	18. 흔적	19. 구토	20. 벽지
21. 군핍	22. 의장	23. 말살	24. 암둔	25. 광보
26. 음경	27. 괴려	28. 안마	29. 미부	30. 윤곽
31. 삽시	32. 박살	33. 번방	34. 곤포	35. 견책
36. 선초	37. 해부	38. 과립	39. 경연	40. 보초
41. 죽순	42. 나졸	43. 주륙	44. 앙분	45. 신문
46. 절편	47. 침식	48. 포정	49. 근친	50. 흔쾌

51. 사탕수수, 사탕무의 즙액
52. 죄를 물어 귀양살이 보냄
53. 예절바른 태도
54. 천막 따위를 치고 야외에서 잠
55. 갑작스러움
56. 온갖 사물의 맨 처음
57. 칭찬을 받으며 사람의 입에 자주 오르내림
58. 격려하여 힘을 내도록 함
59. 병에 잘 걸리기 쉬운 약한 체질
60. 뛰어난 인재

61. 헛보일 환	62. 명주 주	63. 글방 숙
64. 키 타	65. 좁을 애	66. 도울 방
67. 만두 만	68. 늦을 안	69. 쥘 악
70. 막대 봉	71. 갚을 수	72. 두드릴 고
73. 기울 납	74. 호탕할 탕	75. 나무끝 초
76. 묻힐 인	77. 가루 설	78. 티끌 애
79. 높은집 방	80. 뚫을 찬	81. 문서 첩
82. 예언 참	83. 대머리 독	84. 굳을 공
85. 대궐 신	86. 어그러질 괴	87. 흰흙 악
88. 다음날 익	89. 길들일 순	90. 좀먹을 식
91. 끌 예	92. 내칠 출	

93. 禾	94. 革	95. 宀	96. 丿	97. 土
98. 羽	99. 馬	100. 虫	101. 日	102. 黑

103. 沿岸	104. 製錬	105. 水葬	106. 滿潮
107. 打撲傷	108. 沈滯	109. 浸透	110. 掃蕩
111. 凍傷	112. 迫害	113. 搜索	114. 連帶
115. 席卷, 席捲	116. 氾濫	117. 恐龍	118. 密輸犯
119. 攝取	120. 脚光	121. 雌雄	122. 僑民
123. 預託金	124. 排斥	125. 驅步	126. 驅使
127. 燦爛	128. 違憲	129. 相衝	130. 潛水艦
131. 遮陽	132. 浮浪	133. 擔保	134. 靜脈
135. 滯留	136. 月桂冠	137. 潤滑	138. 隆盛
139. 拜謁	140. 膠着	141. 精製	142. 掛念

143~152. 104, 106, 107, 110, 111, 117, 127, 137, 139, 142

153. 附設	154. 敷設	155. 思慕	156. 師母	157. 哀戀
158. 愛戀	159. 獵期	160. 獵奇	161. 長途	162. 粧刀
163. 舖	164. 総	165. 蠶	166. 桑	167. 肉
168. 美	169. 考	170. 脚	171. 疏	172. 安定
173. 下落	174. 統一	175. 儉素	176. 貫徹	177. 寫
178. 吐	179. 伴	180. 拔	181. 助	182. 尾行
183. 獨占	184. 夢想	185. 中傷	186. 未曾有	187. 荷, 杖

188. 著, 糞	189. 矛, 盾, 自, 家	190. 狗, 尾	191. 上, 氣
192. 殺, 人	193. 亡, 羊	194. 狐, 鼠	195. 一, 飯
196. 三, 窟	197. 借, 廳	198. 卵, 破	199. 勞, 心
200. 彈, 琴			

4회

1. 침전	2. 흉금	3. 염라	4. 구고	5. 기호
6. 정수	7. 주마등	8. 뇌롱	9. 풍촉	10. 산수
11. 편협	12. 조소	13. 유린	14. 강장	15. 저통
16. 소구	17. 사력	18. 공고	19. 폐현	20. 결벽
21. 조시	22. 반백	23. 예색	24. 오뇌	25. 농아
26. 간택	27. 담즙	28. 두견	29. 잉부	30. 액살
31. 급살	32. 예덕	33. 탁용	34. 청담	35. 진지
36. 흔적	37. 교목	38. 방어	39. 늠렬	40. 소요
41. 경질	42. 기구	43. 거장	44. 모해	45. 능상
46. 성함	47. 곤상	48. 징밀	49. 열반	50. 희준

51. 액체속에 있는 미세한 고체가 가라앉음
52. 가슴속에 품은 생각
53. 염라대왕
54. 시부모(媤父母)
55. 즐기고 좋아함
56. 사물의 가장 중심이 되는 요점
57. 무엇이 언뜻 언뜻 지나감의 비유
58. 농락(籠絡)
59. 매우 위급한 상황
60. 80세

61. 넘칠 창	62. 개펄 석	63. 암초 초
64. 장 장	65. 막을 어	66. 게으를 권
67. 공장 창	68. 도금할 도	69. 가슴 응
70. 누애 잠	71. 사탕수수 자	72. 소쿠리 단
73. 황홀할 황	74. 몽둥이 곤	75. 잡을 액
76. 노려볼 탐	77. 부고 부	78. 준마 준
79. 울부짖을 후	80. 넓적다리 퇴	81. 술빚을 양
82. 거칠 조	83. 긁을 파	84. 이를 숙
85. 씨 위	86. 낚싯대 간	87. 바를 광
88. 풀칠할 호	89. 죽을 폐	90. 수레 여
91. 사귈 효	92. 복희 희	

93. 爪	94. 夕	95. 糸	96. 竹	97. 匸
98. 米	99. 支	100. 車	101. 爻	102. 羊

103. 墮落	104. 古墳	105. 培養	106. 指揮
107. 敷設	108. 威脅	109. 描寫	110. 航空
111. 爆擊	112. 汚染	113. 殆半	114. 窮極
115. 抵抗	116. 逐出	117. 震恐	118. 炭化
119. 渡涉	120. 均衡	121. 盲目	122. 道具
123. 語彙	124. 變遷	125. 官祿	126. 滿喫
127. 店鋪	128. 掌握	129. 排擊	130. 挿入

131~140. 103, 105, 110, 115, 118, 119, 122, 124, 127, 128

141. 逮捕	142. 模形, 模型	143. 要塞
144. 派遣	145. 崇尙	146. 俸給
147. 堪當	148. 紊亂	149. 統制
150. 騷音	151. 騎兵	152. 敬虔
153. 虐待	154. 鶴帶	155. 幹事
156. 奸邪	157. 改訂	158. 開廷
159. 耐震	160. 來診	161. 微震
162. 微塵	163. 蓋	164. 剣
165. 脈	166. 県	167. 枯
168. 銳	169. 吸	170. 箸
171. 奴	172. 扶桑	173. 勤勉
174. 遠隔	175. 緊張	176. 快勝
177. 乖	178. 苛 / 慘	179. 邪
180. 快	181. 報	182. 沿革
183. 周旋	184. 燃眉	185. 領土
186. 制壓	187. 不, 辨	188. 阿, 鼻
189. 負, 薪	190. 惡, 食	191. 死, 悲
192. 出, 反	193. 金, 珠	194. 誅, 求
195. 西, 走	196. 刺, 在	197. 擇, 木
198. 扶, 弱	199. 孤, 節	200. 討, 論

예상문제 정답

5회

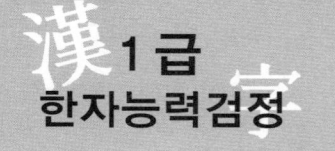

1. 칙지 2. 묘령 3. 비복 4. 효득 5. 횡재
6. 구수 7. 권여 8. 요람 9. 박차 10. 신금
11. 도박 12. 부신 13. 갱읍 14. 저작 15. 준주
16. 유쾌 17. 격소 18. 족자 19. 궁과 20. 부종
21. 풍요 22. 간택 23. 포상 24. 조박 25. 엄습
26. 인대 27. 퇴이 28. 이약 29. 가상 30. 궤양
31. 구수 32. 용훼 33. 조간 34. 첩징 35. 정밀
36. 갈색 37. 경건 38. 관개 39. 황달 40. 처량
41. 앵순 42. 개유 43. 애무 44. 점막 45. 전주
46. 배심 47. 자비 48. 시호 49. 호협 50. 향도

51. 임금의 명령(勅命)
52. 여자의 스물 안팎의 나이
53. 계집종과 사내종
54. 깨달아 앎
55. 뜻밖에 재물을 얻음
56. 여럿이 머리를 맞댐
57. 사물의 시초
58. 사물이 발달하기 시작한 처소나 시기
59. 어떤 일을 촉진하기 위해 더하는 힘
60. 임금의 마음

61. 옥 어 62. 지팡이 장 63. 교활할 활
64. 돼지 돈 65. 불꺼질 식 66. 엮을 철
67. 씌울 투 68. 펼 터 69. 아름다울 휴
70. 벗길 박 71. 성(姓)/보리 모 72. 쉴 헐
73. 자랑할 현 74. 거스를 패 75. 참소할 참
76. 샘 선 77. 기장 서 78. 반계 반, 번
79. 멋대로할 천 80. 터 허 81. 허물 자
82. 피 직 83. 대추 조 84. 혹 췌
85. 두드릴 고 86. 밤(夜) 소 87. 볼기 둔
88. 자라 별 89. 산기슭 록 90. 성길 소
91. 다 실 92. 모자랄 핍

93. 木 94. 貝 95. 口 96. 宀 97. 肉
98. 黽 99. 鹿 100. 疋 101. 心 102. 丿

103. 萬邦 104. 宣言 105. 鮮明 106. 革命
107. 唱導 108. 自決 109. 好應 110. 莊嚴
111. 思潮 112. 聯合軍 113. 樹立 114. 雄心
115. 獨立 116. 嚴肅 117. 峻嚴 118. 侵略, 侵掠
119. 罪科 120. 克明 121. 敍述 122. 讚歌
123. 沮止 124. 抑制 125. 遺物 126. 强權
127. 有史 128. 心靈 129. 障礙 130. 新銳
131. 大潮流 132. 寄與 133. 目前 134. 展開
135. 研磨 136. 曙光 137. 透射 138. 催促
139. 變造 140. 忌憚 141. 保全 142. 發揮

143~152. 103, 107, 119, 121, 127, 132, 133, 135, 136, 139, 141 중 택 10개

153. 御使 154. 御賜 155. 柔道 156. 誘導 157. 脫毛
158. 脫帽 159. 快諾 160. 快樂 161. 沈水 162. 寢睡
163. 鹽 164. 肅, 粛 165. 隨 166. 变 167. 閑
168. 淨 169. 清 170. 讚 171. 雄 172. 否定
173. 達辯 174. 相生 175. 類似 176. 必然 177. 謗
178. 痲 179. 且 180. 險 181. 忌 182. 流浪
183. 盡力 184. 隱蔽 185. 支配 186. 問責 187. 千, 里

188. 井, 先 189. 蓋, 事 190. 縱, 七 191. 寒, 一
192. 康, 煙 193. 口, 策 194. 長, 善 195. 雀, 羅
196. 隔, 靴 197. 宰, 相 198. 奪, 胎 199. 有, 益
200. 鬪, 狗

6회

1. 폭주 2. 준삭 3. 단념 4. 저돌 5. 억설
6. 도남 7. 동곽리 8. 남상 9. 단말마 10. 서슬
11. 인화 12. 범주 13. 휘황 14. 거금, 갸금 15. 활엽
16. 적선 17. 은둔 18. 감처 19. 방황 20. 용모
21. 어하 22. 치루 23. 담징 24. 췌사 25. 훤소
26. 모호 27. 황홀 28. 짐작 29. 아령 30. 완연
31. 미흡 32. 사치 33. 공손 34. 화첩 35. 소적
36. 혼연 37. 폭주 38. 소묘 39. 경간 40. 섬라
41. 체청 42. 척구 43. 도태 44. 반포 45. 작발
46. 교월 47. 산적 48. 감동 49. 어로 50. 교오

51. 비가 별안간 몹시 쏟아짐
52. 일정한 달수가 참
53. 정성스런 마음
54. 앞뒤를 생각함이 없이 돌진함
55. 근거도 없이 억지로 우겨대는 말
56. 큰사업을 계획하고 있음
57. 매우 가난함
58. 사물의 시초
59. 숨이 끊어질때의 고통
60. 일반백성들

61. 굴대 축 62. 콩 잎/미역 곽 63. 아낄 린
64. 맑을 징 65. 밟을 태 66. 낯출 폄
67. 돼지 저 68. 미끄러질 차 69. 새길 조
70. 가는대(小竹) 족 71. 얼레빗 소 72. 이삭 수
73. 차꼬 질 74. 노닐 소 75. 여울 단
76. 쇠망치 추 77. 미꾸라지 추 78. 숨찰 천
79. 항문 항 80. 그믐 회 81. 걸릴 리
82. 모을 찬 83. 용서할 사 84. 개천 거
85. 떨릴 긍 86. 시원할 상 87. 투구 두
88. 대궐섬돌 폐 89. 입술 순 90. 수컷 모
91. 모날/법 구 92. 오랑캐 이

93. 赤 94. 水 95. 儿 96. 爻 97. 儿
98. 阜 99. 肉 100. 牛 101. 矢 102. 大

103. 高額券 104. 貨幣 105. 切下 106. 錯視
107. 輸出 108. 機關車 109. 投資 110. 負債
111. 換率 112. 障壁 113. 鈍化 114. 壯談
115. 總裁 116. 通貨 117. 金融 118. 混亂
119. 慣行 120. 弊習 121. 賂物 122. 透明
123. 腐敗 124. 洗濯 125. 追跡 126. 鑛物
127. 獨占 128. 探査權 129. 確保 130. 貿易
131. 收支 132. 空港 133. 障礙(碍) 134. 發券
135. 再開發 136. 持分 137. 分讓權 138. 投機
139. 嫌疑者 140. 爆彈 141. 眞僞 142. 攻防

143~152. 104, 110, 111, 114, 115, 118, 119, 120, 123, 124 126, 130, 135 중 택 10개

153. 橫財 154. 橫災 155. 甘受 156. 減壽 157. 巧詐
158. 敎唆 159. 報酬 160. 補修 161. 連敗 162. 連覇
163. 纖 164. 渊 165. 濕 166. 漆 167. 衆
168. 醒 169. 裏 170. 賢, 智 171. 寤 172. 持續

173. 歸納 174. 着陸 175. 絶讚 176. 榮轉
177. 奴 178. 弱 179. 潭 180. 濫
181. 敏 182. 天賦 183. 碧空 184. 滯留
185. 期待 186. 休息 187. 沐, 雨 188. 然, 致
189. 門, 斧 190. 搔, 痒 191. 投, 斷 192. 衣, 行
193. 長, 短 194. 老, 同 195. 前, 後 196. 穿, 石
197. 遺, 臭 198. 晝, 夜(晴, 雨) 199. 傲, 孤 200. 猶, 鬪

예상문제 정답

7회

1. 악골 2. 당로 3. 뇌장 4. 매삭 5. 초열
6. 형극 7. 용훼 8. 옥루 9. 삼사 10. 연미
11. 경추 12. 췌안 13. 고율 14. 귤과 15. 독필
16. 와류 17. 나례 18. 조율 19. 겁운 20. 우의
21. 경로 22. 응수 23. 고질 24. 시비 25. 지곡
26. 맥박 27. 곤장 28. 가렴 29. 낙오 30. 선혹
31. 궤봉 32. 부가 33. 태권 34. 경륜 35. 창기
36. 박휘 37. 유린 38. 합자 39. 공막 40. 터회
41. 첨고 42. 포효 43. 마애 44. 포경 45. 옹박
46. 해부 47. 질곡 48. 혼백 49. 송계 50. 교수

51. 턱뼈
52. 정권을 잡음
53. 뇌척수액
54. 다달이, 매월
55. 타는듯한 더위
56. 고난
57. 간섭하여 말 참견을 함
58. 사람이 보이지 않는 곳
59. 맹자의 어머니가 맹자의 교육환경을 위해 세번씩이나 이사한 일
60. 매우 위급한 상황

61. 검을 려 62. 뇌물 뢰 63. 찔 증
64. 소라 라 65. 네거리 구 66. 아가위 당
67. 동경할 동 68. 소용돌이 와 69. 슬퍼할 도
70. 나약할 나 71. 물솟을 용 72. 벗을 라
73. 찡그릴 빈 74. 쇠젖 락 75. 매 응
76. 고울 염 77. 그림족자 정 78. 거를 려
79. 성낼 효 80. 오를 척 81. 살 기
82. 던질 척 83. 낱 매 84. 등마루 척
85. 찰 름 86. 훔칠 절 87. 봉새 봉
88. 어리석을 매 89. 햇살치밀 섬 90. 갖은한 일
91. 병 병 92. 병장기 융

93. 木 94. 肉 95. 冫 96. 穴 97. 鳥
98. 口 99. 日 100. 士 101. 瓦 102. 戈

103. 干涉 104. 折衷案 105. 素服 106. 奴隷
107. 秒針 108. 賦稅 109. 磨滅 110. 準據
111. 欺罔 112. 奉唱 113. 丘陵 114. 慘劇
115. 銅版 116. 結核 117. 斥候兵 118. 抛棄
119. 糖尿病 120. 裏書 121. 調書 122. 租稅
123. 播種 124. 結膜炎 125. 制御 126. 埋沒
127. 起訴 128. 望遠鏡 129. 溫突房 130. 擁護
131. 强壯 132. 狂亂 133. 服役 134. 撤廢
135. 魅惑 136. 賜死 137. 鬱蒼 138. 圖謀
139. 渡航 140. 謀陷 141. 奇拔 142. 寄附

143~152. 105, 108, 110, 112, 118, 120, 128, 130, 136, 139

153. 結晶 154. 決定 155. 合掌 156. 合葬 157. 弄談
158. 濃淡 159. 伯叔 160. 白熟 161. 素朴 162. 疏薄
163. 攝 164. 峽 165. 遷 166. 處 167. 首, 頭
168. 肥 169. 霜 170. 別 171. 收 172. 傲慢
173. 柔軟 174. 自由 175. 永劫 176. 受賂 177. 責
178. 廣 179. 掠 180. 博 181. 浪 182. 佳境
183. 無視 184. 迅速 185. 白眉 186. 流離 187. 入, 骨

188. 反, 哺 189. 扇, 爐 190. 落, 下 191. 暗, 明
192. 閉月 193. 南, 北 194. 儒, 書 195. 矯, 枉
196. 項, 懸 197. 亡, 寒 198. 炭, 苦 199. 聚, 螢
200. 有, 悔

8회

1. 함륵 2. 궤변 3. 형창 4. 단아 5. 부서
6. 솔토 7. 장사진 8. 절각 9. 현량 10. 편달
11. 억측 12. 이완 13. 악벽 14. 결박 15. 실개
16. 옹졸 17. 사괘 18. 조갑 19. 해후 20. 풍자
21. 무마 22. 필봉 23. 지간 24. 구극 25. 역도
26. 함정 27. 비열 28. 터득 29. 야유 30. 천명
31. 개선 32. 요초 33. 엄각 34. 함송 35. 눌변
36. 묘예 37. 보답 38. 폄적 39. 홍곡 40. 패사
41. 삼설 42. 홍합 43. 사화 44. 한선 45. 창우
46. 밀랍 47. 도참 48. 규곽 49. 질축 50. 지척

51. 재갈
52. 이치에 맞지 아니한것을 억지로 꾸며대는 말
53. 학문을 닦는 곳, 공부하는 방의 창
54. 단정하고 아담함
55. 남편
56. 온나라의 영토 안
57. 많은 사람이 줄을 지어 늘어선 모양
58. 상대방의 기세를 누르거나 콧대를 납작하게 만듬
59. 졸음을 극복하고 열심히 공부함
60. 타이르고 격려함

61. 노할 발 62. 합(盒) 합 63. 뜸 구
64. 맞을 요 65. 누를 날 66. 헐 양
67. 가마 련 68. 부술 쇄 69. 사진찍을 촬
70. 푸를 취 71. 꽂을 삽 72. 놋쇠 유
73. 사기그릇 자 74. 소매 메 75. 발(簾) 박
76. 밝힐 천 77. 방탕할 탕 78. 당길 만
79. 그을음 매 80. 명아주 래 81. 곁눈질할 면
82. 승냥이 시 83. 보루 루 84. 돌 알
85. 번쩍일 섬 86. 국 갱 87. 솔개 연
88. 목책 채 89. 검을 려 90. 아기밸 배
91. 팔찌 천 92. 쥐 서

93. 土 94. 斗 95. 門 96. 羊 97. 鳥
98. 宀 99. 黍 100. 肉 101. 金 102. 鼠

103. 宣敎 104. 驚愕 105. 人質 106. 釋放
107. 後送 108. 元老 109. 軍基地 110. 軍醫官
111. 看護 112. 將校 113. 診察 114. 宥和策
115. 拒否 116. 自爆 117. 配置 118. 抑留
119. 檢擧 120. 拍車 121. 追跡 122. 傳單
123. 撒布 124. 促求 125. 被拉者 126. 膠着
127. 犧牲 128. 奇襲 129. 攻擊 130. 堪當
131. 蠻行 132. 糾彈 133. 殘虐 134. 協商
135. 難航 136. 讓步 137. 本據地 138. 掃蕩
139. 示唆 140. 關件 141. 捕虜 142. 折衷案

143~152. 107, 112, 113, 115, 117, 119, 125, 132, 136, 141

153. 宗廟 154. 種苗 155. 點燈 156. 漸騰 157. 槪觀
158. 開館 159. 致富 160. 置簿 161. 虎威 162. 護衛
163. 証 164. 篭 165. 靈 166. 缺 167. 功
168. 廣 169. 叔 170. 盾 171. 賞 172. 長壽

173. 瓦全 174. 確然 175. 抑制 176. 消燈
177. 怠 178. 欺 179. 瀉 180. 騷
181. 憤 182. 情勢 183. 他界 184. 營養
185. 俗世 186. 未熟 187. 子, 心 188. 家, 妻
189. 馬, 都 190. 無, 病 191. 背, 毛 192. 甘, 苦
193. 穿, 珠 194. 畵, 中 195. 前, 車 196. 相, 對
197. 添, 花 198. 琴, 瑟 199. 花, 月 200. 顚百,折

漢 1급 한자능력검정

예상문제 정답

9회

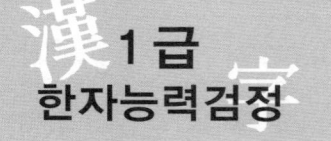

1. 동체　2. 비수　3. 삭풍　4. 부소　5. 초일
6. 마각　7. 동선　8. 안가　9. 반수　10. 일축
11. 수제　12. 품고　13. 건숙　14. 요람　15. 갹(거)음
16. 편달　17. 흉격　18. 굴착　19. 근조　20. 포기
21. 간신　22. 조락　23. 낙타　24. 안찰　25. 총론
26. 박살　27. 체루　28. 구척　29. 좌절　30. 안정
31. 기만　32. 백반　33. 각건　34. 균점　35. 청자
36. 방대　37. 양탈　38. 타액　39. 복강　40. 완장
41. 개선　42. 경칩　43. 구나　44. 궤변　45. 견사
46. 답지　47. 착박　48. 해악　49. 주예　50. 훤화

51. 배, 비행기 따위의 몸통 부분
52. 날이 날카로운 단도
53. 겨울철의 북풍
54. 임금의 부름을 받고 나아옴
55. 초월. 일정한 영역이나 한계를 뛰어넘음
56. 숨기고 있던 일이나 정체가 부지중에 드러남
57. 때가 지나 쓸데 없이 된 것
58. 임금의 죽음
59. 81세
60. 단번에 거절하거나 물리침

61. 가게/펼 포　62. 옮길 사　63. 방울 탁
64. 도울 익　65. 구슬 경　66. 아이밸 잉
67. 겨 강　68. 새벽 서　69. 울릴 효
70. 담 도　71. 깃들일 서　72. 편지 첩
73. 빠를 신　74. 부를 빙　75. 무늬 현
76. 쪼갤 벽　77. 지라 비　78. 뇌물 뢰
79. 발랄할 랄　80. 칙서 칙　81. 터질 탄
82. 물집 포　83. 비웃을 치　84. 모을 찬
85. 팔뚝 박　86. 바지 고　87. 아득할 묘
88. 죽일 살　89. 펼 서　90. 울 고
91. 헤맬 방　92. 구기 작

93. 口　94. 糸　95. 肉　96. 衣　97. 木
98. 火　99. 舌　100. 口　101. 彳　102. 勹

103. 懷疑　104. 離脫　105. 穩健　106. 一貫
107. 總督府　108. 囑託　109. 上海　110. 派遣
111. 勸誘　112. 逮捕　113. 監獄　114. 植民地
115. 轉落　116. 反逆(叛逆)者　117. 封建的　118. 樹立
119. 筆鋒　120. 推仰　121. 變節　122. 神社
123. 違憲　124. 訴訟　125. 棄却　126. 裁判
127. 浮上　128. 兆朕　129. 宣誓　130. 練兵
131. 耐震　132. 誕生　133. 彈壓　134. 酸性
135. 開幕　136. 結球　137. 苦楚　138. 朗誦
139. 露骨的　140. 萬頃　141. 臨迫　142. 魅了

143~152. 105, 107, 111, 115, 116, 121, 125, 130, 131, 132, 133, 138, 139, 140 중 택 10개

153. 留物　154. 遺物　155. 自愧　156. 自壞　157. 化粧
158. 火葬　159. 過度　160. 過渡　161. 驅逐　162. 構築
163. 炉　164. 蠻　165. 蛍　166. 献　167. 易
168. 矢　169. 存　170. 俛　171. 抑　172. 親家
173. 榮光　174. 凝固　175. 公平　176. 暴露　177. 旗
178. 急　179. 軌　180. 福　181. 突　182. 贊助
183. 分別　184. 訪問　185. 細密　186. 處女林　187. 波, 重

188. 盲, 木　189. 門, 盜　190. 萬里　191. 子, 奮
192. 在, 鴻　193. 貪, 無　194. 龍　195. 狐
196. 蘭　197. 隱忍　198. 田,易,之　199. 公, 山
200. 粉, 骨

10회

1. 도선　2. 첨위　3. 전보　4. 매상　5. 반추
6. 상아탑　7. 실각　8. 영수　9. 해어화　10. 굴지
11. 고략　12. 긍휼　13. 경엽　14. 기생　15. 궁가
16. 고사　17. 도륙　18. 해태　19. 사미　20. 가상
21. 칭추　22. 설객　23. 촬영　24. 이종　25. 경골
26. 도열　27. 관아　28. 면양　29. 수집　30. 모색
31. 비유　32. 송구　33. 치매　34. 액완　35. 취약
36. 와상　37. 적첩　38. 가사　39. 공갈　40. 회굉
41. 완거　42. 구생　43. 규구　44. 염문　45. 번민
46. 희생　47. 예속　48. 조소　49. 장태　50. 잠흘

51. 나룻배
52. 여러분
53. 다른 관직에 보임됨
54. 먼동이 틀 무렵
55. 어떤 일을 되풀이하여 음미하거나 생각하거나 함
56. 속세를 떠나 오로지 학문이나 예술에만 잠기는 경지
57. 자리, 지위를 잃음
58. 여럿중의 우두머리
59. 미인을 이르는 말
60. 여럿 가운데서 손가락을 꼽아 셀만큼 뛰어남

61. 비칠 영　62. 버릴 연　63. 파낼 설
64. 물가 빈　65. 원숭이 저　66. 구덩이 참
67. 암초 초　68. 빠를 첩　69. 샘낼 투
70. 무너질 붕　71. 두꺼비 섬　72. 뿌릴 파
73. 나눌 반　74. 핍박할 핍　75. 아이밸 태
76. 묶을 괄　77. 아지랑이애　78. 꽃다울 형
79. 저울눈 추　80. 시집 시　81. 먹을 끽
82. 역(驛)마을 참　83. 기 휘　84. 솥 정
85. 몸 궁　86. 사랑할 총　87. 기름 방
88. 기릴 포　89. 무소 서　90. 풀무 야
91. 모을 수　92. 보낼 전

93. 麻　94. 鼎　95. 身　96. 宀　97. 肉
98. 衣　99. 牛　100. 冫　101. 艸　102. 食

103. 惹起　104. 併(倂)科　105. 迷路　106. 融和
107. 苦杯　108. 震動　109. 診療　110. 駐屯
111. 耽溺　112. 押留　113. 蠻勇　114. 抑揚
115. 繁昌　116. 纖細　117. 漏電　118. 殿堂
119. 奇蹟　120. 藏書　121. 甕器　122. 眼帶
123. 企圖　124. 零細　125. 營養　126. 陶醉
127. 論述　128. 宣告　129. 徵收　130. 懲役
131. 徵候　132. 郵遞局　133. 兌換　134. 流配
135. 鎔解　136. 愚弄　137. 僞裝　138. 飢餓
139. 讓渡　140. 模寫品　141. 廉恥　142. 頻度

143~152. 103, 104, 108, 109, 110, 117, 118, 121, 122, 139

153. 報道　154. 補導, 輔導　155. 查定　156. 射程　157. 民俗
158. 敏速　159. 銅像　160. 凍傷　161. 空砲　162. 恐怖
163. 乗　164. 巖　165. 籃　166. 貌　167. 弟
168. 勞　169. 昏　170. 早　171. 盛　172. 迎接

173. 優良　174. 淡 水　175. 優待　176. 解散
177. 飢　178. 賊, 盜　179. 餘　180. 邪
181. 漏　182. 不滅　183. 還甲　184. 寸土
185. 明晳　186. 冷情　187. 不, 遺　188. 之, 臣
189. 人, 夢　190. 雨, 後　191. 棋, 定　192. 樓, 去
193. 波, 丈　194. 哺, 腹　195. 縫, 策　196. 得, 水
197. 雀, 羅　198. 添, 花　199. 明, 珠　200. 頂, 門

예상문제 정답

11회

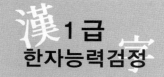

1. 한척　2. 염습　3. 연체　4. 진경　5. 질서
6. 즐우　7. 호리　8. 종무　9. 정담　10. 질곡
11. 영구　12. 독전　13. 서각　14. 굉침　15. 상패
16. 차질　17. 여염　18. 팽창　19. 유대　20. 인두
21. 터포　22. 찬정　23. 옹체　24. 집요　25. 숙사
26. 창규　27. 수숙　28. 만연　29. 혼돈　30. 계제
31. 괴팍　32. 가첩　33. 석권　34. 교반　35. 제수
36. 간악　37. 누설　38. 초췌　39. 매파　40. 착유
41. 휘쇄　42. 견사　43. 장갑　44. 왜구　45. 주렴
46. 협잡　47. 와형　48. 완벽　49. 안마　50. 부감

51. 빨래
52. 죽은 사람의 몸을 씻긴 뒤에 옷을 입히고 염포로 묶는 일
53. 정한기한에 약속을 지키지 못하고 지체함
54. 경련을 가라앉힘
55. 조카사위
56. 오랜 세월을 객지에서 방랑하며 온갖 고생을 다함
57. 매우 적은 양
58. 뒤를 이음
59. 세사람이 함께 의논함
60. 자유가 없는 고통스런 상태

61. 대자리 연　62. 여윌 척　63. 펼 부
64. 약제 제　65. 평탄할 탄　66. 노려볼 탐
67. 꾸짖을 매　68. 짐작할 짐　69. 서까래 연
70. 매 응　71. 바리때 발　72. 원수 수
73. 소쿠리 단　74. 고니 곡　75. 헤아릴 감
76. 수갑 곡　77. 움(芽) 맹　78. 깨어날 소
79. 고칠 전　80. 광대뼈 관　81. 뼛골 수
82. 성낼 진　83. 바랄 기　84. 무리(光環) 훈
85. 기와가마 요　86. 기쁠 흔　87. 뚫을 천
88. 수자리 수　89. 가지런할 제　90. 후손 예
91. 굴레 륵　92. 다 첨

93. 八　94. 日　95. 穴　96. 欠　97. 穴
98. 戈　99. 齊　100. 衣　101. 力　102. 人

103. 磨耗　104. 購買　105. 影響　106. 故障
107. 食傷　108. 追求　109. 様式　110. 企業
111. 戰略　112. 敏感　113. 系統　114. 耐久
115. 促進　116. 利潤　117. 需要　118. 過剩
119. 誘引　120. 荒唐　121. 誘拐犯　122. 追放
123. 嗅覺　124. 刺戟　125. 疲勞　126. 授乳
127. 乳房癌　128. 趨勢　129. 性暴力　130. 遺傳子
131. 未遂　132. 拘束　133. 餘罪　134. 量刑
135. 假釋放　136. 友邦　137. 波紋,波文　138. 赤潮
139. 午餐　140. 弘報　141. 撮影　142. 頻發

143~152. 105, 106, 111, 113, 114, 116, 123, 124, 129, 131, 135, 136, 139 중 택 10개

153. 飯酒　154. 伴奏　155. 減縮　156. 感祝　157. 乳齒
158. 留置　159. 邪氣　160. 詐欺　161. 葬具　162. 裝具
163. 甥　164. 嘗　165. 猟　166. 戀　167. 給
168. 推　169. 迎　170. 朔　171. 禽　172. 衰退
173. 沈着　174. 嚴格　175. 利己　176. 卵生　177. 蔑
178. 召　179. 驚　180. 恐　181. 渴　182. 知己
183. 指彈　184. 琴瑟　185. 威脅　186. 豊富　187. 自, 然

188. 弊, 破　189. 群, 象　190. 玉, 石　191. 暴, 虎
192. 負, 請　193. 角, 爭　194. 河, 舟　195. 言, 行
196. 乾, 坤　197. 滅, 裂　198. 花, 容　199. 碎, 身
200. 可, 居

12회

1. 탄핵　2. 삽수　3. 선취　4. 소고　5. 자상
6. 압권　7. 붕도　8. 신미　9. 수수　10. 자고
11. 어새　12. 질탕　13. 추첨　14. 유시　15. 간석
16. 괘지　17. 산정　18. 호탕　19. 이적　20. 광야
21. 창궐　22. 연징　23. 서적　24. 관할　25. 구재
26. 명연　27. 경잠　28. 범패　29. 척요　30. 거오
31. 고치　32. 박멸　33. 요묘　34. 반계　35. 부벽
36. 관유　37. 암초　38. 자장　39. 가모　40. 저촉
41. 엄홀　42. 발효　43. 애반　44. 우오　45. 아구
46. 예주　47. 함인　48. 구수　49. 등잔　50. 부촉

51. 죄상을 들어서 책망함
52. 꺾꽂이를 하려고 잘라낸 뿌리나 줄기나 잎
53. 뱃멀미
54. 옛일을 거슬러 올라가서 자세히 고찰함
55. 성질이 세심하고 찬찬함
56. 제일 잘된 책이나 작품
57. 한없이 큰 포부
58. 생활의 재료
59. 간섭하거나 거들지 아니함
60. 졸음을 극복하고 열심히 공부함

61. 갑 갑　62. 가위 전　63. 원수 구
64. 팔짱낄 공　65. 길거리 규　66. 굽 제
67. 성낼 분　68. 거꾸러질 질　69. 속일 편
70. 시아비 구　71. 다듬잇돌 침　72. 칠추/방망이 퇴
73. 굽어볼 감　74. 맺을 뉴　75. 밀 랍
76. 지을 찬　77. 지을 주　78. 죽일 륙
79. 어리석을 치　80. 삿갓 립　81. 채찍 편
82. 까치 작　83. 빛날 요　84. 벼슬 환
85. 어깨 견　86. 기쁠 흔　87. 까마귀 오
88. 흠향할 흠　89. 흔적 흔　90. 음도 질
91. 병/근심할 양　92. 되 승

93. 羽　94. 宀　95. 肉　96. 欠　97. 火
98. 欠　99. 疒　100. 肉　101. 心　102. 十

103. 摩擦　104. 崩壞　105. 紐帶　106. 舞踊
107. 稀薄　108. 克服　109. 娛樂　110. 繁昌
111. 饗宴　112. 祝祭　113. 鎭魂　114. 守護
115. 疫病　116. 夭折　117. 冤(怨)靈　118. 威武
119. 悽慘　120. 僧侶　121. 剽竊　122. 繪畫
123. 彫刻　124. 模倣　125. 疏通　126. 鳳凰
127. 陰散　128. 韻律　129. 弄談　130. 把握

131~140. 106, 109, 111, 113, 116, 117, 122, 126, 128, 129

141. 媒體　142. 締結　143. 巫覡　144. 試圖　145. 彗星
146. 唾液　147. 窒息　148. 流布　149. 匿名　150. 頌德
151. 丹粧　152. 淸雅　153. 不渡　154. 動搖　155. 謀事
156. 副賞　157. 凱旋　158. 腐蝕　159. 買占　160. 賦役
161. 瓷器　162. 轉倒　163. 応　164. 駅　165. 屬
166. 踐　167. 勤　168. 柔　169. 起　170. 飽
171. 巧　172. 憐憫　173. 收縮　174. 賃借　175. 精密
176. 橫斷　177. 淫　178. 進　179. 島　180. 起
181. 抱　182. 市井　183. 平凡　184. 革新　185. 一致
186. 敎唆

187. 自, 縛　188. 而, 井　189. 天, 衣　190. 死, 首
191. 流, 言　192. 彙, 象　193. 與, 皮　194. 稷, 爲
195. 走, 馬　196. 蒲　197. 必, 隣　198. 及, 魚
199. 布　200. 憤, 食

漢 1급 한자능력검정

예상문제 정답

13회

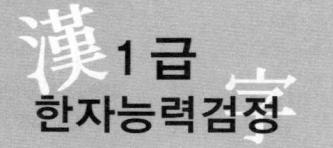

1. 고고	2. 거괴	3. 유면	4. 이언	5. 무지
6. 숙수	7. 비박	8. 봉아	9. 성상	10. 이립
11. 호사	12. 회뢰	13. 함양	14. 첨유	15. 시훼
16. 경운	17. 부검	18. 시호	19. 액완	20. 가취
21. 평탄	22. 구비	23. 훈륜	24. 취병	25. 교일
26. 조복	27. 도요	28. 철봉	29. 신랄	30. 권렴
31. 원앙	32. 삼투	33. 전병	34. 난조	35. 동공
36. 납의	37. 기치	38. 간주	39. 교환	40. 췌집
41. 파도	42. 수연	43. 저주	44. 척추	45. 섬개
46. 삽시	47. 곤손	48. 패관	49. 소파	50. 반급

51. 아이가 태어나면서 처음 우는 소리
52. 악당의 우두머리
53. 잘못을 용서하고 풀어줌
54. 항간에 퍼져 있는 속담
55. 엄지손가락
56. 변변하지 못한 음식
57. 가장 믿어 의지하는 사람
58. 장차 큰 인물이 될만한 소년
59. 일년동안의 세월
60. 30세

61. 난새 란	62. 지질 락	63. 이를(至) 예
64. 폭 폭	65. 성낼 개	66. 식혜 혜
67. 뽑을 탁	68. 땀 한	69. 즐길 완
70. 주제넘을 참	71. 까치 작	72. 매울 랄
73. 채마밭 포	74. 무쇠 선	75. 뛸 용
76. 비칠 도	77. 볼 도	78. 화할 해
79. 꾸짖을 힐	80. 아욱/해바라기 규	81. 빽빽할 치
82. 거만할 거	83. 날 상	84. 맡을 후
85. 끌 랍	86. 항아리 항	87. 꼴 추
88. 보배 옥	89. 공경할 건	90. 재갈 함
91. 귀먹을 롱	92. 가슴 격	

93. 羽	94. 口	95. 手	96. 缶	97. 艸
98. 金	99. 虍	100. 金	101. 耳	102. 肉

103. 皮膚	104. 未熟兒	105. 濕度	106. 環境
107. 裝置	108. 關鍵	109. 外壁	110. 循還
111. 便宜上	112. 菌室	113. 棲息處	114. 役割
115. 呼吸	116. 排出	117. 炭酸	118. 濃度
119. 虛弱	120. 加濕器	121. 企業	122. 融資
123. 葬禮	124. 殮士	125. 殯所	126. 顧客
127. 擴散	128. 半徑	129. 家禽類	130. 埋沒
131. 實驗	132. 本格	133. 觀測	134. 僞裝
135. 轉入	136. 復舊	137. 抗生劑	138. 攪亂
139. 破棄	140. 賃金	141. 滯拂	142. 暴行

143~147. 104, 109, 111, 124, 128, 137, 139 중 택 5개

148. ②	149. ①	150. ④	151. ③
152. ②	153. 比等	154. 飛騰	155. 消盡
156. 燒盡	157. 棄兒	158. 飢餓	159. 樂觀
160. 落款	161. 汽笛	162. 奇蹟	163. 盜
164. 徑	165. 挿	166. 癡	167. 庶
168. 濕	169. 娶	170. 降	171. 吐
172. 模型, 模形	173. 勇敢	174. 昇天	175. 晴天
176. 隆起	177. 甲	178. 侈	179. 摩
180. 昧	181. 貨	182. 海外	183. 風情
184. 瞬間, 瞬時	185. 散策	186. 拘束	187. 中, 魚
188. 主, 顚	189. 珠, 桂	190. 看, 戱	191. 無, 依
192. 作, 針	193. 衣, 飯	194. 飛, 散	195. 戰, 死
196. 不, 暖	197. 韋, 編	198. 地, 祕	199. 屋, 上
200. 入, 相			

한자능력 검정시험 1급 기출 예상문제(1~10회)

본 기출·예상문제는
한자능력검정시험에 출제되었던 문제를
수험생들에 의해 모아 만든 것입니다.
그러므로 실제 문제의 내용과
번호가 다를 수 있지만
자신의 실제 합격 점수대를
예측하는데 큰 도움이
될 것입니다.
정답은 187쪽에 있음

국가공인
제1회 한자능력검정시험 1급 기출 예상문제

합격점수 : 160점
제한시간 : 90분

(社)한국어문회시행 수험생들에 의해 재생되었습니다.

※ 다음 글 밑줄 __친 漢字 · 漢字語에 대하여 물음에 답하시오.

○ …余가 東으로 日本에 유하여… 其 國中의 多聞 博學의 士를 從하여 (　)議(1) 唱酬(2)하는 際에…泰西의 風을 (　)倣(3)한 者가 十의 八九라…(　)狄(4)으로 擯(빈)斥(5)하여…紅(　)(　)眼(6)의 才藝가…聞見을 蒐(7)집하며 綴拾(8)하여…變이 倉卒(9)에 起함에 實據는 未罄(10)하나…閔公이 航至하여 顚(　)(11)을 語하고…人의 袖去(12)함으로 烏有(13)를 化한지라…合衆國 全權使가 내빙함에…我邦이 보빙(14)하여 使臣의 命을 수하니 些(15)少의 成就가 無하면 國家에 羞(16)를 貽(이)함이오…累載(17)의 肄(이)習을…毛氏는 巨擘(18)이라 名聞이 宇內(19)에 轟振(20)한 者라…訓誨(21)가 極懇(22)하니…浮虛의 譏(23)를 脫하고…語를 稍(24)解…深意를 窺(25)하고…政治의 梗槪(26)를 略解…一帙(27)을 成하나…繁冗(용)을 未刪(28)…國에 變이 有하다 하거늘 羈舍(29)에 歸…枕上에 輾(　)(30)하여…憤惋(31)함이 彌激(32)하니…太半이 散失하여 數年의 功이 (　)(　)鴻瓜(33)를 作한지라. 여존한 者 소루(34)하니…濃(　)(35)한 者 草木이오…拙澁(36)한 文字로 渾淪(37)한 說語를 作하여…暢(38)達한 詞旨(39)의 淺近한 語意를 憑(40)하여…(俞吉濬 〈서유견문〉 序에서)

○ 半萬年 歷史의 권위를 仗(41)하여…我生存權의 剝喪(42)됨이 무릇 幾何며…痛苦를 嘗(43)한지 十年…日本에 대한 猜(44)의… 呼吸을 閉蟄(45)한…民族的 精華를 結紐(46)할지로다.(〈三一獨立宣言文〉에서)

○ 震域(47)의 上代歌謠는 문헌의 缺乏(48)으로…그 具體(49)的 內容을 稽(계)考할 길이 없고 中國 史書로 歌樂 形式의 二斑(50)을 推知할 뿐…實生活의 (　)悅(51) (　)樂(52)… 「ᄀᆞᆷ」 과 「수」 에 대한 畏敬(53) 祝禱(54)…呪(55)術的으로…上代에까지 遡及(56)됨은 「迎神歌」 로써 이를 斟酌(57)할수 있다.… 「兜率歌」 는 羅代의 國風 · 아송(58)의 濫觴(59)이라 할 수 있다.… 「繁花曲」 은 景哀王의 鮑石亭 유연(60)에 美人을 시켜 노래… 「亡國哀歌」 는 古都의 「黍(61)離離」 를 슬퍼한 것…아래로는 庶民 戍卒(62)에 이르기까지…贅言(63)을 不竢(사)한다. 古代 族名으로 「ᄉᆡᄇᆞᆰ」 은 濊貊(64)…小鄕으로 看做(65)됨에 이르렀다. …自然과 人生 諧謔(66) 哀怨 諦觀(67) 등…人口에 膾炙(68)된 노래로 樂器반주(69)에 依한 것…南部 廣範圍에 分居하여 歌樂도 大同小異할 듯…(梁柱東 〈詞腦歌箋(70)注〉 序說에서)

[問 1] 윗글 '(6)' 語는 '泰西人' 을 표현하는 四字成語. (　)안의 알맞은 '漢字' 를 쓰시오.

[問 2-26] 다음 漢字語의 讀音을 쓰시오.

(2) 綴拾	(3) 未罄	(4) 袖去
(5) 巨擘	(6) 轟振	(7) 梗槪
(8) 羈舍	(9) 憤惋	(10) 彌激
(11) 拙澁	(12) 渾淪	(13) 剝喪
(14) 閉蟄	(15) 結紐	(16) 缺乏
(17) 一斑	(18) 畏敬	(19) 祝禱
(20) 遡及	(21) 斟酌	(22) 贅言
(23) 濊貊	(24) 看做	(25) 諧謔
(26) 諦觀		

[問 27-35] 윗글 다음 漢字의 '部首' 를 쓰시오.

(27) 斥	(28) 顚	(29) 些
(30) 羞	(31) 窺	(32) 刪
(33) 憑	(34) 嘗	(35) 黍

[問 36-56] 윗글 다음 漢字의 '訓音' 을 쓰시오.

(36) 酬	(37) 斥	(38) 蒐
(39) 些	(40) 羞	(41) 誨
(42) 懇	(43) 譏	(44) 稍
(45) 窺	(46) 帙	(47) 刪
(48) 暢	(49) 旨	(50) 憑
(51) 仗	(52) 嘗	(53) 猜
(54) 呪	(55) 黍	(56) 箋

[問 57-61] 윗글 (14), (34), (58), (60), (69)의 '漢字를 正字' 로 쓰시오.

(57) (　)	(58) (　)	(59) (　)
(60) (　)	(61) (　)	

[問 62-64] 윗글 (29), (47), (62)의 '類義語'를 쓰시오.

(62) (　)　(63) (　)　(64) (　)

[問 65-69] 윗글 (9), (13), (17), (18), (19)의 뜻을 쓰시오.

(65) (　)　(66) (　)

(67) (　)　(68) (　)

(69) (　)

[問 70-72] 윗글 (59)語 '各字의 訓音'을 쓰고, 濫觴의 '文脈上의 뜻'을 쓰시오.

(70) (　)　(71) (　)　(72) (　)

[問 73-75] 윗글 (68)語 '各字의 訓音'을 쓰고, 膾炙의 '文脈上의 뜻'을 쓰시오.

(73) (　)　(74) (　)　(75) (　)

[問 76] '文脈上 알맞은 四字成語'가 되게 윗글 (33) (　)의 漢字를 쓰시오.

(76) (　)

[問 77-78] 윗글 (11), (35)의 (　)에 '反對되는 뜻의 漢字(反意字)'를 써 넣어 漢字語를 完成하시오.

(77) (　)　(78) (　)

[問 79-81] 윗글 (48), (49), (50)의 '反對(意)語'를 쓰시오.

(79) (　)　(80) (　)　(81) (　)

[問 82-87] 윗글 (1), (3), (4), (30), (51), (52)의 (　)에 '같은 뜻의 漢字(類義字)'를 넣어 漢字語를 完成하시오.

(82) (　)　(83) (　)　(84) (　)

(85) (　)　(86) (　)　(87) (　)

[問 88-90] 윗글 다음 漢字의 '略字'를 쓰시오.

(88) 觀　(89) 卒　(90) 嘗

※ 다음 글 밑줄 ___친 漢字 · 漢字語에 대하여 물음에 답하시오.

그가 쓰는 글에는 瑕疵(1)가 없다. 그래도 推敲(2)한다. 茸腫(3) 수술을 받은 지 몇 달, 이번에는 脊椎(4)관 狹窄(5)증. 다리까지 아프단다. 腎臟(6)에는 이상없는가? 吝嗇(7)하지는 않다. 보석을 瓦礫(8)처럼 본다. 성경에는 箴(9)言 한 편이 있다. 西厓(애) 逝去(10) 400주. 懲毖(11)록이 전한다. 蓑笠(12)을 써도 袴衣(13)는 젖는다. 소주에는 薑汁(14)이 좋다지. 堰堤(15)를 浚渫(16). 그러나 佚宕(17)한 놀이 사흘을 이으니 재정이 枯渴(18). 破綻(19) 지경에 이르니 褒貶(20)이 喧喧(21). 焦眉(22)의 일은 凜凜(23)한 겨울을 넘길 頹落(24)한 집의 葺繕(25). 바위 틈에 皐蘭(26)草. 새봄의 萌芽(27). 떨어져 있는 眷率(28)의 無恙(29)하기만을.

[問 91-116] 윗글 다음 漢字語의 '讀音'을 쓰시오.

(91) 瑕疵　(92) 推敲　(93) 茸腫
(94) 脊椎　(95) 狹窄　(96) 腎臟
(97) 吝嗇　(98) 逝去　(99) 懲毖
(100) 蓑笠　(101) 袴衣　(102) 薑汁
(103) 堰堤　(104) 浚渫　(105) 佚宕
(106) 枯渴　(107) 破綻　(108) 褒貶
(109) 喧喧　(110) 凜凜　(111) 頹落
(112) 葺繕　(113) 皐蘭　(114) 萌芽
(115) 眷率　(116) 無恙

[問 117] 윗글 (9) 箴의 '訓音'을 쓰시오.

[問 118-120] 윗글 (8)語 '各字의 訓音'을 쓰고, 瓦礫의 '文脈上의 뜻'을 쓰시오.

(118) (　)　(119) (　)　(120) (　)

[問 121-123] 윗글 다음 漢字語의 뜻을 쓰시오.

(121) 瑕疵　(122) 眷率　(123) 無恙

[問 124-126] 윗글의 (22)語 '各字의 訓音'을 쓰고, 焦眉의 '文脈上의 뜻'을 쓰시오.

(124) (　)　(125) (　)　(126) (　)

[問 127] 윗글의 褒(20)의 '部首'를 쓰시오.

※ 다음은 요즈음 신문 표제(T.V. 자막 포함) 모음. 밑줄 ___친 漢字語에 대하여 물음에 답하시오.

조폭(1) 두목 해외 도피(2). (여권)(3) 심사는 어떻게. (여권)(4) 의원들 10(여권)(5)의 홍보 책자 배포. 홍보 기사 쓰면 협찬(6)하겠다, 균발위(7) 제안. 관련조항(8) 削( )(9) 법안 국회 계류(10)중. 검은 돈( )濯(11). 나만 잘났다는( )慢(12). 무슨 일이고 혼자는 하기 어렵다. 孤掌( )( )(13)이다. 통합 신당 그런 사람과 같이 한다는 것은 語不成說. ××당 내분 ( )入( )境(14). 대선주자 검증 攻( )(15) 치열. 眞( )(16) 가려 밝히겠다. (두 사람 싸움을 어떤 신문은 龍( )( )搏(17)이라고 썼다.) 이번에도 돈 공천, 깨끗한 정치는 언제나. (이럴 때 百年( )( )(18)이라 한다지.) 고위 간부 금품 수수(19) (수사)(20). (수사)(21) 지나친 홍보 선전. 비선(22) 접촉(23) 의혹(24) 규명(25). 중재(26)안 거부. 분열(27)이냐 타협(28)이냐 민심 ( )背(29) 어디로. 여론(30) 비율이 문제.
총격범은 교포(31) 학생. 사상 최악의 총기 참사(32). 추모(33)집회 확산. 동영상(34) 촬영 후 (편집)(35)까지, NBC가 공개. (편집)(36)증과 망상 뒤섞여. 서로 포옹(37) 악수(38)하며 여럿이 한 사람 돕는 것은 어려운 일 아니다. 감금 등 혐의(39) 사실부인(40). 괴한에 피랍(41)된 해외 근무자들. 대통령 공포(42) 정치 이적(43) 행위. 남북 연합은 환상(44). 부시 북핵 폐기(45) 협상(46)으로. 여왕 모신 만찬(47), 화려한 테이블 세팅. 中-印 美 위협(48). 유통업체 韓 철수(49). 경기 침체(50) 아시아의 재앙(51). 화성 연쇄(52) 실종과 유관? 암 (매장)(53)된 알몸(54)의 여인. (매장)(55) 문화재 발굴. (매장)(56)에서 싸게 산 생활용품. 산처럼 쌓인 주검(57), 전쟁 사진展. 테러범 폭탄 투척. 신예(58) 기사(59) 대활약, ××배 연패(60).

[問 128-164] 윗글 다음의 漢字를 正字로 쓰시오.

(128) 조폭(1) (129) 도피(2) (130) 협찬(6)
(131) 균발위(7) (132) 조항(8) (133) 계류(10)
(134) 수수(19) (135) 비선(22) (136) 접촉(23)
(137) 의혹(24) (138) 규명(25) (139) 중재(26)
(140) 분열(27) (141) 타협(28) (142) 여론(30)
(143) 교포(31) (144) 참사(32) (145) 추모(33)
(146) 동영상(34) (147) 포옹(37) (148) 악수(38)
(149) 혐의(39) (150) 피랍(41) (151) 공포(42)
(152) 이적(43) (153) 환상(44) (154) 폐기(45)
(155) 협상(46) (156) 만찬(47) (157) 위협(48)
(158) 철수(49) (159) 침체(50) (160) 재앙(51)
(161) 연쇄(52) (162) 신예(58) (163) 기사(59)
(164) 연패(60)

[問 165-174] 위의 [問 128-156] 가운데에서 첫소리가 長音인 것 10개를 가려 ( )안의 번호를 쓰시오. (10개 이상 쓰면 규정에 따라 감점)

(165) ( ) (166) ( ) (167) ( ) (168) ( )
(169) ( ) (170) ( ) (171) ( ) (172) ( )
(173) ( ) (174) ( )

[問 175-184] 윗글에서 각각의 '同音異義語' [(3)-(4)-(5), (20)-(21), (35)-(36), (53)-(55)-(56)]를 漢字로 구별하여 正字로 쓰시오.

(175) ( ) (176) ( ) (177) ( ) (178) ( )
(179) ( ) (180) ( ) (181) ( ) (182) ( )
(183) ( ) (184) ( )

[問 185-188] 四字成語[(13) (14) (17) (18)]의 ( )안 '漢字'를 쓰시오.

(185) ( ) (186) ( ) (187) ( ) (188) ( )

[問 189-190] 윗글 (54)(알몸), (57)(주검)을 '漢字語'로 바꾸시오.

(189) ( ) (190) ( )

[問 191-193] 윗글 (9), (11), (12)의 '類義字'를 漢字[正字]로 넣어 漢字語를 完成하시오.

(191) ( ) (192) ( ) (193) ( )

[問 194-196] 윗글 (15), (16), (29)의 ( ) 안에 '反意字'를 써 넣어 漢字語를 完成하시오.

(194) ( ) (195) ( ) (196) ( )

[問 197] 윗글 (40)의 '反對語'를 漢字 正字로 쓰시오.

[問 198-200] 다음 제시된 成語의 類義語 [198-199], 反對語[200]를 完成하시오.

(198) 花容月態 - 丹( )皓( )
(199) 表裏不同 - ( )頭( )肉
(200) 苦盡甘來 ↔ ( )盡( )來

국가공인
제2회 한자능력검정시험 1급 기출 예상문제

합격점수 : 160점
제한시간 : 90분

(社)한국어문회시행

수험생들에 의해 재생되었습니다.

[問 1-96] 다음은 鄭寅普 :〈憺담園국학산고〉 속의 글과 獨立宣言文 속의 漢字 · 漢字語들. 물음에 답하시오.

○ 茶山先生 나신 때…窮巷에서 宏碩이…그 灑落함은 譬喩하지 못함만 한데…浮文을 卑視하시고 重瞳의 流眄이…奧旨를 說하고…康津에 謫하니 世事는 이미…(　)憂民恤(1)을 著述로나 寄托하리라 하여…그 心懷를 영상함에 有心者 涕泣의 交頤(이)함이… (茶山先生의 生涯와 業績에서)

얼굴에 亂乏한 빛…기운은 憔悴하고…腐臭한 前文에다가 强辣한 針灸를 繼續하여…炯眼이 한 번 쏘이기만 하면…오래두고 泛過한 것을 들춘다.…世故에 迂疎…百家를 貫穿하고…스스로 微瑕를 容過하지 못하며 舊를 貶看하여 干布할 즈음에 毁板이 頻數하였으니…(丹齋와 ○○에서)

우리 國祖 荊棘을 開除하신 뒤로 綿延함이 거의 五千年…그 동안 興(　)(2)의 故가 어찌…桓解 古胤의 내려오는…이 民衆으로 하여금 恥辱의 日에 矜負와 悲哀의 期에 奮發을 끊임없이 가지게…日寇 此土에서 陸梁함이 오래라…다 같은 國家 獨立의 勃發한 撐柱요…隻手의 擊이나 一旅의 戰이나…域中에 崎嶇하다가 猛志를 牢獄에 묻었거나 海外에 飄轉하면서 苦心을 虜峯에 끝마치었거나…民族的 芒稜은 일찍이 間歇됨을 보지 못한 즉…林下 儒門의 耆德들…國聞을 聳動하였으며…國民마다 腔恤이 끓는 中 讓位의 逼을 뒤이어…다시 洶涌하기 시작하여…奔趨하는 바 되었나이다. 그 행사 百難을 衝冒한 바라…殉烈의 先民은 有國의 楨幹…義士의 一發이 群酋를 殄(진)殲하여…獨立의 大計 激浪같이 怒瀉함을 얻게 되었나이다.…혹은 顯著하여 (　)壤(3)에 赫赫하기도 하고 혹은 無人 窮途에서 枯卉위에 髑髏(촉루)를 굴리어…死後까지 蕭條한 이가 많으니…軍(　)(　)進(4)하다가 咸沒한 이들은 누구며…瘦死한 이들은 누구뇨…(殉國先烈追念文에서)

鄕札에 실린 것은 文字의 訛脫조차 심하여…이빠진 古玉磬과 같다.…松江은 豪宕하고…凄切하니…(松江과 國文學에서)

○ 吾等은…他를 嫉逐함이 아니로다. 舊勢力에 覊縻(미)된…상태를 改善匡正하여…和同할 수 없는 怨溝를…廓正하여 彼此間 捷徑을…夢寐에도 免치 못하는…호흡을 閉蟄한 것이 彼 一時의 勢라면 (　)(　)暖陽(5)에 氣脈을 振舒함은 此 一時의 勢이니 吾人은 아무 躊躇할 것 없으며 아무 忌憚할 것 없도다.…陰鬱한 古巢로서 起來하여 萬彙群象으로 더불어 欣快한 復活을 成遂하게 되도다.(獨立宣言文에서)

[問 1-40] 윗글에 쓰인 다음 漢字語의 讀音을 쓰시오.

(1) 窮巷	(2) 灑落	(3) 流眄	(4) 奧旨
(5) 涕泣	(6) 亂乏	(7) 憔悴	(8) 腐臭
(9) 强辣	(10) 針灸	(11) 炯眼	(12) 泛過
(13) 迂疎	(14) 貫穿	(15) 微瑕	(16) 貶看
(17) 毁板	(18) 頻數	(19) 荊棘	(20) 古胤
(21) 矜負	(22) 撐柱	(23) 牢獄	(24) 飄轉
(25) 虜棒	(26) 芒稜	(27) 間歇	(28) 耆德
(29) 聳動	(30) 腔血	(31) 奔趨	(32) 衝冒
(33) 群酋	(34) 枯卉	(35) 蕭條	(36) 瘦死
(37) 訛脫	(38) 躊躇	(39) 豪宕	(40) 欣快

[41-60] 다음 漢字의 訓 · 音을 쓰시오.

(41) 廓	(42) 寐	(43) 蟄	(44) 舒
(45) 憚	(46) 巢	(47) 彙	(48) 欣
(49) 謫	(50) 恤	(51) 勃	(52) 逼
(53) 洶	(54) 殲	(55) 瀉	(56) 磬
(57) 嫉	(58) 羈	(59) 匡	(60) 溝

[61-69] 다음 漢字語 各字의 訓音과 그 漢字語의 文脈上의 뜻을 쓰시오.

(61) 陸	(62) 梁	(63) '陸梁' 의 뜻
(64) 崎	(65) 嶇	(66) '崎嶇' 의 뜻
(67) 宏	(68) 碩	(69) '宏碩' 의 뜻

[70] 다음 漢字語에서 그 字義의 결합 관계가 다른 것 하나를 가리시오.

① 荊棘 ② 牢獄 ③ 憔悴 ④ 炯眼

[71-72] 위의 글 ＿줄 그은 (1), (4)의 (　)에 합당한 漢字를 本文안에서 찾아 넣어 類義語로 結合된 四字成語가 되게 하시오.

(71) (　　)　　(72) (　　)

[73-74] 위의 글 ___줄 그은 (2), (3)의 (   )안에 對立된 뜻의 漢字를 써 넣으시오.

(73) (   )   (74) (   )

[75] 위의 글 ___줄 그은 (5)의 暖陽에 대응될 漢字語를 쓰시오.

[76] 윗글 안의 '卑視'와 가장 가까운 뜻(類義)의 漢字語를 [1]-[40] 안에서 찾아 쓰시오.

[77-79] 다음 漢字의 反對의 뜻의 漢字는?

(77) 除   (78) 浮   (79) 隻

[80-81] 윗글 '恥辱의 日에 矜負와 悲哀의 期에 奮發'에서는 意味上 '恥辱 ↔ 矜負', '悲哀 ↔ 奮發'을 생각할 수 있는데, 이 밖에 [80] 恥辱, [81] 悲哀의 一般的 反義語에 어떤 것이 있는지 쓰시오.

(80) (   )   (81) (   )

[82] '頻數'의 反意로 생각될 수 있는 漢字語를 [1] - [40] 안에서 하나만 찾아 쓰시오.

[83-86] 윗글에 쓰인 다음 漢字語의 뜻을 쓰시오.

(83) 捷徑   (84) 楨幹
(85) 奧旨   (86) 涕泣

[87-96] 윗글에 쓰인 다음 漢字의 部首를 쓰시오.

(87) 彙   (88) 奧   (89) 豪   (90) 膚
(91) 衛   (92) 酋   (93) 巷   (94) 羈
(95) 匡   (96) 舒

[問 97-112] 다음 글을 읽고 물음에 답하시오.

36년의 桎梏에서 벗어난 우리. 騷擾와 膺懲이란 표제 아래 鼎談 기사가 요즈음 저들 주간지에 실렸는데 아직도 우리를 土昧인우. 그 尨大한 발행부수를 생각하면 그저 <u>冷(   )(   )斗</u>일 뿐. 민주주의를 憑藉한 인권 蹂躪이라니. 그들의 국수주의가 다시 膨脹하는가. 여기는 저들 고대문화의 搖籃인데, 僭越하다.

[97-104] 다음 漢字語의 讀音을 쓰시오.

(97) 膺懲   (98) 鼎談   (99) 土昧
(100) 尨大   (101) 憑藉   (102) 蹂躪
(103) 僭越   (104) 騷擾

[問 105-110] '桎梏', '搖籃' 各字의 訓音과 語의 文脈上의 뜻을 쓰시오.

(105) 桎   (106) 梏   (107) '桎梏' 의 뜻
(108) 搖   (109) 籃   (110) '搖籃' 의 뜻

[111] '鼎談' 의 뜻을 쓰시오.

[112] __줄 그은 四字成語를 完成하시오.

[問 113-124] 다음 글 안의 四字成語(故事成語)를 完成하고[113-119], __줄 그은 漢字語의 漢字(正字)[120-123], 讀音[124]을 쓰시오.

[113] <u>궤도</u> 벗어난 대선 후보들 서로 싸우다 측근들 대거 구속.
(   )(   )鬪狗란 이런 것.

[114] <u>영상</u> 세대에 어울리는 어린이 음악회의 換骨(   )(   ). 실제 수업처럼.

[115] 美 下院 종군위안부결의안 통과에 日 <u>유감</u>이라고. (   )反(   )杖.

[116] 국세청 국장 1억원 꿀꺽. 사라지지 않는 (   )官(   )吏.

[117] 연일 불법 시위. 袖手(   )(   )하는 경찰.

[118] 올림픽 1년 앞 둔 北京 교통<u>체증</u>으로 골머리. 자전거 밖에 없던 때가 엊그제인데 (   )世之(   ).

[119] 30년 재야운동가인 그는 대통령으로 집권했고 ××위원장으로 <u>拔擢</u> 되었다.
돌이켜보면 긴 세월, 현대판 (   )薪(   )膽이라 할까.

[問 120-124] 다음 한자어의 漢字(正字)를 쓰시오.

(120) 유감   (121) 궤도   (122) 영상
(123) 체증   (124) '拔擢'의 독음

[問 125-178] 다음 글을 읽고 물음에 답하시오.

○ <u>위조</u> <u>혐의</u> <u>포착</u> <u>수사</u> 착수. ○ A급 전범 <u>합사</u> 깊은 <u>화근</u>될 것. 日王의 말. <u>癡呆</u>는 아닌 듯. ○ 韓中日 <u>사경</u>(1) <u>변상</u>(2)圖(그림이 있는 손으로 쓴 불경) 100권 한 자리에. ○ 우리 <u>채마전</u>에서 <u>수확</u>한 <u>호과</u>(오이). <u>마천루</u>에 오르니 먼 바다 위의 해군<u>함정</u>이 보인다. <u>마연재</u>(보석을 가는 금강사 · 석영가루 따위)로 보석을 갈아 그분께 <u>헌정</u>. <u>마취제</u>를 과용해서 <u>질식</u>할 뻔했다. 의사의 잘못된 <u>진료</u>. ○ 전 언론을 관변 <u>매체</u>化. <u>편파</u>

보도 허위 주장으로. 편협 기사 송고실 철폐 반대. ○ 뇌관 터진 부실 대출 금융 위기로. 세 번째 큰 낙폭 기록. ○ 농축우라늄 분실. 쓰레기로 소각? 國家 公務에 좀더 眞摯했으면. ○ 탈레반에 피랍된 23인. 唾罵할 테러. 거리에 버린 ○○○씨 시신. 만행을 온세계가 규탄. 잔학한 살해범들이여 赦贖은 없으렷다.

[125–158] 윗글 안에 ___친 다음 漢字語를 漢字 正字로 쓰시오.

(125) 위조 (126) 협의 (127) 포착
(128) 수사 (129) 합사 (130) 화근
(131) 채마전 (132) 수확 (133) 호과
(134) 마천루 (135) 함정 (136) 마연재
(137) 헌정 (138) 마취제 (139) 질식
(140) 진료 (141) 매체 (142) 편파
(143) 보도 (144) 편협 (145) 송고
(146) 철폐 (147) 뇌관 (148) 대출
(149) 금융 (150) 낙폭 (151) 농축
(152) 분실 (153) 소각 (154) 피랍
(155) 시신 (156) 만행 (157) 규탄
(158) 잔학

[159–160] 윗글 안의 漢字語 (1), (2)의 漢字를 略字로 쓰시오. (略字로 쓸 수 있는 것만)

(159) 사경 (160) 변상

[161–170] 위 [125] – [160]의 漢字語에서 첫소리가 長音인 것 10개만 가려 쓰시오.
(10개 이상 쓰면 규정에 따라 감점)

(161) ( ) (162) ( ) (163) ( ) (164) ( )
(165) ( ) (166) ( ) (167) ( ) (168) ( )
(169) ( ) (170) ( )

[171–172] 윗글에 쓰인 다음 漢字語의 讀音을 쓰시오.

(171) 眞摯 (172) 唾罵

[173–176] 윗글에 쓰인 다음 漢字의 訓·音을 쓰시오.

(173) 癡 (174) 呆 (175) 赦 (176) 贖

[177–178] 윗글 다음 漢字語의 反義語를 漢字로 쓰시오.

(177) 대출 (178) 분실

[問 179–184] 다음 四字成語의 類義(成)語가 되게 ( )안 漢字를 쓰시오.

(179) 南柯一夢 – 一( )( )夢
(180) 四面楚歌 – ( )立無( )
(181) 張三李四 – 匹( )匹( )
(182) 一字無識 – ( )不識( )
(183) 牛耳讀經 – 馬耳( )( )
(184) 一衣帶水 – ( )( )之間

[問 185–192] 다음 __줄 그은 뜻의 漢字·漢字語를 쓰시오.

(185) (–까지 멀리) 뛰다.
(186) (–에서 높이) 뛰다.
(187) (맛이) 맵다.
(188) (맛이) 시다.
(189) (마음에) 새기다.
(190) (돌에) 새기다.
(191) 얼굴을 씻다.
(192) 머리(털)를 감다.

[問 193–196] 다음 글 __줄 그은 漢字語는 이 글 안에서는 여러 뜻의 漢字語들이 생각되는데 둘만 漢字로 쓰시오.

[193–194] 독립지사들의 사적찾아 10년, 국내는 물론 中國 日本 아니간 곳 없다.

(193) ( ) (194) ( )

[195–196] 30분에 서울을 돌아볼(一周할) 수 있는 환상의 도로 개통.

(195) ( ) (196) ( )

[問 197–200] 다음 글 ___줄 친 漢字語의 漢字를 구별하여 쓰시오.

[197–198] 개인의 사정에 사과의 말까지 꼭 적어 놓고 가져(훔쳐)가니 절도(197) 있는 절도(198)인가.

(197) ( ) (198) ( )

[199–200] 기자의 자유출입 막는 정부 통제 요원(199). 언론 자유 요원(200).

(199) ( ) (200) ( )

국가공인 제3회 한자능력검정시험 1급 기출 예상문제

합격점수 : 160점
제한시간 : 90분

(社)한국어문회시행

수험생들에 의해 재생되었습니다.

※ 다음 漢字語를 보고 물음[問 1–79]에 답하시오.

(1) 弊帛	(2) 孕胎	(3) 耆儒
(4) 狐鼠	(5) 琴瑟	(6) 堪輿
(7) 剽竊	(8) 逵路	(9) 牡瓦
(10) 股肱	(11) 賈豎	(12) 陟降
(13) 溝瀆	(14) 杜撰	(15) 蒙塵
(16) 怯懦	(17) 佩刀	(18) 賄賂
(19) 昴宿	(20) 泣諫	(21) 皐復
(22) 寢囊	(23) 急煞	(24) 怡悅
(25) 偕行	(26) 袞龍	(27) 刮摩
(28) 癩疹	(29) 聯袂	(30) 炯眼
(31) 綠礬	(32) 托鉢	(33) 斜瞥
(34) 晦朔	(35) 匿諱	(36) 犀角
(37) 敷衍	(38) 詣闕	(39) 凹凸
(40) 褒貶	(41) 宵晨	(42) 繕葺
(43) 驛站	(44) 膨脹	(45) 醋醬
(46) 鐵槌	(47) 鴻鵠	(48) 毫釐
(49) 戟盾	(50) 罹災	

[問 1–50] 위 (1)–(50)語의 讀音을 번호 순서대로 쓰시오.

[問 51–55] 다음 漢字語를 쉬운 우리말로 바꾸어 쓰시오.

(51) 牡瓦 :

(52) 逵路 :

(53) 耆儒 :

(54) 溝瀆 :

(55) 陟降 :

[問 56–60] 다음 漢字語와 같은 뜻의 漢字語를 正字로 쓰시오.

(56) 孕胎　(57) 幣帛　(58) 賈豎

(59) 剽竊　(60) 堪輿

[問 61–65] (16) – (30) 語 가운데에서 같은 뜻의 漢字로 結合된 것 5을 가려 그 번호를 순서대로 쓰시오.

(61) (　)　(62) (　)　(63) (　)

(64) (　)　(65) (　)

[問 66–70] (31)~(50)語 가운데에서 반대의 뜻의 漢字로 結合된 것 5을 가려 그 번호를 순서대로 쓰시오.

(66) (　)　(67) (　)　(68) (　)

(69) (　)　(70) (　)

[問 71–75] 다음 漢字語는 본래의 字義에서 바뀌어 넓은 뜻으로 흔히 쓰이는 데 그 바뀐 뜻을 쓰시오.

(71) 狐鼠 :

(72) 蒙塵 :

(73) 股肱 :

(74) 琴瑟 :

(75) 杜撰 :

[問 76–79] 위 漢字語 가운데 다음 漢字의 略字를 쓰시오.

(76) 龍　(77) 驛　(78) 聯　(79) 敷

[問 80–109] 다음 漢字의 訓音을 쓰시오.

(80) 皿	(81) 賻	(82) 斟
(83) 嗇	(84) 虔	(85) 棠
(86) 辜	(87) 衢	(88) 聚
(89) 麵	(90) 黜	(91) 凋
(92) 皙	(93) 腺	(94) 匍
(95) 肌	(96) 矜	(97) 瘦
(98) 餠	(99) 昧	(100) 悸
(101) 陋	(102) 痰	(103) 頸
(104) 荊	(105) 擦	(106) 叉
(107) 呪	(108) 釘	(109) 滓

[問 110–119] 위 [80–89] 漢字의 部首를 쓰시오.

(110) 皿　(111) 賻　(112) 斟
(113) 嗇　(114) 虔　(115) 棠
(116) 辜　(117) 衢　(118) 聚
(119) 麵

※ 다음 글을 읽고 물음에 답하시오.

A. 당선되면 전작권(120) 전환(121) 재검토. 형량(122) 거래로 회유(123)했다고, 수사(124) 결과 수용(125)할 수 없다고, 사상 처음 현직 검사 탄핵 소추안(126) 발의. 직권남용(127) 증거(128) 조작 사실 은폐(129) 등 내세워. 한편에서 법치주의 파괴(130)라고 의사(131) 일정 거부하고. '한방' 의 암수(132)로는 선거에서 승기(133)잡기 어려울 것이라고. 금감원(134) 감사자료 확보(135). 차명(136) 의심 계좌 추적. 청탁(137)한 혐의(138) 피의자(139) 격리(140) 수용(141). 이런 등급제 수능으로는 학생 변별(142) 못해 – 서울대 총장.

B. 혈통 세습(143)도 아니고 선거제도 아닌 北韓의 정권 이양(144)의 앞날은? 정치 엘리트 내부의 갈등(145)과 분쟁(146), 이에서 야기(147)될 혼란(148)을 피하기 위한 후계자가 아직 정해지지 않은 모양인데 지금 독재(149)자가 주변 강대국들을 교묘(150)하게 조종(151)하는 식견은 한편으로 그의 제국 체제(152)의 미래가 없다는 것도 잘 알고 있을 것이라 아들을 후계자로 하는 것 곧 사형선고(153)와 다름없을지니 번뇌(154) 이만저만한 것 아닐 듯...

C. 이 나이에 이르도록 수십번 선거에 나갔다. 그러나 후보(155)가 洽足해서 투표한 적은 한번도 없다. 어차피 정치가에게 신의(156)를 기대할 수는 없다는 편견(157)때문이었을까. 그래도 소외(158)되었던 우리들의 [원망]을 양지(159)로 끌어내 보는 노정일 수밖에 없다고 생각되어...

[問 120–159] 윗글 __줄 그은 [120–159]의 漢字를 正字로 쓰시오.

(120) ( )　(121) ( )　(122) ( )
(123) ( )　(124) ( )　(125) ( )
(126) ( )　(127) ( )　(128) ( )
(129) ( )　(130) ( )　(131) ( )
(132) ( )　(133) ( )　(134) ( )
(135) ( )　(136) ( )　(137) ( )
(138) ( )　(139) ( )　(140) ( )
(141) ( )　(142) ( )　(143) ( )
(144) ( )　(145) ( )　(146) ( )
(147) ( )　(148) ( )　(149) ( )
(150) ( )　(151) ( )　(152) ( )
(153) ( )　(154) ( )　(155) ( )
(156) ( )　(157) ( )　(158) ( )
(159) ( )

[問 160–169] 윗글 A.와 B.의 __줄 그은 漢字語 [120–154] 가운데에서 첫소리가 長音인 것 10개를 가려 그 번호를 쓰시오.(10개 이상 쓰면 규정에 따라 감점)

(160) ( )　(161) ( )　(162) ( )　(163) ( )
(164) ( )　(165) ( )　(166) ( )　(167) ( )
(168) ( )　(169) ( )

[問 170–171] 글 C.안의 [원망]은 原 漢字의 다름에 따라 두 가지 다른 뜻을 생각할 수 있는데 그 다른 漢字를 구별해 쓰시오.

(170) ( )　(171) ( )

[問 172–182] 다음 同音異義語를 구별해 쓰시오.

매장(172) 문화재 매장(173)에서 경매로. 丁亥年 과세(174) 可히 苛斂이라 戊子年 과세(175)도 어려웠다.
선박 충돌하여 흘러나온 기름. 기름 뒤집어쓰고 죽기살기 날아가는 조류(176), 강한 조류(177) 따라 흐르는 유류. 양식(178) 어류 다 죽으니 우리 양식(179) 무엇으로. 양식(180)있는 관료, 그들은 과거(181)의 과거(182) 出身과 같으니 그들의 선비정신이나 믿어야지.

(172) ( )　(173) ( )　(174) ( )　(175) ( )
(176) ( )　(177) ( )　(178) ( )　(179) ( )
(180) ( )　(181) ( )　(182) ( )

[問 183-190] 같은 뜻의 말과 반대의 뜻의 말을 지시대로 쓰시오.

(반대의 뜻)

(183) 嫡 ↔ (　　)

(184) 稚拙 ↔ (　　　)

(185) 專門家 ↔ (　　　　)

(186) 剛毅木訥 ↔ (　　　　　)

(같은 뜻)

(187) 慷 − (　　)

(188) 閭閻 − (　　)

(189) 彌縫策 − (　　　　)

(190) 守株待免 − (　　　　)

[問 191-200] 다음 글 四字成語를 完成하시오.

(191) (　　)(　　)不立이라는 文字까지 써가며 相對만 (믿을 수 없다고) 공격

(192) (　　)高(　　)卑란 말이 있다. 位 높아질수록 머리 숙이는 법이다.

(193) 까마귀 새끼 자라서 늙은 어미에게 먹이를 물어다 준단다. 사람이 어찌 (　　)哺之(　　)를 모르랴.

(194) 바다를 메워 萬頃農土를 만드니 이것도 (　　)(　　)碧海

(195) 學生들이 先生보다 뛰어난 漢字實力을 갖추게 되니 이 靑出(　　)(　　)이니라.

(196) 충분한 근거도 없이 의혹만 제기하고 나만 옳다는 (　　)(　　)附會

(197) 뜻이 같으면 무리지고 다르면 공격하는 (　　)同(　　)異

(198) 거리에 떠도는 소문 (　　)談巷(　　)을 어찌 믿으랴.

(199) 시원시원 말하지 못하고 우물우물 변죽만 울리니 (　　)(　　)搔癢

(200) 이번 대통령 뽑고 나서 道不(　　)(　　)의 아름다운 세상 되었으면.

국가공인
제4회 한자능력검정시험 1급 기출 예상문제

합격점수 : 160점
제한시간 : 90분

(社)한국어문회시행

수험생들에 의해 재생되었습니다.

[問 1-50] 다음 漢字語의 讀音을 쓰시오.

(1) 梵磬	(2) 連袂	(3) 氈帽
(4) 杜鵑	(5) 湮沒	(6) 唳囑
(7) 隙駒	(8) 贅壻	(9) 灑掃
(10) 屠戮	(11) 濊貊	(12) 菩薩
(13) 艱乏	(14) 漏泄	(15) 佾舞
(16) 吝嗇	(17) 食醯	(18) 詭詐
(19) 澎湃	(20) 耽溺	(21) 容喙
(22) 賄賂	(23) 殲撲	(24) 攄抱
(25) 潰裂	(26) 剛愎	(27) 澣滌
(28) 羈絆	(29) 詔勅	(30) 砧石
(31) 碎屑	(32) 乖戾	(33) 桎梏
(34) 剳剝	(35) 咳喘	(36) 訥澁
(37) 怯懦	(38) 猜妬	(39) 膾炙
(40) 煩數	(41) 嗅覺	(42) 咽塞
(43) 惱殺	(44) 崔瑩	(45) 參差
(46) 誘拐	(47) 卦爻	(48) 靡寧
(49) 喧藉	(50) 矜恤	

[問 51-78] 다음 漢字의 訓과 音을 쓰시오.

(51) 躇	(52) 噫	(53) 綸
(54) 龐	(55) 臀	(56) 膝
(57) 櫛	(58) 逵	(59) 篆
(60) 撒	(61) 慝	(62) 瀉
(63) 儺	(64) 覓	(65) 虔
(66) 銜	(67) 曇	(68) 艾
(69) 沛	(70) 斟	(71) 凜
(72) 隕	(73) 脆	(74) 蓑
(75) 噹	(76) 臂	(77) 覗
(78) 呆		

[問 79-82] 다음 多音 漢字의 訓과 音을 각각 2가지씩 쓰시오.

(79) 佚　(80) 馮　(81) 羨　(82) 汨

[問 83-102] 다음 글에서 밑줄 그은 單語를 漢字(正字)로 쓰시오.

(83) 몸값을 노리는 납치범은 반드시 잡혀야 한다.
(84) 갑작스러운 政策 變更은 混亂을 야기할 수 있다.
(85) 國力이 약해지면 强大國에 예속될 수 있다.
(86) 不法駐車는 交通에 큰 장애가 된다.
(87) 컴퓨터나 휴대전화의 전자파는 건강에 좋지 않다.
(88) 남의 일에 쓸데없이 간섭하지 말라.
(89) 약관에 정해진 대로 잘 지키면 된다.
(90) 믿었던 친구의 背信에 환멸을 느꼈다.
(91) 세계 곳곳에 强大國들의 첩보망이 깔려 있다.
(92) 離散家族들에게는 통일의 소망이 간절하다.
(93) 지루한 공방이 繼續되고 전투는 교착 상태에 빠졌다.
(94) 規制가 심하면 投資에 저해가 된다.
(95) 외곽도로의 開通으로 市內交通도 한결 원활해졌다.
(96) 우리 選手의 매혹적 姿態에 모두가 熱狂하였다.
(97) 어느 社會에나 階層間의 갈등은 있다.
(98) 가톨릭에서는 告白聖事를 통해 사죄를 받는다.
(99) 우리나라 航空産業은 정찰기를 輸出하는 水準이다.
(100) 아무리 힘들어도 中途 포기는 없다.
(101) 原石같은 言語를 조탁하여 寶石같은 詩를 빚는다.
(102) 中國 四川에서 티베트까지 鐵道가 부설되었다.

[問 103-112] 다음 뜻풀이에 알맞은 單語를 漢字(正字)로 쓰시오.

(103) (　)(　) : 감싸 끼고 호위함
(104) (　)(　) : 판세나 權勢 따위를 휘어잡음
(105) (　)(　) : 마음이 답답하고 쓸쓸함
(106) (　)(　) : 아주 적은 봉급
(107) (　)(　) : 주리고 목마름
(108) (　)(　) : 의사가 患者를 직접 찾아가 진료함
(109) (　)(　)(　) : 잘한 일을 드러내어 기리는 상장
(110) (　)(　)(　) : 썩지 않게 해주는 약제

(111) (　) (　) (　) : 組合 같은 데서 共同으로 사들여 싸게 파는 곳

(112) (　) (　) (　) : 업신여기고 깔봄을 당하는 느낌

[問 113-117] 다음 單語의 同義語를 한 가지씩 正字로 쓰시오.(音節數 같은 單語로)

(113) 堪輿

(114) 彌縫策

(115) 寄與

(116) 錐囊

(117) 放免

[問 118-127] 다음 각항에서 첫 音節이 긴소리로 나는 것을 1개씩 가려 그 기호(㉮-㉱)를 쓰시오.

(118) ㉮ 爬蟲類 ㉯ 瘍醫 ㉰ 罹災民 ㉱ 矯導所

(119) ㉮ 晋州 ㉯ 偕老 ㉰ 訴訟 ㉱ 芙蓉

(120) ㉮ 避擊 ㉯ 絃樂 ㉰ 琵琶 ㉱ 疼痛

(121) ㉮ 躁急 ㉯ 鈞況 ㉰ 溪谷 ㉱ 瑕疵

(122) ㉮ 伴奏 ㉯ 耽讀 ㉰ 珊瑚 ㉱ 媚藥

(123) ㉮ 貶下 ㉯ 衙前 ㉰ 譚詩 ㉱ 匠色

(124) ㉮ 鍼灸 ㉯ 尤甚 ㉰ 攘夷 ㉱ 前途

(125) ㉮ 邊方 ㉯ 冕服 ㉰ 櫻兒 ㉱ 寤寐

(126) ㉮ 庵子 ㉯ 旌旗 ㉰ 醇化 ㉱ 有聲

(127) ㉮ 胴體 ㉯ 遼遠 ㉰ 爽快 ㉱ 飼育

[問 128-137] 다음 각 漢字와 뜻이 反對 또는 相對되는 漢字(正字)를 써넣어 單語가 되게 하시오.

(128) 鰥(　)

(129) (　)淡

(130) (　)穢

(131) (　)雄

(132) (　)瘠

(133) 優(　)

(134) 矛(　)

(135) 盈(　)

(136) 嫡(　)

(137) 慶(　)

[問 138-147] 다음 〈보기〉를 참고하여 成語의 빈곳에 알맞은 漢字(正字)를 써 넣으시오.

〈보기〉

초라한 차림새
잔뜩 먹고 무엇이 부러울까?
신 바닥 긁어 시원할까?
태우고 묻은 들 학문이 사라지랴?
부부가 함께 덮고 베고.
살림이라야 지고 이면 될 뿐.
말 따위가 분명하지 않아.
임금이 가장 신임하는 신하.
사단(四端)의 하나.
한번 먹은 마음 꺾이지 않아.
(※ 순서대로 아님.)

(138) (　)哺(　)腹

(139) 焚書(　)(　)

(140) 羞(　)(　)心

(141) 曖昧(　)糊

(142) (　)(　)搔癢

(143) (　)袍(　)笠

(144) 不撓(　)(　)

(145) 男(　)女(　)

(146) 鴛鴦衾(　)

(147) 股肱(　)(　)

[問 148-152] 빈칸에 알맞은 漢字(正字)를 써넣어 앞뒤 대칭 구조의 四字成語를 完成하시오.

(148) (　)(　)奪胎

(149) (　)(　)皓齒

(150) (　)(　)右眄

(151) 臥薪(　)(　)

(152) (　)(　)魄散

[問 153-167] 다음 漢字와 訓이 같은 漢字(正字)를 써넣어 單語가 되게 하시오.

(153) (　)魃　(154) (　)傅

(155) (　)謐　(156) (　)綽

(157) (　)愕　(158) (　)禱

(159) (　　)嶼　(160) 冀(　　)
(161) 擄(　　)　(162) 揀(　　)
(163) 堆(　　)　(164) 拿(　　)
(165) 畏(　　)　(166) (　　)諱
(167) (　　)埃

[問 168–172] 다음 單語의 同音異義語를 주어진 풀이에 맞게 漢字(正字)로 쓰시오.

(168) 編輯 : 한쪽만 고집하고 남의 말을 듣지 않음.
(169) 罵倒 : 물건을 팔아 소유권을 다른 사람에게 넘김.
(170) 蓮府 : 물건 값이나 빚 따위의 일정한 금액을 해마다 나누어 내는 일.
(171) 秀作 : 작위를 줌.
(172) 陷穽 : 크거나 작은 군사용 배를 통틀어 이르는 말.

[問 173–177] 다음 漢字語의 反義語를 正字로 쓰시오.

(173) 膨脹　(174) 過激派
(175) 奢侈　(176) 解弛
(177) 敏捷

[問 178–187] 다음 漢字語의 뜻을 6음절 이내로 간단히 쓰시오.

(178) 詣闕
(179) 月暈
(180) 檣竿
(181) 犀角
(182) 擅橫
(183) 黍粟
(184) 廏舍
(185) 知悉
(186) 繭綿
(187) 肇秋

[問 188–197] 다음 漢字의 部首를 쓰시오.

(188) 鼇　(189) 窯　(190) 殼
(191) 禿　(192) 囊　(193) 戌
(194) 罄　(195) 棗　(196) 糞
(197) 斡

[問 198–200] 다음 글자의 正字, 略字 또는 갖은자를 쓰시오.

(198) 蚕
(199) 一
(200) 峽

합격점수 : 160점
제한시간 : 90분

국가공인 제5회 한자능력검정시험 1급 기출 예상문제

(社)한국어문회시행

수험생들에 의해 재생되었습니다.

[問 1-50] 다음 漢字語 [1-50]의 讀音을 쓰시오.

(1) 嗔喝 (2) 盤渦 (3) 畔援
(4) 腕釧 (5) 坑塹 (6) 毫釐
(7) 瓜滿 (8) 蔗境 (9) 蹉跌
(10) 覆轍 (11) 恪虔 (12) 杜撰
(13) 夙就 (14) 棲遁 (15) 宏敞
(16) 撞礁 (17) 潰爛 (18) 懲毖
(19) 牢籠 (20) 癡呆 (21) 兢悚
(22) 督勵 (23) 宵晨 (24) 排斡
(25) 臼磨 (26) 寬闊 (27) 鈴鐸
(28) 紬綾 (29) 零悴 (30) 沈沔
(31) 剽竊 (32) 讎仇 (33) 弧矢
(34) 膾炙 (35) 悖戾 (36) 狹窄
(37) 咳喘 (38) 晦匿 (39) 奪掠
(40) 叢萃 (41) 助幇 (42) 戟盾
(43) 庸懦 (44) 疹恙 (45) 甥姪
(46) 抛擲 (47) 贅瘤 (48) 至遝
(49) 早慧 (50) 匙箸

[問 51-55] 위 漢字語 [1-5] 의 뜻을 풀이하시오.

(51) 嗔喝 :
(52) 盤渦 :
(53) 畔援 :
(54) 腕釧 :
(55) 坑塹 :

[問 56-60] 위 漢字語 [6-10] 의 轉義(字義대로가 아닌 뜻)를 쓰시오.

例 : 矛盾(轉義) 앞뒤가 맞지 않음

(56) 毫釐 :
(57) 瓜滿 :
(58) 蔗境 :
(59) 蹉跌 :
(60) 覆轍 :

[問 61-65] 위 漢字語 [11-15]와 뜻이 가장 비슷한 漢字語를 [16-50]에서 찾아 번호로 답하시오.

(61) 恪虔 (62) 杜撰 (63) 夙就
(64) 棲遁 (65) 宏敞

[問 66-70] 위 漢字語 [22-50] 가운데서, 서로 상대되는 뜻을 지닌 글자끼리 結合된 것을 5개 찾아 그 번호로 답하시오.

(66) ( ) (67) ( ) (68) ( )
(69) ( ) (70) ( )

[問 71-100] 다음 漢字 [71-100] 의 訓 · 音을 쓰시오.

(71) 粘 (72) 註 (73) 喬
(74) 碌 (75) 昧 (76) 眄
(77) 戌 (78) 棗 (79) 鑿
(80) 諧 (81) 泄 (82) 渠
(83) 曳 (84) 脹 (85) 醯
(86) 捷 (87) 扼 (88) 縛
(89) 怯 (90) 謐 (91) 拿
(92) 匡 (93) 呆 (94) 咼
(95) 堊 (96) 勻 (97) 芻
(98) 乏 (99) 爻 (100) 喙

[問 101-110] 위 漢字 [91-100] 의 부수를 순서대로 쓰시오.

(101) ( ) (102) ( ) (103) ( ) (104) ( )
(105) ( ) (106) ( ) (107) ( ) (108) ( )
(109) ( ) (110) ( )

※ 다음 글을 읽고 물음에 답하시오.

○ (베이징=연합뉴스) 12일 오후 중국 쓰촨성(四川省)에서 리히터규모 7.8의 강진(111)이 발생해 4명이 사망하고 100여명이 부상(112)하는 등 상당한 인명 및 재산 피해(113)가 발생했다. 쓰촨성 아바에서는 건물들이 붕괴(114)되고 파괴됐으며 간선(115) 도로가 붕괴돼 교통이 마비되는 등 재산 피해가 잇따라 보고되고 있다.

지진이 감지되자 중국 건물 중 현재 가장 높은 상하이의 진마오빌딩(金茂大廈)을 비롯, 인근(116) 고층건물에 있던 주민들이 각각 대피(117)하는 소동(118)이 발생했다. 쓰촨성에서 지진이 발생한 뒤 7분 뒤 베이징에서도 규모 3.9의 여진이 발생해 고층 건물에 소개령(119)이 내려져 수천여명이 건물 밖으로 긴급(120) 대피했다.

○ 고대 우주론에서 물은 거의 예외 없이 순수성, 풍요, 생명의 근원과 관련되어 있다. 바다는 대지보다 더 원초적인 모성 이미지이다. 바다는 무형적인 잠재력(121)을 상징(122)하며, 유연성(123), 해체, 융화(124), 응집력(125), 출생, 재생의 표상이다.(잭 트레시더, 『상징 이야기』, 도솔출판사, 2007)

○ 교정과 편집(126)이 엉망이고 정성들여 만들어지지 않은 책이라면 좋은 원고라도 그 내용이 제대로 독자에게 전달되지 못한다. 좋은 원고로 정성들여 만든 책을 찾아 주의 깊게 읽어보자. 투고(127)된 작품들을 보다 보면 특히 줄바꾸기에 대한 인식이 부족함을 느낀다. 줄바꾸기는 단락(128)을 조직하고 문장의 호흡을 생성하는 중요한 수단이다. 기성 작가의 작품에서도 한두 문장을 쓰고 습관적으로 줄을 바꾸는 경우를 종종 보게 된다. 그리하여 의미는 연쇄(129)를 이루지 못하고, 자기 나름의 개성적인 문체를 찾아보기 어려워진다.(김이구, 『어린이문학을 보는 시각』, 창작과 비평사, 2005)

○ 조선시대 암행어사(130)가 걷던 길에는 갖가지 모험과 낭만(131)이 기다리고 있었다. 부정한 수령(132)에 대한 은밀(133)한 탐지와 천둥이 울리는 듯한 출도, 백성의 묵은 한을 풀어주는 통쾌함은 익히 들어온 이야기다. 하지만 암행어사의 행로가 모험과 낭만에 그칠 수만은 없다. 국왕의 측근 중 비밀리(134)에 선발(135)된 관원이 임금의 명령을 직접 수행하는 영광의 길이었으며, 따라서 출셋길로 줄달음쳐 나가는데 빠뜨릴 수 없는 화려한 길이었다. 반면 그 영광과 명예의 길에서 본분을 망각(136)하고 추악(137)한 탐욕(138)을 행한 암행어사 또한 드물지 않았다.(최기숙 외, 『역사, 길을 품다』, 글항아리, 2007)

○ 미래에 관해서 결코 언급해서는 안된다는 것은 모든 역사가의 불문율(139)이다. 역사학은 지나간 사실만을 다루는 학문인데, 미래에는 그런 팩트가 있을수 없기 때문이다. 어떤 역사학 이론은 역사가 미래를 포괄한다고 내세우기도 했다. 하지만 그런 이론들은 전부 신뢰(140)를 얻지 못했다. 그래서 역사가들은 공공 정책의 형성 과정에서 아무런 제안(141)을 하지 않으며, 정책 결정 과정에 초대되는 일도 거의 없다. 그런 일은 경제학자들에게 맡기는 것이다.(존 브록만 편, 『위험한 생각들』, 갤리온, 2007)

○ 샤르댕의 정물화에서 식사 준비(142)는 대단히 정교하고 우아(143)한 과정으로 여겨진다. 적어도 그의 교묘한 조각(144)을 보면 사회 구조가 음식에 반영된다는 레비스트로스의 견해는 틀림이 없는 듯하다. 그러나 주방에서의 행동을 더 거칠고 노골적(145)인 방식으로, 절단(146)과 해체를 여과 없이 다룬 서양 미술 작품들도 있다. 이런 그림은 동식물이 먹을거리로 변환되는 물신숭배적(147) 과정을 매우 강렬하게 보여준다. 예를 들어 피테르 아르첸이 1559년에 그린 당당(148)한 요리사 그림은 요리를 맛과 모양의 섬세(149)한 균형(150)이라기보다는 레슬링 시합처럼 묘사한다.(케네스 벤디너 지음, 『그림으로 본 음식의 문화사』, 예담, 2007)

[問 111-150] 윗글 밑줄 그은 漢字語를 漢字(正字)로 쓰시오.

(111) (　　)	(112) (　　)	(113) (　　)
(114) (　　)	(115) (　　)	(116) (　　)
(117) (　　)	(118) (　　)	(119) (　　)
(120) (　　)	(121) (　　)	(122) (　　)
(123) (　　)	(124) (　　)	(125) (　　)
(126) (　　)	(127) (　　)	(128) (　　)
(129) (　　)	(130) (　　)	(131) (　　)
(132) (　　)	(133) (　　)	(134) (　　)
(135) (　　)	(136) (　　)	(137) (　　)
(138) (　　)	(139) (　　)	(140) (　　)
(141) (　　)	(142) (　　)	(143) (　　)
(144) (　　)	(145) (　　)	(146) (　　)
(147) (　　)	(148) (　　)	(149) (　　)
(150) (　　)		

[問 151-155] 윗글 밑줄 그은 漢字語 [111-140] 가운데에서 첫소리가 '긴소리' 인 것을 가려 5개만 그 번호를 쓰시오.(실제로는 5개 이상임).

(151) (　　)	(152) (　　)	(153) (　　)
(154) (　　)	(155) (　　)	

[問 156-160] 다음에서 첫소리가 '긴소리' 인 것을 그 번호로 답하시오.

(156) ㉮ 盜掘 ㉯ 涅槃 ㉰ 間隔 ㉱ 剖破

(157) ㉮ 沸波 ㉯ 經絡 ㉰ 誣陷 ㉱ 彷徨

(158) ㉮ 症候 ㉯ 魁首 ㉰ 肇始 ㉱ 讖緯

(159) ㉮ 詛呪 ㉯ 檣竿 ㉰ 冤痛 ㉱ 綜覽

(160) ㉮ 掃蕩 ㉯ 駕轎 ㉰ 撫摩 ㉱ 劃策

[問 161-170] 다음 밑줄 친 同音異義語를 구별하여 漢字(正字)로 쓰시오.

○ 이번에 관계(161)로 나간 저 두 분은 인척 관계(162)라고 한다.

○ 산의 정상(163)에 힘겹게 올랐지만 맥박은 정상(164)이었다.

○ 사법인을 선발하기 위한 고시(165)의 일정이 곧 고시(166)될 것이다.

○ 시온산의 최후의 만찬 기념 성전(167)에서 성전(168)이 거행되었다.

○ 이 고장 유지(169)로서 명예를 유지(170)하려면 먼저 사욕을 버려야 할 것이다.

[問 171-175] 다음 漢字의 略字는 正字로, 正字는 略字로 쓰시오.

(171) 珎 (172) 蚕 (173) 竊

(174) 擔 (175) 嘗

[問 176-183] 類義語로 짝이 되도록 [176-178], 類義(같은 뜻)字로 結合된 漢字語가 되도록 [179-183]( )안에 漢字를 쓰시오.

(176) 破天( ) - 未曾有

(177) 棟梁之器 - ( )城之材

(178) 首鼠兩( ) - 左顧右視

(179) ( )納

(180) 甏( )

(181) ( )伐

(182) 窒( )

(183) 囑( )

[問 184-190] 다음 ( )안에 反義語를 쓰시오.

(184) 愼重 ↔ ( )

(185) 劣等感 ↔ ( )( )感

(186) ( )( )一貫 ↔ 龍頭蛇尾

(187) 繁忙 ↔ ( )

(188) 廢止 ↔ ( )

(189) 榮轉 ↔ ( )

(190) 稚拙 ↔ ( )

[問 191-200] 다음 〈例〉의 뜻을 참고하여 아래의 四字成語를 完成하시오.

〈例〉

○ 시원하게 해결함.
○ 가진 것이 하나도 없음.
○ 무모한 용기
○ 아주 말을 잘함.
○ 아슬아슬함.
○ 흠 잡을 데가 없음.
○ 용기를 크게 냄.
○ 덧없이 사라짐.
○ 인재를 열심히 구함.
○ 외롭게 쓸쓸함.
○ 스스로 함.
○ 오히려 해를 더 키움.
○ 완전히 무너짐.
(※ 순서대로 아님.)

(191) ( )爐( )雪

(192) ( )( )口辯

(193) ( )手空( )

(194) ( )雉自( )

(195) 天( )無( )

(196) 走( )( )鞭

(197) 如( )薄( )

(198) ( )哺握( )

(199) 快( )亂( )

(200) 暴( )馮( )

국가공인
제6회 한자능력검정시험 1급 기출 예상문제

합격점수 : 160점
제한시간 : 90분

(社)한국어문회시행

수험생들에 의해 재생되었습니다.

※ 다음 漢字語에 대하여 물음에 답하시오.

(1) 顧眄	(2) 逋欠	(3) 鉢囊
(4) 遐裔	(5) 揖遜	(6) 葵傾
(7) 牢籠	(8) 晏駕	(9) 瑕疵
(10) 鍼艾	(11) 站遞	(12) 迅捷
(13) 欣戚	(14) 鯨濤	(15) 垢穢
(16) 夙宵	(17) 樞轄	(18) 跋涉
(19) 煮沸	(20) 洩漏	(21) 舅甥
(22) 掃灑	(23) 焚燼	(24) 熾灼
(25) 眩暈	(26) 狡猾	(27) 鞏膜
(28) 鉤矩	(29) 嗜玩	(30) 嘔軋
(31) 豪鰲	(32) 蠢爾	(33) 屠戮
(34) 闊狹	(35) 漑糞	(36) 竪褐
(37) 嗤罵	(38) 屯戍	(39) 猜阻
(40) 梗壅	(41) 赦宥	(42) 圄囹
(43) 窘厄	(44) 鷹鳶	(45) 刪拾
(46) 驕逞	(47) 酷辣	(48) 捜攬
(49) 喧轟	(50) 瀆汚	

[問 1–50] 위 漢字語 [1–50]의 讀音을 쓰시오.

[問 51–55] 위 漢字語 [1–5]를 우리말로 옮기시오.

(51) 顧眄 :

(52) 逋欠 :

(53) 鉢囊 :

(54) 遐裔 :

(55) 揖遜 :

[問 56–60] 위 漢字語 [6–10] 의 轉義(字義대로가 아닌 뜻)를 쓰시오.

例 : 矛盾 (轉義) 앞뒤가 맞지 않음

(56) 葵傾 :

(57) 牢籠 :

(58) 晏駕 :

(59) 瑕疵 :

(60) 鍼艾 :

[問 61–65] 위 漢字語 [11–50] 가운데서, 서로 상대되는 뜻을 지닌 글자끼리 결합된 것[得失… 등과 같이]을 5개 찾아 그 번호로 답하시오.

(61) (　) (62) (　) (63) (　)

(64) (　) (65) (　)

[問 66–90] 다음 漢字의 訓 · 音을 쓰시오.

(66) 腔	(67) 禦	(68) 遝	(69) 奧
(70) 貂	(71) 飄	(72) 嚆	(73) 絇
(74) 昉	(75) 袂	(76) 辜	(77) 扱
(78) 邏	(79) 訃	(80) 豺	(81) 斡
(82) 殲	(83) 胥	(84) 篆	(85) 骸
(86) 麾	(87) 撞	(88) 隅	(89) 拐
(90) 刮			

[問 91–100] 다음 漢字의 部首를 쓰시오.

(91) 竄	(92) 禿	(93) 卍	(94) 犀
(95) 蹂	(96) 蔗	(97) 躊	(98) 斟
(99) 嵞	(100) 倣		

[問 101–105] 빈칸에 다음 漢字를 사용할 수 없는 한자어를 찾아 그 번호를 적으시오.

(101) 纏 :

① ( )繫 ② 縛( ) ③ ( )絡 ④ 摯( )

(102) 髓 :

① 精( ) ② 蕫( ) ③ ( )腦 ④ 脊( )

(103) 懦 :

① ( )靭 ② ( )怯 ③ ( )劣 ④ 庸( )

(104) 抹 :

① 濃( ) ② ( )擦 ③ ( )消 ④ 燕( )

(105) 棘 :

① ( )寐 ② 荊( ) ③ ( )圍 ④ 艱( )

[問 106-110] 다음 漢字語와 뜻이 가장 비슷한 漢字語를 찾아 그 번호를 적으시오.

(106) 庇蔭 :
① 櫛庇 ② 援護 ③ 涉獵 ④ 折衷

(107) 罷憊 :
① 疲竭 ② 旱魃 ③ 痼癖 ④ 瀝適

(108) 敷衍 :
① 劾按 ② 寒蟄 ③ 癡昧 ④ 詳述

(109) 凍梨 :
① 氷夷 ② 卒壽 ③ 伏義 ④ 瘦瘠

(110) 凜綴 :
① 危懼 ② 盤旋 ③ 彈駁 ④ 驅儺

※ 다음 글을 읽고 물음에 답하시오.

○ 갑자기 많은 눈이 내린 탓에 아파트 주차장엔 차량(111) 운행을 포기(112)하고 대중교통을 택한 사람들이 많았다. 고속도로에서는 연쇄(113) 추돌(114)이 잇따랐다.

○ 조선시대에도 곡물의 수급(115)을 조절하기 위해 매년 각 도마다 수확(116)한 양을 파악하여 장계(117)를 올려 중앙에 보고해 왔다.

○ 독재(118) 권력에 맞서 개인의 프라이버시의 권리, 즉 자유의 기초(119)를 지키려고 하는 전쟁은 지금 이 순간에도 벌어지고 있고, 또 승리를 장식(120)하고 있다.

○ 월드컵 축구(121) 대회의 준결승에 나가려던 갈망(122)이 무참(123)하게 좌절되었다.

○ 휴대(124) 전화 시장에서 어느 기업도 영원히 패권(125)을 장악할 수는 없다. 기술 개발이 점점 가속화되는 추세(126)인데다 가격 파괴(127) 등으로 시장의 균형(128)이 깨어지기 쉽기 때문이다.

○ 일본의 일부 정치가들은 아시아에서의 역사적 과오를 참회(129)하지 않은 채 전쟁 영웅들을 제향(130)하는 행사에 정례적으로 참여하고 있다. 우리 정부는 그들의 반성을 공식적으로 촉구(131)해 왔다.

○ 고골을 풍자의 천재로 칭송(132)해 마지않는 용기를 보여주었던 투르게네프는 그 글로 인해 즉시 체포(133) 됐다. 바쿠닌은 감옥(134)에 수감되어 있었고, 게르첸은 해외에 체류(135)하고 있었다.(이사야 벌린, 『러시아 사상사』, 생각의 나무, 2008)

○ 최근의 드라마는 참신(136)한 화면구성으로 영상(137) 미학을 발전시키고 있고, 종래 금기(138)로 여겼던 주제들을 과감하게 다루고 있다.

○ 미국에서 야기(139)된 금융 위기가 세계 곳곳으로 즉시 파급(140)되는 상황(141)이 벌어지고 있다.

○ STX는 선두 르까프와 반 게임 차로 격차(142)를 좁히며 추격(143)의 고삐를 당겼다. 삼성전자 KHAN 역시 6승3패, 승전 6을 유지(144)했다. 이로써 어느 팀도 승리를 장담(145)할 수 없게 되었다.

[問 111-145] 윗글 밑줄 그은 漢字語를 漢字(正字)로 쓰시오.

(111)	(112)	(113)	(114)
(115)	(116)	(117)	(118)
(119)	(120)	(121)	(122)
(123)	(124)	(125)	(126)
(127)	(128)	(129)	(130)
(131)	(132)	(133)	(134)
(135)	(136)	(137)	(138)
(139)	(140)	(141)	(142)
(143)	(144)	(145)	

[問 146-150] 윗글 밑줄 그은 漢字語 [111-145] 가운데에서 첫소리가 '긴소리' 인 것을 가려 5개만 그 번호를 쓰시오(실제로는 5개 이상임) .

(146) ( ) (147) ( ) (148) ( )
(149) ( ) (150) ( )

[問 151-155] 다음에서 첫소리가 '긴소리' 인 것을 그 번호로 답하시오.

(151) ㉮ 契丹 ㉯ 醋酸 ㉰ 譴責 ㉱ 菩薩
(152) ㉮ 駕轎 ㉯ 模糊 ㉰ 截然 ㉱ 粉匣
(153) ㉮ 熄滅 ㉯ 誓盟 ㉰ 頸椎 ㉱ 廊廟
(154) ㉮ 堪耐 ㉯ 滌蕩 ㉰ 梧桐 ㉱ 獎勵
(155) ㉮ 紬緞 ㉯ 暫逢 ㉰ 攻伐 ㉱ 鹽醬

[問 156-165] 다음 밑줄 친 同音異義語를 구별하여 漢字(正字)로 쓰시오.

○ 오랜 옛날에는 변경(156)에 홍수가 나면 국경이 변경(157)되고는 하였다.

○ 그녀는 연기(158) 공부를 위해 무대 복귀를 연기(159)한다고 발표했다.

○ 신하들은 보좌(160)에 앉은 분을 보좌(161)하는 일을 忠이라고 여겼다.

○ 이 성명서의 주지(162)는 동참하신 분들께서 주지(163)하시리라고 믿습니다.

○ 늦게까지 교정(164)에 남아서 투구 자세를 교정(165)하고는 했다.

[問 166–170] 다음 漢字의 略字는 正字로, 正字는 略字로 쓰시오.

(166) 龜　(167) 劝　(168) 仮

(169) 压　(170) 濕

[問 171–175] 類義字로 결합된 漢字語가 되도록 (　) 안에 漢字를 쓰거나 [171–172], 類義語로 짝이 되도록 (　) 안에 漢字를 쓰시오[173–175].

(171) 蓋(　)

(172) (　)迫

(173) 握沐 – (　)哺

(174) (　)(　)枝 – 鴛鴦契

(175) 孫康(　)雪– 車胤聚(　)

[問 176–180] 反義語로 짝이 되도록 (　)안에 漢字를 쓰시오.

(176) 唐慌 ↔ (　)(　)

(177) 紅顔 ↔ (　)(　)

(178) 銳利 ↔ (　)(　)

(179) 彌縫的 ↔ (　)(　)的

(180) 麻中之蓬 ↔ (　)(　)(　)赤

[問 181–185] 다음 밑줄 친 漢字語를 漢字(正字)로 쓰거나 그 讀音을 쓰시오.

(181) 본 발표에 대해서는 발표집의 해당 부분을 참고하시기 바랍니다.

(182) 연예인들은 소속사와 드라마 제작사가 수익을 나누는 방식으로 계약을 체결한다고 한다.

(183) 인구에 膾炙되던 그의 시가 비석에 새겨져 있다.

(184) 길이 너무 험해서 迂廻하여 정상에 오르기로 했다.

(185) 마을의 방죽은 생활하수를 濾過하는 역할을 해왔다.

[問 186–190] 밑줄 친 우리말에 해당하는 두 음절의 漢字語를 漢字(正字)로 바르게 적으시오.

○ 그는 실력과 재능이 남보다 뛰어나(186) 가장 먼저 뽑히리라고(187) 누구나 다 예상했다.

○ 아무 승락 없이(188) 남의 저작물을 몰래 가져다(189) 사용하면 저작권법에 걸리게(190) 된다.

[問 191–200] 다음 〈例〉의 뜻을 참고하여 아래의 四字成語를 完成하시오.

〈例〉

○ 해칠 뜻을 지님.
○ 더 큰 위험을 만남.
○ 세력가에게 의지함.
○ 밤낮으로 쉬지 않음.
○ 극심한 참상.
○ 흐지부지함.
○ 나아가고 물러남을 시기에 맞게 함.
○ 아주 하찮음.
○ 삶의 자취가 없음.
○ 한꺼번에 해 치움.
○ 잘못된 비난이 시끄러움.
○ 웅장한 기세.
○ 어리숙함.
○ 앞일을 돌아보지 못함.
(※ 순서대로 아님.)

(191) (　)(　)長川　(192) (　)不慮(　)

(193) 阿(　)(　)喚　(194) (　)釜(　)鳴

(195) 笑裏(　)(　)　(196) 鼠(　)(　)臂

(197) 雪(　)(　)爪　(198) (　)獐逢(　)

(199) 菽(　)不(　)　(200) 攀(　)附(　)

국가공인
제7회 한자능력검정시험 1급 기출 예상문제

합격점수 : 160점
제한시간 : 90분

(社)한국어문회시행 　　　수험생들에 의해 재생되었습니다.

※ 다음 漢字에 대하여 물음에 답하시오.

(1) 捺印　(2) 柴扉　(3) 狩獵
(4) 喫茶　(5) 鍼灸　(6) 釋褐
(7) 丘壟　(8) 濫觴　(9) 宸襟
(10) 錐囊　(11) 絞縊　(12) 潰瘍
(13) 譴黜　(14) 沈澱　(15) 戮撻
(16) 闇暝　(17) 澄謐　(18) 斑駁
(19) 吼噴　(20) 喧騰　(21) 淋滲
(22) 梗澁　(23) 蔚嶼　(24) 爬蟲
(25) 婆娑　(26) 匍匐　(27) 歆羨
(28) 剽剝　(29) 忖度　(30) 凌僭
(31) 舅甥　(32) 窘蠢　(33) 駑驥
(34) 躊躇　(35) 糟糠　(36) 孀鰥
(37) 癲癇　(38) 氈帽　(39) 簪笏
(40) 佚蕩　(41) 褒貶　(42) 譬諭
(43) 闊狹　(44) 凹凸　(45) 饒侈
(46) 訛謬　(47) 壅劫　(48) 遐裔
(49) 穢慝　(50) 霑灑

[問 1–50] 위에 제시된 漢字語 [1–50]의 讀音을 쓰시오.

[問 51–55] 위 漢字語 [1–5]의 뜻을 쓰시오.

(51) 捺印 :
(52) 柴扉 :
(53) 狩獵 :
(54) 喫茶 :
(55) 鍼灸 :

[問 56–60] 위 漢字語 [6–10] 의 轉義(字義대로가 아닌 뜻)를 쓰시오.

〈例〉 : 光陰 : 시간, 세월

(56) 釋褐 :
(57) 丘壟 :
(58) 濫觴 :
(59) 宸襟 :
(60) 錐囊 :

[問 61–65] 위 漢字語 [31–50] 가운데서, 서로 상대되는 뜻을 지닌 글자끼리 結合된 것[可否… 등과 같이]을 5개 찾아 그 번호로 답하시오.

(61) ( )　(62) ( )　(63) ( )
(64) ( )　(65) ( )

[問 66–90] 다음 漢字의 訓 · 音을 쓰시오.

(66) 袈　(67) 殯　(68) 甦　(69) 靄
(70) 殼　(71) 齡　(72) 訊　(73) 蹂
(74) 棗　(75) 漕　(76) 綸　(77) 輾
(78) 胱　(79) 肇　(80) 倡　(81) 諂
(82) 鍍　(83) 膨　(84) 牒　(85) 仔
(86) 腕　(87) 鵠　(88) 袂　(89) 昉
(90) 慷

[問 91–100] 다음 漢字의 部首를 쓰시오.

(91) 孵　(92) 羹　(93) 禹　(94) 鼎
(95) 爺　(96) 覇　(97) 叢　(98) 寢
(99) 贅　(100) 寨

[問 101–105] 빈칸에 다음 제시된 漢字를 넣어 漢字語로 성립하지 않는 것을 찾아 번호를 적으시오.

(101) 夙 : ① ( )興　② ( )星　③ ( )夜　④ ( )悟

(102) 菽 : ① ( )麥　② ( )粟　③ ( )塾　④ ( )水

(103) 浚 : ① ( )井　② ( )照　③ ( )淸　④ ( )泄

(104) 埠 : ① ( )磨　② ( )頭　③ 商( )　④ 船( )

(105) 胚 : ① ( )芽　② ( )子　③ ( )珠　④ 快( )

[問 106–110] 다음 漢字語와 뜻이 가장 비슷한 漢字語를 찾아 그 번호를 적으시오.

(106) 賄賂 : ① 徘徊　② 瀆職　③ 津梁　④ 黍稷

(107) 權輿 : ① 邂逅　② 曉鍾　③ 症候　④ 嚆矢

(108) 換骨 : ① 猿狙　② 醲醴　③ 奪胎　④ 繡綳

(109) 覆轍 : ① 硅素　② 踐窺　③ 器皿　④ 前軌

(110) 連理 : ① 跛鼈　② 啼哭　③ 些微　④ 琴瑟

※ 다음 글을 읽고 물음에 답하시오.

○ 우리의 선인들은 2000여 년 동안 한자를 이용한 문화생활을 하여 왔다. 한문을 직접 구사(111)하기도 하고 이두나 향찰(112)과 같은 차자표기법을 발달시켜 우리말을 기록하기도 하였다. 한글이 창제(113)된 이후에는 주로 국한혼용문을 쓰고 한글을 전용한 글들은 언간이나 고소설, 그 밖에 종교적인 암송(114) 등 특수(115)한 목적을 가진 글에 한하여 사용하였었다.

○ 한글전용의 공과를 다루고 있는 이 글은 우선 한글전용이 문맹 퇴치(116), 언문일치의 문장 보급(117), 국민의 독서량 증가(118), 민족 자긍심의 고양(119) 등과 같은 공이 있었으나 한편으로는 언어생활에 있어 전통과의 단절, 문화적 편협성 초래, 우리말의 조어력 저하 등을 가져옴으로써 우리 문화를 외래문화에 예속(120)시키는 결과를 초래한 것과 같은 과가 있음을 지적(121)하고, 한글전용이라는 문화적인 제약(122)을 없앨 것을 주장하고 있다.

○ 한글 창제의 공로자 세종대왕은 민족 영원의 존숭(123)의 상징(124)임에 이론이 있을 수 없다. 세종대왕은 진정으로 문화 전반을 통찰(125)하신 분이어서 오늘날 일부에서 말하는그러한 편협하신 문화론을 가지신 분이 아니다.

○ 우주활동 없이 세계 중심국가로의 도약(126)은 어렵다. 우리가 원하는 시기에 위성을 쏘고, 독자 의지에 따라 우주를 탐사(127)하는 일은 독자 발사체 개발에서 시작된다.

○ 오늘은 전국에서 대체로 구름이 많겠다고 기상청이 예보(128)했다. 대륙 고기압이 확장(129)하면서 밤부터 바람이 점차 강해지고 기온도 더 떨어질 전망이다.

○ 북한은 후계 권력 구도(130)를 놓고 갈등(131)을 빚은 데 따른 동요(132)를 비롯해 체제 불안 요인이 적지 않다.

○ 우리말의 오염(133)과 쇠퇴는 매우 극심(134)하다. 많은 사람들이 그 점을 지적하고 있다.

○ 우리는 그동안 인터넷의 자율적인 정화(135) 노력에 기대를 걸어왔다. 최근 인터넷을 통한 명예(136) 훼손은 그 부작용을 방치(137)할 수 없는 지경에 이르렀다. 따라서 사이버 세상에도 책임이 따르는 행동이 필요하다.

○ 강대국의 언어문화 정책은 겉으로는 소수민족 언어를 유지(138), 보호(139)하는 것으로 돼있지만 실제(140)로는 거역(141)할 수 없는 압력으로 작용하여 왔다. 인류 문화의 값진 유산(142)인 언어가 사라져 가는 것을 우리는 보고만 있어야 할까?

○ 그동안 기업(143)들이 줄기차게 요구해 온 규제 완화(144)에 대해서도 전에 없이 적극적인 자세를 보였다. 달리 보면 경기가 그만큼 심각(145)하다는 얘기이기도 하다.

[問 111–145] 윗글 밑줄 그은 漢字語를 漢字(正字)로 쓰시오.

(111)	(112)	(113)	(114)
(115)	(116)	(117)	(118)
(119)	(120)	(121)	(122)
(123)	(124)	(125)	(126)
(127)	(128)	(129)	(130)
(131)	(132)	(133)	(134)
(135)	(136)	(137)	(138)
(139)	(140)	(141)	(142)
(143)	(144)	(145)	

[問 146–155] 다음에서 첫소리가 '긴소리' 인 것을 가려 10개를 골라 그 번호로 답하시오.

(146) (　) (147) (　) (148) (　) (149) (　)
(150) (　) (151) (　) (152) (　) (153) (　)
(154) (　) (155) (　)

① 來客	② 奏聞	③ 露積	④ 點線	⑤ 滿場
⑥ 杖鼓	⑦ 緬奉	⑧ 暫間	⑨ 撫愛	⑩ 要緊
⑪ 彷彿	⑫ 易學	⑬ 府君	⑭ 議員	⑮ 尙武
⑯ 討伐	⑰ 雅趣	⑱ 從軍	⑲ 環狀	⑳ 行政

[問 156–165] 다음 밑줄 친 同音異義語를 구별하여 漢字(正字)로 쓰시오.

○ 지난 겨울 환한 달빛 아래 교교히 펼쳐진 설계(156)에서 많은 수행자들이 그동안 자신들이 지은 죄를 참회하는 설계(157)의 자리가 마련되었다.

○ 다음 달 열리는 월드컵 경기에 출전 자격을 얻은 선발(158) 선수들이 현지의 적응을 위해 선발(159) 비행기를 타고 오늘 그곳으로 출발하였다.

○ 선수들을 열렬히 환영(160)하였다. … 심신이 지친 탓인가, 그리움이 사무친 탓인가 오래 전 돌아가신 아버지의 환영(161)이 보이는 듯했다.

○ 지난해 모 기업의 신입사원 공채에서 가장 우수(162)한 성적으로 입사한 홍길동은 기업의 성장을 위한 아이디어를 마련하기 위한 부담으로 매일매일 우수(163)에 잠겨야 했다.

○ 혹독한 겨울을 지나 파란 새싹이 돋는 봄을 맞이하면 삶의 의욕이 유연(164)히 솟아나 너른 들판에서 유연(165)이라도 베풀고 싶다.

[問 166-170] 다음 漢字의 略字는 正字로, 正字는 略字로 쓰시오.

(166) 盡　(167) 蚕　(168) 貳
(169) 蠻　(170) 竜

[問 171-175] 類義字로 結合된 漢字語가 되도록 (　) 안에 漢字를 쓰거나 [171-173], 類義語로 짝이 되도록 (　) 안에 漢字(正字)를 쓰시오.[174-175]

(171) (　)拭　(172) (　)傷
(173) 巡(　)
(174) (　)(　) - 囑望
(175) 納得 - (　)(　)

[問 176-180] 서로 相對語가 되도록 漢字語를 (　)안에 넣거나 [176-177], 相對語의 짝이 되도록 (　)안에 漢字(正字)를 쓰시오 [178-180].

(176) 詰難 ↔ (　)(　)
(177) 寒冷 ↔ (　)(　)
(178) (　)而穿井 ↔ 居安思危
(179) (　)毅木訥 ↔ 巧言令色
(180) 曲(　)徙薪 ↔ 亡牛補牢

[問 181-185] 다음 밑줄 친 漢字語를 漢字로 바르게 적은 것을 골라 번호를 적으시오.

(181) 그는 자신이 손수 만든 <u>만화경</u>을 가지고 여러 가지로 변하는 아름다운 무늬를 보았다.
① 漫畫鏡　② 瞞火鏡
③ 萬花鏡　④ 萬華鏡

(182-183) 평소 운동을 할 때는 몸의 <u>균형</u>(182)을 잘 유지해야 하며, 건강한 육체를 보존하기 위해서는 매일매일 영양분을 골고루 <u>섭취</u>(183)해야 한다.

(182) ① 均衡　② 均型　③ 均亨　④ 均形
(183) ① 攝取　② 攝聚　③ 燮娶　④ 涉翠

(184) 내년의 불확실한 경기를 고려하여 불요불급한 예산을 많이 <u>삭감</u>해야 한다.
① 削紺　② 削疳　③ 朔堪　④ 削減

(185) <u>무대</u>와 배우와 관객을 연극의 3요소라고 한다.
① 舞隊　② 舞帶　③ 舞臺　④ 蕪臺

[問 186-190] 밑줄 친 우리말에 해당하는 두 음절의 漢字語를 漢字(正字)로 바르게 적으시오.

○ 많은 국민들의 응원에도 불구하고 나로호 2차 발사는 결국 실패로 끝나고 말았지만, 실패 원인의 <u>실마리</u>(186)가 풀리면서 머지않아 나로호 3차가 발사될 예정이다.
○ <u>나비</u>(187)는 나방과 달리 보통 밝고 화려한 색깔을 띠며 낮 동안 활동하는 데 더듬이 끝이 곤봉처럼 생기고 휴식할 때 날개를 등과 수직으로 접는 습성이 있다.
○ 그는 어린 시절 불의의 교통사고로 <u>애꾸눈</u>(188)이 되었지만 계속된 고난의 역경을 극복하고 건실한 청년으로 성장하여 아나운서가 되었다.
○ 들놀이를 하면서 꽃지짐을 지져 먹는 화전놀이를 하는 이 날을 기록들에서는 상사, 답청절로 전하며 민간에서는 <u>삼짇날</u>(189)이라고 하였고, 화전놀이를 '꽃다람'이라고도 하였다.
○ 서울로부터 국토의 남단을 연결하는 고속도로 공사는 우기가 겹치는 바람에 예정된 기일보다 <u>한 달 남짓</u>(190) 더 걸려서야 겨우 마무리할 수 있었다.

[問 191-200] 다음 〈例〉의 뜻을 참고하여 아래의 四字成語를 完成하시오.

〈例〉
○ 한 하늘을 이고 살지 못할 원수.
○ 굳게 참고 견디어 마음이 흔들리지 않음.
○ 세상을 어지럽히고 백성을 미혹하게하여 속임.
○ 나쁜 버릇은 어릴 때 고쳐야 함.
○ 성에 차지 않아 안타까움.
○ 고지식하여 조금도 융통성이 없음.
○ 법령이 지나치게 관대하면 큰 죄를 짓고도 피할 수 있게 되어 기강이 서지 않음.
○ 헛되이 세월을 보내며 일을 오래 끎.
○ 격(格)이나 철에 맞지 아니함.
○ 지금과 옛날의 차이가 너무 심하여 생기는 느낌.
○ 임금의 사위에게 주던 칭호.
○ 안으로 부드럽고 밖으로 굳셈.
○ 사람이 교묘하게 잘 숨어 재난을 피함.
○ 감고 있던 머리를 거머쥐고 먹던 것을 뱉고 영접함.
○ 차례나 순서를 바꾸어서 행함.
○ 학식이 넓고 아는 것이 많음.
○ 오랜 세월을 객지에서 유랑하며 온갖 고생을 다함.
(※ 순서대로가 아님.)

(191) 夏(　)冬扇　(192) (　)毛斧柯
(193) (　)世誣民　(194) 櫛風(　)雨
(195) 隔(　)搔癢　(196) (　)漏呑舟
(197) 狡兎三(　)　(198) (　)髮吐哺
(199) (　)天之讎　(200) 駙馬都(　)

국가공인
제8회 한자능력검정시험 1급 기출 예상문제

합격점수 : 160점
제한시간 : 90분

(社)한국어문회시행　　　　수험생들에 의해 재생되었습니다.

[問 1-23] 다음 제시문의 밑줄 친 漢字語의 讀音을 쓰시오.

○ 어리고 迂闊(1)홀산 이 닉 우히 더니 업다. 陋巷(2) 깁푼 곳의 초막을 지어 두고, 우탁 于囊(3)의 줌줌이 모아 녀코, 履尸(屍)(4) 涉血(5)ᄒᆞ야 몃 백전을 지닉연고, 躬耕(6) 가색이 닉 분인 줄 알리로다. 旱旣(7) 太甚(8)ᄒᆞ야 시절이다 느즌 졔, 蝸室(9)에 드러간들 잠이 와사 누어시랴. 瞻彼(10) 기욱혼딕 녹죽도 하도 할샤. 簞食(11)표음을 이도 족히 너기로라. 〈李仁老 '陋巷詞' 에서 발췌〉

○ 紅塵(12)에 뭇친 분네 이내 生涯(13) 엇더한고. 數間(14) 茅屋(15)을 碧溪(16)수 앏픠 두고, 柴扉(17)예 거러 보고, 정자야 안자보니, 逍遙(18)吟詠(19)하야 산일이 적적한디, 櫓中(20)이 뷔엿거단 날다려 알외여라. 煙霞(21) 二輝(22)난 錦繡(23)랄 재펏난 닷. 엇그제 검은 들이 봄빗도 유여할샤. 〈丁克仁 '賞春曲' 에서 발췌〉

(1)　(2)　(3)
(4)　(5)　(6)
(7)　(8)　(9)
(10)　(11)　(12)
(13)　(14)　(15)
(16)　(17)　(18)
(19)　(20)　(21)
(22)　(23)

[問 24-50] 다음 漢字語의 讀音을 쓰시오.

(24) 掩襲　(25) 搭乘　(26) 攪亂
(27) 圖讖　(28) 誘拐　(29) 放蕩
(30) 潰滅　(31) 拔擢　(32) 鴛鴦
(33) 泡沫　(34) 犧牲　(35) 陽爻
(36) 揮毫　(37) 羊羹　(38) 辛辣
(39) 捕虜　(40) 車輦　(41) 癩病
(42) 糞尿　(43) 尨大　(44) 憑藉
(45) 懺悔　(46) 褒賞　(47) 島嶼
(48) 臂膊　(49) 泄瀉　(50) 蘊奧

[問 51-82] 다음 漢字의 '訓과 音' 을 쓰시오.

(51) 鈞　(52) 瞭　(53) 皎
(54) 塡　(55) 擲　(56) 諮
(57) 搔　(58) 悉　(59) 鑰
(60) 栽　(61) 傍　(62) 澤
(63) 抛　(64) 駭　(65) 盈
(66) 煜　(67) 薪　(68) 肱
(69) 俱　(70) 汪　(71) 印
(72) 仲　(73) 黜　(74) 慓
(75) 錐　(76) 禾　(77) 鰥
(78) 瘦　(79) 泄　(80) 鳴
(81) 軀　(82) 轟

[問 83-102] 다음 제시문에서 밑줄 친 漢字語를 漢字로 고쳐 쓰시오.

수필(83)은 청자연적(84)이다. 수필은 정열(85)이나 심오한 지성을 내포(86)한 문학이 아니요, 그저 수필가가 쓴 단순한 글이다. 수필은 흥미는 주지마는 읽는 사람을 흥분(87)시키지는 아니한다. 수필은 마음의 산책(88)이다. 그 속에는 인생의 향취(89)와 여운(90)이 숨어 있는 것이다. 수필의 색깔은 언제나 온아(91) 우미(92)하다. 수필의 재료(93)는 생활 경험(94), 자연 관찰(95), 또는 사회 현상(96)에 대한 새로운 발견(97),무엇이나 다 좋을 것이다. 수필은 독백(98)이다. 수필은 그 쓰는 사람을 가장 솔직(99)히 나타내는 문학 형식(100)이다. 그러므로 수필은 독자에게 친밀(101)감을 주며, 친구에게서 받은 편지(102)와도 같은 것이다. 〈피천득, '수필' 에서 발췌〉

(83)　(84)　(85)
(86)　(87)　(88)
(89)　(90)　(91)
(92)　(93)　(94)
(95)　(96)　(97)
(98)　(99)　(100)
(101)　(102)

[問 103-122] 다음 밑줄 친 漢字語를 漢字로 쓰시오.

(103) 유명 배우에게 우리 프로그램에 출연해 주기를 간청하였다.
(104) 너무 구박만 하지 말고 칭찬도 해 주어야 한다.
(105) 저 아이는 매우 총명하다.
(106) 이 교육자는 준법정신이 투철하다.
(107) 교향악의 아름다운 선율을 감상하고 있다.
(108) 이 길은 차량의 출입이 빈번한 곳이다.
(109) 거리 질서를 잘 지켜야 교통이 원활하다.
(110) 이 도시는 미군이 주둔하는 지역이다.
(111) 신입사원 모두 참신한 아이디어를 지녔다.
(112) 온탕과 냉탕을 번갈아 들어갔다.
(113) 고향 마을에 참한 규수가 있다.
(114) 우리의 우정을 돈독히 하자.
(115) 교통사고 환자가 혼수상태이다.
(116) 이 항만은 주변 경관이 수려하다.
(117) 유조선이 먼 바다에서 표류하고 있다.
(118) 보폭을 넓게 하여 걸으면 씩씩해 보인다.
(119) 도서관의 책을 훼손하면 안 된다.
(120) 히말라야 산 꼭대기에는 산소가 희박하다.
(121) 우리나라에 거주하는 화교들은 생활력이 강하다.
(122) 날씨가 풀리는 계절에는 강가에서 익사하기 쉽다.

[問 123-127] 다음 빈칸에 뜻 혹은 訓이 같거나 비슷한 漢字를 써 넣어 글에 어울리는 單語를 완성하시오.

(123) 국가와 국가가 서로 (　　)紐하여 세계평화에 이바지하자.
(124) 그 사람은 (　　)慢 방자한 태도를 지녔다.
(125) 이 '(　　)闢' 이란 잡지는 1930년대 간행되었다.
(126) 정부는 유가족에게 깊은 哀(　　)의 뜻을 표했다.
(127) 나라를 빼앗겨 조상의 慟(　　) 소리가 들리는 것 같다.

[問 128-132] 다음 漢字語는 뜻이 비슷한 漢字로 짝을 이룬 것이다. 빈칸을 漢字로 채워 넣으시오.

(128) 災(　　)
(129) 愉(　　)
(130) (　　)僕
(131) 規(　　)
(132) (　　)訪

[問 133-142] 다음 짝 지은 漢字語 중 첫소리가 長音인 것을 가려 그 기호(㉮ 혹은 ㉯)를 쓰시오.

(133) ㉮ 大邱 － ㉯ 大將
(134) ㉮ 木工 － ㉯ 木瓜
(135) ㉮ 放浪 － ㉯ 放學
(136) ㉮ 討伐 － ㉯ 討論
(137) ㉮ 降伏 － ㉯ 降雨
(138) ㉮ 點心 － ㉯ 點考
(139) ㉮ 冬眠 － ㉯ 冬至
(140) ㉮ 賣上 － ㉯ 賣買
(141) ㉮ 未熟 － ㉯ 未安
(142) ㉮ 保健 － ㉯ 保證

[問 143-147] 다음 빈칸에 漢字와 뜻이 反對 또는 相對되는 漢字를 써 넣어 글을 완성하시오.

(143) 그 생물은 (　　)雄이 동체이다.
(144) 우리의 숫자가 상대편에 비해 衆(　　) 부적이다.
(145) 저 배우는 일생동안 榮(　　)의 세월을 보냈다.
(146) 직업에는 貴(　　)이 없다.
(147) 도시철도가 지하에서 (　　)橫으로 뻗어 있다.

[問 148-152] 다음 漢字語와 뜻이 反對 또는 相對되는 漢字語를 쓰시오.

(148) 緩和 ↔ (　　)(　　)
(149) 權利 ↔ (　　)(　　)
(150) 奢侈 ↔ (　　)(　　)
(151) 卑怯 ↔ (　　)(　　)
(152) 供給 ↔ (　　)(　　)

[問 153–162] 다음 빈 곳에 알맞은 漢字를 써 넣어 四字成語를 完成하시오.

(153) (　　)而穿井
(154) 三(　　)草廬
(155) 鶴(　　)苦待
(156) 拔本(　　)源
(157) 捲土(　　)來
(158) 苛斂誅(　　)
(159) 抱(　　)絶倒
(160) 同病相(　　)
(161) (　　)覽强記
(162) 九(　　)羊腸

[問 163–167] 다음 뜻풀이에 알맞은 漢字를 써 넣어 漢字成語를 완성하시오.

(163) 手不(　　)卷 : 손에서 책을 놓지 아니하고 책을 읽음.
(164) 滄海(　　)珠 : 세상에 알려지지 않은 드물고 귀한 보배.
(165) 吐哺(　　)髮 : 훌륭한 인물을 잃을까 두려워하는 마음.
(166) 駙馬(　　)尉 : 임금의 사위에게 주던 칭호
(167) 捕丁(　　)牛 : 기술이 매우 뛰어남.

[問 168–177] 다음 漢字의 部首를 쓰시오.

(168) 呈 :
(169) 焉 :
(170) 余 :
(171) 鼎 :
(172) 引 :
(173) 凸 :
(174) 尺 :
(175) 享 :
(176) 麾 :
(177) 冀 :

[問 178–187] 다음 漢字語의 뜻을 쓰시오.

(178) 蛇足 :
(179) 躊躇 :
(180) 臥龍 :
(181) 竊盜 :
(182) 算筒 :
(183) 棟梁 :
(184) 怒濤 :
(185) 悚懼 :
(186) 洩漏 :
(187) 光陰 :

[問 188–197] 다음 한자어의 동음이의어를 쓰되, 제시한 뜻에 알맞은 한자어를 쓰시오.

(188) 修正 – (　　)(　　) : 암수의 생식세포가 합쳐 새 개체를 이루는 작용.
(189) 壯士 – (　　)(　　) : 초상[장례]을 치루는 일.
(190) 水師 – (　　)(　　) : 경찰이 증거를 수집하고 주변을 조사하는 일.
(191) 身長 – (　　)(　　) : 인체의 소변 배설기관.
(192) 飢餓 – (　　)(　　) : 버려진 아이.
(193) 提議 – (　　)(　　) : 집단적으로 제사를 지내는 일
(194) 作付 – (　　)(　　) : 술을 따라주며 접대하는 여자
(195) 漕艇 – (　　)(　　) : 과거 국사를 의논하고 시행하는 곳
(196) 促進 – (　　)(　　) : 환자를 만져서 진단하는 방법
(197) 暑寒 – (　　)(　　) : [격식대로 쓴] 편지

[問 198–200] 다음 漢字를 略字로 쓰시오.

(198) 豫 :
(199) 曉 :
(200) 遷 :

합격점수 : 160점
제한시간 : 90분

국가공인
제9회 한자능력검정시험 1급 기출 예상문제

(社)한국어문회시행

수험생들에 의해 재생되었습니다.

[問 1-20] 다음 제시문의 밑줄 친 漢字語의 讀音을 쓰시오.

(1) 요즈음은 집의 개, 고양이 등 애완동물을 흔히 伴侶동물이라 부른다.

(2) 그는 과거에 급제하여 高秩에 후록의 영예를 얻게 되었다.

(3) 수재 뒤의 汚泥를 처리하기 위해 청소차가 동원되었다.

(4) 硝煙이 쓸고 간 자리에 세워진 비목!

(5) 물가 昂騰에 맞서 가계 씀씀이부터 절약을 서둘렀다.

(6) 금년 移秧期에는 비가 충분히 내려 걱정이 없었다.

(7) 옛사람들은 옷감을 짤때 紡錘를 사용하였다.

(8) 葛藤의 소지를 없애기 위해 처리전 과정을 공개하였다.

(9) 진실을 糊塗하는 행동은 자제되어야 한다.

(10) 너무 정이 들어 餞別式에서 그만 눈물을 흘리고 말았다.

(11) 진실이 탄로 날까 두려워 전전긍긍하는 모습이 歷歷하였다.

(12) 구한말 때는 옛 호조를 度支部로 고쳐 불렀다.

(13) 곱게 갈아 澱粉을 만들어 사용해야 한다.

(14) 出穗期에 날씨가 좋아 금년 농사는 풍년을 기대해도 되리라.

(15) 화재 뒤에는 餘燼까지 철저히 살펴야 한다.

(16) 그 유적은 湮淪될 우려가 있으니 서둘러 대책을 세워야 한다.

(17) 그의 어록은 인구에 膾炙되는 명언으로 널리 전하고 있다.

(18) 어린 아이 黃疸을 예방하기 위한 백신도 개발되었다.

(19) 근육의 弛緩작용도 정상으로 돌아왔다.

(20) 나라에서는 嬰幼兒 보육을 위한 여러 대책을 내놓고 있다.

[問 21-50] 다음 漢字語의 讀音을 쓰시오.

(21) 冶爐 (22) 翡翠 (23) 秕政
(24) 姨姪 (25) 救恤 (26) 背囊
(27) 膵臟 (28) 桎梏 (29) 羨道
(30) 泛溢 (31) 煽惑 (32) 猿臂
(33) 潔癖 (34) 鐵腕 (35) 燕雀
(36) 梯索 (37) 蒸溜 (38) 巨擘
(39) 綽約 (40) 鼈甲 (41) 梵偈
(42) 看做 (43) 葺繕 (44) 紬緞
(45) 櫛膜 (46) 吝嗇 (47) 痰唾
(48) 曇花 (49) 羈絆 (50) 商賈

[問 51-82] 다음 漢字의 '訓과 音'을 쓰시오.

(51) 鳩 (52) 凹 (53) 闌
(54) 稟 (55) 洶 (56) 詰
(57) 炙 (58) 嘉 (59) 粹
(60) 倨 (61) 蚓 (62) 拐
(63) 窄 (64) 呑 (65) 泡
(66) 偕 (67) 欠 (68) 袂
(69) 斧 (70) 遡 (71) 爾
(72) 乏 (73) 狹 (74) 堰
(75) 遭 (76) 腫 (77) 侈
(78) 甦 (79) 諂 (80) 撑
(81) 狐 (82) 褒

[問 83-92] 다음 漢字의 部首를 쓰시오.

(83) 弧(　) (84) 舵(　) (85) 煮(　)
(86) 曳(　) (87) 扼(　) (88) 帆(　)
(89) 虜(　) (90) 蠢(　) (91) 琥(　)
(92) 兇(　)

[問 1-20] 다음 제시문의 밑줄 친 漢字語의 讀音을 쓰시오.

[問 93-97] 다음 漢字語의 轉義(字義대로가 아닌 뜻)를 쓰시오.

〈例〉: 光陰 : 시간, 세월

(93) 鷄肋 :　　(94) 焦眉 :
(95) 强項 :　　(96) 瓜分 :
(97) 鼻祖 :

[問 98-102] 다음 漢字語의 뜻을 10음절 이내로 간단히 쓰시오.

(98) 烏雲 :　　(99) 綿袍 :
(100) 請牒 :　　(101) 演繹 :
(102) 鼠婦 :

[問 103-132] 다음 글에서 밑줄친 單語를 漢字(正字)로 쓰시오.

(103) 가을이 아니지만 보리 베는 시기를 맥추라 부른다.
(104) 한 여름 납량 특집에 더위를 식히다.
(105) 복부 비만을 없애기 위해 꾸준한 운동을!
(106) 모순이 없는 완벽한 논증!
(107) 문제를 야기하기 전에 원인부터 검증할 것.
(108) 야금야금 잠식을 당하다가 전체를 잃었다.
(109) 원고지 매수에 따라 고료를 지급합니다.
(110) 남북국시대의 발해는 고구려의 유장 대조영이 동모산에 도읍하여 세운 나라.
(111) 임금의 사면령에 백성들이 안정을 찾기 시작하였다.
(112) 오늘 이 학회에는 사계의 권위자들이 모두 모였습니다.
(113) 많은 분야를 섭렵하고 이 논문을 완성했다.
(114) 저해 요인은 미리 제거해야 합니다.
(115) 오늘 만찬에는 특별한 손님이 오셨습니다.
(116) 악습과 폐단을 과감히 척결하자!
(117) 두 사람은 첨예한 의견 대립을 보였다.
(118) 배우들의 멋진 연기에 모두가 박수를 아끼지 않았다.
(119) 국제기구에서 수여하는 문맹퇴치상은 세종상이다.
(120) 세계 마술대회에서 우리나라 선수가 우승을 하였다.
(121) 비가 내렸음에도 오늘 낚시대회에서의 조황은 괜찮은 편이다.
(122) 저 산은 마치 추수한 곡식단을 쌓아놓은 것과 같아 노적봉이라 부른다.
(123) 들 쑥 퍼지듯 헝클어진 저 머리, 이발이 필요한 시점.
(124) 고용인력을 확보하기 위해 직업교육이 선행되어야 한다.
(125) 햇볕이 너무 강해 차양막을 설치하였다.
(126) 과거 냉전 시기에는 세계적으로 첩보영화가 유행하였다.
(127) 왜곡된 생각과 행동은 옳지 못합니다.
(128) 두 팀이 패권을 쟁탈하고자 치열한 경쟁을 벌이고 있다.
(129) 얼마나 무서웠던지 간담이 서늘한 지경이었다.
(130) 대출 상환의 연체 이자율을 대폭 낮추었다.
(131) 장식도 화려할뿐더러 내용물 또한 훌륭하다.
(132) 하천 부지를 잘 정비하여 장마철 홍수에 대비하였다.

[問 133-142] 다음 뜻풀이에 알맞은 單語를 漢字(2音節 正字)로 쓰시오.

(133) 가볍게 여겨 깔봄.
(134) 여러 가지 재료를 모아 신문, 잡지, 책 따위를 만드는 일.
(135) 나무 등을 마구 베어냄.
(136) 배나 차에서 화물을 부려 내리거나 싣는 일.
(137) 아교나 옻칠처럼 서로 떨어질 수 없음
(138) 중대한 사명이나 장한 뜻을 품고 떠나는 길.
(139) 공항, 항만 등에서 여행객이나 수입물품의 역질 감염 여부를 검사함.
(140) 나비가 날개를 잡고 펴듯이 하는 자세의 헤엄.
(141) 글씨본을 보면서 그대로 따라 글씨를 씀. 또는 그렇게 쓴 글씨.
(142) 벼룻물을 담는 그릇.

[問 143-152] 다음에서 첫 음절이 긴 소리로 나는 것을 10개 가려 그 기호(①～⑳)를 쓰시오. (순서무관)

① 整然 ② 竣工 ③ 殯所 ④ 屠殺
⑤ 歎辭 ⑥ 官妓 ⑦ 鵠立 ⑧ 揶揄
⑨ 酵素 ⑩ 竭力 ⑪ 櫻桃 ⑫ 瀉流
⑬ 小宴 ⑭ 穢濁 ⑮ 觸覺 ⑯ 訊問
⑰ 駕轎 ⑱ 樽酒 ⑲ 提案 ⑳ 杏木

[問 153-162] 다음 각 漢字와 뜻이 비슷한 漢字(正字)를 써넣어 單語가 되게 하시오.

(153) 汨( ) (154) 牢( )
(155) 殲( ) (156) 斟( )
(157) 稠( ) (158) ( )傴
(159) ( )辣 (160) ( )捷
(161) ( )徒 (162) ( )滌

[問 163-172] 다음 각 漢字와 뜻이 반대, 또는 상대되는 漢字(正字)를 넣어 單語가 되게 하시오.

(163) 晦( ) (164) ( )宥
(165) 俯( ) (166) 伸( )
(167) 衆( ) (168) ( )怠
(169) ( )削 (170) ( )薄
(171) ( )譽 (172) ( )夭

[問 173-182] 다음 漢字語의 同音異義語를 쓰되, 제시한 뜻에 알맞은 漢字語를 쓰시오.

(173) 近間 : 뿌리와 줄기, 사물에서 바탕, 혹은 중심이 되는 중요한 부분
(174) 思辨 : 빗변, 기운 금의 가장자리
(175) 竪童 : 손으로 움직임, 손으로 움직이도록 되어있는 장치
(176) 宸藻 : 굳게 믿어 지키고 있는 생각
(177) 交叉 : 기온이나 강수량의 관측값의 최대치와 최소치의 차이
(178) 柴薪 : 임금을 모시는 신하.
(179) 嗜好 : 서울을 중심으로 황해도 남부, 경기 일대, 충남 북부 지역을 통틀어 일컫는 지명
(180) 救濟 : 해충 따위를 몰아내어 없앰
(181) 漕艇 : 분쟁의 중간에 들어와 조화시켜 그치게 함.
(182) 更迭 : 물체의 딱딱하고 굳은 성질.

[問 183-187] 빈칸에 제시된 한자를 넣어 한자어로 성립하지 않는 것을 찾아 번호를 적으시오.

(183) 寃 : ①( )屈 ②( )征 ③ 雪( ) ④幽( )
(184) 糞 : ①( )爭 ②( )罹 ③ 祭( ) ④夕( )
(185) 跛 : ①( )立 ②( )行 ③ 笑( ) ④打( )
(186) 藉 : ①( )甚 ②( )口 ③ 憑( ) ④戶( )
(187) 棲 : ①( )息 ②( )遲 ③ 著( ) ④隱( )

[問 188-197] 다음 빈 곳에 알맞은 漢字를 써 넣어 四字成語를 完成하시오.

(188) ( )毛求疵
(189) ( )棺事定
(190) ( )璧有罪
(191) 白駒( )隙
(192) 吳( )喘月
(193) 丹( )皓齒
(194) ( )龍點睛
(195) 諱疾忌( )
(196) 玩物( )志
(197) 魂( )魄散

[問 198-200] 다음 漢字를 略字로 쓰시오.

(198) 變 :
(199) 證 :
(200) 礙 :

국가공인
제10회 한자능력검정시험 1급 기출 예상문제

합격점수 : 160점
제한시간 : 90分

(社)한국어문회시행

수험생들에 의해 재생되었습니다.

[問 1-25] 다음 제시문을 읽고 밑줄 친 漢字語 중 漢字로 표기된 것은 讀音을, 한글로 표기된 것은 漢字로 바꾸어 쓰시오.

(1)사회는 여러 사람이 그 뜻을 서로 통하고 그 힘을 서로 연하여 그 생활을 (2)경영하고 (3)보존하기에 서로 (4)依賴하는 (5)因緣의 한 (6)단체라. 말과 글이 없으면 어찌 그 뜻을 서로 통하며 그 뜻을 서로 통치 못하면 어찌 그 인민이 서로 연하여 이런 사회가 (7)成樣되리요. 이럼으로 말과 글은 한 사회가 (8)조직되는 (9)근본이요, 경영의 (10)의사를 (11)발표하여 그 인민을 (12)聯絡케 하고 (13)동작케 하는 (14)기관이라. 이도 (15)窒礙케 하리니 이런 기관을 다스리지 아니하고야 어찌 그 사회를 (16)鼓振 발달케 하리요. 〈중략〉 예로 지금까지 아시아에든지 유로바에 그 (17)선조 말과 글을 닦지 아니하고 타국의 말과 글이 들어옴을 받아 인하여 (18)주권을 잃고 그 (19)努隸가 되는 자는 이로 다 말할 수 없거니와 아메리카와 아프리카와 대양주 여러 구역에 각각 그 (20)지방말이 있으되 말이 다 (21)零星하고 혹은 글도 있으나 글이 또한 (22)疎陋하더니 현금에 천하가 서로 통하여 그 생활을 위하는 (23)競爭시대를 당하매 모두 그 (24)疆土를 타인에게 (25)탈취 당하고 인종도 거진 멸한지라.

〈주시경, 『대한국어문법』 발문에서〉

[問 26-35] 다음 문장 속 漢字語의 讀音을 쓰시오.

(26) 사람의 脊椎는 매우 중요한 인체기관이다.
(27) 어떤 일을 행하고자 할 때 躊躇하지 말아야 한다.
(28) 국군장병에게 많은 위문품이 遝至하고 있다.
(29) 허가 없이 屠畜을 함부로 할 수 없다.
(30) 큰일을 당하여 홀로 堪耐하기가 힘들다.
(31) 목표를 달성하기 위해 우리 모두 邁進하자.
(32) 출장을 憑藉하여 몰래 해외여행을 떠났다.
(33) 저 노인의 성격은 매우 乖愎하다.
(34) 글라이더가 하늘을 滑空하고 있다.
(35) 화포로 적의 진지를 潰滅시켰다.

[問 36-65] 다음 漢字語의 讀音을 쓰시오.

(36) 花卉	(37) 括弧	(38) 糾察
(39) 禿山	(40) 撞球	(41) 渺數
(42) 隕石	(43) 掘鑿	(44) 捕繩
(45) 骨髓	(46) 蔗草	(47) 登攀
(48) 臀部	(49) 蔑視	(50) 米廛
(51) 諡號	(52) 義塾	(53) 襯衣
(54) 瘦肥	(55) 撤布	(56) 奢侈
(57) 羊羹	(58) 塹壕	(59) 駱駝
(60) 舞蹈	(61) 痴呆	(62) 欣快
(63) 鰥魚	(64) 後裔	(65) 拇指

[問 66-97] 다음 漢字의 '訓과 音' 을 쓰시오.

(66) 萌	(67) 剝	(68) 刪
(69) 丕	(70) 迅	(71) 按
(72) 庸	(73) 曳	(74) 蝶
(75) 拓	(76) 套	(77) 乏
(78) 恰	(79) 殼	(80) 舅
(81) 稻	(82) 網	(83) 貿
(84) 鼻	(85) 苦	(86) 鏡
(87) 簾	(88) 眉	(89) 冥
(90) 邦	(91) 揷	(92) 膝
(93) 艾	(94) 鵲	(95) 鼎
(96) 捉	(97) 衛	

[問 98-107] 다음 제시문에서 밑줄 친 漢字語를 漢字로 고쳐 쓰시오.

우리에게 먹을 것이 없고 입을 것이 없고 또 의지하여 살 곳이 없으면 우리의 생활은 (98)파괴될 것이라. 우리가 무슨 권리와 자유와 (99)행복을 (100)기대할 수 있으며 또 참으로 사람다운 발전을 (101)희망할 수가 있으리오. 우리 생활의 제일 (102)조건은 곧 의식주의 문제 즉 (103)산업적 (104)기초라. 이 산업적 기초가 파멸을 당하면 우리에게 남은 것이 없으며 그 아무것도 없는 우리가 사람으로 사람다운 생활을 하지 못할 것은 (105)당연하지 아니한가. 이러므로 우리에게 가장 (106)긴급한 문제가 되는 것이 곧 이 의식주의 문제 즉 산업 문제이니, 그러면 오늘날 우리 (107)조선 사람이 이 문제에 대한 관계가 어떠한가.

〈조선물산장려회, 취지문 일절〉

[問 108-122] 다음 밑줄 친 漢字語를 漢字로 쓰시오.

(108) 어머니에게 서울에 오실 것을 간청드렸다.

(109) 골격이 튼튼하려면 근육의 힘을 길러야 한다.

(110) 이 휴지는 화장품 회사가 증정한 것이다.

(111) 지역 문화를 창달하여 지방을 살리자.

(112) 철수가 오늘 지각을 했다.

(113) 거리의 교통질서가 매우 문란하다.

(114) 우리 학교에 국어선생님이 부임하셨다.

(115) 이 연적은 매우 오래된 물건이다.

(116) 약용식물을 재배하기가 쉽지 않다.

(117) 비가 올 것 같으니 우산을 준비해야 한다.

(118) 이 저온창고에는 사과가 저장돼 있다.

(119) 경찰이 도로를 차단하고 검문하고 있다.

(120) 우리가 가는 길에 포기란 없다.

(121) 회사의 정관을 바탕으로 운영해야 한다.

(122) 한 민족의 오랜 관습은 쉽게 바꿀 수 없다.

[問 123-127] 다음 빈칸에 뜻 혹은 訓이 같거나 비슷한 漢字를 써 넣어 글에 어울리는 單語를 완성하시오.

(123) 천지가 (____)闢하다.

(124) 맡은 일을 管(____)하다.

(125) 틈을 내어 休(____)을 취하다.

(126) 이 돈은 (____)恤성금이다.

(127) 제물을 奉(____)하다.

[問 128-132] 다음 漢字語는 뜻이 비슷한 漢字로 짝을 이룬 것이다. 빈칸을 漢字로 채워 넣으시오.

(128) 承諾 = (　　)諾

(129) 隱匿 = 隱(　　)

(130) 風燈 = 風(　　)

(131) 九泉 = (　　)泉

(132) 平素 = 平(　　)

[問 133-142] 다음은 첫 음절에서 長短 두 가지로 발음되는 漢字語를 짝지은 것이다. 이 중 첫 소리가 長音인 것을 가려 그 기호(㉮ 혹은 ㉯)를 쓰시오.

(133) ㉮ 間隙 - ㉯ 間接

(134) ㉮ 興盛 - ㉯ 興趣

(135) ㉮ 正直 - ㉯ 正月

(136) ㉮ 亞鉛 - ㉯ 亞聖

(137) ㉮ 試驗 - ㉯ 試官

(138) ㉮ 吐血 - ㉯ 吐蕃

(139) ㉮ 將來 - ㉯ 將校

(140) ㉮ 點心 - ㉯ 點檢

(141) ㉮ 賣却 - ㉯ 賣買

(142) ㉮ 未安 - ㉯ 未熟

[問 143-147] 다음 문장 안 漢字語 빈칸에 漢字와 뜻이 反對 또는 相對되는 漢字를 써 넣어 단어를 완성하시오.

(143) 京(____) 각지에서 사람이 몰려온다.

(144) 이 선수는 投(____) 에서 모두 앞선다.

(145) 직업에는 貴(____)이 없다.

(146) 얼굴에 오랜 榮(____)의 세월이 엿보인다.

(147) 저 사람은 성격에 起(____)이 많다.

[問 148-152] 다음 漢字語는 뜻이 反對 또는 相對되는 漢字語로 짝을 이룬 것이다. 빈칸을 漢字로 채워 넣으시오.

(148) 嚴格 ↔ (　　)大
(149) 需要 ↔ (　　)給
(150) 剛健 ↔ (　　)弱
(151) 永劫 ↔ (　　)那
(152) 昇天 ↔ (　　)臨

[問 153-162] 다음 빈 곳에 알맞은 漢字를 써 넣어 四字成語를 完成하시오.

(153) 抱(　　)絕倒
(154) 首鼠(　　)端
(155) 桑田(　　)海
(156) 錐(　　)囊中
(157) 厚(　　)無恥
(158) 刺股(　　)梁
(159) 愛昧(　　)糊
(160) 掩(　　)盜鈴
(161) 燕(　　)之歎
(162) 隔(　　)搔癢

[問 163-167] 다음 뜻풀이에 알맞은 漢字를 써 넣어 漢字成語를 완성하시오.

(163) 致(　　)傷 : 죽음의 원인이 된 큰 상처
(164) 扁(　　)腺 : 사람의 목구멍 안쪽의 림프샘.
(165) 難(　　)度 : 어렵든가 쉬운 정도.
(166) 購(　　)場 : 공동으로 구입하여 싸게 파는 곳.
(167) 傍(　　)席 : 회의 진행 등을 듣고 보는 자리.

[問 168-177] 다음 漢字의 部首를 쓰시오.

(168) 匕(　) (169) 兵(　) (170) 司(　)
(171) 升(　) (172) 失(　) (173) 占(　)
(174) 斥(　) (175) 叉(　) (176) 戊(　)
(177) 吏(　)

[問 178-187] 다음 漢字語의 뜻을 쓰시오.

(178) 幽囚 :
(179) 遺嗣 :
(180) 伯仲 :
(181) 濃霧 :
(182) 技倆 :
(183) 積善 :
(184) 留宿 :
(185) 駿馬 :
(186) 播種 :
(187) 酷寒 :

[問 188-197] 다음 漢字語의 동음이의어를 쓰되, 제시한 뜻에 알맞은 漢字語를 쓰시오.

(188) 有聲 - (　　)(　　) : 기름의 성질을 가진.
(189) 祈禱 - (　　)(　　) : 어떤 일을 계획하고 꾀함.
(190) 百獸 - (　　)(　　) : 아흔아홉 살
(191) 謀士 - (　　)(　　) : 털실.
(192) 貸邊 - (　　)(　　) : 대신하여 말하는 것.
(193) 小舟 - (　　)(　　) : 술의 일종.
(194) 略式 - (　　)(　　) : 찹쌀에 대추, 밤 등을 넣어 만든 음식.
(195) 帳記 - (　　)(　　) : 내장의 여러 기관의 하나.
(196) 課長 - (　　)(　　) : 사실보다 지나치게 부풀려 짐.
(197) 童貞 - (　　)(　　) : 남의 어려운 점을 걱정함.

[問 198-200] 다음 漢字를 略字로 쓰시오.

(198) 舊 :
(199) 假 :
(200) 應 :

기출문제 정답

1회

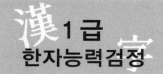

1. 毛碧　2. 철습　3. 미경　4. 수거　5. 거벽
6. 굉진　7. 경개　8. 기사　9. 분개　10. 미격
11. 졸삽　12. 혼륜　13. 박상　14. 폐칩　15. 결뉴
16. 결핍　17. 일반　18. 외경　19. 축도　20. 소급
21. 짐작　22. 훼언　23. 예맥　24. 간주　25. 해학
26. 체관　27. 斤　28. 頁　29. 二　30. 羊
31. 穴　32. 刂(刀)　33. 心　34. 口　35. 黍

36. 갚을 수　37. 물리칠 척　38. 모을 수
39. 적을 사　40. 부끄러울 수　41. 가르칠 회
42. 간절할 간　43. 비웃을 기　44. 점점 초
45. 엿볼 규　46. 책권차례 질　47. 깎을 산
48. 화창할 창　49. 뜻 지　50. 비길 빙
51. 의장 장　52. 맛볼 상　53. 시기할 시
54. 빌 주　55. 기장 서　56. 기록할 전
57. 報聘　58. 疏(疎)漏　59. 雅頌
60. 遊宴　61. 伴奏　62. 旅(客)舍
63. 我邦(國)　64. 兵士/軍士　65. 갑(급)작스러움

66. 없음(어찌 있을까?)　67. 여러 해
68. 뛰어난 사람　69. 천하/세상/국내
70. 띄울/넘칠 람　71. 잔 상
72. 사물의 처음　73. 회(날고기) 회
74. 구울(구운고기) 자　75. 여러 사람 입에 오르내림

76. 雪泥　77. 末　78. 淡
79. 充足/豊足(富)　80. 抽象　81. 全體
82. 論　83. 模(摸)　84. 夷/(戎)
85. 轉　86. 喜/歡　87. 娛/歡, 快

88. 观/觋　89. 夲　90. 甞　91. 하자　92. 퇴고
93. 용종　94. 척추　95. 협착　96. 신장　97. 인색
98. 서거　99. 징비　100. 사립　101. 고의　102. 강즙
103. 언제　104. 준설　105. 질탕　106. 고갈　107. 파탄
108. 포폄　109. 훤훤　110. 늠름　111. 퇴락　112. 즙선
113. 고란　114. 맹아　115. 권솔　116. 무양　117. 경계 잠

118. 기와 와　119. 조약돌 력　120. 하찮은 물건
121. 흠　122. 식구/가족　123. 탈없음
124. 탈 초　125. 눈썹 미　126. 매우 급함

127. 衣　128. 組暴　129. 逃避　130. 協贊　131. 均發委
132. 條項　133. 繫留　134. 授受　135. 秘線　136. 接觸
137. 疑惑　138. 糾明　139. 仲裁　140. 分裂　141. 妥協
142. 輿論　143. 僑胞　144. 慘事　145. 追慕　146. 動映像
147. 抱擁　148. 握手　149. 嫌疑　150. 被拉　151. 恐怖
152. 利敵　153. 幻想　154. 廢棄　155. 協商　156. 晩餐
157. 威脅　158. 撤收　159. 沈滯　160. 災殃　161. 連鎖
162. 新銳　163. 棋士　164. 連覇

165~174. (10) 繫留　(22) 秘線　(23) 妥協　(30) 輿論　(34) 動映像
(37) 抱擁　(41) 被拉　(43) 利敵　(44) 幻想　(45) 廢棄
(47) 晩餐

175. 旅券　176. 與圈　177. 餘卷　178. 搜査　179. 修辭
180. 編輯　181. 偏執　182. 埋葬　183. 埋藏　184. 賣場
185. 難鳴　186. 漸 佳　187. 虎相　188. 河淸　189. 裸體(身)

190. 屍體(身)/死體　191. 除　192. 洗
193. 傲(倨, 驕)　194. 防/守　195. 僞/假
196. 向/腹　197. 是認(認定)　198. 脣, 齒
199. 羊 狗　200. 興, 悲

2회

1. 궁항　2. 쇄락　3. 유면　4. 오지　5. 체읍
6. 난핍　7. 초췌　8. 부취　9. 강랄　10. 침구
11. 형안　12. 범과　13. 우소　14. 관천　15. 미하
16. 폄간　17. 훼판　18. 빈삭　19. 형극　20. 고윤
21. 궁부　22. 탱주　23. 뇌옥　24. 표전　25. 노봉
26. 망릉　27. 간헐　28. 기덕　29. 용동　30. 강혈
31. 분추　32. 충모　33. 군추　34. 고훼　35. 소조
36. 수사　37. 와탈　38. 주저　39. 호탕　40. 흔쾌

41. 둘레 곽　42. 잘 매　43. 숨을 칩
44. 펼 서　45. 꺼릴 탄　46. 새집 소
47. 무리 휘　48. 기쁠 흔　49. 귀양갈 적
50. 불쌍할 휼　51. 노할 발　52. 핍박할 핍
53. 용솟음칠 흉　54. 다죽일 섬　55. 쏟을 사
56. 경쇠 경　57. 미워할 질　58. 굴레/나그네 기
59. 바를 광　60. 도랑 구　61. 뭍 륙
62. 들보/돌다리 량　63. 날치다　64. 험할 기
65. 험할 구　66. 순탄치 않은 삶　67. 클 굉
68. 클 석　69. 뛰어난(큰) 인물

70. 炯眼　71. 國　72. 行旅　73. 廢/亡
74. 天　75. 和風　76. (16)貶看　77. 乘
78. 沈　79. 雙　80. 榮光/光榮　81. 歡喜
82. (27)間歇

83. 지름길　84. 사물(을 지탱하는 것)의 중요한 것
85. 속(깊은) 뜻　86. 눈물 흘리며 울다

87. 彐(彑)　88. 大　89. 豕　90. 虍
91. 行　92. 酉　93. 己　94. 网(罒)
95. 匸　96. 舌　97. 응징　98. 정담
99. 토매　100. 방대　101. 빙자　102. 유린
103. 참월　104. 소요　105. 차꼬 질　106. 수갑 곡

107. 자유없는(구속당한) 괴로움　108. 흔들 요
109. 대바구니 람　110. 발생지/자라난 곳
111. 세 사람이 얘기함　112. 汗三

113. 泥田　114. 奪胎　115. 賊 荷　116. 貪 汚　117. 傍 觀
118. 隔 感　119. 臥 嘗　120. 遺憾　121. 軌道　122. 映像
123. 滯症　124. 발탁　125. 僞造　126. 嫌疑　127. 捕捉
128. 搜査　129. 合祀　130. 禍根　131. 菜麻田　132. 收穫
133. 胡爪　134. 摩天樓　135. 艦艇　136. 磨研材　137. 獻呈
138. 痲醉劑　139. 窒息　140. 診療　141. 媒體　142. 偏頗
143. 報道　144. 編協　145. 送稿　146. 撤廢　147. 雷管
148. 貸出　149. 金融　150. 落幅　151. 濃縮　152. 紛失
153. 燒却　154. 被拉　155. 屍身　156. 蠻行　157. 糾彈
158. 殘虐　159. 写(寫/冩)経　160. 変相

161~170. (127)捕捉　(130)禍根　(131)菜麻田　(135)艦艇　(137)獻呈
(143)報道　(145)送稿　(148)貸出　(151)濃縮　(154)被拉
(155)屍身　(160)変相 중 택 10개

171. 진지　172. 타매　173. 어리석을 치
174. 어리석을 매　175. 용서할 사　176. 속죄할 속

177. 借入　178. 拾得　179. 場春　180. 孤 援　181. 夫 婦
182. 目丁　183. 東風　184. 指呼　185. 走　186. 跳/躍
187. 辛　188. 酸　189. 銘(心)　190. 刻(石)　191. 洗(顔)
192. 洗(髮)　193. 史蹟　194. 史籍　195. 幻想　196. 環狀
197. 節度　198. 竊盜　199. 要員　200. 遙遠

기출문제 정답

3회

1. 폐백　2. 잉태　3. 기유　4. 호서　5. 금슬
6. 감여　7. 표절　8. 규로　9. 모와　10. 고굉
11. 고수　12. 척강　13. 구독　14. 두찬　15. 몽진
16. 겁나　17. 패도　18. 회뢰　19. 묘수　20. 읍간
21. 고복　22. 침낭　23. 급살　24. 이열　25. 해행
26. 곤룡　27. 괄마　28. 나진　29. 연메　30. 형안
31. 녹반　32. 탁발　33. 사별　34. 회삭　35. 익휘
36. 서각　37. 부연　38. 예궐　39. 요철　40. 포폄
41. 소신　42. 선습　43. 역참　44. 팽창　45. 초장
46. 철퇴　47. 홍곡　48. 호리　49. 극순　50. 이재

51. 수키와　52. 큰길
53. 연로한 선비/학덕이 높은 노학자　54. 도랑/개천/수렁/웅덩이
55. 오르내림　56. 懷妊(姙娠)
57. 禮物(布)　58. 商人
59. 盜錄(作)　60. 乾坤(天地)

61~65. (16)怯懦 (18)賄賂 (19)昴宿 (24)怡悅 (27)刮摩
66~70. (34)晦朔 (39)凹凸 (40)褒貶 (41)宵晨 (49)戟盾

71. 교활한(약삭빠른, 옹졸한)사람/좀도둑
72. 임금의 피난
73. 신임하는 신하
74. 부부의 사이가 좋음
75. 틀린 곳 많은 작품/출처가 불확실한 저술

76. 竜　77. 駅　78. 联　79. 甥
80. 그릇 명　81. 부의 부　82. 짐작할 짐　83. 아낄 색
84. 공경할 건　85. 아가위 당　86. 허물 고　87. 네거리 구
88. 모을 취　89. 국수 면　90. 내칠 출　91. 시들 조
92. 밝을 석　93. 샘 선　94. 길 포　95. 살 기
96. 자랑할 긍　97. 여윌 수　98. 떡 병　99. 어두울 매
100. 두근거릴 계　101. 더러울 루　102. 가래 담　103. 목 경
104. 가시 형　105. 문지를 찰　106. 갈래 차　107. 빌 주
108. 못 정　109. 찌끼 재　110. 皿　111. 貝

112. 斗　113. 口　114. 虍　115. 木
116. 辛　117. 行　118. 耳　119. 麥
120. 戰作權　121. 轉換　122. 刑量　123. 懷柔
124. 搜查　125. 受容　126. 訴追案　127. 濫用
128. 證據　129. 隱蔽　130. 破壞　131. 議事
132. 暗數　133. 勝機　134. 金監院　135. 確保
136. 借名　137. 請託　138. 嫌疑　139. 被疑者
140. 隔離　141. 收容　142. 辨別　143. 世襲
144. 移讓　145. 葛藤　146. 紛爭　147. 惹起
148. 混亂　149. 獨裁　150. 巧妙　151. 操縱
152. 體制　153. 宣告　154. 煩惱　155. 候補
156. 信義　157. 偏見　158. 疏(疎)外　159. 陽地

160~169. (120)戰作權 (121)轉換 (127)濫用 (130)破壞
(132)暗數 (136)借名 (139)被疑者 (142)辨別
(143)世襲 (147)惹起 (148)混亂

170~171. 願望 怨望

172. 埋藏　173. 賣場　174. 課稅　175. 過歲　176. 鳥類
177. 潮流　178. 養殖　179. 糧食　180. 良識　181. 過去
182. 科擧　183. 庶

184. 洗練(鍊)　185. 門外漢　186. 巧言令色
187. 慨　188. 洞里/市井　189. 姑息策
190. 刻舟求劍　191. 無信　192. 登 自
193. 反 孝　194. 桑田　195. 於藍
196. 牽强　197. 黨伐　198. 街 說
199. 隔靴　200. 拾遺

4회

1. 범경　2. 연메　3. 전모　4. 두견　5. 인몰
6. 주촉　7. 극구　8. 췌서　9. 쇄소　10. 도륙
11. 예맥　12. 보살　13. 간펍　14. 누설　15. 일무
16. 인색　17. 식혜　18. 궤사　19. 팽배　20. 탐닉
21. 용훼　22. 회뢰　23. 섬박　24. 터포　25. 궤열
26. 강퍅　27. 한척　28. 기반　29. 조칙　30. 침석
31. 쇄설　32. 괴려　33. 질곡　34. 할박　35. 해천
36. 눌삽　37. 겁나　38. 시투　39. 회자　40. 번삭
41. 후각　42. 열색　43. 뇌쇄　44. 최영　45. 참치
46. 유괴　47. 괘효　48. 미령　49. 훤자　50. 긍휼

51. 머뭇거릴 저　52. 한숨쉴 희　53. 벼리 륜
54. 높은집 방　55. 볼기 둔　56. 무릎 슬
57. 빗 즐　58. 길거리 규　59. 전자 전
60. 뿌릴 살　61. 사특할 특　62. 개펄 석
63. 푸닥거리 나　64. 찾을 멱　65. 공경할 건
66. 재갈 함　67. 흐릴 담　68. 쑥 애
69. 비쏟아질 패　70. 짐작할 짐　71. 찰 름
72. 떨어질 운　73. 연할 취　74. 도롱이 사
75. 울릴 효　76. 팔 비　77. 박수 격
78. 어리석을 매　79. 편안 일, 질탕 질　80. 탈 빙, 성 풍

81. 부러워할 선, 무덤길 연　82. 골몰할 골, 물이름 멱

83. 拉致犯　84. 惹起　85. 隸屬　86. 障礙(碍)
87. 電磁波　88. 干涉　89. 約款　90. 幻滅
91. 諜報網　92. 懇切　93. 膠着　94. 沮害
95. 圓滑　96. 魅惑的　97. 葛藤　98. 赦罪
99. 偵察機　100. 抛棄　101. 彫琢　102. 敷設
103. 擁衛　104. 掌握　105. 鬱寂　106. 薄俸(給)
107. 飢渴　108. 往診　109. 表彰狀　110. 防腐劑
111. 購販場　112. 侮蔑感　113. 天地/乾坤　114. 姑息策
115. 貢獻　116. 白眉　117. 釋放　118. ㉱ 矯導所
119. ㉮ 晋州　120. ㉱ 疼痛　121. ㉯ 釣況　122. ㉮ 伴奏
123. ㉮ 貶下　124. ㉰ 攘夷　125. ㉯ 冕服　126. ㉱ 有聲
127. ㉰ 爽快　128. 寡　129. 濃　130. 淨

131. 雌　132. 肥　133. 劣　134. 盾
135. 虛(虧/昃)　136. 庶　137. 弔　138. 含 鼓
139. 坑儒　140. 惡之　141. 模　142. 隔靴
143. 弊 破　144. 不屈　145. 負 戴　146. 枕
147. 之臣　148. 換骨　149. 丹脣　150. 左顧
151. 嘗膽　152. 魂飛　153. 旱　154. 師
155. 靜　156. 寬　157. 驚　158. 祈/祝
159. 島　160. 望　161. 掠　162. 擇
163. 積　164. 捕　165. 懼　166. 忌
167. 塵　168. 偏執　169. 賣渡　170. 年賦
171. 授爵　172. 艦艇　173. 收縮　174. 穩健派
175. 儉素(朴/約)　176. 緊張　177. 遲鈍

178. 대궐에 들어감　179. 달무리　180. 돛대
181. 무소뿔　182. 제멋대로 함　183. 기장과 조
184. 마구간　185. 다 앎/자세히 앎　186. 고치솜
187. 초가을/음력 9월

188. 里　189. 穴　190. 殳　191. 禾　192. 口
193. 戈　194. 香　195. 木　196. 大　197. 斗
198. 蠻　199. 壹　200. 峽

기출문제 정답

5회

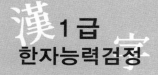

1. 진갈 2. 반와 3. 반원 4. 완천 5. 갱참
6. 호리 7. 과만 8. 자경 9. 차질 10. 복철
11. 각건 12. 두찬 13. 숙취 14. 서둔 15. 굉창
16. 당초 17. 궤란 18. 징비 19. 뇌룡 20. 치매
21. 긍송 22. 독려 23. 소신 24. 배알 25. 구마
26. 관활 27. 영탁 28. 주릉 29. 영췌 30. 침면
31. 표절 32. 수구 33. 호시 34. 회자 35. 패려
36. 협착 37. 해천 38. 회닉 39. 탈략 40. 총췌
41. 조방 42. 극순 43. 용나 44. 진양 45. 생질
46. 포척 47. 췌류 48. 지답 49. 조혜 50. 시저

51. 성내어 꾸짖음　52. 소용돌이, 소용돌이치며 흐름
53. 도리에 벗어난 행동을 멋대로 함　54. 팔찌
55. 구덩이　56. 미세함/매우 적음.
57. 임기가 만료됨/기한이 참　58. 점점 재미있어지는 대목이나 고비/佳境
59. 실패함/계획이 틀어짐　60. 이전 사람의 실패/전철(前轍)

61. [21] 兢悚　62. [31] 剽竊　63. [49] 早慧
64. [38] 晦匿　65. [26] 寬闊

66~70. [23] 宵晨 [33] 弧矢 [34] 膾炙 [42] 戟盾 [50] 匙箸

71. 붙을 점　72. 글뜻풀 주　73. 높을 교
74. 푸른돌 록　75. 어두울 매　76. 곁눈질할 면
77. 수자리 수　78. 대추 조　79. 뚫을 착
80. 화할 해　81. 샐 설　82. 개천 거
83. 끌 예　84. 부을 창　85. 식혜 혜
86. 빠를 첩　87. 잡을 액　88. 얽을 박
89. 겁낼 겁　90. 고요할 밀　91. 잡을 나
92. 바를 광　93. 어리석을 매　94. 사람 이름 설
95. 흰흙 악　96. 구기 작　97. 꼴 추
98. 모자랄 핍　99. 사귈/가로그을 효　100. 부리 훼

101. 手　102. 匚　103. 口　104. 卜
105. 土　106. 勹　107. 艸　108. 丿
109. 爻　110. 囗　111. 强震　112. 負傷
113. 被害　114. 崩壞　115. 幹線　116. 隣近
117. 待避　118. 騷動　119. 疏(疎)開令　120. 緊急
121. 潛在力　122. 象徵　123. 柔軟性　124. 融和
125. 凝集力　126. 編輯　127. 投稿　128. 段落
129. 連鎖　130. 暗行御史　131. 浪漫　132. 守令
133. 隱密　134. 秘密裏　135. 選拔　136. 忘却
137. 醜惡　138. 貪慾　139. 不文律　140. 信賴
141. 提案　142. 準備　143. 優雅　144. 彫刻
145. 露骨的　146. 切斷(截斷)　147. 物神崇拜的　148. 堂堂
149. 纖細　150. 均衡

151~155. [112] 負傷 [113] 被害 [117] 待避 [125] 凝集力
[130] 暗行御史 [131] 浪漫 [134] 秘密裏
[135] 選拔 [140] 信賴

156. ㉣ 剖破　157. ㉢ 誣陷　158. ㉢ 肇始　159. ㉮ 詛呪
160. ㉯ 駕轎　161. 官界　162. 關係　163. 頂上
164. 正常　165. 考試　166. 告示　167. 聖殿
168. 盛典　169. 有志　170. 維持　171. 珍
172. 蠶　173. 窃　174. 担　175. 甞
176. 荒　177. 干　178. 端　179. 獻
180. 死　181. 討, 征　182. 塞　183. 託
184. 輕率　185. 優越　186. 始終　187. 閑散
188. 存續　189. 左遷　190. 洗練　191. 紅, 點
192. 懸, 河　193. 隻, 拳　194. 春, 鳴　195. 衣, 縫
196. 馬, 加　197. 履, 氷　198. 吐, 髮　199. 刀, 痲
200. 虎, 河

6회

1. 고면 2. 포흠 3. 발낭 4. 하예 5. 읍손
6. 규경 7. 뇌롱 8. 안가 9. 하자 10. 침애
11. 참체 12. 신첩 13. 흔척 14. 경도 15. 구예
16. 숙소 17. 추할 18. 발섭 19. 자비 20. 설루
21. 구생 22. 소쇄 23. 분신 24. 치작 25. 현훈
26. 교활 27. 공막 28. 구구 29. 기완 30. 구알
31. 호리 32. 준이 33. 도륙 34. 활협 35. 개분
36. 수갈 37. 치매 38. 둔수 39. 시조 40. 경옹
41. 사유 42. 어령 43. 군액 44. 응연 45. 산습
46. 교령 47. 혹랄 48. 수교 49. 훤굉 50. 독오

51. 돌이켜 봄. 돌아 봄.　52. 관물(官物)을 사사로이 소비함.
53. 바리때.　54. 아주 먼 외딴 지방.
55. 겸손의 뜻을 표시함. 읍하여 물러남.　56. 흠모함. 충성
57. 농락함. 교묘한 꾀로 남을 제 마음대로 부림.　58. 임금이나 천자가 죽음.
59. 흠.　60. 경계(警戒). 잠계(箴戒).

61~65. 13 欣戚 16 夙宵 21 舅甥 34 闊狹 45 刪拾

66. 속빌 강　67. 막을 어　68. 뒤섞일 답
69. 깊을 오　70. 담비 초　71. 나부낄 표
72. 울릴 효　73. 무늬 현　74. 밝을 방
75. 소매 메　76. 허물 고　77. 거둘 급/꽂을 삽
78. 순라 라　79. 부고 부　80. 승냥이 시
81. 돌 알　82. 다죽일 섬　83. 서로 서
84. 전자 전　85. 뼈 해　86. 기 휘
87. 칠 당　88. 모퉁이 우　89. 후릴 괴
90. 긁을 괄

91. 穴　92. 禾　93. 十　94. 牛
95. 足(⻊)　96. 艸(⺾)　97. 足(⻊)　98. 斗
99. 酉　100. 人(亻)　101. ④ 摯( )　102. ② 薑( )
103. ① ( )靭　104. ④ 燕( )　105. ① ( )寐　106. ② 援護
107. ① 疲竭　108. ④ 詳述　109. ② 卒壽　110. ① 危懼
111. 車輛　112. 拋棄　113. 連鎖　114. 追突
115. 需給　116. 收穫　117. 狀啓　118. 獨裁
119. 基礎　120. 裝飾　121. 蹴球　122. 渴望
123. 無慘　124. 携帶　125. 覇(霸)權　126. 趨勢
127. 破壞　128. 均衡　129. 慙悔/(懺悔)　130. 祭享
131. 促求　132. 稱頌　133. 逮捕　134. 監獄
135. 滯留　136. 斬新　137. 映像　138. 禁忌
139. 惹起　140. 波及　141. 狀況　142. 隔差
143. 追擊　144. 維持　145. 壯談

146~150. [112] 拋棄 [117]狀啓 [125]覇權 [127]破壞 [130]祭享
[138]禁忌 [139]惹起 [145]壯談

151. ㉢ 譴責　152. ㉮ 駕轎　153. ㉯ 誓盟　154. ㉣ 獎勵
155. ㉢ 攻伐　156. 邊境　157. 變更　158. 演技
159. 延期　160. 寶座　161. 補佐/(輔佐)　162. 主旨
163. 周知　164. 校庭　165. 矯正　166. 亀
167. 勸　168. 假　169. 壓　170. 湿
171. 覆　172. 脅　173. 吐　174. 連理
175. 映 螢　176. 沈着　177. 白髮　178. 鈍濁
179. 根本　180. 近朱者　181. 該當　182. 締結
183. 회자　184. 우회　185. 여과　186. 出衆, 拔群
187. 選拔, 拔擢　188. 無斷　189. 竊取　190. 抵觸
191. 晝夜　192. 朝夕　193. 鼻叫　194. 瓦雷
195. 藏刀　196. 肝蟲　197. 泥鴻　198. 避虎
199. 麥辨　200. 龍鳳

기출문제 정답

7회

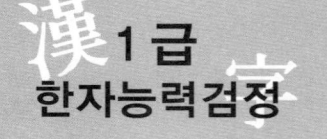

1. 날인 2. 시비 3. 수렵 4. 끽다(차) 5. 침구
6. 석갈 7. 구룡 8. 남상 9. 신금 10. 추낭
11. 교액 12. 궤양 13. 견출 14. 침전 15. 육달
16. 암명 17. 징밀 18. 반박 19. 후분 20. 휜등
21. 임삼 22. 경삽 23. 울서 24. 파충 25. 파사
26. 포복 27. 흠선 28. 표박 29. 촌탁 30. 능참
31. 구생 32. 군준 33. 노기 34. 주저 35. 조강
36. 상환 37. 전간 38. 전모 39. 잠홀 40. 질탕
41. 포폄 42. 비유 43. 활협 44. 요철 45. 요치
46. 와류 47. 옹겁 48. 하예 49. 예특 50. 점쇄

51. 도장을 찍음 52. 사립문
53. 사냥 54. 차를 마심
55. 침과 뜸 56. 과거 합격, 벼슬길에 처음 나감
57. 조상의 산소 58. 사물의 처음
59. 임금의 마음 60. 재능이 뛰어난 사람

61~65. [31] 舅甥 [33] 駑驥 [36] 孀鰥 [41] 褒貶 [43] 闊狹 [44] 凹凸

66. 가사 가 67. 빈소 빈 68. 깨어날 소
69. 아지랑이 애 70. 껍질 각 71. 나이 령
72. 물을 신 73. 밟을 유 74. 대추 조
75. 배로실어나를 조 76. 벼리 륜 77. 돌아누울 전
78. 오줌통 광 79. 비롯할 조 80. 광대 창
81. 아첨할 첨 82. 도금할 도 83. 불을 팽
84. 편지 첩 85. 자세할 자 86. 팔뚝 완
87. 고니(과녁) 곡 88. 소매 메 89. 밝을 방
90. 슬플 강

91. 子 92. 羊 93. 内 94. 鼎
95. 父 96. 雨 97. 又 98. 宀
99. 貝 100. 宀 101. ② □星 102. ③ □塾
103. ③ □淸 104. ① □磨 105. ④ 快□ 106. ② 瀆職
107. ④ 嚆失 108. ③ 奪胎 109. ④ 前軌 110. ④ 琴瑟
111. 驅使 112. 鄕札 113. 創製 114. 暗誦
115. 特殊 116. 退治 117. 普及 118. 增加
119. 高揚 120. 隷屬 121. 指摘 122. 制約
123. 尊崇 124. 象徵 125. 洞察 126. 跳躍
127. 探查 128. 豫報 129. 擴張 130. 構圖
131. 葛藤 132. 動搖 133. 汚染 134. 極甚
135. 淨化 136. 名譽 137. 放置 138. 維持
139. 保護 140. 實際 141. 拒逆 142. 遺産
143. 企業 144. 緩和 145. 深刻

146~155. ① 來客 ② 奏聞 ③ 露積 ⑤ 滿場 ⑦ 緬奉
⑨ 撫愛 ⑪ 彷佛 ⑬ 府君 ⑮ 尙武 ⑰ 雅趣

156. 雪溪 157. 說戒 158. 選拔 159. 先發
160. 歡迎 161. 幻影 162. 優秀 163. 憂愁
164. 油然 165. 遊宴 166. 尽 167. 蠶
168. 弌弍 169. 蛮 170. 龍 171. 拂
172. 損 173. 廻 174. 期待 175. 了解
176. 稱讚 177. 溫暖 178. 渴 179. 剛
180. 突

181. ④ 萬華鏡 182. ① 均衡 183. ⑤ 攝取 184. ④ 削減
185. ③ 舞臺 186. 端緖 187. 胡蝶 188. 半盲
189. 上巳, 重三 190. 月(朔)餘, 月頃 191. 爐 192. 毫
193. 惑 194. 沐 195. 靴 196. 網
197. 窟 198. 握 199. 戴 200. 尉

8회

1. 우활 2. 누황 3. 우랑/우낭 4. 이시 5. 섭혈
6. 궁경 7. 한기 8. 태심 9. 와실 10. 첨피
11. 단사 12. 홍진 13. 생애 14. 수간 15. 모옥
16. 벽계 17. 시비 18. 소요 19. 음영 20. 준중
21. 연하 22. 일휘 23. 금수 24. 엄습 25. 탑승
26. 교란 27. 도참 28. 유괴 29. 방탕 30. 궤멸
31. 발탁 32. 원앙 33. 포말 34. 희생 35. 양효
36. 휘호 37. 양갱 38. 신랄 39. 포로 40. 차련
41. 나병 42. 분뇨 43. 방대 44. 빙자 45. 참회
46. 포상 47. 도서 48. 비박 49. 설사 50. 온오

51. 낚을(낚시) 조 52. 밝을 료 53. 달밝을 교
54. 메울 전 55. 던질 척 56. 물을 자
57. 긁을 소 58. 다 실 59. 놋쇠 유
60. 심을 재 61. 곁 방 62. 못 택
63. 던질 포 64. 놀랄 해 65. 찰 영
66. 빛날 욱 67. 섶 신 68. 팔뚝 굉
69. 함께 구 70. 넓을 왕 71. 도장 인
72. 버금 중 73. 내칠 출 74. 급할 표
75. 송곳 추 76. 벼 화 77. 홀아비 환
78. 여윌 수 79. 샐 설 80. 슬플 오
81. 몸 구 82. 울릴(수레소리) 굉

83. 隨筆 84. 硯滴 85. 情熱 86. 內包
87. 興奮 88. 散策 89. 香臭 90. 餘韻
91. 溫雅 92. 優美 93. 材料 94. 經驗
95. 觀察 96. 現象 97. 發見 98. 獨白
99. 率直 100. 形式 101. 親密 102. 便紙
103. 懇請 104. 驅迫 105. 聰明 106. 遵法
107. 旋律 108. 頻繁 109. 秩序 110. 駐屯
111. 斬新 112. 冷湯 113. 閨秀 114. 敦篤
115. 昏睡 116. 港灣 117. 漂流 118. 步幅
119. 毁損 120. 稀薄 121. 華僑 122. 溺死

123. 結 124. 傲 125. 開 126. 悼 127. 哭
128. 禍 129. 悅 130. 奴 131. 範 132. 尋

133. ㉯ 大將 134. ㉯ 木瓜 135. ㉮ 放浪 136. ㉯ 討論
137. ㉯ 降雨 138. ㉮ 點心 139. ㉮ 冬眠 140. ㉮ 賣上
141. ㉮ 未熟 142. ㉮ 保健 143. 雌 144. 寡
145. 辱 146. 賤 147. 縱 148. 緊縮
149. 義務 150. 儉素 151. 勇敢 152. 需要
153. 濁 154. 顧 155. 首 156. 塞
157. 重 158. 求 159. 腹 160. 憐
161. 博 162. 折 163. 釋 164. 遺
165. 握 166. 都 167. 解 168. 口
169. 火(灬) 170. 人 171. 鼎 172. 弓
173. 凵 174. 尸 175. 亠 176. 麻
177. 八

178. 뱀의 발 혹은 쓸데없는 짓.
179. 머뭇거리고 망설임.
180. 누워있는 용 혹은 세상에 나오지 않은 뛰어난 선비
181. 남의 재물을 몰래 훔치는 일.
182. 점칠 때 쓰는 작은 통.
183. 마룻대와 들보 혹은 뛰어난 인재.
184. 거칠고 센 바다 물결. 185. 고맙고 미안함.
186. 기밀이 밖으로 샘. 187. 햇빛과 그늘 혹은 세월.

188. 受精 189. 葬事 190. 搜查 191. 腎臟 192. 棄兒
193. 祭儀 194. 酌婦 195. 朝廷 196. 觸診 197. 書翰
198. 予 199. 曉 200. 迂

기출문제 정답

9회

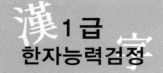

1. 반려	2. 고질	3. 오니	4. 초연	5. 앙등
6. 이앙기	7. 방추	8. 갈등	9. 호도	10. 전별식
11. 역력	12. 탁지부	13. 전분	14. 출수기	15. 여신
16. 인륜	17. 회자	18. 황달	19. 이완	20. 영유아
21. 야로	22. 비취	23. 비정	24. 이질	25. 구휼
26. 배낭	27. 췌장	28. 질곡	29. 연도	30. 범일
31. 선혹	32. 원비	33. 결벽	34. 철완	35. 연작
36. 제삭	37. 증류	38. 거벽	39. 작약	40. 별갑
41. 범게	42. 간주	43. 즙선	44. 주단	45. 즐막
46. 인색	47. 담타	48. 담화	49. 기반	50. 상고

51. 비둘기 구	52. 오목할 요	53. 밝힐 천
54. 여쭐 품	55. 용솟음칠 흉	56. 꾸짖을 힐
57. 사귈(가로그을) 효	58. 아름다울 가	59. 순수할 수
60. 거만할 거	61. 지렁이 인	62. 후릴 괴
63. 좁을 착	64. 삼킬 탄	65. 거품 포
66. 함께 해	67. 하품 흠	68, 소매 몌
69. 도끼 부	70. 거스를 소	71. 너 이
72. 모자랄 핍	73. 좁을 협	74. 둑 언
75. 만날 조	76. 종기 종	77. 사치할 치
78. 깨어날 소	79. 아첨할 첨	80. 버틸 탱
81. 여우 호	82. 기릴 포	

83. 弓	84. 舟	85. 火(灬)	86. 曰
87. 手(扌)	88. 巾	89. 虍	90. 虫
91. 玉	92. 儿		

93. 그다지 큰 소용은 없으나 버리기 아까운 것
94. 아주 급한 상황
95. 뜻을 굽히지 않고 간언하는 강경한 신하
96. 서넛으로 갈라짐
97. 사물의 근원, 일의 시작
98. 검은 구름　　99. 솜두루마기
100. 초청하는 문서　　101. 펴서 풀어냄.
102. 쥐며느리

103. 麥秋	104. 納涼	105. 肥滿	106. 矛盾
107. 惹起	108. 蠶食	109. 枚數	110. 遺將
111. 赦免令	112. 斯界	113. 涉獵	114. 沮害
115. 晩餐	116. 弊端	117. 尖銳	118. 俳優
119. 文盲	120. 魔術	121. 酌況	122. 露積
123. 理髮	124. 雇傭	125. 遮陽幕	126. 諜報
127. 歪曲	128. 霸(覇)權	129. 肝膽	130. 延滯
131. 裝飾	132. 敷地	133. 輕視	134. 編輯
135. 濫伐	136. 荷役	137. 膠漆	138. 壯途
139. 檢疫	140. 蝶泳	141. 臨書	142. 硯滴

143~152. ① 整然　② 竣工　⑤ 歎辭　⑧ 揶揄　⑨ 酵素
⑬ 小宴　⑭ 穢濁　⑯ 訊問　⑰ 駕轎　⑱ 杏木

153. 沒	154. 獄	155. 滅	156. 酌
157. 密	158. 傀	159. 辛	160. 敏
161. 遷(移)	162. 洗	163. 朔	164. 晝
165. 仰	166. 縮	167. 寡	168. 勤
169. 添	170. 厚	171. 毁	172. 壽
173. 根幹	174. 斜邊	175. 手動	176. 信條
177. 較差	178. 侍臣	179. 畿湖	180. 驅除
181. 調停	182. 硬質	183. ②□征	184. ①□爭
185. ④打□	186. ④戶□	187. ③著□	
188. 吹	189. 蓋	190. 懷	191. 過
192. 牛	193. 脣	194. 晝	195. 醫
196. 喪	197. 飛	198. 変	199. 証
200. 碍			

10회

1. 社會	2. 經營	3. 保存	4. 의뢰	5. 인연
6. 團體	7. 성양	8. 組織	9. 根本	10. 意思
11. 發表	12. 연락	13. 動作	14. 機關	15. 질애
16. 고진	17. 先祖	18. 主權	19. 노예	20. 地方
21. 영성	22. 소루	23. 경쟁	24. 강토	25. 奪取
26. 척추	27. 주저	28. 답지	29. 도축	30. 감내
31. 매진	32. 빙자	33. 괴팍(퍅)	34. 활공	35. 궤멸
36. 화훼	37. 괄호	38. 규찰	39. 독산	40. 당구
41. 묘수	42. 운석	43. 굴착	44. 포승	45. 골수
46. 자초	47. 등반	48. 둔부	49. 멸시	50. 미전
51. 시호	52. 의숙	53. 말의	54. 수비	55. 살포
56. 사치	57. 양갱	58. 참호	59. 낙타	60. 무도
61. 치매	62. 흔쾌	63. 환어	64. 후예	65. 무지

66. 움 맹	67. 벗길 박	68. 깎을 산
69. 클 비	70. 빠를 신	71. 누를 안
72. 떳떳할 용	73. 끌 예	74. 나비 접
75. 넓힐 척	76. 씌울 투	77. 모자랄 핍
78. 흡사할 흡	79. 껍질 각	80. 시아비/외삼촌 구
81. 벼 도	82. 그물 망	83. 무역할 무
84. 코 비	85. 쓸 고	86. 거울경
87. 발 렴	88. 눈썹 미	89. 어두울 명
90. 나라 방	91. 꽂을 삽	92. 무릎 슬
93. 쑥 애	94. 까치 작	95. 솥 정
96. 잡을 착	97. 지킬 위	

98. 破壞	99. 幸福	100. 期待	101. 希望
102. 條件	103. 產業	104. 基礎	105. 當然
106. 緊急	107. 朝鮮	108. 懇請	109. 筋肉
110. 贈呈	111. 暢達	112. 遲刻	113. 紊亂
114. 赴任	115. 硯滴	116. 栽培	117. 雨傘
118. 貯藏	119. 遮斷	120. 抛棄	121. 定款
122. 慣習			

123. 開	124. 掌	125. 息	126. 救	127. 獻
128. 許	129. 蔽	130. 燭	131. 黃	132. 常

133. ㉯ 間接	134. ㉯ 興趣	135. ㉮ 正直	136. ㉯ 亞聖
137. ㉯ 試官	138. ㉮ 吐血	139. ㉯ 將校	140. ㉮ 點心
141. ㉮ 賣却	142. ㉯ 未熟	143. 鄕	144. 打
145. 賤	146. 辱	147. 伏	148. 寬
149. 供	150. 柔	151. 刹	152. 降
153. 腹	154. 兩	155. 碧	156. 處
157. 顏	158. 懸	159. 模(糢)	160. 耳
161. 鴻	162. 靴	163. 命	164. 桃
165. 易	166. 販	167. 聽	168. 匕
169. 八	170. 口	171. 十	172. 大
173. 卜	174. 斤	175. 又	176. 戈
177. 口			

178. 잡아 가두는 것.
179. 대를 이을 아들.
180. 우열을 가리기 힘듦.
181. 짙은 안개.
182. 기술적인 재주나 솜씨.
183. 남을 위해 착한 일을 많이 함.
184. 남의 집에 묵는 것.
185. 좋은 말.
186. 논, 밭에 씨를 뿌리는 것.
187. 몹시 심한 추위

188. 油性	189. 企圖	190. 白壽	191. 毛絲	192. 代辯
193. 燒酒	194. 藥食	195. 臟器	196. 誇張	197. 同情
198. 旧	199. 仮	200. 応		

수험번호 □□□-□□-□□□□ 성 명 □□□□□

주민등록번호 □□□□□□-□□□□□□□

※ 한글, 한자 이름 모두 사용 가능.
※ 유성펜, 연필, 붉은색 필기구 사용 불가.

※ 답안지는 컴퓨터로 처리되므로 구기거나 더럽히지 마시고, 정답 칸 안에만 쓰십시오. 글씨가 채점란으로 들어오면 오답처리가 됩니다.

제 회 전국한자능력검정시험 1급 답안지(1) (시험시간 90분)

답안란		채점란		답안란		채점란		답안란		채점란	
번호	정답	1검	2검	번호	정답	1검	2검	번호	정답	1검	2검
1				31				61			
2				32				62			
3				33				63			
4				34				64			
5				35				65			
6				36				66			
7				37				67			
8				38				68			
9				39				69			
10				40				70			
11				41				71			
12				42				72			
13				43				73			
14				44				74			
15				45				75			
16				46				76			
17				47				77			
18				48				78			
19				49				79			
20				50				80			
21				51				81			
22				52				82			
23				53				83			
24				54				84			
25				55				85			
26				56				86			
27				57				87			
28				58				88			
29				59				89			
30				60				90			

감독위원	채점위원 (1)		채점위원 (2)		채점위원 (3)	
(서명)	(득점)	(서명)	(득점)	(서명)	(득점)	(서명)

※뒷면으로 이어짐

※ 답안지는 컴퓨터로 처리되므로 구기거나 더럽히지 마시고, 정답 칸 안에만 쓰십시오. 글씨가 채점란으로 들어오면 오답처리가 됩니다.

제 회 전국한자능력검정시험 1급 답안지(2) (시험시간 90분)

답안란		채점란		답안란		채점란		답안란		채점란	
번호	정답	1검	2검	번호	정답	1검	2검	번호	정답	1검	2검
91				128				165			
92				129				166			
93				130				167			
94				131				168			
95				132				169			
96				133				170			
97				134				171			
98				135				172			
99				136				173			
100				137				174			
101				138				175			
102				139				176			
103				140				177			
104				141				178			
105				142				179			
106				143				180			
107				144				181			
108				145				182			
109				146				183			
110				147				184			
111				148				185			
112				149				186			
113				150				187			
114				151				188			
115				152				189			
116				153				190			
117				154				191			
118				155				192			
119				156				193			
120				157				194			
121				158				195			
122				159				196			
123				160				197			
124				161				198			
125				162				199			
126				163				200			
127				164							

■ 사단법인 한국어문회 · 한국한자능력검정회 □□□ ■

수험번호 □□□-□□-□□□□□ 성 명 □□□□□

주민등록번호 □□□□□□-□□□□□□□

※ 한글, 한자 이름 모두 사용 가능.
※ 유성펜, 연필, 붉은색 필기구 사용 불가.

※ 답안지는 컴퓨터로 처리되므로 구기거나 더럽히지 마시고, 정답 칸 안에만 쓰십시오. 글씨가 채점란으로 들어오면 오답처리가 됩니다.

제 회 전국한자능력검정시험 1급 답안지(1) (시험시간 90분)

답안란		채점란		답안란		채점란		답안란		채점란	
번호	정답	1검	2검	번호	정답	1검	2검	번호	정답	1검	2검
1				31				61			
2				32				62			
3				33				63			
4				34				64			
5				35				65			
6				36				66			
7				37				67			
8				38				68			
9				39				69			
10				40				70			
11				41				71			
12				42				72			
13				43				73			
14				44				74			
15				45				75			
16				46				76			
17				47				77			
18				48				78			
19				49				79			
20				50				80			
21				51				81			
22				52				82			
23				53				83			
24				54				84			
25				55				85			
26				56				86			
27				57				87			
28				58				88			
29				59				89			
30				60				90			

감독위원	채점위원 (1)		채점위원 (2)		채점위원 (3)	
(서명)	(득점)	(서명)	(득점)	(서명)	(득점)	(서명)

※뒷면으로 이어짐

■ ■

※ 답안지는 컴퓨터로 처리되므로 구기거나 더럽히지 마시고, 정답 칸 안에만 쓰십시오. 글씨가 채점란으로 들어오면 오답처리가 됩니다.

제 회 전국한자능력검정시험 1급 답안지(2) (시험시간 90분)

답안란		채점란		답안란		채점란		답안란		채점란	
번호	정답	1검	2검	번호	정답	1검	2검	번호	정답	1검	2검
91				128				165			
92				129				166			
93				130				167			
94				131				168			
95				132				169			
96				133				170			
97				134				171			
98				135				172			
99				136				173			
100				137				174			
101				138				175			
102				139				176			
103				140				177			
104				141				178			
105				142				179			
106				143				180			
107				144				181			
108				145				182			
109				146				183			
110				147				184			
111				148				185			
112				149				186			
113				150				187			
114				151				188			
115				152				189			
116				153				190			
117				154				191			
118				155				192			
119				156				193			
120				157				194			
121				158				195			
122				159				196			
123				160				197			
124				161				198			
125				162				199			
126				163				200			
127				164							

■ 사단법인 한국어문회 · 한국한자능력검정회 □□□ ■

수험번호 □□□-□□-□□□□ 성 명 □□□□□

주민등록번호 □□□□□□-□□□□□□□

※ 한글, 한자 이름 모두 사용 가능.
※ 유성펜, 연필, 붉은색 필기구 사용 불가.

※ 답안지는 컴퓨터로 처리되므로 구기거나 더럽히지 마시고, 정답 칸 안에만 쓰십시오. 글씨가 채점란으로 들어오면 오답처리가 됩니다.

제 회 전국한자능력검정시험 1급 답안지(1) (시험시간 90분)

답안란		채점란		답안란		채점란		답안란		채점란	
번호	정답	1검	2검	번호	정답	1검	2검	번호	정답	1검	2검
1				31				61			
2				32				62			
3				33				63			
4				34				64			
5				35				65			
6				36				66			
7				37				67			
8				38				68			
9				39				69			
10				40				70			
11				41				71			
12				42				72			
13				43				73			
14				44				74			
15				45				75			
16				46				76			
17				47				77			
18				48				78			
19				49				79			
20				50				80			
21				51				81			
22				52				82			
23				53				83			
24				54				84			
25				55				85			
26				56				86			
27				57				87			
28				58				88			
29				59				89			
30				60				90			

	감독위원	채점위원 (1)		채점위원 (2)		채점위원 (3)	
	(서명)	(득점)	(서명)	(득점)	(서명)	(득점)	(서명)

※뒷면으로 이어짐

■ ■

※ 답안지는 컴퓨터로 처리되므로 구기거나 더럽히지 마시고, 정답 칸 안에만 쓰십시오. 글씨가 채점란으로 들어오면 오답처리가 됩니다.

제　회 전국한자능력검정시험 1급 답안지(2)　(시험시간 90분)

답안란		채점란		답안란		채점란		답안란		채점란	
번호	정답	1검	2검	번호	정답	1검	2검	번호	정답	1검	2검
91				128				165			
92				129				166			
93				130				167			
94				131				168			
95				132				169			
96				133				170			
97				134				171			
98				135				172			
99				136				173			
100				137				174			
101				138				175			
102				139				176			
103				140				177			
104				141				178			
105				142				179			
106				143				180			
107				144				181			
108				145				182			
109				146				183			
110				147				184			
111				148				185			
112				149				186			
113				150				187			
114				151				188			
115				152				189			
116				153				190			
117				154				191			
118				155				192			
119				156				193			
120				157				194			
121				158				195			
122				159				196			
123				160				197			
124				161				198			
125				162				199			
126				163				200			
127				164							

수험번호 □□□-□□-□□□□□ 성 명 □□□□□

주민등록번호 □□□□□□-□□□□□□□

※ 한글, 한자 이름 모두 사용 가능.
※ 유성펜, 연필, 붉은색 필기구 사용 불가.

※ 답안지는 컴퓨터로 처리되므로 구기거나 더럽히지 마시고, 정답 칸 안에만 쓰십시오. 글씨가 채점란으로 들어오면 오답처리가 됩니다.

제 회 전국한자능력검정시험 1급 답안지(1) (시험시간 90분)

답 안 란		채점란		답 안 란		채점란		답 안 란		채점란	
번호	정 답	1검	2검	번호	정 답	1검	2검	번호	정 답	1검	2검
1				31				61			
2				32				62			
3				33				63			
4				34				64			
5				35				65			
6				36				66			
7				37				67			
8				38				68			
9				39				69			
10				40				70			
11				41				71			
12				42				72			
13				43				73			
14				44				74			
15				45				75			
16				46				76			
17				47				77			
18				48				78			
19				49				79			
20				50				80			
21				51				81			
22				52				82			
23				53				83			
24				54				84			
25				55				85			
26				56				86			
27				57				87			
28				58				88			
29				59				89			
30				60				90			

	감 독 위 원	채 점 위 원 (1)		채 점 위 원 (2)		채 점 위 원 (3)	
	(서명)	(득점)	(서명)	(득점)	(서명)	(득점)	(서명)

※뒷면으로 이어짐

※ 답안지는 컴퓨터로 처리되므로 구기거나 더럽히지 마시고, 정답 칸 안에만 쓰십시오. 글씨가 채점란으로 들어오면 오답처리가 됩니다.

제 회 전국한자능력검정시험 1급 답안지(2) (시험시간 90분)

답안란		채점란		답안란		채점란		답안란		채점란	
번호	정답	1검	2검	번호	정답	1검	2검	번호	정답	1검	2검
91				128				165			
92				129				166			
93				130				167			
94				131				168			
95				132				169			
96				133				170			
97				134				171			
98				135				172			
99				136				173			
100				137				174			
101				138				175			
102				139				176			
103				140				177			
104				141				178			
105				142				179			
106				143				180			
107				144				181			
108				145				182			
109				146				183			
110				147				184			
111				148				185			
112				149				186			
113				150				187			
114				151				188			
115				152				189			
116				153				190			
117				154				191			
118				155				192			
119				156				193			
120				157				194			
121				158				195			
122				159				196			
123				160				197			
124				161				198			
125				162				199			
126				163				200			
127				164							

■ 사단법인 한국어문회 · 한국한자능력검정회 □□□ ■

수험번호 □□□-□□-□□□□ 성 명 □□□□□

주민등록번호 □□□□□□-□□□□□□□

※ 한글, 한자 이름 모두 사용 가능.
※ 유성펜, 연필, 붉은색 필기구 사용 불가.

※ 답안지는 컴퓨터로 처리되므로 구기거나 더럽히지 마시고, 정답 칸 안에만 쓰십시오. 글씨가 채점란으로 들어오면 오답처리가 됩니다.

제 회 전국한자능력검정시험 1급 답안지(1) (시험시간 90분)

답안란		채점란		답안란		채점란		답안란		채점란	
번호	정답	1검	2검	번호	정답	1검	2검	번호	정답	1검	2검
1				31				61			
2				32				62			
3				33				63			
4				34				64			
5				35				65			
6				36				66			
7				37				67			
8				38				68			
9				39				69			
10				40				70			
11				41				71			
12				42				72			
13				43				73			
14				44				74			
15				45				75			
16				46				76			
17				47				77			
18				48				78			
19				49				79			
20				50				80			
21				51				81			
22				52				82			
23				53				83			
24				54				84			
25				55				85			
26				56				86			
27				57				87			
28				58				88			
29				59				89			
30				60				90			

감독위원	채점위원 (1)		채점위원 (2)		채점위원 (3)	
(서명)	(득점)	(서명)	(득점)	(서명)	(득점)	(서명)

※뒷면으로 이어짐

■ ■

※ 답안지는 컴퓨터로 처리되므로 구기거나 더럽히지 마시고, 정답 칸 안에만 쓰십시오. 글씨가 채점란으로 들어오면 오답처리가 됩니다.

제 회 전국한자능력검정시험 1급 답안지(2) (시험시간 90분)

답안란		채점란		답안란		채점란		답안란		채점란	
번호	정답	1검	2검	번호	정답	1검	2검	번호	정답	1검	2검
91				128				165			
92				129				166			
93				130				167			
94				131				168			
95				132				169			
96				133				170			
97				134				171			
98				135				172			
99				136				173			
100				137				174			
101				138				175			
102				139				176			
103				140				177			
104				141				178			
105				142				179			
106				143				180			
107				144				181			
108				145				182			
109				146				183			
110				147				184			
111				148				185			
112				149				186			
113				150				187			
114				151				188			
115				152				189			
116				153				190			
117				154				191			
118				155				192			
119				156				193			
120				157				194			
121				158				195			
122				159				196			
123				160				197			
124				161				198			
125				162				199			
126				163				200			
127				164							

한자능력 검정시험 1급

특허 : 제10-0636034호
발명의 명칭 : 한자학습교재
발명특허권자 : 능률원출판사

엮은이 능률원 출판사
발행인 능률원 출판사

초판 발행 2010년 11월 5일
2판 발행 2010년 4월 10일
3판 발행 2012년 8월 27일
4판 발행 2014년 3월 5일
5판 발행 2016년 1월 1일
6판 발행 2017년 1월 1일
7판 발행 2019년 1월 1일
8판 발행 2022년 1월 1일
9판 발행 2023년 1월 1일

주소 | 서울특별시 영등포구 도림동 283-5
전화 | (02) 843-1246

등록 | 제 05-04-0211

도서출판 능률원

定價 19,000원